POR QUEM OS SINOS DOBRAM

ERNEST HEMINGWAY

POR QUEM OS SINOS DOBRAM

TRADUÇÃO
LUIZ PEAZÊ

1ª edição

BERTRAND BRASIL
Rio de Janeiro | 2024

CIP-BRASIL. CATALOGAÇÃO NA PUBLICAÇÃO
SINDICATO NACIONAL DOS EDITORES DE LIVROS, RJ

H428p Hemingway, Ernest, 1899-1961
Por quem os sinos dobram / Ernest Hemingway ; tradução Luiz Peazê.
- 1. ed. - Rio de Janeiro : Bertrand Brasil, 2024.

Tradução de: For whom the bell tolls
ISBN 978-65-5838-343-7

1. Ficção americana. I. Peazê, Luiz. II. Título.

CDD: 813
24-93615 CDU: 82-3(73)

Meri Gleice Rodrigues de Souza - Bibliotecária - CRB-7/6439

Projeto gráfico de box, capa e miolo: Leonardo Iaccarino
Imagem de capa e miolo: Shutterstock

Texto revisado segundo o novo Acordo Ortográfico da Língua Portuguesa.

Impresso no Brasil

Este livro é para
MARTHA GELLHORN

Nenhum homem é uma *Ilha*, um ser inteiro, em si mesmo; todo homem é uma partícula do *Continente*, uma parte da *Terra*. Se um *Pequeno Torrão* carregado pelo *Mar* deixa menor a *Europa*, como se todo um *Promontório* fosse, ou a *Herdade* de um *amigo* seu, ou até mesmo a *sua própria*, também a *morte* de um único homem *me* diminui, porque eu pertenço à *Humanidade*. Portanto, nunca procures saber por quem os *sinos* dobram. Eles dobram por *ti*.

JOHN DONNE*

---

* John Donne (1572-1631), poeta e padre anglicano, nasceu em Londres, em uma proeminente família católica, mas converteu-se ao anglicanismo (o sentimento anticatólico era uma tendência da época) após seu irmão morrer de febre na prisão (fora condenado por beneficiar um padre católico proscrito). Estudou em Oxford e Cambridge, entretanto, sem formar-se em nenhuma universidade. Consumiu parte de sua juventude como um *bon vivant*, gastando o dinheiro herdado da família. Em 1592 incorporou-se à expedição naval da Inglaterra que iria combater em Cádiz, na Espanha. Retornando ao solo britânico, em 1598, ganhou o cargo de secretário particular de *Sir* Thomas Egerton, Mantenedor do Selo Real. Passou a encontrar-se secretamente com a sobrinha de *Sir* Thomas, Anne More, uma jovem de apenas 17 anos, com quem veio a casar-se em sigilo e teve sete filhos. Uma vez descoberto, perdeu o cargo e foi preso. Mais tarde viria resumir poeticamente a experiência em "John Donne, Anne Donne, Undone". Durante alguns anos, após ser solto da prisão, ganhou a vida parcamente como advogado e, nessa fase, escreveu panfletos anticatolicistas para *Sir* Thomas Morton, ativista da época.

Entre seus poemas famosos encontram-se *Divine Poems* (Poemas divinos, 1607) e, em prosa, *Biathanatos* (1608, publicado somente em 1644), trabalho no qual argumenta que o suicídio não é intrinsecamente um pecado. Em 1615, John Donne torna-se padre da Igreja Anglicana e é nomeado Capelão Real, época em que, segundo os críticos, o poeta passou de "John Donne, o libertino", para "John Donne, o deão de St. Paul", notabilizando-se por seus eloquentes sermões (mais de 160 publicados), entre eles a "Meditação XVII" (1624), de cujo excerto acima Ernest Hemingway retirou o título da presente obra. (N.T.)

POR QUEM OS SINOS DOBRAM

1

Estendeu-se no chão amarronzado da mata, coberto de pinhas pontiagudas, o queixo apoiado nos antebraços dobrados enquanto, lá bem no alto, no topo dos pinheiros, o vento soprava. A montanha formava um declive suave, bem onde ele se estendera. Mais embaixo, o declive precipitava-se, e ele podia ver a risca escura de uma estrada betuminosa serpenteando através do desfiladeiro. Havia um riacho correndo junto à estrada e ele viu uma serraria à margem, e, além do passo, uma represa com uma queda d'água branquejando na luz do sol de verão.

— Aquela é a serraria? — perguntou.

— É.

— Não me lembro dela.

— Foi construída depois que você esteve aqui. A velha serraria fica mais adiante; muito além do desfiladeiro.

Ele desdobrou a cópia fotostática do mapa militar no chão da floresta e examinou-a cuidadosamente. O velho ficou observando-o por sobre os seus ombros. Era um velho miúdo e forte, vestia uma bata de camponês preta, calças retas, cinza, e usava alpargatas de solado de corda. Estava ofegante por causa da subida e sua mão descansava numa das duas pesadas mochilas que trazia.

— Daqui, então, não se pode ver a ponte.

— Não — disse o velho. — Esta é a área do vau, onde o riacho corre mais lento. Embaixo, onde a estrada sai de vista por detrás das árvores, cai de repente numa garganta a pique.

— Eu lembro.

— A ponte atravessa essa garganta.

— E onde estão os postos de guarda?

— Tem um posto na serraria que você vê daqui.

O jovem, que estudava a região, pegou os seus binóculos do bolso da desbotada camisa de flanela cáqui, limpou as lentes com um lenço, levou-os aos olhos ajustando o foco até que, de súbito, as tábuas da serraria apareceram com nitidez. Viu então um banco de madeira junto à porta, uma enorme pilha de serragem nos fundos abertos do galpão, onde havia uma serra circular, e uma calha que trazia toras da montanha desde o barranco do outro lado do riacho. Visto pelos binóculos, o riacho parecia claro e sem ondulações, e abaixo da convulsão da queda d'água a espuma da represa voava ao vento.

— Não tem sentinela.

— Mas tem fumaça saindo da casa da serraria — disse o velho. — E também roupas penduradas no varal.

— Estou vendo, mas não vejo nenhuma sentinela.

— Talvez esteja na sombra — explica o velho. — Está quente lá embaixo. Pode ser que ele esteja na sombra dos fundos, daí, não podemos vê-lo.

— Provavelmente. Onde é o outro posto?

— Abaixo da ponte. Na cabana do zelador da estrada, a cinco quilômetros do topo do desfiladeiro.

— Quantos soldados tem aqui? — apontou para a serraria.

— Talvez quatro, e um cabo.

— E lá embaixo?

— Mais. Eu vou descobrir.

— E na ponte?

— Sempre dois. Um em cada ponta.

— Vamos precisar de um certo número de homens — disse o jovem. — Quantos você pode arranjar?

— Posso trazer quantos homens você quiser — disse o velho. — Agora tem muita gente aqui nas montanhas.

— Quantos?

— Tem mais de cem. Mas andam em pequenos bandos. De quantos homens você vai precisar?

— Eu lhe digo depois de examinar a ponte.

— Quer dar uma examinada agora?

— Não. Agora eu quero encontrar um lugar para esconder estes explosivos até a hora certa. Seria bom se fosse num lugar bem seguro, e a uma distância de no máximo meia hora da ponte, se for possível.

— Isso é fácil! — disse o velho. — Do lugar para onde estamos indo, será uma descida só até a ponte. Mas agora temos uma subida puxada para chegar lá. Você está com fome?

— Estou — disse o jovem. — Mas vamos comer mais tarde. Como você se chama? Eu esqueci — e esse esquecimento era um sinal de má sorte para ele.

— Anselmo — disse o velho. — Eu me chamo Anselmo e sou de Barco de Ávila. Deixe eu ajudar você com essa mochila.

O jovem, que era alto e magro, cabelos louros e ressecados, a face castigada pelo vento e queimada de sol, vestia uma camisa de flanela desbotada, calças de camponês e alpargatas de solado de corda. Ele inclinou-se, meteu um dos braços sob as alças de couro da pesada mochila e a trouxe para cima dos ombros. Enfiou o outro braço na outra alça e ajeitou o peso contra as costas. Sua camisa continuava molhada de suor onde apoiava a mochila.

— Pronto, já estou com ela — disse. — Como é que chegamos até lá?

— Subindo — disse Anselmo.

Curvados pelo peso das mochilas, suando, eles subiram com determinação a encosta da montanha coberta de pinheiros. Não havia trilha visível para o jovem, mas eles subiram, cruzando a face da montanha;

então atravessaram um pequeno riacho e o velho, sem hesitar, seguiu pela margem do leito pedregoso. A subida tornou-se mais íngreme e difícil, até que, finalmente, o riacho pareceu debruçar-se por sobre a quina de um ressalto liso de granito acima deles, e o velho esperou ao pé do ressalto até que o jovem o alcançasse.

— Como é que está indo?

— Tudo bem — disse o jovem. Suava muito e os músculos das coxas tremiam pelo esforço da escalada.

— Espere aqui. Vou na frente para avisá-los. É melhor não arriscar levar um tiro carregando essas coisas.

— Nem brincando — disse o jovem. — É longe?

— Bem pertinho. Como é que eles te chamam?

— Roberto — o jovem respondeu. Ele tinha soltado a mochila, pousando-a cuidadosamente por entre duas enormes pedras ao lado do leito do riacho.

— Então espere aqui, Roberto. Eu volto para te buscar.

— Certo! — disse o jovem. — Mas você está pensando em descer por este caminho até a ponte?

— Não. Quando formos para a ponte, será por outro caminho. Mais curto e mais fácil.

— Não quero guardar este material muito longe da ponte.

— Você vai ver. Se não ficar satisfeito, encontramos outro lugar.

— Muito bem — replicou o jovem.

Ele se sentou próximo das mochilas e ficou observando o velho subir o ressalto de granito. O velho avançava sem muita dificuldade e, pelo jeito como o fazia, sem precisar procurar pontos de apoio para as mãos, o jovem podia ver que ele já tinha feito aquele caminho muitas vezes. Mesmo assim, quem quer que estivesse lá em cima tivera todo o cuidado para não deixar nenhuma pista da trilha.

O jovem, cujo nome era Robert Jordan, sentia muita fome e estava preocupado. Sentia fome com frequência, mas não costumava preocupar-se, porque não dava importância para o que acontecesse com ele e sabia, por experiência própria, como era fácil mover-se por trás das linhas inimigas naquela região. Seria tão fácil mover-se por trás delas quanto atravessá-las, se a pessoa tivesse um bom guia. O que tornava tudo difícil era quando se dava importância ao que poderia acontecer, caso a pessoa fosse pega. Isto e decidir em quem confiar. Era preciso confiar integralmente nas pessoas com quem se trabalhava, ou não confiar nem um pouco, e tomar decisões baseadas na confiança. Ele não estava preocupado com nada disso. Mas havia outras coisas.

Este Anselmo tinha sido um bom guia e podia andar muito bem pelas montanhas. Robert Jordan podia caminhar bastante, mas sabia, por ter seguido o velho desde a madrugada, que ele era capaz de matá-lo de cansaço. Até aqui Robert Jordan confiara naquele homem, Anselmo, sob todos os aspectos, exceto o do julgamento. Ainda não tinha tido a chance de testar sua capacidade de julgamento; de qualquer maneira, esta era uma tarefa de sua inteira responsabilidade. Não, ele não estava preocupado com Anselmo, e o problema da ponte não era mais difícil do que muitos outros problemas. Ele sabia como explodir qualquer tipo de ponte, havia explodido pontes de todos os tamanhos e formatos. As duas mochilas continham explosivos e equipamentos suficientes para mandar essa ponte pelos ares, mesmo que fosse duas vezes maior do que Anselmo dissera, de acordo com o que se lembrava de quando passara por ela, indo para La Granja, numa caminhada em 1933, e de como Golz a descrevera, duas noites atrás, no andar de cima daquela casa nos arredores do Escorial.

— Explodir a ponte não é nada — dissera Golz, a luz do lampião refletida na sua cabeça raspada e marcada por cicatrizes, apontando com o lápis para um enorme mapa. — Você entende?

— Entendo.

— Nada, absolutamente nada. Apenas explodir a ponte é um fracasso.

— Sim, Camarada General.

— Explodir a ponte numa hora estabelecida, baseada no horário predeterminado para o ataque, é assim que deve ser feito. Mas você deve saber disso. Este é o seu dever e é assim que você deve fazê-lo.

Golz olhou para o lápis, e bateu com ele nos dentes. Robert Jordan não disse nada.

— Você entende que este é o seu dever e a maneira como isto deve ser feito — continuou Golz, olhando para ele e balançando a cabeça. — É assim que eu faria isto. E com isto nós não podemos contar.

— Por quê, Camarada General?

— Por quê? — disse Golz, irritado. — Você já viu tantos ataques e ainda me pergunta por quê? Qual é a garantia de que minhas ordens não serão mudadas? O que garante que o ataque não será cancelado? O que garante que ele não atrasará, quem sabe, até seis horas, para iniciar-se! *Algum* ataque já aconteceu como estava planejado?

— Começará pontualmente, se for o seu ataque — disse Robert Jordan.

— Os ataques nunca são meus — disse Golz. — Eu os executo. Mas não são meus. A artilharia não é minha. Tenho que tolerá-la. Nunca recebi o que pedi, mesmo quando eles têm o que quero. E isto é o mínimo. E há outras coisas. Você sabe como é essa gente. Não é necessário falar disso tudo. Sempre aparece alguma coisa. Sempre alguém irá interferir. Portanto, assegure-se de ter entendido.

— Então, quando é que a ponte deve ser explodida? — perguntou Robert Jordan.

— Depois que o ataque começar. Assim que o ataque começar, e não antes. Deste modo nenhum reforço virá pela estrada, apontou ele com o lápis. — Preciso saber que nada virá pela estrada.

— E quando é o ataque?

— Direi a você. Mas você deve usar a data e o horário somente como uma indicação de probabilidade. Você deve estar a postos. Você irá explodir a ponte depois que o ataque começar. Entendeu? — apontou para o mapa com o lápis. — Esta é a única estrada por onde eles podem trazer reforços. A única estrada por onde eles podem trazer tanques, artilharia, ou até fazer passar caminhões em direção à passagem que eu vou atacar. Preciso saber que a ponte foi destruída. Não antes, pois poderia ser reparada se o ataque for adiado. Não. Ela deve explodir quando o ataque começar, e eu preciso saber que ela foi pelos ares. Há apenas duas sentinelas. O homem que irá com você acabou de voltar de lá. É um homem muito confiável, dizem. Você verá. Ele tem gente nas montanhas. Pode usar quantos homens precisar. Utilize o menor número possível, mas o suficiente. Eu não tenho que lhe dizer essas coisas.

— E como vou saber se o ataque começou?

— Será feito com uma divisão completa. Haverá um bombardeio aéreo como preparação. Você não é surdo, é?

— Então posso considerar que, quando os aviões começarem a soltar bombas, o ataque começou?

— Você não pode presumir isto, sempre, desta forma — disse Golz, e sacudiu a cabeça. — Mas, neste caso, pode. É o meu ataque.

— Entendo — disse Robert Jordan. — E digo que não gosto muito disso.

— Nem eu. Se você não quer se encarregar disso, diga agora. Se acha que não pode fazer, diga agora.

— Deixe comigo — disse Robert Jordan. — Vou fazer tudo certo.

— Isso é tudo o que eu preciso saber — disse Golz. — Que nada vai chegar por aquela ponte. Absolutamente nada.

— Entendo.

— Não gosto de pedir para as pessoas fazerem as coisas desta forma — continuou Golz. — Não poderia dar uma ordem para você fazer isso. Entendo o que você talvez seja forçado a fazer por eu colocar essas condições. E estou explicando tudo em detalhes para que você entenda direito as dificuldades e a importância da missão.

— E como vai avançar sobre La Granja, se aquela ponte for pelos ares?

— Estaremos preparados para restaurá-la depois de bombardear o passo. É uma linda operação e muito complicada. Linda e complicada como sempre. O plano foi elaborado em Madri. Mais uma das obras-primas do desastrado professor Vicente Rojo. Eu vou executar o ataque, e vai ser como sempre, com forças insuficientes. Apesar disso, é uma operação factível. Estou mais satisfeito com o plano do que normalmente. Pode ser um sucesso, se aquela ponte for destruída. Podemos tomar Segóvia. Olhe, vou mostrar como vai acontecer. Vê? Não atacamos no topo da passagem. Já tomamos esse pedaço. É mais além, aqui, assim...

— Eu prefiro não saber — disse Robert Jordan.

— Bom — disse Golz. — Menos bagagem para você carregar lá do outro lado, não é?

— Eu sempre prefiro não saber. Assim, não importa o que aconteça, não fui eu quem deixou vazar.

— É melhor não saber — Golz completou batendo com o lápis na testa. — Muitas vezes eu mesmo gostaria de não saber. Mas você sabe daquela determinada coisa sobre a ponte?

— Sim, eu sei.

— Bem, então... — continuou Golz. — Não vou fazer nenhum discurso. Agora vamos tomar um drinque. Muita conversa me dá sede, Camarada *Hordan*. Seu nome fica engraçado no espanhol, Camarada *Hordown*.

— Como é que se diz Golz em espanhol, Camarada General?

— Hotze — disse Golz, num sorriso em que arreganhava os dentes, fazendo um som gutural como se gripado e expectorasse. — Hotze — resmungou. — Camarada Heneral Khotze. Se eu soubesse como eles pronunciam Golz em espanhol, teria escolhido um nome melhor antes de vir para esta guerra. Quando penso que vim comandar uma divisão, podendo escolher qualquer nome, e fui pegar logo este, Hotze. Heneral Hotze. Mas agora é tarde para mudar. Você gosta do trabalho de *partisan*? Era o termo russo para trabalho de guerrilha atrás das linhas.

— Gosto muito — respondeu Robert Jordan, arreganhando os dentes, num sorriso, também. — É muito saudável, toma-se muito ar puro!

— Na sua idade eu gostava muito disso também. Dizem que você é bom em explodir pontes. Muito científico. É o que ouvi dizer. Nunca vi você fazendo coisa alguma. Talvez nada tenha acontecido de verdade. Você realmente explodiu alguma ponte? — agora ele o estava provocando. — Tome — ofereceu um copo de conhaque espanhol para Robert Jordan. — Diga, você *realmente* explodiu alguma ponte?

— Algumas.

— Nada de *algumas* com esta ponte. Não, não vamos falar mais sobre esta ponte. Você já sabe o bastante sobre esta ponte. Somos pessoas muito sérias, então podemos fazer brincadeiras muito pesadas. Me diga, você tem muitas garotas do outro lado das linhas?

— Não, não há tempo para garotas.

— Não concordo. Quanto mais irregular for o trabalho, mais irregular é a vida. Você tem um trabalho bem irregular. E também precisa de um corte de cabelo.

— Corto meu cabelo quando acho necessário — disse Robert Jordan. Ele nunca aceitaria raspar a cabeça como Golz. — Sem garotas já tenho bastante com o que me preocupar — concluiu, mal-humorado. — Que uniforme devo usar? — perguntou Robert Jordan.

— Nenhum — Golz respondeu. — Seu cabelo está bem. Estou provocando você. Você é muito diferente de mim — disse Golz e tornou a encher os copos. — Você não deixa as garotas ocuparem sua cabeça. Eu jamais penso em garotas. E por que eu deveria pensar? Sou um *Général Sovietique*. Não penso. Nem tente me fazer pensar.

— Alguém da sua equipe, sentado numa cadeira, trabalhando num mapa sobre uma bancada, resmungou algo para ele numa língua que Robert Jordan não entendeu.

— Cale-se — disse Golz em inglês. — Eu brinco quando quiser. Sou tão sério que posso brincar. Agora, tome o drinque e vá. Você entendeu tudo, não foi?

— É, entendi — respondeu Robert Jordan.

Apertaram as mãos, bateram continência e saíram até o carro oficial onde o velho esperava cochilando. Tomaram a viatura e rodaram até a estrada passando por Guadarrama, com o velho ainda dormindo, subiram pela estrada de Navacerrada até a cabana do Alpine Club, onde Robert Jordan dormiu por três horas para então prosseguirem.

Foi a última vez que vira Golz, com seu rosto pálido, tão estranho, que nunca ficava bronzeado, seus olhos de gavião, nariz longo, lábios finos e cabeça raspada, marcada por rugas e cicatrizes. Na noite seguinte, estariam fora de Escorial, viajando na estrada às escuras. As longas filas de caminhões desembarcando a infantaria na escuridão; os homens, com carregamento pesado, a embarcar nos caminhões; a seção de metralhadoras carregando os caminhões com suas armas; tanques sobre esteiras deslizando para as carrocerias de caminhões-tanque; a Divisão sendo empurrada durante a noite para o ataque à passagem; nada disso era para ele pensar. Nada disso era da sua conta.

Era problema de Golz. Ele tinha apenas uma coisa a fazer: deveria estar muito consciente de sua tarefa e enfrentar o que quer que acontecesse, sem outras preocupações. Preocupar-se era o mesmo que sentir medo. Simplesmente tornava tudo mais difícil.

Agora ele estava sentado à margem do riacho, olhando as suas águas claras fluírem entre as rochas, e notou do outro lado um espesso canteiro de agrião. Cruzou o córrego, apanhou duas mãos cheias, lavou as raízes sujas de barro na corrente e retornou para sentar-se novamente ao lado da mochila, comendo as folhas frescas e os talos crocantes e de sabor ardido. Ajoelhou-se à beira do riacho, deslizou a pistola em torno da cintura até o centro das costas, para não molhá-la, e abaixou o dorso, apoiando-se com as mãos em duas pedras para beber água. A água provocava dores de tão gelada.

Erguendo-se com apoio dos braços, girou a cabeça e avistou o velho, voltando pelo ressalto de granito. Com ele vinha outro homem, também vestindo bata preta de camponês e as calças cinza-escuro, que eram quase um uniforme naquela província, calçando alpargatas de solado de corda e trazendo uma carabina a meia espalda. Não usava chapéu. Os dois homens vieram pulando pelas rochas feito cabritos.

Quando chegaram até ele, Robert Jordan se pôs de pé.

— *Salud,* Camarada — disse para o homem de carabina e sorriu.

— *Salud* — respondeu o outro, de má vontade. Robert Jordan examinou o rosto do homem, com a barba por fazer há muitos dias. Era um rosto quase redondo, assim como a sua cabeça, colada aos ombros. Seus olhos eram pequenos, bem separados um do outro, e as orelhas eram minúsculas e rentes à cabeça. Um homem pesado, talvez com 1,70m de altura, mãos e pés enormes. Tinha o nariz quebrado e uma cicatriz de corte na boca, aparecendo através da barba no canto do lábio superior e da mandíbula.

— O velho apontou com a cabeça para o homem e sorriu.

— Ele é quem manda por aqui — disse, sorrindo e arreganhando os dentes, e contraiu os bíceps dos dois braços querendo demonstrar, com falsa admiração, o vigor do homem da carabina. — Ele é um homem muito forte.

— Estou vendo — disse Robert Jordan e sorriu outra vez. Não gostou da aparência do homem e no íntimo não estava rindo nem um pouco.

— O que você pode mostrar para comprovar sua identidade? — perguntou o da carabina.

Robert Jordan desprendeu o alfinete de segurança do bolso e tirou um papel dobrado do lado esquerdo do peito da camisa de flanela; entregou para o homem, que o abriu e examinou, desconfiado, depois o devolveu.

"Ele não sabe ler", pensou Robert Jordan.

— Olhe o selo — disse-lhe.

O velho apontou para o selo, e o homem da carabina estudou-o, passando-lhe os dedos.

— Que selo é este?

— Você nunca o viu?

— Não.

— Existem dois — disse Robert Jordan. — Um é o do SIM, Serviço de Inteligência Militar. O outro é o do Estado-Maior.

— Está bem, já vi este selo antes. Mas aqui quem comanda sou eu — disse o outro, irritadiço. — O que você traz nas mochilas?

— Dinamite — disse o velho, orgulhoso. — Na noite passada nós cruzamos as linhas no escuro, e durante todo o dia carregamos esta dinamite pela montanha.

— Dinamite seria útil para mim — disse o homem da carabina. Devolveu o papel para Robert Jordan e olhou firme para ele. — Sim, dinamite tem utilidade. Quanta dinamite você trouxe para mim?

— Não trouxe dinamite para você — disse Robert Jordan, calmamente. — A dinamite é para outra coisa. Qual é o seu nome?

— Ele é o Pablo — disse o velho. O homem da carabina olhou para os dois, taciturno.

— Ótimo. Escutei muitas coisas boas a seu respeito — disse Robert Jordan.

— O que você escutou sobre mim? — perguntou Pablo.

— Ouvi que você é um excelente líder guerrilheiro, que é leal à República e provou sua lealdade com seus atos, e que é um homem sério e valente. Trouxe-lhe saudações do Estado-Maior.

— Onde você escutou isso tudo? — perguntou Pablo. Robert Jordan registrou que ele não estava aceitando bajulação.

— Desde Buitrago até Escorial — disse ele, referindo-se ao território republicano inteiro, do outro lado das linhas.

— Não conheço ninguém em Buitrago nem em Escorial — replicou Pablo.

— Tem muita gente do outro lado das montanhas que nunca esteve lá também. De onde você é?

— Ávila. O que você vai fazer com a dinamite?

— Explodir uma ponte.

— Que ponte?

— Isto é problema meu.

— Se for aqui por perto, então é problema meu. Você não pode sair explodindo pontes perto de onde mora. Você vive num lugar e opera em outro. Eu sei o que faço. Quem está vivo hoje em dia, após um ano neste lugar, sabe muito bem o que faz.

— Também sei o que faço — disse Robert Jordan. — Mas podemos discutir o assunto juntos. Que tal nos ajudar com as mochilas?

— Não — disse Pablo e balançou a cabeça.

O velho virou-se para ele de repente, falou rapidamente e com fúria num dialeto que Robert Jordan pôde apenas vagamente acompanhar. Era como estar lendo Quevedo. Anselmo falou num castelhano antigo mais ou menos o seguinte: "Tu és um ignorante? És uma besta? Sim. Uma das grandes! Não tens cérebro? Não. Logo agora que nós estamos em algo de suma importância, e tu, para não perturbar o teu lugar, pões teu esconderijo à frente dos interesses da humanidade. À frente dos interesses do teu povo. Eu isso e aquilo, no isso e naquilo do teu pai. Eu isso e aquilo e aquilo no teu isso. Pega logo as mochilas!"

Pablo baixou a cabeça.

— Todo mundo tem que fazer aquilo que pode e do jeito que puder — disse ele. — Eu vivo aqui e opero para além de Segóvia. Se você perturbar este lugar, seremos afugentados destas montanhas. É somente porque não fazemos nada por aqui que podemos viver nestas montanhas. É o princípio da raposa.

— Sim — disse Anselmo, com aspereza. — É o princípio da raposa quando a gente precisa é do lobo.

— Eu sou mais lobo do que tu — Pablo retrucou, e Robert Jordan percebeu que ele pegaria as mochilas.

— Hi! Ho! Tu és mais lobo do que eu e eu estou com sessenta e oito anos — Anselmo disse, olhando para ele, e cuspiu no chão sacudindo a cabeça.

— Você tem toda essa idade? — quis saber Robert Jordan, vendo que por ora estava tudo bem, e tentando amainar a situação.

— Sessenta e oito no mês de julho.

— Se pudermos chegar até este mês — disse Pablo. — Deixa eu ajudar com a mochila — Pablo falou para Robert Jordan. — Que o velho pegue a outra — continuou, sem o mau humor, mas quase triste, e concluiu: — Um homem velho, mas muito forte.

— Eu levarei a mochila — respondeu Robert Jordan.

— *Não!* — disse o velho. — Deixe para esse homem parrudo.

— Eu levo — Pablo falou, e no seu azedume havia uma ponta de tristeza que incomodou Robert Jordan. Ele conhecia aquele sentimento e encontrá-lo ali era preocupante.

— Então me dê a carabina — disse e, quando Pablo lhe passou a arma, ele a envergou a tiracolo, ficando os dois homens à sua frente; puseram-se a escalar a laje de granito, com grande esforço, procurando apoio com as mãos, subindo na borda daquela quina e acima dela até alcançarem uma clareira verde no meio da floresta.

Margearam pelos costados da campina e Robert Jordan, podendo dar passadas largas, agora, sem a mochila, a carabina confortavelmente apoiada sobre o ombro depois daquele peso morto da carga que viera trazendo, notou que a grama estava ceifada em vários pontos, com sinais de que estacas haviam sido cravadas na terra. Ele podia ver pegadas de cavalos no gramado, por onde teriam sido levados até o riacho para beber água, e via também esterco fresco de muitos cavalos. Os animais eram mantidos nesse lugar à soga para pastar durante a noite, e à luz do dia eram escondidos entre as árvores, concluiu ele. "Tenho curiosidade de saber quantos cavalos possui esse Pablo."

Lembrou-se então, observando melhor, que tinha visto, mas sem se dar conta, que as calças de Pablo estavam gastas, lustrosas, como que ensebadas na altura dos joelhos e das coxas. "Será que ele tem um par de botas ou cavalga com aquelas alpargatas", pensou. "Ele deve ter uma vestimenta e tanto, mas não gostei daquela tristeza. É mau sinal. É a tristeza que eles têm antes de desertar ou trair. É a tristeza que aparece antes de se venderem."

Adiante deles um cavalo relinchou do meio das árvores; através dos troncos dos pinheiros, apenas uma nesga de sol passando pelos espessos topos que quase se tocavam, ele viu o curral feito com troncos amarrados por cordas. Os cavalos erguiam a cabeça em direção aos homens à medida que estes se aproximavam, e, ao pé de uma árvore, fora do curral, as selas estavam empilhadas todas juntas e cobertas por uma lona.

Assim que chegaram, os dois homens com as mochilas pararam, e Robert Jordan percebeu que era para ele admirar os cavalos.

— É, são lindos — dirigiu-se a Pablo. — Você tem uma cavalaria e tanto, toda sua.

— Havia cinco cavalos à soga, três baios, uma alazã e um zaino. Classificando-os cuidadosamente com os olhos, depois de observá-los todos juntos, Robert Jordan examinou cada um individualmente. Pablo e Anselmo sabiam o quanto eram bons e, enquanto Pablo mostrava-se agora menos tristonho, e mesmo orgulhoso, o velho agiu como se fossem uma grata surpresa que ele tivesse apresentado, de repente, sozinho.

— Que tal? — perguntou.

— Fui eu quem os capturou, todos eles — disse Pablo, e Robert Jordan ficou contente por ouvi-lo falar tão orgulhoso de si.

— Aquele lá é um belíssimo cavalo — disse Robert Jordan, apontando para um dos baios, mais adiantado, um enorme garanhão com uma malha branca na testa e uma das patas branca.

— Era um cavalo tão bonito que parecia ter saído de um quadro de Velásquez.

— Todos são muito bons — disse Pablo. — Você conhece cavalos?

— Conheço.

— Menos mal — comentou Pablo. — Vê algum defeito em algum deles?

Robert Jordan sabia que agora seus papéis estavam sendo examinados pelo homem que não sabia ler.

Todos os cavalos continuavam com a cabeça erguida em direção ao homem. Robert Jordan enfiou-se por entre a dupla corda do curral e desferiu um tapa na anca do zaino. A seguir, escorou-se de costas contra as amarras do cercado, observou os cavalos circularem no curral, ficou ali olhando-os por mais um minuto, até que eles pararam; então, ele abaixou-se e saiu por entre o cordame.

— A alazã está manca da pata traseira — disse a Pablo sem olhar para ele. — O casco está fendido e, embora possa até não piorar, por um tempo, se receber ferraduras apropriadas, pode se machucar trotando num chão muito duro.

— O casco estava assim quando a pegamos — retrucou Pablo.

— O melhor cavalo que você tem, o garanhão baio de focinho branco, tem um inchaço no osso do peitoral e eu não gosto nada disso.

— Não é nada — disse Pablo. — Ele levou uma pancada três dias atrás. Se fosse alguma coisa mais grave, já deveria ter aparecido.

Puxou a lona descobrindo as selas. Havia duas selas comuns de vaqueiro ou tropeiro, parecidas com as selas americanas, uma delas muito ornamentada, feita em couro trabalhado à mão, com pesados e trabalhados estribos, e duas selas militares de couro preto.

— Matamos dois *guardia civil* — disse Pablo, justificando as selas militares.

— Isto é que é uma boa caçada.

— Eles apearam na estrada entre Segóvia e Santa Maria del Real. Desmontaram para pedir os documentos de um condutor de carroça. Conseguimos matá-los sem machucar os cavalos.

— Já matou muitos guardas-civis? — perguntou Robert Jordan.

— Muitos — respondeu Pablo. — Mas somente esses dois, sem machucar os cavalos.

— Foi Pablo quem explodiu o trem em Arevalo — disse Anselmo —, foi Pablo.

— Tinha um estrangeiro com a gente, foi ele quem preparou os explosivos — disse Pablo. — Você o conhece?

— Como ele se chama?

— Eu não lembro. Era um nome esquisito.

— Como é que ele era?

— Era louro assim como você, mas não tão alto, tinha mãos enormes e o nariz quebrado.

— Kashkin — disse Robert Jordan. — Só pode ser Kashkin.

— Sim — assentiu Pablo. — Era um nome raro. Algo assim como você disse. O que é feito dele?

— Morreu em abril.

— Isto é o que acontece com todo mundo — disse Pablo com melancolia. — É como todos nós vamos acabar.

— Este é o fim de todos os homens — disse Anselmo. — É o modo como os homens sempre acabaram. O que há contigo, homem? O que tens no estômago?

— *Eles* são muito fortes — disse Pablo com entonação lúgubre, olhando para os cavalos, como se estivesse falando sozinho. — Você não sabe o quanto eles são fortes. Eu os vejo cada vez mais fortes, mais bem-armados. Sempre com mais equipamentos. E aqui estou eu apenas com meus cavalos. O que posso esperar do futuro? Ser caçado e morrer. Nada mais.

— Você é tão caçador quanto caça — disse Anselmo.

— Não — retorquiu Pablo. — Não, atualmente. E se deixarmos estas montanhas agora, para onde iremos? Me responda, para onde?

— Na Espanha há muitas montanhas. Se deixar esta, tem a Sierra de Gredos.

— Não para mim — Pablo argumentou. — Estou cansado de ser caçado. Aqui nós estamos bem. Agora, se você explodir essa tal ponte, vamos começar a ser caçados. Se eles souberem que estamos aqui e nos caçarem com aviões, vão nos achar. Se enviarem os mouros para nos caçar, nos encontrarão e teremos que deixar as montanhas. Estou cansado de tudo isso. Você ouviu? — Virou-se para Robert Jordan. — Que direito você tem, um estrangeiro, de vir aqui e me dizer o que eu tenho que fazer?

— Não disse para você fazer coisa alguma — Robert Jordan devolveu-lhe.

— Mas vai dizer — retrucou Pablo. — É aí que está a maldade.

Pablo apontou para as duas pesadas mochilas que os outros dois haviam colocado no chão enquanto admiravam os cavalos. Parecia que a visão dos cavalos trouxera-lhe tudo à mente, e parecia que a descoberta de que Robert Jordan entendia de cavalos soltara-lhe a língua. Os três detinham-se agora no cordame do curral e uma nesga de sol reluzia no pelo do garanhão baio. Pablo olhou para ele e então chutou uma das mochilas, repetindo:

Está aí toda a maldade.

— Eu vim cumprir minhas ordens e só — defendeu-se Robert Jordan. — Estou subordinado àqueles que conduzem a guerra. Se lhe pedir para me ajudar, você pode recusar. Então, irei procurar quem me atenda. Eu não lhe pedi nada ainda. Tenho que fazer o que me mandaram fazer e lhe garanto que é de suma importância. Não é minha culpa se eu sou estrangeiro. Na verdade, preferiria ter nascido aqui.

— Para mim, o mais importante, neste momento, é não sermos perturbados neste lugar — Pablo sentenciou. — No que me diz respeito, agora, minha obrigação é para com aqueles que estão comigo e para comigo.

— Para contigo mesmo, sim — interferiu Anselmo. — Para contigo agora e desde há muito tempo. Para contigo e com teus cavalos. Quando tu não tinhas os animais, estava com a gente. Agora tu és um capitalista a mais.

— Isto é injusto — protestou Pablo. — Eu arrisco os cavalos o tempo todo pela causa.

— Muito pouco — desdenhou Anselmo. — Na minha opinião, muito pouco. Roubar, sim. Comer bem, sim. Matar, sim. Lutar, não.

— Você é um velho que vai acabar criando problemas para si mesmo com esta sua boca.

— Sou velho, mas não tenho medo de ninguém. E também sou um velho sem cavalos.

— É um velho que talvez não viva muito tempo.

— Sou um velho que viverá até morrer. E não tenho medo de raposas.

— Pablo não disse nada e pegou uma das mochilas.

— Nem de lobos — emendou Anselmo, pegando a outra mochila. — Se fores um lobo.

— Cala a boca — disse Pablo. — Tu és um velho que sempre fala demais.

— E que fará qualquer coisa que prometa fazer — falou, curvando-se sob a mochila. — Um velho com fome e com sede, neste momento. Vamos em frente, seu líder guerrilheiro de cara triste. Nos lidere para alguma coisa de comer.

"Isto está começando bastante mal", pensou Robert Jordan. "Mas Anselmo é um homem e tanto. Eles são maravilhosos quando estão de bem. Não há gente como esta quando está bem, e quando eles ficam mal não há gente pior. Anselmo devia saber o que estava fazendo quando nos trouxe aqui. Mas não gosto disso. Não gosto nada disso."

Os únicos bons sinais eram que Pablo estava carregando uma das mochilas e lhe entregara a carabina. "Talvez seja esse mesmo o jeito dele", pensou Robert Jordan. "Vai ver, ele é apenas mais uma pessoa melancólica."

"Não", disse para si mesmo, "não se iluda. Você não o conheceu antes, mas sabe que ele está indo de mal a pior muito rapidamente e sem esconder isso. Quando ele começar a esconder, já terá tomado uma decisão. Lembre-se disso", refletiu. "A primeira coisa amigável que fizer significa que já terá tomado a decisão. Mas devo concordar, tem ótimos cavalos, lindos animais. Que será que fez com que eu sentisse a mesma coisa que Pablo pelos cavalos? O velho estava certo. Os cavalos o fizeram rico e, tão logo enriqueceu, ficou com vontade de desfrutar a vida. Suponho que logo, logo, ele se sentirá arrasado por não poder participar do Jockey Club.

"*Pauvre* Pablo, *il a manqué son* Jockey."

Aquela ideia o fez sentir-se melhor. Arreganhou os dentes, num sorriso, olhando para os dois ombros curvados pelo peso das duas mochilas à sua frente, movendo-se através das árvores. Não havia feito nenhuma piada durante todo o dia e, agora que ria por dentro, sentia-se muito melhor. "Você está se tornando como todo o resto", admitiu em pensamento. "Está ficando melancólico também." Tinha estado cerimonioso e deprimido com Golz. A tarefa o oprimira um pouco. "Ligeiramente", pensou. Oprimira totalmente. Golz estava alegre e queria que ele ficasse alegre também, antes da viagem, mas ele não ficou alegre.

Todos os melhores homens, pensando bem, eram alegres. Seria muito melhor estar alegre, e seria um bom sinal também. Seria como obter a imortalidade enquanto ainda se vive. Era um pensamento complexo. De qualquer forma, não restavam muitos assim. Não, não haviam sobrado muitos homens alegres. "Diacho, tão poucos sobreviveram. E se você ficar pensando nisso, meu garoto, nem você sobreviverá. Desligue os pensamentos agora, veterano, velho camarada. Agora você é um especialista em explosão de pontes. Não é um pensador. Homem, como eu estou com fome", pensou. "Espero que Pablo tenha boa comida."

2

Tinham atravessado a mata espessa até a parte superior do pequeno vale em forma de xícara, e ele viu que o acampamento deveria ficar sob a borda rochosa que se destacava à frente, na parede do penhasco e por entre as árvores.

Era ali mesmo o acampamento, e era um belo acampamento. Só dava para vê-lo chegando bem perto, e Robert Jordan percebeu que não poderia ser avistado do ar. Não se podia enxergar nada lá de cima. Tão escondido quanto uma toca de urso. Mas pareceu pouco mais bem-guarnecido. Examinou o acampamento meticulosamente logo que chegaram.

Havia uma enorme caverna debaixo daquela borda rochosa do penhasco; junto à entrada, um homem estava sentado de costas para a rocha, as pernas estendidas no chão e sua carabina encostada de pé numa pedra. Lascava um bastonete de madeira com uma faca; encarou os homens que chegavam, por um instante, e depois se voltou outra vez ao seu passatempo.

— *Hola* — gritou o homem sentado junto à entrada da caverna. — O que trazes aí?

— O Velho e um dinamitador — respondeu Pablo, desfazendo-se da mochila. Anselmo se desfez da sua também, e Robert Jordan tirou o rifle de sobre os ombros e o colocou recostado contra uma pedra.

— Não deixe isto tão perto da caverna. Tem fogo lá dentro — disse o homem que afinava o pedaço de madeira. Tinha olhos azuis numa cara de cigano morena, bonita e preguiçosa, com a pele cor de couro curtido.

— Levanta e guarda-a tu mesmo — ordenou Pablo. — Deixa junto daquela árvore.

O cigano não se moveu, soltou um palavrão e disse:

— Deixa aí. Que tu te explodas. Isso vai te curar todas as doenças.

— O que você está fazendo? — Robert Jordan sentou-se ao lado do cigano, que lhe mostrou um mundéu; ele estava afinando a trave da armadilha.

— Para raposas — explicou. — Com um cepo para quebrar as suas costas — arreganhou os dentes para Jordan. — Deste jeito, vê? — Fez um movimento com a moldura da armadilha, desarmando-a, o cepo caindo, e, sacudindo a cabeça, puxou as mãos, e abriu os braços para mostrar como a raposa ficaria com as costas quebradas. — Muito prático — concluiu.

— Ele pega coelhos — zombou Anselmo. — É um cigano. Quer dizer, se pega um coelho, diz que pegou uma raposa. Se pega uma raposa, diz que pegou um elefante.

— E se eu pegar um elefante? — perguntou o cigano, mostrando os dentes brancos e piscando para Robert Jordan.

— Você diria que pegou um tanque — Anselmo voltou à carga.

— Vou pegar um tanque — disse o cigano para Anselmo. — Pegarei um tanque e você pode dizer que é o que quiser.

— Ciganos falam demais e matam de menos — disse Anselmo.

O cigano piscou para Robert Jordan e continuou a aparar seu bastonete com a faca.

Pablo tinha desaparecido no interior da caverna. Robert Jordan esperava que ele tivesse ido buscar comida. Sentou no chão ao lado do cigano, com os raios do sol da tarde passando através do topo das árvores, até aquecer as suas pernas estiradas na terra. Sentia cheiro de comida vindo da caverna, cheiro de óleo e cebola e carne assada, fazendo seu estômago faminto revolver-se.

— Podemos pegar um tanque — disse para o cigano. — Não é muito difícil.

— Com isto? — o cigano apontou para os dois sacos.

— Sim — respondeu Robert Jordan. — Vou ensinar a você. É só fazer uma armadilha. Não é difícil.

— Eu e você?

— Claro — disse Robert Jordan. — Por que não?

— Ei! — o cigano gritou para Anselmo. — Leve estes dois sacos para um lugar seguro. Eles são muito valiosos.

Anselmo grunhiu:

— Vou é procurar vinho — disse para Robert Jordan, que se levantou, pegou os dois sacos e os afastou da entrada da caverna, encostando-os um de cada lado de um tronco de árvore. Sabia o que havia neles e não queria vê-los muito juntos um do outro.

— Traga uma caneca para mim — disse o cigano para Anselmo.

— Tem vinho aí? — perguntou Robert Jordan, sentando novamente próximo do cigano.

— Vinho? Como não? Um odre cheio. Vá lá, meio odre.

— E o que há para comer?

— De tudo — disse o cigano. — Nós comemos como generais.

— E o que os ciganos fazem na guerra? — quis saber Robert Jordan.

— Eles continuam ciganos.

— Boa ocupação.

— A melhor — concordou orgulhoso o cigano. — Como eles te chamam?

— Roberto. E tu?

— Rafael. E este negócio do tanque é sério?

— Claro. Por que não?

Anselmo apareceu na boca da caverna trazendo um tarro de pedra cheio de vinho tinto, com os dedos engastados na alça de três canecas.

— Olhem! — exclamou. — Eles têm canecas e tudo mais.

Pablo veio logo atrás dele.

— Logo, logo, vai ter comida — anunciou. — Você tem tabaco?

Robert Jordan foi até as mochilas, abriu uma delas, apalpou um bolso interno e tirou uma das caixas de cigarros russos conseguidas no quartel-general de Golz. Correu a unha do polegar pelas bordas da caixa, abriu a tampa, e passou os cigarros para Pablo, que tirou meia dúzia. Segurando-os em suas mãos enormes, Pablo pegou um deles e examinou-o contra a luz. Eram cigarros longos e finos com filtros de papelão feito piteiras.

— Muito ar e pouco tabaco — disse ele. — Já conheço esses cigarros, o outro com nome estranho tinha cigarros iguais.

— Kashkin — disse Robert Jordan, oferecendo os cigarros ao cigano e a Anselmo, que pegaram um cada. — Peguem mais — insistiu ele, e cada qual ficou com mais um. Roberto deu mais quatro cigarros para cada um e eles balançaram duas vezes a cabeça, empunhando os cigarros de tal forma a cravá-los no ar como se fosse uma saudação em agradecimento com uma espada.

— Sim, era um nome incomum — disse Pablo.

— Aqui está o vinho — Anselmo mergulhou uma caneca no tarro e a deu a Robert Jordan, depois encheu mais duas para ele e o cigano.

— E para mim, não tem vinho? — perguntou Pablo. Os quatro estavam sentados na entrada da caverna.

Anselmo passou-lhe a sua caneca e entrou na caverna para pegar outra. Ao voltar, encheu-a até as bordas, inclinando o tarro, e todos brindaram.

O vinho era bom, com vago sabor resinoso da pele do odre, mas excelente, leve e fino para o seu paladar. Robert Jordan sorveu-o lentamente, sentindo todo o seu cansaço suavizar-se agradavelmente.

— A comida está vindo — disse Pablo. — E este estrangeiro de nome esquisito, como ele morreu?

— Matou-se ao ser capturado.

— Como isso aconteceu?

— Estava ferido e não queria virar prisioneiro.

— E os detalhes?

— Eu não sei — mentiu. Sabia muito bem os detalhes, mas acreditava que não faria nenhum bem falar disso naquele momento.

— Nos fez prometer que o mataríamos, caso fosse ferido no negócio do trem e ficasse impossibilitado de bater em retirada. Falou de um jeito muito escabroso — contou Pablo.

"Ele já deveria andar muito sobressaltado. Pobre Kashkin", pensou Robert Jordan.

— Disse para mim que tinha uma prevenção contra a ideia de ter que matar-se — continuou Pablo. — E também tinha muito medo de ser torturado.

— Ele falou tudo isso a vocês? — perguntou Robert Jordan.

— Falou — interferiu o cigano. — Falava para todos nós.

— Você também estava no trabalho do trem?

— Claro, todos nós estávamos.

— Ele falava de uma maneira muito estranha, mas era um homem valente — disse Pablo.

"Pobre Kashkin", pensou Robert Jordan. "Deve ter feito mais mal do que bem por estas bandas. Gostaria de ter sabido que ele andava tão nervoso já naquela época. Eles deveriam tê-lo tirado fora disso. Não se pode ter uma pessoa fazendo este tipo de trabalho e falando essas coisas. Não se fala desse jeito. Mesmo que eles tenham sucesso na missão, fazem mais mal do que bem falando esse tipo de coisa."

— Ele era um pouco esquisito — disse Robert Jordan. — Acho que ele era meio louco.

— Mas muito habilidoso com as explosões — disse o cigano. — E valente.

— Ainda assim, louco — insistiu Robert Jordan. — Nesse trabalho, você deve ter muita consciência e cabeça fria. Aquilo não era maneira de falar.

— E você? — interpelou-o Pablo. — Se você for ferido nessa operação da ponte, não vai se importar em ser deixado para trás?

— Escutem — respondeu Robert Jordan, jogando o corpo para frente e servindo-se de outra caneca de vinho. — Escutem-me bem. Se um dia eu tiver que pedir um favor para alguém, vou pedir na hora em que precisar.

— Bom! — aprovou o cigano. — Quem é bom, mesmo, fala deste jeito. Ah, chegou!

— Você já comeu — disse Pablo.

— E consigo comer duas vezes mais — ponderou o cigano.

— Olhe quem traz a comida.

Com os ombros encurvados, uma jovem surgiu na boca da caverna, trazendo uma grande travessa de ferro, Robert Jordan viu seu rosto de um ângulo oblíquo e de imediato percebeu aquela coisa estranha nela. Ela sorriu e disse:

— *Hola,* Camarada.

— *Salud* — disse Robert Jordan, cuidando para não fitá-la frontalmente e nem desviar os olhos. "Lindas mãos morenas", notou ele quando a moça colocou a travessa à sua frente. Neste momento, ela olhou direto para ele e sorriu. Seus dentes eram brancos em contraste com o rosto moreno, de olhos e pele de um mesmo moreno castanho-dourado. Tinha zigomas salientes, olhos vibrantes e uma boca bem-desenhada com enormes lábios carnudos. Seu cabelo era daquele castanho-dourado de um campo de trigo queimado pelo sol, cortado rente ao crânio como uma pele de castor. Sorriu a um palmo da cara de Jordan e passou a mão bronzeada pela cabeça, alisando a raiz do cabelo, que voltou a se eriçar imediatamente. "Ela tem um rosto muito bonito", pensou Robert Jordan. "Seria linda se eles não tivessem tosado o seu cabelo."

— É assim que eu os penteio — disse para Robert Jordan, e soltou uma risada. — Coma, não fique olhando para mim. Eles me fizeram esse corte de cabelo em Valladolid. E agora já cresceu, quase.

A moça sentou-se bem de frente para ele olhando-o. Ele retribuiu-lhe o olhar, enquanto ela sorria com as mãos entrelaçadas em torno dos joelhos. Sobressaíam-se as longas pernas desnudas pelas aberturas da bainha das calças, e por sobre os braços viam-se seus pequenos seios, empinados sob a blusa cinza. Toda vez que Robert Jordan olhava para ela, sentia um nó na garganta.

— Não temos pratos — avisou Anselmo. — Use a sua faca.

A moça encostou quatro garfos com os dentes virados para baixo nas bordas da travessa de ferro.

Começaram a comer todos da mesma travessa, calados, como é hábito entre os espanhóis. Era coelho cozido com cebolas e pimentões verdes, e havia grão-de-bico ao molho de vinho tinto. A carne estava bem cozida, soltava dos ossos, e o molho uma delícia. Robert Jordan bebeu outra caneca de vinho enquanto comia. A moça ficou olhando para ele todo o tempo. Os demais comiam absortos. Robert Jordan limpou com um pedaço de pão o finzinho do molho à sua frente, empilhou os ossos de coelho de um lado, limpou o molho onde estavam os ossos, tornou a limpar o molho com o pão, desta vez de seu próprio garfo, limpou a sua faca, guardou-a, e comeu o pão. Inclinou-se e serviu-se de mais vinho, a moça sempre olhando para ele.

Robert Jordan bebeu metade daquela caneca de vinho mas continuava sentindo o nó na garganta quando ia falar com a moça.

— Como te chamas? — perguntou, e Pablo, ao reparar no tom da voz dele, lhe lançou um olhar de relance, afastando-se depois, apressado.

— Maria. E tu?

— Roberto. Está nas montanhas há muito tempo?

— Três meses.

— Três meses? — Ele olhou para os cabelos dela, tosados rente e mais crespos após ela passar as mãos por eles, emaranhados como uma plantação de trigo ao vento numa colina.

— Eles foram raspados — disse a moça. — Raspam com navalha na prisão de Valladolid. Levou três meses para crescer até este ponto. Eu estava no trem. Estavam me levando para o sul. Muitos dos prisioneiros foram capturados depois que o trem explodiu, mas eu não, vim para cá com esta gente.

— Eu a achei escondida nas pedras — explicou o cigano. — Foi quando estávamos nos retirando. Mas, homem, esta aí estava numa feiura. Nós a trouxemos, mas por muitas vezes pensei que deveríamos tê-la abandonado.

— E o outro que estava com eles na ação do trem? — perguntou Maria. — O outro louro. O estrangeiro. O que aconteceu com ele?

— Morto em abril — disse Robert Jordan.

— Em abril? A ação do trem foi em abril.

— Sim. Ele morreu dez dias depois da ação — respondeu Robert Jordan.

— Coitado. Ele era corajoso. E você, faz o mesmo trabalho? — perguntou Maria.

— Faço.

— Você já explodiu trens também?

— Já. Três trens.

— Aqui?

— Em Extremadura — respondeu ele. — Estive em Extremadura antes de vir para cá. Fazemos muitas coisas em Extremadura. Nosso pessoal em Extremadura é numeroso.

— E por que você veio para estas montanhas agora?

— Para substituir o outro louro, e também porque eu conheço esta região desde antes do movimento.

— Conhece bem?

— Não, não muito bem. Mas eu aprendo rápido. Tenho um bom mapa e um bom guia.

— O Velho — ela apontou com a cabeça. — Ele é muito bom.

— Obrigado — disse Anselmo para ela, e de repente Robert Jordan percebeu que os dois não estavam sozinhos, e também que era difícil olhar para a moça sem mudar a voz. Ele estava violando a segunda das duas regras básicas para afinar com as pessoas, em se tratando de espanhóis: dar tabaco aos homens e deixar as mulheres de lado. E se deu conta de que pouco se importava com isso. Afinal, havia tantas coisas para as quais ele não dava a mínima importância, por que haveria de fazer caso agora?

— Você tem um rosto muito bonito — disse para Maria. — Gostaria de ter tido a sorte de vê-la antes desse corte de cabelo.

— O cabelo vai crescer — respondeu ela. — Em seis meses estará bem comprido.

— Deveria tê-la visto quando a trouxemos do trem. Estava tão feia que dava enjoo.

— Você é mulher de quem? — perguntou Robert Jordan tentando não desviar para outro assunto. — Você é de Pablo?

Ela olhou para ele e deu uma gargalhada, então deu-lhe um tapinha nos joelhos.

— Pablo? Já viu Pablo?

— Bem, então de Rafael. Ele eu já vi.

— Nem de Rafael.

— De ninguém — intrometeu-se o cigano. — É uma mulher muito estranha. Não é de ninguém. Mas cozinha bem.

— Verdade, de ninguém? — Robert Jordan perguntou-lhe.

— De ninguém. Não pertenço a ninguém. Nem de brincadeira, nem a sério. Nem a ti.

— Nem a mim? — disse Robert Jordan, e sentiu aquele nó fechar-lhe a garganta outra vez. — Bom, pois eu não tenho tempo para uma mulher. É verdade.

— Nem quinze minutos? — perguntou o cigano, debochando. — Nem um quarto de hora?

— Robert Jordan não respondeu. Olhou para Maria e sentiu um nó tão forte na garganta que não se atreveria a falar.

— Maria percebeu seu embaraço e riu, então ruboresceu de repente, mas permaneceu encarando-o.

— Você está enrubescida — disse-lhe Robert Jordan. — Você fica enrubescida com frequência?

— Nunca.

— Você está corada agora.

— Então eu vou para dentro da caverna.

— Fique aqui, Maria.

— Não — disse Maria, sem sorrir para ele, e pegou a travessa de ferro de onde eles haviam comido e os quatro garfos. — Tenho que ir para a caverna, agora — seus movimentos desajeitados pareciam de um potro, mas com a mesma graça de um animal jovem.

— Vocês vão querer as canecas? — ela perguntou.

Robert Jordan ainda estava olhando para ela, que voltou a enrubescer.

— Não me faça ficar assim. Não gosto disso.

— Deixa as canecas aí — falou o cigano. — Aqui — e mergulhou uma das canecas no tarro de pedra, passando-a para Robert Jordan, que observava a moça abaixar rapidamente a cabeça e entrar na caverna com a pesada travessa de ferro.

— Obrigado — sua voz estava bem, agora que Maria tinha se afastado. — Esta será a última. Já bebemos bastante.

— Vamos terminar o tarro — falou o cigano. — Tem mais de meio odre. Carregamos até aqui todo esse vinho num dos cavalos.

— Foi no último ataque de Pablo — disse Anselmo. — Desde então ele não tem feito mais nada.

— Quantos vocês são? — perguntou Robert Jordan.

— Somos sete, mais as duas mulheres.

— Duas?

— Sim. A *mujer* de Pablo.

— Onde ela está?

— Na caverna. Maria sabe cozinhar só um pouco. Eu disse que ela cozinha bem para agradá-la, mas a maior parte do tempo ela só ajuda a *mujer* de Pablo.

— Como ela é, a *mujer* de Pablo?

— Uma coisa grosseira — arreganhou os dentes o cigano. — Uma coisa *muito* grosseira. Se você pensa que Pablo é feio, deveria ver essa mulher. Além disso, ela é valente. Cem vezes mais corajosa do que Pablo. Mas é algo grosseira.

— Pablo era corajoso no começo — disse Anselmo. — Pablo levava tudo a sério no começo.

— Matou mais gente do que o cólera — disse Rafael. — No início do movimento, Pablo matou mais gente do que a febre tifoide.

— Mas há muito tempo que ele anda *muy flojo* — contou Anselmo. — Amoleceu. Está com muito medo de morrer.

— Vai ver é porque ele matou muita gente logo no começo — filosofou o cigano. — Pablo já matou mais do que a peste bubônica.

— Deve ser isso, e a riqueza — disse Anselmo. — E também porque ele deu para beber muito. Agora quer se aposentar como um *matador de toros*. Como um toureiro. Mas não consegue se aposentar.

— Se ele for para o outro lado das linhas, tomarão seus cavalos e o farão alistar-se no exército — disse o cigano. — Não tenho qualquer admiração pelo exército.

— Nenhum cigano gosta do exército — completou Anselmo.

— Por que deveria? — perguntou Rafael. — Quem gostaria de alistar-se? Fazemos a revolução para nos alistarmos? Estou disposto a lutar, mas não a ir para o exército.

— Onde estão os outros? — Robert Jordan perguntou. Sentiu-se relaxado, sonolento, por causa do vinho, deitou-se no chão da clareira e viu através do topo das árvores os pequenos tufos de nuvens vespertinas atrás das montanhas movendo-se vagarosamente lá no alto céu espanhol.

— Dois estão dormindo na caverna — respondeu o cigano. — Dois estão lá em cima, onde nós guardamos a arma. Um está lá embaixo, de vigia. Provavelmente todos eles estão dormindo.

— Robert Jordan rolou de lado.

— Que tipo de arma é esta?

— Um nome bastante esquisito — disse o cigano. — Fugiu da memória neste momento. É uma metralhadora.

"Deve ser um rifle automático", pensou Robert Jordan.

— Quanto ela pesa? — perguntou ele.

— Um homem pode transportá-la, mas é pesada. Tem um tripé dobrável. Nós a pegamos no último ataque sério. No anterior ao do vinho.

— Quantas baterias de munição você tem para ela?

— Uma infinidade — disse o cigano. — Uma caixa cheia, incrivelmente pesada.

"Está parecendo que eles têm umas quinhentas baterias", pensou Robert Jordan.

— Ela é alimentada por um pente ou por um cinto?

— Com latas redondas enfiadas por cima da arma.

"Diabos! É uma Lewis", pensou Robert Jordan.

— O que você sabe dessa metralhadora? — perguntou ao velho.

— Nada, nadinha.

— E você, Rafael?

— Sei que ela atira com muita rapidez e fica tão quente que o tambor queima a mão se a gente tocar — respondeu o cigano, com orgulho.

— Todo mundo sabe disso — disse Anselmo, com desdém.

— Talvez, mas ele me perguntou o que eu sei sobre a *máquina* e eu lhe respondi. E mais, diferente de um rifle comum, ela continua atirando se você mantiver pressão no gatilho.

— A menos que ela grimpe, acabe a munição ou fique tão quente que derreta — falou em inglês Robert Jordan.

— O que você disse?

— Nada, eu estava apenas prevendo o futuro em inglês.

— Isto é uma coisa muito rara — disse Rafael. — Prever o futuro em *inglés*. — Você lê a palma da mão?

— Não — respondeu Robert Jordan, servindo-se de mais vinho. — Mas, se você puder, eu gostaria que lesse a palma da minha mão e me dissesse o que vai acontecer com a gente nos próximos três dias.

— A *mujer* de Pablo lê a mão das pessoas — respondeu o cigano. — Mas ela é tão irritadiça e tão grosseira que eu não sei se ela vai querer ler a sua mão.

— Robert Jordan sentou-se com o dorso ereto, bebeu um longo gole de vinho e disse:

— Vamos conhecer a *mujer* de Pablo, agora — disse ele. — Se é tão ruim assim, acabemos com isso de uma vez.

— Eu não mexeria com ela — disse Rafael. — Ela me odeia.

— Ora, por quê?

— Ela me trata como se eu fosse um vagabundo.

— Que injustiça! — disse Anselmo, com sarcasmo.

— Ela não gosta de ciganos.

— Que horror! — disse Anselmo.

— Ela tem sangue cigano, sabe o que fala — continuou Rafael, com desprezo. — Mas tem uma língua escaldante que bate como o rabo de um touro. Com aquela língua, ela esfola qualquer um. Arranca a pele em tiras. É uma mulher tenebrosa.

— Como é que ela se dá com Maria?

— Bem. Ela gosta da moça. Mas não deixa ninguém chegar perto dela — ele sacudiu a cabeça e estalou a língua.

— Ela é muito boa para a moça — disse o velho. — Cuida muito bem dela.

— Quando nós pegamos Maria, depois da ação do trem, ela agia de modo muito estranho — contou Rafael. — Não falava com ninguém, chorava o tempo todo e, se alguém a tocasse, começava a tremer como um cachorro molhado. Somente há pouco tempo ela melhorou. Nos últimos dias está bem melhor. Hoje ela estava muito bem. Agora, por exemplo, falando com você, estava ótima. Nós a teríamos deixado depois do ataque ao trem. Não valia a pena atrasar-nos por alguém tão triste e feia, aparentemente um traste. Mas a velha atou uma corda nela e, quando ela dava sinais de que não poderia mais andar, a atiçava batendo nela com a ponta da corda. Daí, quando ela realmente não conseguia andar, a velha a carregava sobre os ombros. Quando a velha cansava, eu a carregava. Subíamos a colina com o matagal na altura do peito. Muito, muito calor! Quando não me aguentava mais, era Pablo quem a carregava. Agora, imagine o que a velha nos dizia para nos fazer carregar essa moça — abanou a cabeça só de lembrar. — É verdade que Maria não é pesada, apesar das pernas compridas. Seus ossos são leves, ela não pesa nada. Mas pesou bastante quando tivemos que carregá-la, pararmos para atirar, carregá-la novamente com a velha açoitando o Pablo com a corda, segurando o rifle, colocando o rifle nas mãos dele quando ele largava Maria, fazendo-o pegá-la novamente, alimentando a arma para ele enquanto ia amaldiçoando-o, pegando as cápsulas e enfiando-as no cartucho da arma, sempre o amaldiçoando. Anoitecia rápido e quando a noite caiu ficou tudo bem. Mas nossa sorte é que eles não tinham cavalaria.

— Deve ter sido difícil a operação do trem — comentou Anselmo. — Eu não estava lá — ele explicou para Robert Jordan.

— Foi o bando de Pablo, de *El Sordo*, que nós iremos conhecer hoje à noite, e dois outros bandos dessas montanhas. Eu tinha ido para o outro lado das linhas.

— E ainda tinha o outro louro de nome esquisito — completou o cigano.

— Kashkin.

— Ele. É um nome que eu nunca vou decorar. Tínhamos dois homens com uma metralhadora. Também enviados pelo exército. Mas eles não conseguiram fugir levando a arma e a perderam. Com certeza não pesava mais que Maria e, se a velha estivesse no cangote deles, teriam conseguido safar-se com a arma.

Ele balançou a cabeça relembrando, e continuou:

– Nunca vi na vida uma coisa como aquela explosão. O trem se aproximava em marcha regular. Nós o avistamos de longe. Fiquei tão agitado que nem posso descrever. Vimos a fumaça e depois de um tempo ouvimos o apito. Ele veio fazendo chu-chu-chu-chu-chu-chu, continuamente, apitos cada vez mais longos, e aí, no exato momento da explosão, as rodas da frente da locomotiva levantaram dos trilhos, e toda a terra pareceu subir numa gigantesca nuvem preta com o ronco da locomotiva soando nas alturas em meio à fumaça daquela nuvem espessa de poeira preta, destroços de madeira sendo jogados com fúria para o ar como num pesadelo, até que a locomotiva tombou de lado feito um animal abatido. Então houve uma outra explosão de fumaça branca, eram os vapores do enorme motor agonizante, perfurando a nuvem de terra que caía sobre nós todos, e nesse momento a máquina começou a falar ra-tá-tá-tá!? – Rafael falava agitando os dois punhos cerrados, para cima e para baixo, com os polegares levantados como se estivesse manipulando gatilhos invisíveis de uma metralhadora imaginária. – Nunca vi coisa igual na vida. Os soldados correndo do trem e a *máquina* cuspindo balas sobre eles, derrubando homens. Foi aí que, na minha excitação, botei a mão na *máquina* e descobri que o tambor queimava, naquele exato momento a velha me deu um tapa na cara e disse "Atire, ó idiota! Atire ou eu vou te abrir o cérebro com um chute". Então, comecei a atirar na direção dos soldados que corriam para o topo da colina, mas não conseguia segurar firme a metralhadora. Depois, quando nos aproximamos do trem para ver o que havia sobrado para pegarmos, um oficial forçou os soldados entrincheirados a virem para cima da gente apontando-lhes a pistola. Ele gritava, em pé, agitando no ar a pistola, se movimentando de um lado para outro, gritando atrás da linha do seu pelotão, e nós atirávamos nele sem conseguir acertá-lo. Alguns soldados se jogavam no chão e disparavam contra nós, o oficial sempre de um lado para o outro, brandindo a pistola, mas não conseguíamos atingi-lo, além de não podermos utilizar nossa *máquina* por causa da posição do trem. Vimos o oficial atirar em dois de seus homens, quando jogaram-se no chão, mas nem assim eles se levantaram. Ele urrava, praguejando contra os próprios homens e finalmente um, dois, três de cada vez começaram a correr em nossa direção e do trem. De repente todos se jogaram no chão e retomaram a carga de tiros. Foi aí que batemos em retirada com a *máquina* dos soldados inimigos cuspindo fogo sobre nossa cabeça. E foi quando achei Maria, que havia corrido do trem, escondida nas pedras, e ela fugiu conosco. Aqueles soldados nos caçaram até a noite.

— Deve ter sido uma parada dura — comentou Anselmo.

— Muito emocionante.

— Foi a única coisa útil que nós já realizamos — disse uma voz grave. — O que você está fazendo agora, seu vagabundo, bêbado, filho bastardo de uma cigana ordinária? Diga, o que está fazendo?

Robert Jordan viu uma mulher de mais ou menos cinquenta anos, quase tão grande quanto Pablo, quase tão gorda quanto alta, usando uma saia preta de camponesa e corpete, meias grossas de lã, alpargatas pretas de sola de corda e aquele rosto moreno, feito um molde para um monumento de granito. Tinha mãos grandes, mas bonitas; e os cabelos espessos, negros e cacheados, estavam enrolados num coque abaixo da nuca.

— Me responda! — insistiu ela com Rafael, ignorando os demais.

— Eu estava conversando com esses camaradas. Este aqui é o novo dinamitador.

— Eu sei — disse a *mujer* de Pablo. — Suma daqui e vá render o Andrés, que está de guarda lá no topo.

— *Me voy* — respondeu o cigano. — Estou indo. Te vejo na hora de comer — disse, voltando-se para Robert Jordan.

— Nem brincando. Tu já comeste três vezes hoje, pelas minhas contas. Vai e manda o Andrés falar comigo.

— *Hola* — disse ela para Robert Jordan, estendendo-lhe a mão e sorrindo. — Como está? E como vão as coisas na República?

— Tudo bem — respondeu ele, apertando firme a mão da mulher. — Comigo e com a República.

— Fico contente — disse-lhe ela. Olhava para o seu rosto, sorrindo, e ele notou que ela tinha belos olhos acinzentados. — Você veio para atacarmos outro trem?

— Não — respondeu Robert Jordan, confiando nela de imediato. — Para atacar uma ponte.

— *No es nada* — disse ela. — Uma ponte não é nada. Quando é que pegaremos outro trem agora que temos cavalos?

— Mais tarde. Esta ponte é crucial.

— A menina me disse que o seu camarada, que estava com a gente na ação do trem, está morto.

— É verdade.

— Ora, que pena. Nunca vi uma explosão como aquela. Era um homem de talento. Gostei muito dele. Não é possível pegarmos outro trem, já? Estamos com muitos homens aqui nas montanhas. São tantos. Já está ficando difícil arranjar comida. Seria melhor sairmos, e agora temos os cavalos.

— Temos que explodir esta ponte.

— Onde ela fica?

— Bem perto daqui.

— Tanto melhor — disse a *mujer* de Pablo. — Vamos explodir todas as pontes nas redondezas e dar o fora daqui. Estou enjoada deste lugar. Tem muita gente concentrada nesta região. Não pressinto nada de bom. E está um marasmo repugnante.

Ela avistou Pablo através das árvores.

— *Borracho!* — gritou para ele. — Beberrão, seu bêbado podre! — Virou-se para Robert Jordan, desta vez com o semblante amigável, e disse-lhe: — Ele levou um pequeno odre de vinho para beber sozinho no mato. Está sempre bebendo. Esta vida está arruinando com ele. Meu jovem, estou muito contente que você tenha vindo. — Deu-lhe um tapa nas costas e correu as mãos pelos seus ombros, sentindo os músculos sob a camisa de flanela. — Ah, você é maior do que parece. Muito bom, estou feliz que tenha vindo.

— E eu igualmente.

— Vamos nos entender muito bem — disse a mulher. — Beba uma caneca de vinho.

— Já bebemos bastante. Mas você vai beber, não vai?

— Não antes da janta. Me dá azia.

Ela avistou Pablo novamente e gritou:

— *Borracho!* Bêbado! — Virou-se para Robert Jordan e abanou a cabeça. — Ele era um bom homem. Mas agora está acabado. E escute, vou dizer outra coisa: seja muito bom para a garota Maria. Cuide bem dela. Maria passou por maus bocados. Entendeu?

— Entendi. Mas por que você está me dizendo isso?

— Eu vi o jeito dela quando voltou para a gruta. Vi como ela estava te olhando antes de entrar.

— Eu brinquei com ela um pouquinho.

— Ela estava num estado lastimável. Agora está melhor. Ela deveria sair daqui.

— Certamente. Ela pode passar para o outro lado com Anselmo.

— Você e Anselmo podem levá-la quando isto acabar.

— Robert Jordan sentiu aquele nó na garganta dificultando-lhe a voz.

— Isto pode ser feito — disse ele.

— A *mujer* de Pablo olhou para ele, abanando a cabeça, e disse:

— Ai, ai, será que todos os homens são iguais?

— Eu não disse nada. Ela é bonita, você sabe disso.

— Não. Ela não é bonita, mas está ficando bonita, é isto que você quer dizer. Homens. Uma vergonha para nós, mulheres, que os parimos. Não, falando sério: a República não tem casas que acolhem pessoas como ela?

— Tem — respondeu Robert Jordan. — Ótimos abrigos. Na costa, perto de Valência. Tem outros lugares também. Lá irão tratá-la bem e colocá-la para trabalhar com crianças. Há crianças de vilarejos que foram evacuados. Eles lhe ensinarão o trabalho.

— É isto que eu quero. Porque o Pablo já está doente por ela. Isso é outra coisa que o destrói. Toda vez que ele a vê, fica perturbado. É melhor que ela vá embora.

— Podemos levá-la depois que isto acabar.

— E posso confiar que você cuidará bem dela? Engraçado, falo como se te conhecesse há muito tempo.

— É assim mesmo — disse Robert Jordan — quando duas pessoas se afinam.

— Sente-se — ordenou-lhe a mulher de Pablo. — Não peço uma promessa porque o que tem que acontecer, acontecerá. Somente se você *não* for levá-la daqui eu quero que prometa uma coisa.

— Por que eu não a levaria?

— Estou falando porque eu não quero ela louca aqui depois que você partir. Já a tive louca por aqui e não quero passar por aquilo outra vez.

— Nós a levaremos depois da operação da ponte. Se estivermos vivos depois da ponte, nós a levaremos.

— Não gostei de ouvir você falar assim. Isso não traz sorte.

— Eu falo desse jeito para garantir a promessa. Não sou de falar com pessimismo.

— Deixe-me ver a sua mão.

Robert Jordan estendeu a mão, e a mulher a abriu sobre a sua própria enorme palma. Esfregou seu polegar sobre as linhas, numa análise metódica, e então parou e levantou-se. Ele levantou-se também e ela o fitou sem sorrir.

— O que você viu na minha mão? — perguntou Robert Jordan. — Não acredito nessas coisas. Você não vai me assustar.

— Nada. Eu não vi nada.

— Viu, sim. Estou curioso. Embora não acredite nisso.

— No que você acredita?

— Em muitas coisas, mas não nisso.

— Então, no quê?

— No meu trabalho.

— Sim, isto eu vi.

— Me fale sobre o que mais você viu.

— Não vi mais nada — disse a mulher com aspereza. — Você disse que a ponte é muito difícil?

— Não. Eu disse que ela é muito importante.

— Mas pode ficar difícil?

— Pode. E agora eu estou indo estudá-la. Quantos homens vocês têm por aqui?

— Cinco que não prestam para nada. O cigano é um traste, embora tenha boa vontade. Tem bom coração. Em Pablo eu não confio mais.

— Quantos homens que sejam bons tem El Sordo?

— Talvez oito. Veremos hoje à noite. Ele está vindo para cá. É um homem muito prático. Ele também tem um pouco de dinamite. Não muita. Você fala com ele.

— Você mandou buscá-lo?

— Ele vem todas as noites. É vizinho. E também é amigo e camarada.

— O que você acha dele?

— É um bom homem. Objetivo. No negócio do trem, ele foi tremendo.

— E nos outros bandos?

— Avisando com antecedência, é possível reunir cinquenta rifles razoáveis.

— Razoáveis até que ponto?

— De acordo com a gravidade da situação.

— Sabe mais ou menos quantos cartuchos por rifle?

— Talvez vinte. Depende de quantos eles estarão dispostos a trazer para esta operação. Se eles vierem. Lembre-se de que não há dinheiro envolvido nisso, não haverá o que pilhar. E pela tua reserva em falar, o perigo deve ser grande. Além do mais, depois da operação, terão que abandonar estas montanhas. Muitos deles serão contrários à destruição da ponte.

— Certamente.

— Sendo assim, é melhor falar apenas o necessário sobre isso.

— Estou de acordo.

— Então, depois que você estudar a ponte, vamos conversar com El Sordo esta noite.

— Vou descer agora mesmo com Anselmo.

— Então acorde-o. Você quer a carabina? — perguntou a mulher.

— Obrigado. É bom tê-la à mão, mas não espero ter que usar. Estou indo para olhar, não para criar confusão. Obrigado por tudo o que você me falou. Gosto do seu jeito de falar.

— Tento ser franca.

— Então me diga o que viu na minha mão.

— Não. Eu não vi nada. Vai agora. Eu cuido do teu equipamento.

— Cubra-o e não deixe ninguém tocar nele. É melhor ali do que dentro da caverna.

— Será coberto e ninguém vai tocá-lo. Vai agora para a tua ponte.

— Anselmo — disse Robert Jordan, tocando no ombro do velho, que dormia no chão com a cabeça sobre os braços.

— O velho olhou para cima.

— Sim. Claro, vamos.

3

Eles desceram os últimos duzentos metros, esgueirando-se com cuidado de árvore em árvore, pelas sombras, através dos últimos pinheiros na encosta acidentada da montanha, com a ponte a apenas cinquenta metros de distância. O sol de fim de tarde, ainda banhando o dorso amarronzado da montanha, mostrava a ponte escurecida contra o vazio escarpado do desfiladeiro. Era uma ponte de aço de um único arco, com uma guarita em cada extremidade. Espaçosa o suficiente para dois automóveis passarem, atravessava, estendendo-se sólida com a graça do metal, a garganta, e, lá embaixo, bem distante, um arroio de águas brancas corria sobre as pedras e cascalhos até o riacho.

O sol batia direto nos olhos de Robert Jordan, que podia ver apenas os contornos da ponte. Então o sol baixou e se foi; olhando por entre as árvores o topo arredondado e marrom atrás do qual se escondera, Robert Jordan via agora que o clarão não o ofuscava mais, que a montanha tinha um aclive suave, de um verde tenro e vivo, retendo manchas de neve antiga abaixo do cume.

Ele examinava a construção da ponte outra vez com o pouco de luz de um autêntico e abrupto pôr do sol. Demolir a ponte não era um grande problema. Tirou do bolso da camisa um caderno de notas e fez um croqui de linhas rápidas. Preocupou-se em fazer os desenhos, deixando de lado o cálculo das cargas. Faria isso mais tarde. Neste momento, concentrava-se nos pontos onde os explosivos deveriam ser colocados, de maneira que os suportes do arco se rompessem, fazendo com que a seção inteira ruísse no desfiladeiro. Isto poderia ser feito sem pressa, científica e corretamente, com meia dúzia de cargas armadas para explodir simultaneamente, ou com apenas duas cargas bastante pesadas, uma de cada lado explodindo ao mesmo tempo. Anotou tudo rapidamente, satisfeito por finalmente ter o problema sob controle, satisfeito por finalmente estar engajado na operação. Fechou o caderno de notas, enfiou o lápis na alça de couro da borda de uma das orelhas do caderno, guardou-o no bolso e o abotoou.

Enquanto ele desenhava, Anselmo vigiava a estrada, a ponte e as guaritas das sentinelas. Ficou aliviado quando o estudo da ponte acabou, porque não achava muito seguro terem se aproximado tanto.

No momento em que Robert Jordan abotoava o seu bolso e deitava-se atrás de um tronco de pinheiro, olhando para a ponte, Anselmo tocou o seu cotovelo e apontou.

Na guarita frontal a eles ao longo da estrada, a sentinela estava sentada e segurava o rifle entre as pernas com a baioneta fixada no cano. Estava fumando um cigarro, vestia um gorro de malha e um poncho. A quase cinquenta metros de distância, não se podia ver o seu rosto. Robert Jordan sacou seus binóculos, cuidando para fazer sombra nas lentes com as mãos em concha, mesmo não havendo mais os raios de sol para provocar um brilho que os denunciasse ali, e lá estava o parapeito da ponte tão visível que era como se fosse possível tocá-lo, esticando a mão, e lá estava o rosto da sentinela, tão nítido que ele podia ver as suas covas fundas, as cinzas do cigarro e a baioneta lustrosa. Ele tinha feições de camponês, zigomas altos sobre enormes covas, barba por fazer, os olhos sombreados por espessas sobrancelhas, enormes mãos guarnecendo o rifle e botinas pesadas aparecendo sob o poncho. Havia um odre de vinho de couro gasto e escurecido, pendurado na parede da guarita, alguns jornais e nenhum telefone. Poderia, é claro, haver um do outro lado, mas não havia fios à vista. Uma linha de telefone corria paralela à estrada, passando sobre a ponte. Havia um braseiro de carvão junto da guarita, feito de um tonel de gasolina com a tampa serrada e furos nas laterais, sobre duas pedras, mas estava apagado. Havia algumas latinhas enegrecidas pelo fogo no meio da cinza sob o braseiro.

Robert Jordan passou os binóculos para Anselmo, que estava de bruços esparramado no chão ao seu lado. O velho arreganhou os dentes e balançou a cabeça, batendo na têmpora com a ponta do dedo.

— *Ya lo veo* — disse em espanhol. — Eu o estou vendo — falou quase sem abrir a boca, mais baixo do que um sussurro. Olhou para a sentinela, enquanto Robert Jordan sorria, apontou um dedo e com o outro traçou uma linha horizontal à altura de sua garganta. Robert Jordan fez que sim, com a cabeça, mas o velho não sorriu.

A entrada da segunda guarita, na outra ponta, estava fora de visão. A estrada, que era larga, reluzente e bem-construída, fazia uma curva para a esquerda na outra extremidade da ponte, e volteava fora de vista numa curva para a direita. Bem neste ponto ela fora ampliada a partir da antiga estrada para a sua atual largura, com um corte no sólido bastião que formava a rocha do outro lado do desfiladeiro, e sua margem esquerda, ou a oeste, de quem descesse o passo e a ponte, era sinalizada e protegida por uma carreira de blocos verticais de pedra, até onde a margem guinava para longe do desfiladeiro. Aqui, a garganta formava quase um cânion, onde o riacho tênue, sobre o qual a ponte se lançava, fundia-se com a torrente principal do desfiladeiro.

— E o outro posto? — perguntou Robert Jordan para Anselmo.

— Quinhentos metros abaixo daquela curva. Na cabana do conservador da estrada, encravada na parede de rocha.

— Quantos homens? — perguntou Robert Jordan, vistoriando novamente com os binóculos.

A sentinela esfregou o cigarro na parede de madeira da guarita, tirou do bolso uma bolsa de couro, abriu o papel do cigarro apagado e esvaziou o resíduo de fumo na bolsa. Levantou-se, escorou o rifle contra a parede da guarita, esticou as pernas e braços, espreguiçando-se, pegou o rifle, enfiando o braço no tirante por sobre o ombro e caminhou em direção à ponte. Anselmo colou-se no chão, e Robert Jordan deslizou seus binóculos para o bolso da camisa, escondendo sua cabeça o mais que pôde atrás do pinheiro.

— São sete homens e um cabo — disse Anselmo bem no ouvido de Robert Jordan. — Me informei com o cigano.

— Vamos embora assim que ele parar. Estamos muito perto — disse Robert Jordan.

— Já viste tudo que precisavas?

— Sim. Tudo que eu precisava.

A temperatura caía vertiginosamente agora que o sol se fora, e a luz foi se enfraquecendo até o último raio apagar-se atrás das montanhas.

— O que achaste? — perguntou Anselmo, baixinho, enquanto observavam a sentinela caminhar pela ponte em direção à outra guarita, sua baioneta brilhando no último lampejo do crepúsculo, seu corpo sem forma sob o poncho.

— Muito bom — disse Robert Jordan. — Muito, muito bom.

— Fico contente. Podemos ir agora? Não há a menor chance de ele nos ver.

A sentinela parou de costas para eles, no extremo mais afastado da ponte. Da garganta veio o burburinho da correnteza sobre as pedras. Então, surgiu outro rumor, sobrepondo-se ao anterior, de vários roncos contínuos, e eles viram a sentinela olhar para cima, seu gorro enviesado para trás; rodaram a cabeça olhando para cima também e viram bem alto no céu três monoplanos voando numa formação em V, parecendo minúsculos e prateados no alto onde ainda havia raios de sol, cruzando inacreditavelmente velozes, seus motores agora vibrando com firmeza.

— Nossos? — perguntou Anselmo.

— Parecem nossos — respondeu Robert Jordan, mas sabia que naquela altura era impossível ter certeza. Poderia ser uma patrulha noturna do inimigo. Mas sempre se diz que aviões de perseguição são nossos, porque isso faz as pessoas se sentirem melhor. Já os bombardeiros são outra conversa.

— Anselmo evidentemente sentiu o mesmo.

— Eles são nossos — disse ele. — Eu os reconheço. São os *Moscas*.

— Que bom — disse Robert Jordan. — Parece que são *Moscas* mesmo.

— São os *Moscas* — insistiu Anselmo.

Robert Jordan poderia ter conferido com os binóculos, mas preferiu não tentar. Não faria diferença para ele quem fossem, e se alegrava o velho que fossem aviões amigos, ele não iria desfazer a ilusão. No entanto, quando se afastaram voando em direção a Segóvia, não pareciam ser a adaptação russa dos Boeing P32, de asas baixas, com as pontas pintadas de verde e vermelho, os quais os espanhóis chamavam de *Moscas*. Não se podia ver a cor, mas o perfil estava errado. Definitivamente, era uma patrulha fascista voltando para casa.

A sentinela continuava parada de costas na guarita mais distante.

— Vamos — disse Robert Jordan. Começou a subir a colina, movendo-se cuidadosamente e aproveitando a cobertura até estarem fora de vista. Anselmo o seguia a uns cem metros de distância. Quando já não podiam ver mais a ponte, ele parou e esperou pelo velho, que então tomou a dianteira e escalou o desfiladeiro, mostrando o caminho pela íngreme encosta na escuridão.

— Nós temos uma aviação formidável — disse o velho.

— É.

— E iremos vencer.

— Temos de vencer.

— Sim. E depois de vencermos, nós vamos caçar.

— Caçar o quê?

— O javali, o urso, o lobo, o cabrito montês...

— Gosta de caçar?

— Sim. Mais do que qualquer coisa. Todos nós, na minha vila, caçamos. Você não gosta de caçar?

— Não. Eu não gosto de matar animais.

— Comigo é o oposto — disse o velho. — Eu não gosto de matar homens.

— Ninguém gosta, exceto aqueles que são perturbados da cabeça — replicou Robert Jordan. — Mas eu não tenho remorso quando é necessário, quando é por uma causa.

— É uma coisa diferente, sim — disse Anselmo. — Na minha casa, quando eu tinha uma casa, pois agora eu não tenho mais, havia as presas dos javalis que eu cacei na campina. Estavam lá as peles dos lobos que eu abati. Foi no inverno, caçando na neve. Um era bem grande, matei-o durante uma madrugada nos arredores do vilarejo quando retornava para casa numa noite de novembro. Tinha quatro peles de lobos no assoalho da minha casa. Estavam gastas de tanto a gente pisar nelas, mas eram peles de lobos. Tinha chifres de cabritos monteses que eu matei na Sierra. E tinha uma águia empalhada por um embalsamador de Ávila, com as asas abertas e olhos amarelos tão reais como os olhos de uma águia viva. Eram coisas muito bonitas, me davam prazer contemplar.

— Imagino — disse Robert Jordan.

— Na porta da igreja da minha vila eles pregaram a pata de um urso que eu matei na primavera, lá na colina, quando ainda tinha neve; ele estava revirando um tronco com aquela mesma pata.

— Quando foi isso?

— Seis anos atrás. E toda vez que eu via aquela pata, como a mão de um homem, diferente apenas pelas longas garras, ressequidas e trespassadas pela palma na porta da igreja, me vinha um prazer enorme.

— Sentia orgulho?

— Orgulho de rememorar o encontro com aquele urso na colina no início da primavera. Mas em matar um homem, que é homem como a gente, não há nada bom para se relembrar.

— Não dá para pregar a pata dele na porta da igreja — disse Robert Jordan.

— Não. Tamanha barbárie é impensável. Mesmo assim, a mão de um homem é igual à pata de um urso.

— Da mesma forma, o peito de um urso é igual ao peito de um homem — disse Robert Jordan. — Uma vez removida a pele do urso, seus músculos são muito parecidos com os do homem.

— Sim — disse Anselmo. — Os ciganos acreditam que os ursos são irmãos dos homens. — Da mesma forma que os índios da América. E quando eles matam um urso, pedem desculpas, pedem o seu perdão. Penduram sua cabeça numa árvore e, antes de se afastarem, imploram para serem perdoados.

— Os ciganos acreditam que o urso é um irmão do homem porque ele tem o mesmo corpo sob a pele, porque bebe cerveja, gosta de música e sabe dançar.

— Da mesma forma, os índios.

— Então os índios são ciganos?

— Não. Mas eles pensam como os ciganos a respeito dos ursos.

— Certamente. Os ciganos também acreditam que ele é um irmão do homem porque rouba por prazer.

— Você tem sangue de cigano?

— Não. Mas tenho visto muitos deles e, desde o movimento, muitos mais, ainda. As colinas estão cheias deles. Para eles não é pecado matar fora da tribo. Eles negam isso, mas é verdade.

— Tal qual os mouros.

— Isso. Só que há muitas leis que os ciganos não admitem. Na guerra, muitos ciganos tornam a ser tão maus como eram nos velhos tempos.

— Eles não entendem a razão da guerra. Não sabem por que nós estamos lutando.

— Não — disse Anselmo. — Eles sabem apenas que a guerra está aí e que as pessoas irão matar novamente como nos velhos tempos, sem a certeza da punição.

— Você já matou alguém? — perguntou Robert Jordan, na intimidade da escuridão e do dia inteiro que passaram juntos.

— Já. Muitas vezes. E não senti prazer algum. Para mim é pecado matar um homem. Mesmo os fascistas, que devemos matar. Penso que há uma grande diferença entre matar um urso e um homem, e não acredito nessa bruxaria toda dos ciganos sobre o parentesco com os animais. Não. Eu sou contra qualquer matança de homens.

— Apesar disso, você já matou alguns.

— Já. E vou matar novamente. Mas se eu sobreviver, tentarei viver de maneira a não fazer nenhum mal a mais ninguém, e desse jeito espero ser perdoado.

— Por quem?

— Quem é que sabe? Desde que não há mais Deus, nem o Seu Filho, tampouco o Espírito Santo, quem perdoa? Eu não sei.

— Para você Deus não existe mais?

— Não, claro que não. Se Deus existisse, Ele não teria permitido que eu visse o que vi com estes meus olhos. Deixe *eles* ficarem com Deus.

— Eles O reivindicam.

— Certamente que eu sinto falta Dele, tendo nascido numa família religiosa. Mas hoje um homem deve ser responsável por si mesmo.

— Então serás tu mesmo que irás perdoar a tua matança.

— Acho que sim — disse Anselmo. — Já que você colocou assim de forma tão clara, deve ser isto. Mas, com ou sem Deus, eu acredito que é pecado matar. Tirar a vida de outra pessoa é muito grave para mim. Farei isso se necessário, mas não sou da raça do Pablo.

— Para vencer uma guerra, devemos matar o nosso inimigo. Isto sempre foi a verdade.

— Certamente. Na guerra a gente tem que matar. Mas eu tenho ideias bastante incomuns — disse Anselmo.

Eles caminhavam bem próximos um do outro no escuro, e Anselmo falou baixinho, algumas vezes virando a cabeça à medida que ia subindo.

— Não mataria nem mesmo um bispo. Não mataria um proprietário de qualquer tipo. Eu os faria trabalhar todo dia como nós temos trabalhado no campo e nas montanhas com as madeiras, e isso para o resto da vida deles. Assim veriam para que um homem nasce. Iriam dormir como nós dormimos. Iriam comer como nós comemos. Acima de tudo, iriam trabalhar. Assim, iriam aprender.

— E sobreviveriam para te escravizar novamente.

— Matá-los não lhes ensina nada — disse Anselmo. — Você não pode exterminá-los, porque das suas sementes vêm outros com um ódio ainda maior. A prisão não é nada. A prisão apenas gera ódio. Nossos inimigos deveriam é aprender.

— Mas, mesmo assim, já mataste.

— Já — disse Anselmo. — E vou matar muitas vezes ainda. Mas não com prazer, e sempre considerando este ato um pecado.

— E a sentinela? Você brincou com a necessidade de matar a sentinela.

— Aquilo foi uma brincadeira. Mas eu mataria a sentinela, sim. E pode estar certo, com a consciência tranquila, encarando como uma tarefa. Sem nenhum prazer.

— Vamos deixá-las para aqueles que gostam disso — disse Robert Jordan. — Tem oito e mais cinco. São treze... ótimo para quem gosta.

— Tem muita gente que gosta — repetiu Anselmo. — Muita gente, mais gente que gosta de matar do que homens que servem para uma batalha.

— Tu já estiveste numa batalha?

— *Não*. Lutamos em Segóvia quando o movimento começou, mas fomos acuados e batemos em retirada. Eu fugi com os outros, não sabíamos direito o que estávamos fazendo, ou como deveríamos reagir. Além disso, eu tinha apenas uma espingarda com cartuchos de caça, e a *guardia civil* tinha Mausers. Eu não podia atingi-los a cem metros de distância com uma espingarda, enquanto eles eram capazes de nos acertar facilmente a trezentos metros, como se fôssemos coelhos assustados. Eles atiravam bastante e com boa pontaria. Diante deles, éramos como ovelhas espavoridas. — Ele ficou calado um instante e então perguntou: — Achas que haverá uma batalha na ponte?

— Pode haver.

— Nunca vi uma batalha sem estar correndo. Não sei como vou me comportar. Sou um velho e tenho pensado a respeito.

— Eu vou cuidar de ti — disse Robert Jordan.

— Estiveste em muitas batalhas?

— Várias.

— E o que tu pensas sobre esta da ponte?

— Primeiro, estou concentrado na ponte, em si. Na minha tarefa. E não é muito difícil destruir a ponte. Farei uma explanação para os demais, sobre os detalhes preliminares. Tudo por escrito.

— Poucos deles sabem ler — disse Anselmo.

— Estará escrito para o conhecimento de todos, mas eu vou explicar claramente também.

— Eu farei o que me mandarem, mas lembrando do tiroteio em Segóvia, se houver uma batalha ou troca de tiros, gostaria de saber exatamente o que fazer em tais circunstâncias para evitar a correria. Em Segóvia, senti um impulso muito forte para fugir.

— Estaremos juntos. Vou te dizer o que fazer o tempo todo.

— Então não tem problema. Posso seguir qualquer ordem.

— Para nós será a ponte e o combate, se houver combate — disse Robert Jordan e, dizendo isso no escuro da noite, sentiu-se um pouco teatral demais, mas soou muito bem em espanhol.

— Isto deve ser da maior importância — comentou Anselmo e, ouvindo-o dizê-lo com honestidade e clareza, sem a pose britânica de atenuar fatos cruciais nem a bravata latina, Robert Jordan constatou que tinha sorte por ter a companhia do velho, por ter examinado a ponte e não prever complicações para a armação dos explosivos, que deveriam ser arranjados de modo a surpreender e explodir os postos de guarda com simplicidade, tudo isso o fez ressentir-se das ordens de Golz e da necessidade delas. Ressentiu-se pelo que elas poderiam causar a ele e a este velho homem. Eram ordens aterrorizantes para quem fosse segui-las.

"E este não é o jeito certo de pensar", disse para si mesmo; "você não existe e não existem as pessoas que não devem enfrentar isso ou aquilo. Nem você nem este velho são nada. Vocês são apenas instrumentos de sua missão. Vocês não têm culpa dessas ordens, elas são necessárias, e existe uma ponte, uma ponte que pode ser o vértice onde a mudança do futuro da raça humana irá acontecer. Assim como de repente tudo pode mudar nesta guerra. Você tem apenas uma coisa para fazer, e você deve fazê-la. Somente uma coisa, o diabo! Se fosse apenas uma coisa, seria fácil. Pare de se preocupar, bastardo empolado, pense em outra coisa."

Foi assim que ele começou a pensar em Maria, na sua pele, no seu cabelo e nos seus olhos do mesmo castanho-dourado, o cabelo um pouco mais escuro que o resto, mas que iria clarear à medida que a sua pele fosse se bronzeando, pele macia, tênue ouro na superfície, sobre um fundo mais escuro. Seu corpo todo deveria ser macio, e ela se movia meio desengonçada como se tivesse alguma coisa em mente que a envergonhasse, ou como se tivesse medo de revelá-la, embora estivesse apenas em sua mente. Ela ficou corada quando seus olhos se encontraram, sentou-se à sua frente com as mãos em torno dos joelhos, a gola da blusa aberta sobre os seios túrgidos, com os bicos espetados contra a blusa, e ao pensar nela sua garganta começou a engasgar. E estava difícil caminhar quando Anselmo lhe disse:

— A partir daqui, descemos por estas rochas até o acampamento.

Ao passar pelo terreno pedregoso, uma voz masculina soou no escuro:

— Alto! Quem vem lá?

Eles ouviram o barulho típico de um rifle sendo engatilhado, a batida seca do disparador puxado para trás, na madeira do cabo e no retorno de encontro à ferragem do cano.

— Camaradas — apressou-se Anselmo em dizer.

— Que camaradas?

— Camaradas do Pablo — respondeu o velho. — Tu não estás reconhecendo a gente?

— Estou, mas são as ordens. Tens a senha?

— Não. Nós viemos lá de baixo.

— Eu sei — disse o homem, do escuro. — Vocês vieram da ponte. Eu sei de tudo. Mas a ordem não é minha. Vocês têm que saber a segunda parte da senha.

— Então qual é a primeira parte? — disse Robert Jordan.

— Eu esqueci — disse o homem, do escuro, e soltou uma risada. — Então vai (...) naquele acampamento com esta tua dinamite de merda.

— Isto é a chamada disciplina de guerrilha — disse Anselmo para Robert Jordan. — Desengatilhe a tua arma.

— Está desengatilhada — falou o homem. — Estou segurando o gatilho com o meu polegar e o dedo indicador.

— Tu não farias isso com uma Mauser que não tem ranhura no ferrolho e pode disparar.

— Isto aqui é uma Mauser! — gritou o homem. — Mas eu tenho firmeza nos dedos. Sempre seguro o gatilho assim.

— Para onde está apontado o rifle? — perguntou Anselmo do meio da escuridão.

— Para ti, o tempo todo desde que soltei o ferrolho. E quando tu chegares no acampamento, manda alguém vir me render porque eu estou com uma fome descomunal e também porque esqueci a senha!

— Como te chamas? — perguntou Robert Jordan.

— Agustín — disse o homem. — Me chamo Agustín e estou morrendo de tédio neste lugar.

— Vamos dar o seu recado — disse Robert Jordan, e pensou como a palavra *aburrimiento,* que significa tédio em espanhol, era uma palavra que nenhum camponês usaria em nenhuma outra língua. No entanto, é uma das palavras mais usadas na boca dos espanhóis de todas as classes sociais.

— Ei, me escute — disse Agustín, e vindo para perto colocou a mão no ombro de Robert Jordan. Então, riscando uma pederneira num metal, segurou e assoprou a extremidade de uma rolha na altura do rosto do jovem, iluminando-a.

— Você se parece com o outro — disse ele. — Mas tem alguma coisa de diferente. Escute — abaixou o isqueiro rudimentar e estacou segurando o rifle. — Me diga o seguinte... é verdade esse negócio a respeito da ponte?

— Que negócio a respeito da ponte?

— Que nós temos que explodir esta ponte de merda, e cair fora dessas montanhas.

— Não sei nada disso.

— Tu não sabes nada. Que barbaridade! De quem é a dinamite?

— Minha.

— E tu não sabes para que é? Não me contes historinhas.

— Eu sei para o que será usada e você ficará sabendo quando chegar a hora — disse Robert Jordan. — Mas agora temos que ir para o acampamento.

— Vai, vai para aquela (...) — replicou Agustín. — E (...) também. Mas queres que eu te diga algo útil?

— Quero, desde que não seja essa (...) — disse Robert Jordan, repetindo os palavrões que entremeavam a conversa até então. Agustín dirigia-se a ele de um jeito tão desbocado, usando cada palavrão mais obsceno do que o outro para cada adjetivo, para cada verbo, que Robert Jordan chegou a pensar que o homem fosse incapaz de formular uma frase sem obscenidades. Agustín soltou uma gargalhada no escuro ao escutar a resposta de Robert Jordan.

— Este é o meu jeito de falar. Talvez seja feio. Quem sabe? Cada um fala da sua maneira. Escuta-me: esta ponte não é nada para mim, nem a ponte nem nada. Estou entediado nesta montanha. Se precisar, a gente sai daqui. Esta montanha não me diz nada. Temos que abandoná-la. Mas eu vou te dizer uma coisa. Protege bem o teu explosivo.

— Obrigado — disse Robert Jordan. — Devo protegê-lo de ti?

— Não. De pessoas menos (...) do que eu.

— Como quem?

— Você entende espanhol — disse Agustín, bem sério. — Cuida bem mesmo desta tua (...) de explosivo.

— Muito obrigado.

— Não. Não me agradeças. Cuida do teu negócio.

— Aconteceu alguma coisa com ele?

— Não, do contrário eu não estaria aqui perdendo o meu tempo falando essas coisas.

— Obrigado mesmo assim. Agora, temos que ir.

— Está bem — disse Agustín. — E que eles mandem alguém que saiba a senha para me render.

— Nos vemos no acampamento?

— Sim, homem, daqui a pouco.

— Vamos — disse Robert Jordan a Anselmo. Caminharam pelas bordas da clareira que estava envolta numa cerração cinzenta. A relva viçosa sob os seus pés substituía o chão duro, coberto de folhas e pinhas agudas, da floresta de pinheiros, e o orvalho na relva encharcava suas alpargatas de lona e sola de corda. Adiante, através das árvores, Robert Jordan pôde ver um clarão, e sabia que era da entrada da caverna.

— Agustín é um bom homem — disse Anselmo. — Ele é muito desbocado e brinca o tempo todo, mas é um homem muito sério.

— Conheces bem ele?

— Sim. Há bastante tempo. Confio muito nele.

— E sobre aquilo que ele disse?

— É, companheiro. Este Pablo está muito mal, como você pode ver.

— E qual é a melhor coisa a fazer?

— Vigiar o tempo todo.

— Quem?

— Você. Eu. A mulher e Agustín, já que ele vê o perigo.

— Você pensava que as coisas estivessem tão mal como estão aqui?

— Não — disse Anselmo. — Tudo piorou muito rapidamente. Mas era necessário vir para cá. É a região de Pablo e de El Sordo. Nesta região, temos que lidar com eles, a menos que possamos fazer algo sem precisar de ajuda.

— Que tal El Sordo?

— Bom, tão bom quanto o outro é mau.

— Você acredita que ele está mesmo mal?

— Pensei nisso toda a tarde, e agora, ouvindo o que ouvimos, eu penso que sim. De verdade.

— Não seria melhor partir, com o pretexto de explodir outra ponte, e arranjar homens de outros bandos?

— Não — respondeu Anselmo. — Esta é a região dele. Não se pode fazer um movimento sem que ele saiba. Mas devemos agir com muita precaução.

4

Chegaram até a boca da caverna, onde uma luz vazava por baixo da manta que cobria a entrada. As duas mochilas ao pé da árvore estavam cobertas com uma lona; Robert Jordan ajoelhou-se e sentiu a lona rija e úmida. No escuro, meteu as mãos por debaixo da lona, apalpou o bolso externo de uma das mochilas, tirou um frasco revestido de couro e o colocou no bolso da camisa. Abrindo um grosso cadeado enganchado nos ilhoses que fechavam a boca de cada mochila, e desatando o cadarço no topo delas, verificou o conteúdo com o tato. Bem no fundo de uma das mochilas ele sentiu os blocos enfeixados em sacos, estes por sua vez enrolados no roupão de dormir; amarrando os cadarços da mochila, fechando o cadeado de volta, enfiou uma das mãos na outra mochila e sentiu as quinas bem-definidas da caixa de madeira do velho detonador, a caixa de charutos com as cápsulas, cada pequeno cilindro enrolado por várias voltas com seus dois fios (todo o lote embrulhado tão cuidadosamente quanto a sua coleção de ovos de pássaros silvestres, de quando era criança), sentiu o cabo da submetralhadora desconectado do cano e enrolado na sua jaqueta de couro, os dois carregadores e cinco pentes de bala num dos bolsos internos da mochila, pequenos rolos de fio de cobre, e um grande rolo de fio isolado em outro bolso. No bolso com o fio de cobre, tateou seus alicates, duas sovelas de furar madeira, para fazer furos nas extremidades dos blocos, e, do último bolso interno, tirou uma caixa grande de cigarros russos, daquele lote que havia trazido do quartel-general de Golz, amarrando bem as aberturas das mochilas, fechou-as com o cadeado, afivelou as abas firmes para baixo e, novamente, puxou a lona por sobre as duas mochilas. Anselmo havia entrado na caverna.

Robert Jordan ficou de pé e ia seguir o velho, mas pensou um pouco e, levantando a lona de sobre as duas mochilas, pegou-as, uma em cada mão, e foi carregando-as, com dificuldade, até a boca da caverna. Soltou uma das mochilas, levantou e afastou para o lado a manta que servia de cortina, e, com a cabeça abaixada e uma mochila em cada mão, carregando-as pelas alças de couro, entrou na caverna.

A caverna estava aquecida e enfumaçada. Havia uma mesa ao longo de uma das paredes, com uma vela de sebo enfiada no gargalo de uma garrafa, e à mesa estavam sentados Pablo, três homens que ele não conhecia e o cigano Rafael. A chama da vela projetava sombras na parede atrás dos homens, e Anselmo estava em pé, à direita da mesa, por onde ele havia entrado. A mulher de Pablo estava em pé ao lado do fogo de carvão de lenha, um fogão improvisado num canto da caverna. A moça ajoelhada, ao lado da mulher, mexia numa panela de ferro com uma colher de pau. Logo que Robert Jordan parou, ela largou a colher e lançou-lhe um olhar; sob a claridade do fogo do chão, ele viu que a mulher soprava com um fole, viu também o rosto da moça, seu braço e as gotas escorrendo da colher, caindo na panela de ferro.

— O que você está carregando? — perguntou Pablo.

— Minhas coisas — respondeu Robert Jordan, colocando as duas mochilas um pouco afastadas, onde a caverna abria-se, do lado oposto à mesa.

— Não estavam bem, lá fora? — perguntou Pablo.

— Alguém pode tropeçar nelas no escuro — disse Robert Jordan caminhando para a mesa e colocando sobre ela a caixa de cigarros.

— Eu não gosto de ter dinamite aqui dentro da caverna — disse Pablo.

— Está longe do fogo. Pegue alguns cigarros — disse Robert Jordan, correndo o polegar pela lateral do maço de cigarros, que tinha uma figura colorida de um navio de guerra, e empurrou-o para Pablo.

Anselmo trouxe um banco de três pernas com assento de couro cru para Robert Jordan, e ele sentou à mesa. Pablo olhou para ele como se fosse falar, e esticou a mão para pegar os cigarros.

Robert Jordan empurrou os cigarros para os outros. Ainda não tinha olhado para eles, mas notou que um dos homens pegou cigarros, e os outros dois, não. Toda a sua concentração estava em Pablo.

— Como está, cigano? — perguntou para Rafael.

— Bem — respondeu o cigano, e Robert Jordan percebeu que estavam falando sobre ele. Nem mesmo o cigano estava à vontade.

— Ela vai deixar você comer outra vez? — Robert Jordan perguntou ao cigano.

— Sim, por que não? — respondeu o cigano em tom bem diferente do das brincadeiras daquela tarde.

— A mulher de Pablo não disse nada, e continuou soprando o fogo de carvão.

— Alguém chamado Agustín disse que está morrendo de tédio lá em cima — falou Robert Jordan.

— Isto não mata ninguém, deixe-o morrer um pouco — disse Pablo.

— Ainda tem vinho? — perguntou Robert Jordan, dirigindo-se a todos, jogando o dorso para frente e colocando ambas as mãos sobre a mesa.

— Sobrou um pouco — respondeu Pablo, taciturnamente.

Robert Jordan resolveu que seria melhor olhar para os outros três e tentar entender em que pé estavam as coisas.

— Neste caso, vou beber um copo de água. Ei, você! — ele chamou a moça. — Traga-me um copo com água.

A moça olhou para a mulher, que não disse nada, nem deu sinal de ter ouvido, e então foi até um caldeirão contendo água e nele mergulhou um copo, enchendo-o. Trouxe-o até a mesa e colocou-o bem na frente de Robert Jordan, que sorriu para ela. Neste momento, ele contraiu o estômago, e rodou o banco um pouco para a esquerda, de modo que a sua pistola pudesse deslizar no cinto para onde ele queria. Enfiou a mão no bolso das calças, com Pablo encarando-o. Retirou o frasco revestido de couro, desenroscou a tampa, bebeu meio copo de água, e despejou bem devagar o líquido do frasco no copo.

— É muito forte para ti, senão eu te daria um pouco — disse sorrindo para a moça. — Sobrou pouco, senão eu te ofereceria — disse para Pablo.

— Eu não gosto de anis — respondeu Pablo.

O cheiro acre se espalhara pela mesa e ele reconhecera o componente tão familiar.

— Bom — disse Robert Jordan —, porque sobrou mesmo muito pouco.

— Que bebida é esta? — perguntou o cigano.

— Um remédio. Quer provar?

— Remédio para quê?

— Para tudo. Isto cura tudo. Se você tiver algum problema, isto cura.

— Deixa eu provar — disse o cigano.

Robert Jordan empurrou o copo para perto dele. O conteúdo tornara-se um líquido leitoso e amarelo, misturado na água, e ele esperava que o cigano não tomasse mais do que um gole. Tinha sobrado muito pouco, e um copo daquilo tomava o lugar dos jornais vespertinos, das noites em cafés, das castanheiras que deveriam estar florescendo por este mês, dos belos cavalos troteando vagarosamente pelas alamedas, das livrarias, dos quiosques, e das galerias de arte, do Parc Montsouris, do estádio Bufallo, da Butte Chaumont, da Guaranty Trust Company e da Île de la Cité, do velho hotel Foyot, de ser capaz de ler e relaxar à noite, de todas essas coisas que ele havia desfrutado e esquecera, mas que retornaram à memória quando provou aquele líquido opaco, amargo, cuja alquimia entorpecia a língua, afagava o cérebro, esquentava o estômago e mudava as ideias.

O cigano fez uma careta e devolveu o copo.

— Isto cheira a anis mas é mais amargo do que bílis — disse. — É melhor ficar doente do que tomar este remédio.

— Isto é losna — disse Robert Jordan. — O verdadeiro absinto. Dizem que arruína o cérebro, mas eu não acredito. Apenas muda as suas ideias. Você deve derramar água bem devagar, poucas gotas, mas eu fiz o contrário, despejei direto na água.

— O que você está falando? — interferiu Pablo, impaciente, percebendo o deboche.

— Explicando o remédio — respondeu Robert Jordan, arreganhando os dentes para ele. — Comprei em Madri. Era a última garrafa e durou três semanas. — Tomou um longo gole e sentiu a bebida deslizar em sua língua numa suave anestesia. Olhou para Pablo e novamente mostrou os dentes num sorriso.

— E os negócios?

Pablo não respondeu; Robert Jordan examinou metodicamente os outros três homens na mesa. Um deles tinha a cara chapada, enorme, chata e tostada como um presunto Serrano, o nariz quebrado e chato, aquele cigarro russo fino e longo espetado na boca, projetando um ângulo agudo, dava-lhe uma aparência ainda mais achatada. O homem tinha cabelos grisalhos e curtos, a barba por fazer, também grisalha, e vestia a tradicional bata preta abotoada no pescoço. Dirigiu o olhar para as tábuas da mesa quando Robert Jordan o encarou, mas com os olhos estagnados, sem piscar. Os outros dois eram evidentemente irmãos, muito parecidos. Atarracados, cabelos pretos descendo na testa e olhos castanhos e pele morena. Um tinha uma cicatriz na fronte acima do olho esquerdo. Quando olhou para eles, o encararam de imediato e firmemente. Um parecia ter em torno de vinte e seis ou vinte e oito anos de idade, o outro talvez dois anos a mais.

— O que você está olhando? — perguntou um dos irmãos, o da cicatriz.

— Você — respondeu Robert Jordan.

— Vê alguma coisa estranha?

— Não. Quer um cigarro?

— Por que não? — disse o irmão. Não pegara nenhum. — São iguais aos que o outro tinha. O do trem.

— Você estava lá, no trem?

— Todos nós estávamos no trem. Todos, menos o Velho.

— É o que nós deveríamos pegar agora. Outro trem — disse Pablo.

— Podemos fazer isso — disse prontamente Robert Jordan. — Depois da ponte.

— Percebeu que a esposa de Pablo virara-se e prestava atenção. Quando ele pronunciou a palavra *ponte* houve um silêncio tenso.

— Depois da ponte — repetiu deliberadamente, e entornou outro gole de absinto. "É melhor trazer logo o assunto", pensou. "Não tem mesmo como escapar dele."

— Não vou participar desse negócio da ponte, nem eu nem meu pessoal — disse Pablo olhando firme para o tampo da mesa. Robert Jordan não disse nada. Olhou para Anselmo, levantou o copo e disse:

— Então teremos que fazer o serviço sozinhos, meu velho.

— Sem este covarde — disse Anselmo.

— O que você disse? — voltou-se Pablo para o velho.

— Nada. Não falei contigo.

Robert Jordan lançou um olhar por sobre a mesa para a esposa de Pablo, que até então não tinha se manifestado, nem dado sinal algum. Mas então ela disse algo inaudível, e a moça levantou-se de perto do caldeirão, deslizou até a cortina de manta e saiu. "É agora", pensou ele, "vai acontecer agora. Não queria que fosse desse jeito, mas enfim."

— Então, explodiremos a ponte sem a tua ajuda — Robert Jordan disse para Pablo.

— Não. Tu não vais explodir esta ponte — disse Pablo, suando muito.

— Não?

— Tu não vais explodir a ponte — disse duramente.

— E tu? — Robert Jordan falou para a esposa de Pablo, parada, imóvel e imensa ao lado do fogo. Ela virou-se para ele e respondeu:

— Eu estou contigo na ponte.

Sua face estava iluminada pelo fogo, inflamada; refletia um brilho afável, atraente como só na luz do fogo poderia parecer.

— O que você disse? — exclamou Pablo, e Robert Jordan percebeu o sentimento de estar sendo traído em seu olhar e o suor na sua testa, quando ele virou a cabeça.

— Sou a favor do negócio da ponte e contra ti — disse a mulher de Pablo. — É só.

— Eu também, a favor da ponte — falou o homem de cara chata e nariz quebrado, amassando o cigarro no tampo da mesa.

— Para mim esta ponte não significa nada — disse um dos irmãos. — Estou com a *mujer* de Pablo.

— Igualmente — emendou o outro irmão.

— Eu idem — completou o cigano.

Robert Jordan olhou para Pablo e, enquanto o mirava, baixando a mão direita sorrateiramente, pronta se fosse necessário, mas também torcendo para que não fosse (sentindo, talvez, que o mais simples e mais fácil seria isto, de fato, mesmo não querendo arruinar o que até então estava indo bem, sabendo como pode toda uma família, um clã, um bando rapidamente voltar-se contra um estrangeiro numa pendenga e, ainda, acreditando que o que sua mão poderia fazer seria o mais simples e melhor e cirurgicamente mais saudável, agora que isto acontecera) e viu a esposa de Pablo parada lá no mesmo lugar, ruborescida com orgulho, vigorosa, uma vez que os compromissos de fidelidade foram assumidos.

— Eu estou com a República — disse a mulher de Pablo, efusiva. — E a República é a ponte. Depois teremos tempo para outros projetos.

— E tu — disse Pablo, num tom amargo —, com esta cabeça de boi e este coração de puta. Pensas que vai haver o *depois* desta ponte? Tens ideia do que vai acontecer?

— O que deve acontecer, tem que acontecer e vai acontecer — respondeu a mulher.

— E não significa nada para ti ser caçada como um animal depois que isso acontecer, esse negócio do qual não teremos nenhum lucro? Não se importa se morrer nisso?

— Não! E não tente me assustar, seu covarde.

— Covarde? — disse o marido com amargura. — Chama um homem de covarde porque tem senso tático. Porque pode prever o resultado de uma idiotice. Não é covardia saber o que é uma estupidez.

— Nem é idiotice saber o que é covardia — interferiu Anselmo, sem conseguir furtar-se à frase de efeito.

— Você quer morrer? — perguntou Pablo com seriedade para o velho, e Robert Jordan percebeu que não era apenas uma pergunta retórica.

— Não.

— Então cuida da tua boca. Falas muito sobre coisas de que não entendes. Tu não vês que isto é sério? — fez a pergunta quase pesarosamente. — Será que eu sou o único que enxerga a seriedade disto?

— "Acredito que sim", pensou Robert Jordan. "Velho Pablo, velho Pablo, eu acho que sim. Menos eu. Você enxerga e eu também, e a mulher leu na minha mão, embora ela não enxergue ainda. Ela ainda não enxerga."

— Afinal eu sou seu líder por nada? — perguntou Pablo. — Eu sei do que estou falando. Vocês não sabem. Este velho só diz tolices. Não passa de um velho, mensageiro e guia de estrangeiros. E este estrangeiro vem aqui fazer coisas que são úteis aos estrangeiros. Para o seu bem, nós devemos nos sacrificar. Eu defendo o bem e a segurança de todos nós.

— Segurança — disse a mulher de Pablo. — Isso não existe. Agora, há tantos aqui procurando segurança que criam um grande perigo. Procurar segurança a esta altura é perder tudo.

Ela estava parada agora próxima da mesa com a enorme colher em punho.

— Segurança existe — disse Pablo. — No meio do perigo há a segurança de se saber quais são os riscos. É como faz o toureiro que, sabendo o que está fazendo, não corre riscos e fica a salvo.

— Até que ele esteja sangrando — disse a mulher, amargamente. — Quantas vezes ouvi matadores falarem neste tom antes de começarem a sangrar. Quantas vezes ouvi Finito dizer que é tudo uma questão de conhecimento, e que o touro nunca sangra o homem, é o homem que sangra a si próprio nas guampas do touro. Estão sempre falando com essa arrogância antes do sangramento. Depois nós os visitamos na clínica — agora ela estava arremedando um visitante ao lado da cama. — Olá, veterano. Olá — rugiu. — *Buenas, compadre.* Como está passando, Pilar? — imitando a voz do toureiro enfraquecido. — Como é que isso foi acontecer, Finito, *Chico*? Que acidente danado lhe sucedeu? — alternando bramidos e voz de doente. — Não é nada, mulher. Pilar, não é nada. Isto não deveria ter acontecido. Eu o matei muito bem. Ninguém o teria matado tão bem, entenda. Matei-o como se deve matar um touro, ele estava absolutamente morto, bambeando as pernas, pronto para tombar sobre o próprio peso, quando eu virei as costas, dando passos com certa dose de arrogância e cheio de estilo, daí, ele veio por trás e enfiou o chifre na minha bunda, trespassando até o meu fígado. — Ela começou a rir e, de repente, interrompeu sua imitação de um toureiro de voz quase efeminada para rugir de novo. — Tu e a tua segurança! Então eu vivi nove anos com três dos matadores mais mal pagos do mundo e não aprendi nada sobre segurança e medo? Fala-me de tudo, menos de segurança. Tu? Que desilusão. Bastou um ano de guerra para se tornar um preguiçoso, bêbado e covarde.

— Não tens direito de falar deste jeito, ainda mais na frente das pessoas, de estranhos — disse Pablo.

— Falo deste jeito sim. Não percebeu ainda? Pensa que ainda comanda este lugar?

— Sim, eu estou no comando.

— Nem de brincadeira — disse a mulher. — Sou eu a comandante aqui. Não ouviu *la gente*? Aqui não há ninguém além de mim no comando. Você pode ficar aqui se quiser, comer, beber, contanto que beba pouco, porra, e pode compartilhar do trabalho se quiser. Mas quem dá as ordens sou eu.

— Eu devia dar um tiro em você. E neste estrangeiro também — disse Pablo, carrancudo.

— É só tentar e ver o que vai te acontecer.

— Um copo de água para mim — disse Robert Jordan sem tirar os olhos do homem, com sua expressão pesada, e da mulher em pé, segura de si, segurando a grande colher com a autoridade de quem segura uma batuta.

— Maria! — gritou a mulher de Pablo e, ao surgir a moça na entrada da caverna, lhe ordenou: — Água para nosso camarada.

Robert Jordan buscou o frasco no bolso das calças, aproveitando para afrouxar o coldre da pistola e deslizá-la pela cinta até o colo. Derramou uma segunda dose de absinto em seu copo, pegou o copo de água que

Maria trouxe e começou a pingá-la devagar sobre o absinto. A moça ficou junto de seu cotovelo, observando.

— Saia — a mulher de Pablo disse para ela, apontando com a colher.

— Está frio lá fora — disse a moça, a face próxima da de Robert Jordan, acompanhando o que acontecia no copo onde a bebida formava nuvens.

— Pode ser — disse a mulher de Pablo. — Mas aqui dentro está quente demais. — Então, com delicadeza completou: — Não vai demorar muito.

A moça assentiu com a cabeça e saiu.

"Eu acho que ele não vai aguentar isso por mais tempo", pensou Robert Jordan. Segurou o copo com uma das mãos e a outra descansou no colo, agora, decididamente sobre a pistola. Soltou a trava e sentiu as ranhuras gastas, alisadas pelo uso, e o frio das peças do gatilho. Pablo tinha olhos apenas para a mulher. E ela continuou:

— Escute-me, bêbado. Estás entendendo quem está no comando aqui?

— Sou eu.

— Não. Escute bem. Limpe a cera dos teus ouvidos peludos. Sou eu que estou no comando.

Pablo olhava fixo para ela, mas não se podia dizer o que estaria passando por sua cabeça. Encarou-a deliberadamente, e então, do outro lado da mesa, voltou-se para Robert Jordan.

— Tudo bem. Você está no comando — disse ele. — E, se você quiser, ele também comanda. E os dois vão para o inferno — disse, e estava olhando direto para o rosto da mulher, sem parecer estar dominado por ela ou ter ficado realmente abalado. — Talvez eu seja preguiçoso e beba muito. Você pode me considerar um covarde, mas está errada. Eu não sou é estúpido — fez uma pausa. — Que você esteja no comando e que aprecie muito comandar. Agora, já que você é mulher e ao mesmo tempo comandante, deveríamos comer alguma coisa.

— Maria! — gritou a mulher de Pablo.

A moça enfiou a cabeça para dentro.

— Entre agora e sirva o jantar.

A moça entrou, foi direto até uma mesa baixa perto do fogão, pegou uns potes esmaltados e trouxe-os para a mesa.

— Tem bastante vinho para todos — disse a mulher de Pablo para Robert Jordan. — Não dê atenção ao que este bêbado diz. Quando acabar, pegaremos mais. Termina de beber esta coisa esquisita e toma um copo de vinho.

Robert Jordan engoliu o resto de absinto, sentindo a quentura e o formigamento subindo, uma mudança química queimar dentro dele, e passou o copo vazio para servir-se de vinho. A moça encheu-o até a borda e sorriu para ele.

— Bem, você viu a ponte? — perguntou o cigano. Os outros, que não haviam aberto a boca durante a troca de lealdades, estavam debruçados sobre a mesa, escutando a conversa.

— Vi — respondeu Robert Jordan. — Será fácil. Gostariam que eu lhes mostrasse?

— Sim, estamos muito interessados.

Robert Jordan tirou o caderno de notas do bolso e mostrou-lhes o croqui.

— Parece a ponte, está igual — disse o cara chata, chamado Primitivo.

Robert Jordan explicou, com o auxílio da ponta do lápis, como ela seria destruída pela explosão e como as cargas deveriam ser distribuídas.

— Que simplicidade — comentou um dos irmãos com cicatriz na cara, chamado Andrés. — E como é que você detona as cargas?

Enquanto Robert Jordan explicava para os homens, sentiu o braço da moça descansar em seu ombro. A mulher de Pablo acompanhava também. Somente Pablo não se interessou e, à parte, servia-se de vinho do tacho que Maria havia enchido de um odre pendurado na entrada da caverna.

— Você já fez isso muitas vezes? — perguntou a moça com delicadeza para Robert Jordan.

— Já.

— E nós poderemos ver?

— Sim, por que não?

— Você verá — disse Pablo da ponta da mesa. — Eu tenho certeza de que você verá.

— Cale a boca — disse a mulher de Pablo, e, de repente, lembrando-se do que tinha lido na mão do estrangeiro naquela tarde, ficou selvagem e desarrazoadamente brava. — Cale a boca, covarde, ave de mau agouro, assassino.

— Bem, eu calo a minha boca. Tu dá as ordens agora, fica aí olhando estes desenhos lindos. Mas, lembra-te, eu não sou estúpido.

A mulher de Pablo percebeu a sua raiva transformar-se em dor e daí para uma sensação de frustração de todas as promessas e esperanças. Conhecia este sentimento desde menina e sabia o que o gerava durante toda a sua vida. Foi algo que lhe veio de repente, mas ela não deixaria que a afetasse, nem a ela nem à República, e falou:

— Agora vamos comer. Sirva as tigelas com o que tem na panela, Maria.

5

Robert Jordan afastou a manta que protegia a entrada da caverna, deu um passo para fora e respirou fundo o ar fresco da noite. O nevoeiro havia se dissipado, e as estrelas se mostravam. Não ventava e, longe do ar quente e saturado da caverna, da fumaça dos cigarros e do carvão de lenha, misturados ao cheiro de arroz com tiras de carne cozida, açafrão, pimentões e azeite, do cheiro alcatroado misturado ao do vinho, do grande odre de couro, pendurado junto à entrada, pelo pescoço e com as quatro pernas estendidas, a pingar vinho da tampa em uma das pernas, vinho que respingava no chão, na terra, assentando o cheiro de pó, fora da caverna, agora, distante de todos aqueles cheiros de ervas dos quais ele nem sabia o nome, penduradas em feixes no teto da caverna, junto a réstias de alho, longe do zinabre, do vinho tinto e do alho, do suor dos cavalos e do suor seco das roupas dos homens daquela mesa (suor acre de homem rançoso, o doce e enjoativo da espuma seca do suor de cavalos), Robert Jordan respirou profundamente o ar limpo da noite, da montanha perfumada de pinheiros e do sereno misturado na grama da clareira às margens do riacho. O orvalho tinha caído em abundância e, com a ausência do vento, ele pensou que de manhã haveria geada.

Parado, respirando ar puro e escutando os sons da noite, ouviu primeiro tiros ao longe, e então o pio de uma coruja nas árvores abaixo, perto do curral dos cavalos. Depois, ouviu de dentro da caverna o cigano começando a cantar, com acordes suaves de um violão.

Ganhei de meu pai uma herança

A voz artificialmente empostada subiu, áspera e, lá no alto, continuou:

A lua e o sol
E mesmo que eu rode o mundo todo
Essa herança não vai nunca se acabar.

A guitarra parou abruptamente com sonoro aplauso para o cantor.

— Bom — Robert Jordan ouviu alguém dizer. — Cante para nós o Catalão, cigano.

— Não.

— Sim, sim. Cante o Catalão.

— Tudo bem — disse o cigano, e cantou em tom de lamento.

Meu nariz é chato.
Minha cara é preta.
Mas ainda assim eu sou alguém.

— Olé! — alguém gritou. — Vamos lá, cigano!

A voz do cigano aumentou dramática e irônica.

Graças a Deus que eu sou um negro
E não um Catalão!

— Está fazendo muito barulho — era a voz de Pablo. — Cale a boca, cigano.

— Sim — era a voz da mulher. — É barulho demais, pode atrair a *guardia civil,* com essa voz, que além disso é horrível.

— Conheço outra música — disse o cigano, e a guitarra recomeçou.

— Guarde para si — disse a mulher.

A guitarra parou.

— Minha voz não está boa esta noite. Sendo assim, não se perde nada — disse o cigano, e afastando a manta para o lado saiu para a escuridão.

Robert Jordan observou-o indo até uma árvore e depois aproximou-se dele.

— Roberto — disse o cigano, suavemente.

— Sim, Rafael — respondeu ele, e notou, pela voz, que Rafael estava algo alterado pelo vinho. Robert Jordan tinha bebido absinto e bastante vinho, mas estava lúcido por causa do frio e da tensão no embate com Pablo.

— Por que tu não mataste Pablo? — perguntou o cigano, em voz baixa.

— Por que eu o mataria?

— Você vai ter que matá-lo cedo ou tarde, por que não aproveitou o momento?

— Você está falando sério?

— O que você acha que todos esperavam? Por que você acha que a mulher mandou a moça sair? Acha que é possível continuar depois que aquilo tudo foi dito?

— Acho que vocês, todos juntos, deveriam matá-lo.

— *Qué va* — disse o cigano, ciciando. — Este negócio é com você. Todos nós esperamos três ou quatro vezes que você fosse matá-lo. Pablo não tem amigos.

— Tive o impulso — disse Robert Jordan. — Mas deixei passar.

— Claro, todos nós vimos. Todos notaram sua preparação. Por que você não foi em frente?

— Pensei que fosse incomodar os outros e a mulher.

— *Qué va*. A mulher esperou por isso como uma prostituta espera o voo do pássaro grande. Tu és mais moço do que pareces.

— É provável.

— Mate-o logo — disse o cigano.

— Isto é assassinato.

— Melhor ainda — disse o cigano, ainda muito baixo. — Menos perigo. Vá em frente, mate-o agora.

— Não posso fazer isso desse jeito. É repugnante, e ninguém deveria agir assim pela causa.

— Então provoque-o e mate-o. Não há outro remédio.

Enquanto conversavam, a coruja revoou entre as árvores com a suavidade de todo silêncio, pousou à frente, e voou de novo com um rápido bater de asas, mas sem muito ruído de penas, como que caçando.

— Veja — disse o cigano, no escuro. — É assim que os homens deveriam se movimentar.

— E, durante o dia, cego, no galho de uma árvore, com os corvos a sua volta — disse Robert Jordan.

— Nem sempre — disse o cigano. — E então, pela aventura. Mate-o. Não perca a chance, depois fica mais difícil.

— O momento passou.

— Provoque o momento — disse o cigano. — Ou aproveite a trégua.

A manta que fechava a porta da caverna abriu-se, e a luz saiu. Alguém veio na direção deles.

— Está uma noite linda — era uma voz de homem, grave e apática. — Vamos ter tempo bom.

Era Pablo.

Estava fumando um dos cigarros russos; ao tragar, viu-se sua cara redonda, e na claridade das estrelas eles viam o seu vulto musculoso e pesado.

— Não dê importância ao que a mulher fala — disse ele para Robert Jordan. O cigarro rebrilhava no escuro, visível na sua mão quando ele a abaixava. — Ela é difícil às vezes, mas é uma boa mulher, e muito leal à República.

A brasa do cigarro soltava cintilações à medida que ele falava. Ele deveria estar falando com o cigarro no canto da boca, concluiu Robert Jordan.

— Nós não teremos dificuldades. Já entramos num acordo. Estou contente que tenha vindo — o cigarro brilhou vivamente. — Não dê importância para as brigas — disse ele. — Você é bem-vindo. Agora, com licença, tenho que ir ver como amarraram os cavalos.

Foi-se por entre as árvores da beirada da clareira, de onde eles ouviram o relincho de um cavalo.

— Está vendo? — disse o cigano. — Vê agora? O momento escapou.

Robert Jordan ficou calado.

— Vou lá para baixo — disse o cigano.

— Fazer o quê?

— *Qué va*, fazer o quê? Pelo menos evitar que ele fuja.

— Ele pode fugir a cavalo lá por baixo?

— Não.

— Então vá para uma posição onde possa impedi-lo de fugir.

— Agustín está lá.

— Então vá e fale com Agustín. Conte tudo o que aconteceu.

— Agustín irá matá-lo com prazer.

— Menos mal — disse Robert Jordan. — Vá então, e conte-lhe tudo.

— E depois?

— Eu vou lá embaixo, dar uma olhada na clareira.

— Certo, meu amigo — ele não podia ver o rosto de Rafael no escuro, mas podia sentir que ele sorria. — Finalmente apertou as suas jarreteiras — disse o cigano, em tom de aprovação.

— Vá encontrar Agustín — repetiu Robert Jordan.

— Sim, Roberto, sim — respondeu o cigano.

Robert Jordan caminhou através dos pinheiros, tateando o caminho árvore por árvore, até a beirada da clareira. Olhando através dela, no escuro, abrandado aqui pela luz das estrelas, viu o vulto escuro dos cavalos à soga. Contou cinco cavalos espalhados entre ele e o riacho. Sentou-se ao pé de um pinheiro e ficou olhando para a clareira.

"Estou cansado", pensou, "e talvez meu senso de julgamento esteja meio perturbado. Mas a minha obrigação é explodir a ponte, tenho que cumpri-la, não posso correr nenhum risco desnecessário até que execute a missão. É claro que às vezes é mais arriscado não aceitar os riscos necessários, mas tenho agido assim até agora, tentei deixar a situação seguir seu próprio curso. Se é verdade o que o cigano diz, que eles esperavam que eu matasse o Pablo, então eu deveria ter aproveitado. Mas não ficou claro para mim que eles estivessem esperando por isso. Para um estranho, fazer uma execução num lugar, onde depois irá trabalhar, é muito ruim. Isto deve ser feito numa ação e contanto que se tenha bastante autoridade sobre os demais, mas neste caso seria um erro, embora eu tenha me sentido tentado; parecia simples e rápido. Mas não acredito que alguma coisa seja rápida e simples por estas bandas e, mesmo confiando na mulher, não sei como ela reagiria a uma coisa assim drástica. A morte de alguém naquele lugar seria horrível, sujo e repugnante. Quem sabe como ela iria reagir. Sem a mulher não há organização nem disciplina aqui, e com ela tudo pode se arranjar. O ideal teria sido ela matá-lo, ou o cigano (mas ele não faria isso) ou a sentinela, Agustín. Anselmo o mataria se eu lhe pedisse, embora ele tenha dito que é contra matar pessoas. Ele odeia o Pablo, eu sei, e confia em mim como representante de uma causa em que acredita. Somente ele e a mulher acreditam na República, pelo que vejo; mas, de qualquer modo, ainda é muito cedo para afirmar."

Quando os seus olhos se acostumaram com as luzes das estrelas, viu Pablo próximo de um dos cavalos. O animal levantava a cabeça do pasto e baixava-a impacientemente. Pablo estava escorado nele, dando tapinhas em seu pescoço e movendo-se com o cavalo em giros limitados pelo comprimento da soga. O cavalo estava arisco, perturbado na sua pastagem noturna, e Pablo fazia qualquer coisa que Robert Jordan não podia ver, mas não estava tentando soltar nem encilhar o animal. Ficou observando Pablo e pensando em seus problemas.

— Tu, meu bom cavalinho — Pablo dizia para o cavalo, no escuro. Era o grande garanhão. — Tu, querido cara-branca, minha lindeza. Com este teu pescoço arqueado como o viaduto de meu *pueblo* — parou por um momento e continuou: — Mais arqueado e mais bonito. — O cavalo arrancava a grama, balançando a cabeça para os lados, incomodado pela presença e pela fala do homem. — Tu, que não és mulher, nem um idiota — Pablo disse para o baio. — Tu, ah, tu, tu, tu, meu cavalinho grande. Tu não és uma mulher como uma rocha que queima. Tu não és uma potranca com o cabelo tosquiado, que se move como uma cria ainda molhada da placenta de sua mãe. Tu não insultas, não mentes, tu entendes. Tu, ah, tu, ah meu cavalinho grande.

Seria muito interessante para Robert Jordan se ele tivesse escutado Pablo falando para o baio, mas ele não ouviu, porque, convencido de que Pablo estava apenas verificando seus animais, decidiu que não era possível nenhum movimento para matá-lo, naquelas circunstâncias, e voltou para a caverna. Pablo ficou na clareira falando para o cavalo por um longo tempo. O cavalo não entendeu nada do que ele disse, apenas que, pelo tom de voz empregado, o homem dava mostras de afeto, e ele estivera no curral o dia inteiro e estava faminto, pastando impaciente, limitado pelo comprimento da soga, e sendo importunado pelo homem. Pablo trocou a estaca da soga para outro ponto e parou de falar. Aliviado, o cavalo voltou a pastar em paz.

6

Uma vez tendo retornado à caverna, Robert Jordan sentou-se num dos bancos de três pernas e assento de couro cru, próximo do fogo, escutando a mulher. Ela lavava a louça do jantar e Maria enxugava, ajoelhada no chão, guardando-a num buraco cavado na parede, usado como prateleira.

— É estranho que El Sordo ainda não tenha chegado. Deveria estar aqui há uma hora — disse ela.

— Você o chamou?

— Não. Ele vem todas as noites.

— Vai ver está ocupado com algum trabalho.

— É possível. Se ele não vier, devemos procurá-lo amanhã.

— Sim. É longe daqui?

— Não. Será uma boa viagem. Eu preciso de exercício.

— Posso ir? — perguntou Maria. — Posso ir também, Pilar?

— Sim, linda — a mulher falou e, tomando o seu rosto nas mãos, disse: — Ela não é uma graça? — E perguntou a Robert Jordan: — O que você acha, é muito magra para você?

— Para mim ela está muito bem — respondeu Robert Jordan. Maria encheu seu copo com vinho e lhe ofereceu.

— Beba — disse ela. — Vou parecer ainda melhor. E é necessário beber muito para me achar bonita.

— Então eu tenho que parar — disse Robert Jordan. — Você me parece mais do que bonita.

— Assim é que se fala — disse a mulher. — Você fala como as pessoas de bom-tom. O que mais além de bonita ela te parece?

— Inteligente — disse Robert Jordan, claudicantemente. Maria soltou um riso espremido e a mulher falou balançando a cabeça tristemente:

— Começou tão bem e terminou deste jeito, Dom Roberto.

— Não me chame de Dom Roberto.

— É uma brincadeira. Aqui nós dissemos Dom Pablo como brincadeira, como dizemos Senhorita Maria por chacota.

— Eu não brinco desse jeito — disse Robert Jordan. — Camarada é como todos deveriam ser chamados, com seriedade, nesta guerra. É nas brincadeiras que começa a ruína.

— És muito religioso com a política — disse a mulher em tom de deboche. — Tu não fazes brincadeiras?

— Sim, eu brinco bastante, mas não com a forma de tratamento. É como se fosse uma bandeira.

— Eu poderia brincar com as bandeiras, qualquer bandeira — disse a mulher, rindo à solta. — Para mim pode-se brincar com qualquer coisa. A bandeira antiga, amarela e ouro, nós a chamávamos de pus e sangue. A bandeira da República, à qual acrescentaram a cor roxa, chamamos de pus, sangue e permanganato. É tudo brincadeira.

— Ele é comunista — disse Maria. — Eles são gente muito séria.

— Você é comunista?

— Não, eu sou antifascista.

— Há muito tempo?

— Desde que eu descobri o que é o fascismo.

— Há quanto tempo?

— Mais ou menos dez anos.

— Isto não é muito tempo — disse a mulher. — Eu sou republicana já faz vinte anos.

— Meu pai foi republicano durante toda a sua vida — disse Maria. — Foi por isso que deram um tiro nele.

— Meu pai também foi republicano durante toda a vida — disse Robert Jordan. — E meu avô também.

— Em qual país?

— Nos Estados Unidos.

— Eles foram mortos a tiros? — perguntou a mulher.

— *Qué va* — disse Maria. — Os Estados Unidos são um país de republicanos. Lá eles não atiram em você por ser republicano.

— Mesmo assim, é muito bom ter um avô que foi republicano — disse a mulher. — Sinal de sangue bom.

— Meu avô foi do Comitê Nacional dos Republicanos — disse Robert Jordan. Isto impressionou até mesmo Maria.

— E o teu pai continua ativo na República? — perguntou Pilar.

— Não. Ele já morreu.

— Pode-se perguntar como ele morreu?

— Suicidou-se com um tiro.

— Para escapar da tortura? — perguntou a mulher.

— Sim, para escapar da tortura.

Maria olhou para ele com os olhos marejados.

— Meu pai — disse ela — não pôde arranjar uma arma. Ah, fico contente que o seu pai tenha tido a felicidade de arranjar uma arma. — Sim, foi sorte — disse Robert Jordan. — Será que podemos mudar de assunto?

— Então eu e você somos iguais — disse Maria, colocando a mão no seu braço e olhando seu rosto. Ele olhou para a sua face morena e para os olhos que, desde a primeira vez que os viu, nunca foram tão jovens como tudo mais em seu rosto, e agora de repente ansiosos, juvenis e carentes.

— Pela aparência, vocês poderiam ser irmãos — disse a mulher. — Mas, felizmente, não são.

— Agora eu sei por que me senti daquele jeito — disse Maria. — Agora eu entendo.

— *Qué va* — disse Robert Jordan, e estendendo a mão acariciou a sua cabeça. Tinha desejado fazer isso o dia todo, e agora o fizera, e podia sentir a garganta inchar. Ela moveu a cabeça sob a sua mão, sorrindo para ele, que sentiu as pontas espetadas, mas sedosas, de seu cabelo tosado, entre os seus dedos. No instante seguinte sua mão estava em seu pescoço, depois a baixou.

— Faça isso de novo — pediu ela. — Queria que você fizesse isso o dia inteiro.

— Mais tarde — disse Robert Jordan, com a voz ligeiramente embargada.

— E eu — disse a mulher de Pablo, com a sua voz de mugido —, terei que ficar assistindo a tudo? Esperam que eu não fique tocada? Não posso. Na falta de coisa melhor, que Pablo volte logo.

Maria não deu importância à mulher, nem aos outros homens que jogavam baralho na mesa à luz de vela.

— Você quer outro copo de vinho, Roberto? — ela perguntou.

— Sim, por que não?

— Você vai ficar com um bêbado, como eu — disse a mulher de Pablo. — Ainda mais com aquela coisa que ele bebe. Escute-me, *Inglés*.

— *Inglés* não, Americano.

— Então escute, Americano. Onde você planeja dormir?

— Lá fora, eu tenho um saco de dormir.

— Bom — disse ela —, a noite está clara?

— E vai esfriar.

— Então, fora — disse a mulher. — Durma lá fora. O teu material pode dormir comigo.

— Bom. Nos deixe a sós por um instante — disse Robert Jordan para Maria, e colocou carinhosamente a mão no ombro dela.

— Por quê?

— Tenho que conversar com Pilar.

— E eu devo sair?

— Deve.

— O que é? — perguntou a mulher de Pablo depois que Maria afastou-se para junto da entrada da caverna e parou ao lado do odre de vinho, observando os homens jogarem cartas.

— O cigano me disse que eu deveria... — começou ele.

— Não — interrompeu a mulher. — Ele está enganado.

— Se for necessário que eu... — disse Robert Jordan baixinho e com dificuldade.

— Eu sei, tu o terias feito — disse a mulher. — Não é necessário. Eu estava te observando. Teu julgamento foi bom.

— Mas se for preciso...

— Não. Eu digo que não era preciso. A mente do cigano está corrompida.

— Mas na fraqueza um homem pode ser um grande perigo.

— Não. Tu não entendeste. Desse aí, toda a capacidade de criar perigo acabou.

— Eu não entendo.

— Ainda és muito jovem — disse ela. — Mas você vai entender — e falou para Maria: — Venha, Maria, já acabamos a conversa.

A moça veio e se aninhou, como um gatinho, sob a mão de Robert Jordan, que já havia esticado o braço para acariciá-la. Por um momento, ele pensou que ela fosse chorar, mas seus lábios abriram-se num sorriso para ele.

— Farias bem de ir para a cama agora — disse a mulher para Robert Jordan —, foi uma longa jornada.

— É, vou pegar as minhas coisas.

7

Ele dormia em sua manta de viagem e percebeu que estivera dormindo por um longo tempo. A manta estava estendida no chão da floresta, no abrigo das pedras além da entrada da caverna; enquanto dormia, virando-se e revirando-se, empurrou a sua pistola, presa por um barbante a um dos pulsos, que estava a seu lado sob a coberta quando fora dormir, com o ombro e as costas coloridas, a perna dormente, músculos tão repuxados de cansaço que achou o chão macio; e simplesmente esticar-se sobre a manta e debaixo da coberta de flanela era relaxante. Acordando, ele perguntou-se onde estava, se deu conta, afastou a pistola de sob o próprio corpo e ajeitou-se, contente, esticando-se para voltar a dormir, com uma das mãos por debaixo do travesseiro, feito com roupas enroladas nas alpargatas. Mantinha um braço em torno do travesseiro.

Então, sentiu a mão dela em seu ombro e virou rapidamente, a mão direita segurando a pistola sob a coberta.

— Ah, és tu — disse ele, largando a arma, e esticou ambos os braços para puxá-la contra o próprio corpo. Ela tremia. — Vem para debaixo da coberta — disse-lhe, carinhosamente. — Está frio aí fora.

— Não. Eu não devo.

— Venha, depois conversamos sobre isso.

Ela tremia, e ele segurava firme seu pulso com uma das mãos, enlaçando-a com o outro braço com delicadeza. Ela havia virado a cabeça.

— Venha, coelhinha — disse ele, e beijou-lhe a nuca.

— Estou com medo.

— Não. Não tenha medo. Venha.

— Como?

— É só deslizar para baixo das cobertas. Tem espaço para nós dois. Você quer que eu te ajude?

— Não — disse ela e já estava sob a coberta, ele a abraçá-la apertado, tentando beijá-la nos lábios, e ela escondendo a cabeça no travesseiro, mas com os braços em torno do pescoço dele. Então ele sentiu seus braços relaxarem, e ela voltou a tremer enquanto ele a abraçava.

— Não — falou Robert Jordan, rindo. — Isto é a minha pistola, não tenha medo — e fez a arma deslizar para trás.

— Estou com vergonha — disse Maria com o rosto de lado.

— Não, não precisa. Aqui. Agora.

— Não, eu não devo. Estou com vergonha e assustada.

— Não, minha coelhinha. Por favor.

— Eu não devo. Se tu não me amas...

— Eu te amo.

— Eu te amo. Ah, eu te amo. Põe a tua mão na minha cabeça — disse ela com o rosto afastado do dele, no travesseiro. Ele passou a mão na sua cabeça e de repente ela levantou o rosto do travesseiro e abandonou-se em seus braços, com o corpo espremido contra o dele, o rosto colado ao seu, chorando.

Ele a segurou firme, sentindo toda a extensão de seu corpo jovem, alisou seu cabelo e beijou os seus olhos molhados e salgados; enquanto ela chorava, ele sentia os seus seios redondos, túrgidos, pontudos através da blusa.

— Eu não posso beijar — disse Maria. — Eu não sei beijar.

— Não precisa beijar.

— Sim, eu quero beijar. Quero fazer tudo.

— Não precisa fazer nada. Está tudo bem. Mas tu estás cheia de roupas.

— O que eu devo fazer?

— Vou te ajudar.

— Assim está melhor?

— Sim. Muito. Não está melhor para ti?

— Sim. Muito melhor. E eu posso ir contigo, como a Pilar disse?

— Sim.

— Mas não para uma casa. Contigo.

— Não. Para uma casa.

Não. Não. Não. Contigo, e eu vou ser a tua mulher.

Assim, agora deitados, foi exposto tudo que antes estivera oculto. Onde havia a aspereza das roupas ficou a maciez e a pressão do enlace mútuo e um longo frescor ardente, o frio externo e o calor interno, um longo abraço suave e apertado, colados, sozinhos, um só corpo formando vales e contornos, em contentamento juvenil, amoroso, tudo tão macio e quente crescendo numa dolorosa pressão no peito, uma solidão profunda que pareceu insuportável a Robert Jordan, e ele perguntou:

— Tu já fizeste amor antes?

— Nunca.

Então, de repente amolecendo em seus braços:

— Mas fizeram coisas comigo.

— Quem?

— Vários.

Neste instante, ela ficou imóvel, como se o seu corpo estivesse morto, e afastou a cabeça.

— Agora você não vai mais me amar.

— Eu te amo — disse ele.

Mas algo mudara nele, e ela percebeu.

— Não — a sua voz soou desolada, sem vida. — Tu não vais me amar. Mas talvez me leves para o abrigo. Eu irei para o abrigo e nunca serei tua mulher, nem nada.

— Eu te amo, Maria.

— Não. Não é verdade — disse ela. Então, como uma última coisa, com pena e esperança: — Mas eu nunca beijei um homem.

— Então me beije.

— Eu quero, mas não sei como. Quando eles me fizeram aquelas coisas, lutei o quanto pude para não ver nada. Lutei até... até... até um deles sentar na minha cara... aí eu o mordi e... amordaçaram minha boca... e prenderam meus braços por trás da minha nuca enquanto outros me faziam aquilo.

— Eu te amo, Maria. E ninguém fez nada em ti. Em ti eles não podem tocar. Ninguém te tocou, coelhinha.

— Você acredita?

— Eu sei.

— E você pode me amar? — calorosa, novamente colada a ele.

— Posso te amar ainda mais.

— Vou tentar te beijar muito bem.

— Beije-me... só um pouco.

— Eu não sei como fazer.

— Simplesmente me beije.

Ela o beijou no rosto.

— Não.

— Onde se encaixam os narizes? Sempre tive curiosidade de saber onde se encaixam os narizes.

— Olha, vire a tua cabeça.

E então as suas bocas se uniram e ela, deitada, grudou-se no corpo dele abrindo levemente os lábios, e gradualmente mais, e de repente, segurando-a firme contra o peito ele ficou mais feliz do que nunca; gravitando amorosamente, exultante, feliz por dentro, sem pensamentos, sem preocupações, sem cansaço, e sentindo apenas um enorme prazer, disse-lhe:

— Minha coelhinha. Minha querida. Minha doçura. Meu grande amor.

— O que você disse? — ela falou como se estivesse longe.

— Meu amor — respondeu ele.

Estavam deitados, ele podia sentir o coração dela batendo junto do seu, e com o pé roçou com delicadeza o contorno dos pés dela.

— Tu vieste descalça.

— Sim.

— Então sabias que virias para a cama?

— Sim.

— E não teve medo.

— Sim. Bastante. Mas temi muito mais não saber tirar os sapatos.

— E que horas são agora? *Lo sabes?*

— Não. Tu não tens relógio?

— Tenho. Mas está atrás das tuas costas.

— Pega-o daí.

— Não.

— Então olhe por cima de meus ombros.

Era uma hora. O mostrador brilhou no escuro sob a manta.

— O teu queixo arranha meus ombros.

— Perdão. Eu não tenho aparelho de barbear.

— Eu gosto assim. A tua barba é loira?

— É.

— E vai ficar comprida?

— Não antes da ponte. Maria, escute. Tu...?

— Eu o quê?

— Tu queres?

— Sim. Tudo. Por favor. E se nós fizermos tudo juntos, vai ser como se os outros nunca tivessem existido.

— Você ficou pensando nisso?

— Não. Eu penso nisso sozinha, mas foi Pilar quem me disse que seria assim.

— Ela é muito sábia.

— E outra coisa — disse Maria, meigamente. — Ela me mandou dizer para você que eu não estou doente. Ela sabe essas coisas e mandou eu lhe dizer.

— Ela disse para você me contar?

— Sim. Eu falei com ela e lhe disse que amo você. Mesmo sem nunca tê-lo visto antes, amei você desde o primeiro momento, contei para Pilar, e ela me disse que se eu lhe contasse qualquer coisa da minha vida, que lhe dissesse também que eu não estou doente. Sobre apagar aquilo, ela já tinha falado, logo depois do trem.

— O que ela disse?

— Disse que nada é feito para uma pessoa sem que ela aceite, e que se eu amar alguém aquilo será apagado para sempre. Eu queria morrer, sabe?

— Ela disse uma verdade.

— E agora estou feliz por não ter morrido. Estou tão contente. E você, pode me amar?

— Sim, eu amo você.

— E eu posso ser a tua mulher?

— Fazendo o que eu faço, não posso ter uma mulher. Mas tu és minha mulher neste momento.

— Se eu sou agora, então vou continuar sendo. Sou tua mulher agora?

— Sim, Maria. Sim, minha coelhinha.

Manteve-se apertada junto do seu corpo, seus lábios à procura dos lábios dele, que a sentiu fresca, nova, macia, juvenil, amorosa e quente, derretendo a frieza da noite, e sentiu que era inacreditável estar sob aquela manta tão familiar quanto as suas roupas, sapatos, e sua missão, e ouviu-a dizer, assustada:

— Agora vamos fazer rapidamente o que devemos fazer para que todos os outros desapareçam.

— Você quer?

— Sim — ela disse de modo quase selvagem. — Sim, sim, sim.

8

A noite estava fria e Robert Jordan dormiu pesadamente. Acordou, espreguiçando-se, e se deu conta de que a moça estava com ele, enroscada embaixo da manta, respirando suave e regularmente, e então, no escuro, ele encolheu-se fugindo do frio, do ar gelado nas suas narinas, entrevendo o céu bem-desenhado repleto de estrelas, enfiou a cabeça sob a manta e beijou os ombros macios de Maria. Ela não chegou a acordar; ele virou de lado, com o rosto para fora da manta, novamente exposto ao frio, e ficou deitado sorvendo por um momento a embriaguez da luxúria de sua fadiga e depois a felicidade do contato suave dos seus dois corpos, e assim esticou as pernas ao máximo debaixo da coberta escorregando profundamente para dentro do sono.

Acordou com a primeira luz do dia e a moça já não estava ao seu lado. Percebeu isso quando esticou o braço e sentiu o calor da manta onde ela estivera deitada. Olhou para a boca da caverna, onde a geada acumulada rebordava a cortina, e uma tênue fumaça cinza escapava por uma fenda das rochas avisando que o fogo da cozinha já estava aceso.

Um homem saiu do meio das árvores, com um cobertor surrado sobre a cabeça como se fosse um poncho. Robert Jordan viu que era Pablo, e que fumava um cigarro. "Devia estar lá embaixo encurralando os animais", pensou.

Pablo afastou a manta da entrada e penetrou na caverna sem olhar na direção de Robert Jordan.

Robert Jordan apalpou a fina geada que se acumulara na desgastada e manchada capa verde, feita de seda de balão, que era o revestimento externo da manta de campanha, com cinco anos de uso, e aquietou-se sob ela novamente. "*Bueno*", resmungou para si mesmo. Abrindo as pernas sob a coberta e sentindo o toque familiar do tecido interno de flanela, ajuntou-as novamente e virou-se de lado, para defender o rosto do sol quando ele viesse. "*Qué más da*, acho que vou dormir mais um pouco."

Dormiu até que o som de motores de aeroplanos o acordou. Deitado de costas, avistou a patrulha fascista de três Fiats, minúsculos, brilhantes, riscando velozmente o céu por sobre a montanha, na direção de onde ele e Anselmo tinham vindo no dia anterior. Após os três vieram mais nove, voando muito mais alto, minúsculos, em formações em cunha de três trincas.

Pablo e o cigano estavam parados na entrada da caverna, à sombra, observando o céu, Robert Jordan imóvel no chão, o céu tomado pela trepidação do ronco dos motores, agora com mais um trepidante zunido de três aviões, menos de 400 metros acima da clareira. Eram três bombardeiros Heinkel 1-11 bimotores.

Robert Jordan, cabeça protegida sob a sombra das rochas, sabia que não poderiam avistá-lo, e nem se importaria se pudessem. Sabia que poderiam avistar os cavalos no curral, se estivessem procurando algo nessas montanhas. Se não estivessem, ao avistarem os cavalos, não iriam estranhar e os tomariam por montarias de sua própria cavalaria. Então, chegou uma troada ainda maior e eram mais três Heinkels 1-11, descendo a pique, retos, cada vez mais próximos, cruzando o céu naquela formação rígida, martelando seus roncos num crescendo até o barulho absoluto, que, ao passarem pela clareira, começou a distanciar-se.

Robert Jordan desenrolou o rolo de roupas que era seu travesseiro e começou a vestir-se. Estava pondo a camisa quando ouviu outros aviões se aproximando e, sem sair de sob a manta, enfiou as calças, permanecendo imóvel, enquanto passava nova bateria de três bombardeiros bimotores Heinkels. Antes que tivessem sumido por sobre a dorsal das montanhas, ele já havia afivelado a pistola, enrolado a manta, colocado-a contra as rochas e, sentando-se junto a elas, amarrado as alpargatas, enquanto a aproximação de um zunido trepidante se transformou num estardalhaço muito maior do que todos os anteriores e nove bombardeiros leves Heinkel vieram em escalão; rasgando o céu ao passarem.

Robert Jordan deslizou pelas rochas até a entrada da caverna, de onde os irmãos, Pablo, o cigano, Anselmo, Agustín e Pilar olhavam para o alto.

— Passam tantos aviões assim por aqui? — perguntou ele.

— Nunca — disse Pablo. — Entre, senão eles vão te ver.

O sol ainda não havia alcançado a boca da caverna. Acabara de brilhar na clareira perto do riacho e Robert Jordan sabia que eles não podiam ser vistos no escuro da sombra da manhã, projetada pelas árvores, e da sólida sombra das rochas, mas entrou na caverna para não deixá-los nervosos.

— São tantos — disse a mulher.

— E virão mais — disse Robert Jordan.

— Como é que você sabe? — perguntou Pablo, desconfiado.

— Deve haver aviões de perseguição, seguindo aqueles bombardeiros.

Neste momento, escutaram os caças, mais alto do que os anteriores, zunindo, passando a cerca de 2 mil metros de altura, e Robert Jordan contou quinze Fiats escalonados em esquadrilhas, parecendo o voo de gansos selvagens formando trincas em V.

Na entrada da caverna todos pareciam muito preocupados, e Robert Jordan disse:

— Vocês nunca viram tantos aviões assim?

— Nunca — respondeu Pablo.

— Nem em Segóvia eles são tão numerosos?

— Nunca houve tantos. É normal vermos três. Algumas vezes seis caças. Ou três Junkers, aqueles enormes com três motores, e os caças acompanhando. Nunca vimos tantos assim.

"Isto é mau", pensou Robert Jordan. "Isto é muito mau. Uma concentração de aviões aqui é muito mau. Preciso ouvi-los descarregar. Mas ainda não, ainda não poderiam ter trazido as tropas para o ataque. Certamente não antes de hoje à noite, ou da noite de amanhã, com certeza ainda não. Eles não se deslocarão nesta hora do dia."

Ele continuava ouvindo o zumbido que se afastava. Consultou o relógio. "Agora os aviões deveriam estar sobre as linhas, pelo menos as primeiras." Apertou o botão de marcar os segundos e ficou olhando-o girar. "Não, talvez ainda não. Agora. Sim. Bem em cima, agora. Vá lá, quatrocentos quilômetros por hora para aqueles I-11. Em cinco minutos estariam lá. Neste momento, devem estar bem além da passagem, com Castela toda em amarelo e trigueira abaixo deles, agora de manhã, com o amarelo riscado pelas ruas brancas, e sarapintado por vilarejos e as sombras dos Heinkels movendo-se sobre a terra como a sombra de tubarões passando pelo leito de areia de um oceano."

Nada dos estouros surdos, repetidos, das bombas. Seu relógio continuou o tique-taque.

"Devem ter seguido para Colmenar, para Escorial, ou voado para o campo de aviação de Manzanares el Real", pensou ele, "com o velho castelo acima do lago, os patos entre os juncos e a falsa pista de pouso logo atrás da verdadeira, com os aviões artificiais mal-escondidos, com suas hélices girando ao vento. É para lá que devem ter ido. Não sabem sobre o ataque", assegurou a si mesmo, mas alguma coisa lhe disse: "Por que não, se ficaram sabendo dos demais?"

— Você acha que eles viram os cavalos? — perguntou-lhe Pablo.

— Não estavam procurando cavalos.

— Mas será que os viram?

— Não, a menos que lhes tivessem dado ordens para procurá-los.

— Eles poderiam vê-los?

— Provavelmente não, só se o sol estivesse batendo nas árvores.

— Está batendo nelas desde bem cedo — disse Pablo, arrasado.

— Acho que eles tinham outras coisas em que pensar em vez de teus cavalos — disse-lhe Robert Jordan.

Já haviam passado oito minutos desde que ele pressionara o botão dos segundos, e ainda não tinha escutado nenhum barulho de bomba.

— O que você está fazendo com o relógio? — perguntou-lhe a mulher.

— Calculando aonde eles devem ter ido.

— Ah — foi a sua reação.

Passados dez minutos, parou de olhar o relógio, sabendo que eles estariam muito longe para poder ouvi-los, e disse para Anselmo:

— Preciso falar contigo.

Anselmo afastou-se da entrada da caverna e eles caminharam até os pinheiros.

— *Qué tal?* — Robert Jordan perguntou-lhe.

— Tudo bem.

— Já comeu?

— Não. Ninguém comeu ainda.

— Então coma e pegue alguma coisa para comer no meio do dia. Quero que vigie a estrada. Anote tudo que passar nas duas direções.

— Eu não sei escrever.

— Não é necessário.

Robert Jordan tirou duas folhas de seu caderno de notas e, com a sua faca, cortou uma polegada da ponta do lápis.

— Tome isto e marque os tanques, assim — desenhou um tanque enviesado —, e faça uma marca para cada um, e, depois do quarto, risque as quatro marcas para mostrar que são cinco.

— Nós os contamos desse jeito também.

— Bom. Faça outra marca, duas rodas e uma caixa, para caminhões. Se estiverem vazios, faça um círculo. Se estiverem transportando soldados, faça uma linha reta. Marque as armas. Grandes, assim. Pequenas, assim. Marque os carros. As ambulâncias. Assim, duas rodas, uma caixa com uma cruz. Marque os soldados em marcha, por companhia, assim. Vê? Um quadradinho e a marca ao lado. Marque a cavalaria, deste modo, está vendo? Como um cavalo. Uma caixa com quatro pernas. Isto é uma tropa de vinte cavalos. Você entende? Cada tropa, uma marca.

— Sim. Muito engenhoso.

— Agora — ele desenhou duas rodas grandes, com círculos em volta, e um tracinho para o cano de uma metralhadora —, estes são antitanques. Têm pneus de borracha. Marque-os. Estes são antiaéreos — duas rodinhas com um cano espetado para cima. — Marque-os também. Você está entendendo? Já viu este tipo de arma?

— Já — disse Anselmo. — Lógico, está muito claro.

— Leve o cigano com você, assim ele ficará sabendo o ponto de onde você estará vigiando e poderá rendê-lo mais tarde. Escolha um lugar seguro. Não muito perto, um lugar de onde você tenha uma boa visão e possa ficar observando com algum conforto. Fique lá até que seja rendido.

— Entendi.

— Ótimo. E quando você voltar quero saber tudo o que se moveu ao longo da estrada. Uma folha é para a movimentação descendo a estrada. A outra é para a subida.

Retornaram então à caverna.

— Mande o Rafael falar comigo — disse Robert Jordan, e esperou perto de uma árvore.

Observou Anselmo entrando na caverna, a cortina caindo por trás de seus ombros. O cigano saiu, com seu jeito relaxado, limpando a boca com as mãos.

— *Qué tal?* — disse o cigano. — Se divertiu na noite passada?

— Apenas dormi.

— Menos mal — disse o cigano, e arreganhou os dentes.

— Tem um cigarro?

— Escute — disse Robert Jordan e enfiou a mão no bolso para pegar os cigarros —, quero que você vá com Anselmo até o lugar onde ele ficará observando a estrada. Deixe-o lá e memorize o lugar para que possa guiar-me até ele ou a quem for rendê-lo mais tarde. Depois, vá para um lugar de onde possa observar a serraria e anote se houver alguma mudança nos postos de lá.

— Que mudanças?

— Quantos homens tem lá agora?

— Oito. Da última vez que vi.

— Veja quantos há agora. Veja a que intervalos a guarda é trocada na ponte.

— Intervalos?

— Quantas horas os guardas ficam nos postos e a que horas eles são rendidos.

— Não tenho relógio.

— Pegue o meu — ele o desafivelou do pulso.

— Que relógio — disse Rafael, admirado. — Olhe que coisa complicada. Um relógio desses deve ser capaz de ler e escrever. Olhe que números complicados. É um relógio para acabar com os relógios.

— Não brinque com ele — disse Robert Jordan. — Você sabe ver as horas?

— Como não? Doze horas ao meio-dia. Fome. Doze horas à meia-noite. Dormir. Seis horas da manhã. Fome. Seis horas da tarde, bêbado. Com sorte, às dez horas da noite...

— Cale a boca — disse Robert Jordan. — Não precisa ser palhaço. Quero que você cheque a guarda da ponte e o posto da estrada, abaixo, e também a guarda do posto e da serraria e da ponte menor.

— É muito trabalho — disse o cigano, sorrindo. — Tem certeza de que não prefere mandar outro homem no meu lugar?

— Não, Rafael. Isto é muito importante. Você deve fazer tudo com muito cuidado e manter-se bem-escondido.

— Sei que tenho que ficar escondido. Por que você me diz para ficar escondido? Pensa que eu quero levar um tiro?

— Leve a coisa mais a sério — disse Robert Jordan. — Isto é muito sério.

— Tu me pedes para levar as coisas a sério? Depois do que fizeste a noite passada? Quando tu precisavas matar um homem e, em vez disso, fez o que fez? Você deveria matar uma pessoa, e não fazer outra! Precisamente quando vemos o céu coalhado de aviões capazes de nos enviar para junto de nossos avós e matar também os nossos netos que ainda estão por nascer, incluindo todos os gatos, cabritos e insetos. Aviões tão barulhentos que chegam a coagular o leite no seio das mães, tantos que cruzam pretejando o céu, rugindo como leões, e você me pede para levar as coisas a sério. Eu já levo tudo isso a sério!

— Muito bem — disse Robert Jordan, rindo, e colocou a mão no ombro do cigano —, então *não* as leve tão a sério. Agora acabe o seu café da manhã e vá.

— E tu? — perguntou o cigano. — O que você faz?

— Vou ver El Sordo.

— Depois daqueles aviões, é bem possível que não encontres ninguém nessas montanhas — comentou o cigano. — Muita gente deve ter suado em bicas com a ameaça de bombardeio desta manhã.

— Eles tinham mais o que fazer do que caçar guerrilheiros.

— É — disse o cigano e abanou a cabeça —, mas quando eles quiserem...

— *Qué va* — disse Robert Jordan. — São os melhores bombardeiros leves que os alemães têm. Eles não enviam esse tipo de avião atrás de ciganos.

— Eles me dão pavor — disse Rafael. — Dessas coisas, sim, eu tenho medo.

— Eles estão indo bombardear um campo de pouso — Robert Jordan falou, enquanto caminhavam para a caverna. — Tenho quase certeza de que é o que vão fazer.

— O que você disse? — a mulher de Pablo perguntou. Ela serviu-lhe uma caneca de café e colocou em sua mão uma lata de leite condensado.

— Leite? Que luxo!

— Temos tudo — disse ela. — E, depois dos aviões, temos muito medo. Para onde você disse que eles foram?

Robert Jordan pingou no café um pouco do leite grosso, do furo da lata, limpou-a na borda da caneca, e mexeu o café até ficar marrom-claro.

— Acredito que foram bombardear um campo de pouso. Devem ter ido para Escorial e Colmenar. Talvez as três baterias.

— Que eles vão para bem longe e fiquem fora daqui — disse Pablo.

— E por que estão aqui agora? — perguntou a mulher. — O que os trouxe para cá? Nunca vimos aviões daquele tipo. Muito menos naquela quantidade. Estariam preparando um ataque?

— Que movimento era aquele pela estrada, na noite passada? — perguntou Robert Jordan. Maria estava ao seu lado, mas não olhou para ela.

— Você — disse a mulher —, Fernando. Você estava em La Granja, na noite passada. Que movimento era aquele?

— Nada — respondeu o homem que Robert Jordan não tinha visto ainda, baixo, aparentando uns trinta e cinco anos, um rosto franco, com um tapa-olho. — Alguns poucos caminhões, como de costume. Nenhum movimento de soldados enquanto eu estava lá.

— Você vai a La Granja todas as noites? — perguntou-lhe Robert Jordan.

— Eu ou outro qualquer — respondeu ele. — Alguém sempre vai.

— Vão lá para saber das notícias. Comprar tabaco. Pequenas coisas — disse a mulher.

— Tem gente nossa lá?

— Sim. Por que não teria? Os que trabalham na usina elétrica. E outros.

— Quais eram as novidades?

— *Pues nada*. Nada mesmo. A coisa continua feia para o norte. Nenhuma novidade. No norte a coisa está de mal a pior desde o começo.

— Ouviu alguma coisa de Segóvia?

— Não, *hombre*. Não perguntei.

— Você vai a Segóvia?

— De vez em quando — disse Fernando. — Mas lá é perigoso. Tem um controle onde eles pedem documentos.

— Você conhece o aeroporto?

— Não, *hombre*. Sei onde é, mas nunca estive muito perto. Lá, eles pedem documentos por toda a parte.

— Na noite passada, ninguém falou sobre esses aviões?

— Em La Granja? Ninguém. Mas vão falar esta noite, com certeza. Falaram sobre o noticiário de Quiepo de Llano. Nada mais. Ah, sim. Parece que a República está preparando uma ofensiva.

— O quê?

— A República está preparando uma ofensiva.

— Onde?

— É incerto. Talvez aqui. Talvez em outra parte da Sierra.

Tu ouviste sobre isto?

— Eles disseram isto em La Granja?

— Sim, *hombre*. Eu tinha esquecido disso, mas sempre estão falando de ofensivas.

— De onde partiu esse boato?

— De onde? De várias pessoas. Os oficiais conversam nos cafés em Segóvia e Ávila, e os garçons ouvem. Os rumores correm. Já faz tempo que andam falando de uma ofensiva da República por estas bandas.

— Da República ou dos fascistas?

— Da República. Se fosse dos fascistas, todos saberiam. Não, é uma grande ofensiva. Alguns dizem que serão duas. Uma aqui e outra lá em Alto del León, perto do Escorial. Você ouviu falar alguma coisa a respeito?

— O que mais você ouviu?

— *Nada, hombre*. Nada. Ah, sim. Um boato sobre os republicanos tentarem explodir as pontes, se houver uma ofensiva. Mas as pontes estão bem-guardadas.

— Tu estás brincando? — disse Robert Jordan dando um gole no café.

— Não, *hombre* — disse Fernando.

— Este aí não brinca — disse a mulher. — Por azar, ele não brinca.

— Então — disse Robert Jordan —, obrigado pelas notícias. Você ouviu mais alguma coisa?

— Não. Eles falam muito, como sempre, sobre mandarem soldados para limpar estas montanhas. Falam que já estão a caminho. Que já foram enviados de Valladolid. Mas estão sempre falando nisso. Não se pode dar importância.

— E tu — disse a mulher de Pablo para ele, maldosamente —, com a tua conversa de segurança.

Pablo olhou para ela, pensativo, coçou o queixo e disse:

— Tu e tuas pontes.

— Que pontes? — perguntou Fernando, prazenteiro.

— Estúpido! — disse-lhe a mulher. — Cabeça-dura. *Tonto*.

Tome outra caneca de café e tente lembrar de mais notícias.

— Não fique zangada, Pilar — disse Fernando calmamente e com o mesmo tom alegre. — Ninguém deve ficar alarmado com os rumores. Já disse tudo o que me lembro para você e este camarada.

— E não se lembra de mais nada? — perguntou-lhe Robert Jordan.

— Não — disse Fernando, com ar digno. — E tenho a sorte de me lembrar de tudo isso, porque, quando se trata de rumores, não presto atenção.

— Então deve haver mais.

— Sim. É possível. Mas não prestei atenção. Faz um ano que eu só ouço rumores.

Robert Jordan ouviu uma rápida fungada interrompida, como um riso, da moça, Maria, que estava ao seu lado.

— Nos conte mais rumores, Fernandito — disse ela, e os seus ombros se sacudiram novamente.

— Mesmo que pudesse lembrar, não diria — replicou Fernando. — Não é digno de um homem dar importância a boatos.

— É com isso que nós iremos salvar a República — disse a mulher.

— Não. Você é quem irá salvá-la, explodindo pontes — interferiu Pablo.

— Vão — disse Robert Jordan para Anselmo e Rafael —, se já comeram.

— Estamos indo — respondeu Anselmo, e os dois levantaram-se. Robert Jordan sentiu uma mão em seu ombro. Era Maria.

— Tu deves comer — disse ela. — Alimenta-te bem, assim teu estômago poderá suportar mais rumores.

— Os boatos acabaram com o meu apetite.

— Não. Não deixe isso acontecer. Coma isto, antes que os boatos retornem — disse ela, colocando uma tigela diante dele.

— Não deboche de mim — Fernando disse para ela. — Sou teu amigo, Maria.

— Não debochei de ti, Fernando. A brincadeira foi só com ele, que deve comer, senão ficará com fome.

— Todos nós deveríamos comer — disse Fernando. — Pilar, o que é que há, por que não nos serve?

— Nada, homem — disse a mulher de Pablo, e encheu sua tigela com ensopado de carne. — Coma. Sim, coma. Isto você *pode* fazer. Vá, coma.

— Está muito bom, Pilar — disse Fernando, com a sua dignidade intacta.

— Obrigada — disse a mulher. — Obrigada e obrigada mais uma vez.

— Você está brava comigo? — perguntou Fernando.

— Não! Coma. Ande, coma.

— Está bem. Obrigado — disse Fernando.

Robert Jordan olhou para Maria e os ombros dela começaram a sacudir-se novamente. Ela afastou o olhar para longe. Fernando comeu compenetradamente, orgulhoso e com uma expressão de dignidade, uma dignidade sólida o bastante para não ser abalada nem pela colher de pau enorme que utilizava para comer, nem pelo molho de carne que lhe escorria pelo canto da boca.

— Gosta da comida? — perguntou-lhe a mulher de Pablo.

— Sim, Pilar — ele respondeu com a boca cheia. — Como sempre.

Robert Jordan sentiu a mão de Maria no seu ombro, seus dedos apertando com prazer.

— É por isso que você gosta? — a mulher perguntou a Fernando. Respondendo ela mesma:

— Sim, estou vendo. O ensopado; como de hábito. *Como siempre*. As coisas estão mal pelo norte; como sempre. Uma ofensiva aqui; como sempre. Soldados vêm nos caçar; como sempre. Você poderia ser um monumento ao "como sempre".

— Mas os dois últimos são apenas boatos, Pilar.

— Espanha! — disse a mulher, amargamente. Então se virou para Robert Jordan e perguntou: — Tem gente assim nos outros países?

— Não existe país como a Espanha — respondeu Robert Jordan polidamente.

— Você está certo — disse Fernando. — Não tem país no mundo como a Espanha.

— Você já viu outro país? — perguntou-lhe a mulher.

— Não — disse Fernando. — Nem quero ver.

— Vês? — falou a mulher de Pablo para Robert Jordan.

— Fernandito — disse Maria —, fale-nos de quando foste para Valência.

— Não gostei de Valência.

— Por quê? — perguntou Maria, pressionando o ombro de Robert Jordan outra vez. — Por que não gostaste de Valência?

— As pessoas são mal-educadas e eu não consegui entender o que falavam. Tudo que elas fazem é gritar *Ché* umas para as outras.

— Eles conseguiam te entender? — perguntou Maria.

— Faziam de conta que não entendiam — respondeu Fernando.

— E o que tu fizeste lá?

— Eu saí sem nem ver o mar — disse Fernando. — Não gostei das pessoas.

— Ah! Cai fora, solteirona — disse a mulher de Pablo. — Sai daqui, antes que eu vomite. Em Valência, tive os melhores momentos da minha vida. Vamos! Valência. Não me fale mal de Valência.

— O que tu fizeste lá? — perguntou-lhe Maria. A mulher de Pablo sentou-se à mesa com uma caneca de café, um pedaço de pão e uma tigela de ensopado de carne.

— *Qué?* O que nós fizemos lá? Eu estava lá quando Finito tinha três contratos para lutas no Festival. Nunca tinha visto tanta gente. Nunca tinha visto cafés tão apinhados. Levava horas para arranjar um lugar. Era impossível embarcar nos bondes. Em Valência o movimento era dia e noite.

— Mas o que você fez? — insistiu Maria.

— De tudo — disse a mulher. — Fomos à praia, mergulhamos. Barcos à vela eram rebocados por bois para fora d'água. Os bois eram levados até onde precisavam nadar; aí os amarravam aos barcos e, quando conseguiam tocar o fundo com os pés, vinham subindo para a margem escorregando na areia. Dez juntas de bois rebocando um barco à vela, tirando-o do mar, pela manhã, com uma faixa de ondas quebrando na praia. Isto é Valência.

— Mas o que tu fizeste, além de olhar os bois?

— Comíamos embaixo de barracões na areia. Empanados feitos com peixe desfiado, pimentões verdes e vermelhos, e nozes miúdas como grãos de arroz. Empanados tenros e folhados, e os peixes de uma riqueza indescritível. Camarões frescos, recém-tirados do mar, regados com suco de lima. Eles eram rosados e doces, do tamanho de quatro mordidas. Desses nós comemos muitos. E comemos *paella* com frutos do mar frescos, ostras direto das conchas, mexilhões, lagostas e pequenas enguias. Noutra vez comemos enguias menores ainda, cozidas no azeite, tão pequenas e enroscadas que pareciam brotos de feijão, tão macias que se dissolviam na boca. Sempre bebíamos vinho branco, gelado, leve e muito bom, a trinta centavos a garrafa. E na sobremesa, melão. Lá é a terra dos melões.

— O melão de Castela é melhor — disse Fernando.

— *Qué va* — disse a mulher de Pablo. — O melão de Castela é para se olhar. O de Valência é para se comer. Quando penso naqueles melões, compridos como o braço de uma pessoa, verdes como o mar, crocantes e suculentos no cortar, mais doces do que uma manhã de verão. Ave, quando penso naquelas enguias miúdas, deliciosas, amontoadas no prato. E a cerveja em canecões, bebendo a tarde inteira, gelada, naquelas canecas suando em bicas, do tamanho de uma jarra de água.

— E o que tu fazias quando não estava comendo?

— Nós fazíamos amor, num quarto com uma persiana de madeira debruçada sobre a varanda, e com a brisa entrando pelo topo do basculante sobre a porta. Fazíamos amor, naquele quarto escurecido pelas cortinas durante o dia, sentindo as fragrâncias do mercado de flores da rua lá embaixo. E sentindo o cheiro de pólvora queimada, dos fogos de artifício, da *traca*, que estouravam todas as tardes durante o Festival. Faziam uma linha de fogos que corria por toda a cidade, os foguetes ligados uns aos outros, e a explosão correndo por sobre os postes e fios dos bondes, espoucando, numa barulheira, de um poste para o outro, com uma precisão que você não acreditaria.

— Nos amávamos — continuou a mulher —, e pedíamos para trazer mais e mais cerveja, que vinha com as gotas geladas rolando por fora da caneca de vidro. Certa vez, peguei a caneca na porta e pus nas costas de Finito, que, deitado, dormindo, e sem acordar completamente, disse: "Não, Pilar, não, mulher, me deixa dormir." Então eu lhe falei: "Não, acorde para beber, veja como está gelada." Ele bebia sem abrir os olhos e voltava a dormir. Eu fiquei no chão, ao pé da cama, com um travesseiro nas costas, olhando Finito dormir, moreno, cabelos pretos, jovem e silencioso em seu sono, e bebia o resto da caneca inteira sozinha, escutando a música de uma banda que passava. Você — disse ela para Pablo —, conhece essas coisas todas?

— Fizemos muitas coisas juntos — retrucou ele.

— Sim — disse a mulher. — Como não? E no teu tempo, tu foste mais homem do que Finito. Mas nós nunca fomos juntos a Valência. Nunca deitamos na cama juntos ouvindo uma banda em Valência.

— Era impossível — disse-lhe Pablo. — Não tivemos oportunidade de ir a Valência. Há de admitir isso, se fores razoável. Mas, com Finito, tu nunca explodiste um trem.

— Não — disse a mulher. — É o que nos restou. O trem. Sim. Sempre o trem. Ninguém pode duvidar disso. Resta isso da preguiça, da ociosidade e do fracasso. Resta isso da covardia deste momento. Antes também houve muitas outras coisas. Não quero ser injusta. Mas ninguém vai falar mal de Valência. Está me ouvindo?

— Não gostei de lá — disse Fernando, calmamente. — Não gostei de Valência.

— E ainda dizem que a mula é teimosa — disse a mulher.

— Maria, limpe e arrume tudo, que temos de ir.

Assim que ela deu a ordem a Maria, ouviram os aviões retornando.

9

Ficaram na boca da caverna observando os aviões. Os bombardeiros voavam agora bem alto, com os seus horrendos bicos de flecha, rasgando o céu em velocidade com o barulho de seus motores. "Parecem tubarões", pensou Robert Jordan, "os de nadadeira larga e nariz bicudo, lá da Corrente do Golfo. Mas, estes, com asas prateadas, roncando, com as hélices refletindo o brilho do sol, não se movem como os tubarões. Nada se move assim. Como destruição mecanizada."

"Você deveria escrever", disse para si mesmo. "Talvez você volte a escrever um dia." Sentiu então Maria segurar-lhe o braço novamente. Ela estava olhando para cima, e ele lhe disse:

— O que parecem para você, *guapa*?

— Não sei — respondeu ela. — A morte, eu acho.

— Para mim, parecem aviões — disse a mulher de Pablo. — Onde estão os pequenos?

— Devem estar em alguma outra parte — disse Robert Jordan. — Aqueles bombardeiros são muito rápidos para esperar pelos pequenos, e devem ter retornado sozinhos. Nunca os seguimos depois que cruzam as linhas. Não dispomos de aviões em número suficiente para correr este risco.

Justamente neste momento, três caças Heinkel, numa formação em V, voaram baixo sobre a clareira, direto para eles, próximos do topo das árvores, fazendo estardalhaço, com as asas inclinadas, como brinquedos horrendos de narizes arrebitados, e de repente crescendo, atemorizantes, em seu tamanho natural, emitindo um troar plangente ao passarem. Estavam tão baixos que da entrada da caverna todos puderam ver os pilotos, de capacetes e óculos de proteção, e um lenço esvoaçante atrás da cabeça do líder da patrulha.

— *Estes* puderam ver os cavalos — disse Pablo.

— Puderam ver até a bagana do teu cigarro — disse a mulher.

— Vamos descer a manta.

Nenhum outro avião apareceu. Os demais deveriam estar bem mais acima e, quando o zumbido passou, eles saíram da caverna.

O céu estava limpo e azul.

— Parece que acabamos de acordar de um sonho — disse Maria para Robert Jordan. Não havia nem mesmo o último e quase inaudível ruído, que surge como o toque leve de um dedo, que sai e retorna tocando novamente, depois que o barulho se foi além da audição.

— Não foi um sonho, e você, vá lá para dentro e faça a faxina — disse Pilar. — O que acha? — disse voltando-se para Robert Jordan. — Devemos cavalgar ou caminhar?

Pablo olhou para ela e soltou um resmungo.

— Como você quiser — respondeu Robert Jordan.

— Então vamos caminhar — disse ela. — Prefiro porque é bom para o fígado.

— Cavalgar faz bem ao fígado.

— Sim, mas faz mal para a bunda. Vamos caminhar e tu — ela virou-se para Pablo —, confira os animais lá embaixo, e veja se não saíram carregando nenhum dos animais pelos ares.

— Você quer um cavalo para montar? — Pablo perguntou a Robert Jordan.

— Não. Muito obrigado. Quem sabe para a garota?

— É melhor ela caminhar — disse Pilar. — Senão, vai endurecer em várias partes do corpo e não vai prestar para mais nada.

Robert Jordan sentiu a face abrasar.

— Você dormiu bem? — Pilar perguntou. E logo em seguida disse: — É verdade que ela não tem doença. Podia até ter. Não sei como não pegou. Talvez Deus ainda exista, embora O tenhamos abolido. Anda — ela disse para Pablo —, isto não é da tua conta. É para gente mais jovem. Feita de outra cepa. Vai andando — disse e, então, para Robert Jordan: — Agustín irá cuidar das tuas coisas. Quando ele chegar, nós sairemos.

O dia ficou claro, ensolarado e quente. Robert Jordan olhou para a enorme mulher de face morena, de olhos cândidos e bem afastados um do outro, um rosto quadrado, robusto, enrugado e de uma feiura simpática, os olhos alegres, mas a face triste até que os lábios se movessem. Olhou para ela e daí para o homem, pesado e sólido, caminhando entre as árvores até o curral. A mulher também estava olhando para ele.

— Vocês se amaram? — disse a mulher.

— O que ela falou?

— Ela não me diria.

— Nem eu.

— Então vocês fizeram amor — disse a mulher. — Seja o mais cuidadoso que puder com ela.

— O que acontece se ela ficar grávida?

— Não lhe fará mal algum — disse a mulher. — Será, dos males, o menor.

— Aqui não é lugar para isso.

— Ela não ficará aqui. Ela irá com você.

— E para onde eu vou? Não posso levar uma mulher para onde eu vou.

— Quem sabe? Talvez você leve duas.

— Isso não é jeito de falar.

— Escute — disse a mulher. — Eu não sou covarde, mas vejo as coisas muito claras pela manhã, e acho que tem muita gente viva que conhecemos que não verá outro domingo.

— Que dia é hoje?

— Domingo.

— *Qué va* — disse Robert Jordan. — O outro domingo está muito longe. Se virmos a quarta-feira, já estaremos muito bem. Mas não gosto de ouvi-la falando assim.

— Todos precisam ter alguém para conversar — disse a mulher. — Antes, tínhamos a religião e outras coisas sem sentido. Agora, cada um precisa ter com quem falar abertamente. Pois quanto mais bravura alguém tiver, mais solitário vai ficando.

— Não estamos sozinhos. Estamos todos juntos.

— A visão daquelas máquinas faz a gente refletir — disse a mulher. — Não somos nada contra aquelas máquinas.

— Mesmo assim, podemos abatê-las.

— Ouça — disse a mulher. — Confesso minha tristeza para você, mas não pense que está me faltando resolução. Nada afetou a minha determinação.

— A tristeza irá se dissipar assim que o sol raiar. Ela é como uma neblina.

— Certamente — disse a mulher. — Se você quer ver as coisas desta forma. Acho que veio daquela besteira de falar sobre Valência. E da ruína desse homem que foi ver os cavalos. Eu o machuquei muito com aquela história. Matá-lo, sim. Ofendê-lo, sim. Mas machucá-lo, não. Como você acabou ficando com ele?

— Como é que alguém acaba ficando com alguém, afinal? Nos primeiros dias do movimento, e mesmo antes, ele era um homem e tanto. Mas, agora, está acabado. A tampa caiu e o vinho do odre se derramou todo no chão.

— Não gosto dele.

— Nem ele gosta de ti, e com razão. Na noite passada eu dormi com ele — ela sorriu e balançou a cabeça. — *Vamos a ver* — disse ela. — Eu disse para ele: "Pablo, por que você não matou o estrangeiro?" "Ele é um bom rapaz, Pilar", disse ele, "ele é um bom rapaz." Então, eu disse: "Você entende que eu estou no comando?" "Sim, Pilar", ele me disse. Tarde da noite, eu o ouvi chorando. Chorava de uma maneira feia, sufocada, como se tivesse um animal dentro de si, sacudindo-o. Aí, lhe perguntei: "O que se passa contigo, Pablo?", e o abracei e o apertei. "Nada, Pilar, nada." "Sim, alguma coisa está acontecendo contigo." Aí ele disse: "As pessoas me deixaram, *la gente*." "Sim, mas elas estão comigo", eu lhe disse, "e eu sou a tua mulher." Ele disse: "Pilar, lembra do trem." Então ele me veio com essa: "Deus te ajude, Pilar." "Por que você está falando em Deus? Que jeito de falar é este?" "Sim, Deus e a Virgem." "*Qué va*, Deus e a Virgem não tem outro jeito de falar?" "Eu tenho medo de morrer, Pilar, *tengo miedo de morir*, você não entende?", ele me disse, choramingando. "Então caia fora da minha cama, aqui não tem lugar para mim, tu e teus medos, todos juntos", eu lhe disse, e ele ficou envergonhado, eu fui dormir e ele calou-se, mas, homem, ele está arruinado.

Robert Jordan não disse uma só palavra.

— Toda minha vida eu tenho tido intervalos de tristeza — a mulher continuou. — Mas não é como a tristeza de Pablo. Ela não afeta minha determinação.

— Eu acredito.

— Talvez seja como os ciclos de uma mulher — disse ela. — Talvez não seja nada — ela fez uma pausa e continuou. — Coloquei muita fé na República. Acredito nela com fervor, como quem tem fé numa religião e acredita em seus mistérios.

— Acredito em você.

— E você tem a mesma fé?

— Na República?

— Sim.

— Tenho — disse ele, querendo que fosse verdade.

— Fico contente — disse a mulher. — E você não tem medo?

— Não de morrer — respondeu ele com franqueza.

— Mas tem outros medos?

— Somente de não executar minha missão como deveria.

— Não de ser capturado, como o outro?

— Não — disse ele, sinceramente. — Com medo disso, a pessoa fica tão preocupada que se torna inútil.

— Você é um rapaz muito frio.

— Não. Eu não acho.

— Não. De cabeça é que você é muito frio.

— Porque estou todo concentrado no meu trabalho.

— Mas você não gosta das coisas da vida?

— Sim, muito, desde que não interfiram no meu trabalho.

— Você gosta de beber. Eu sei. Eu já vi.

— Sim. Gosto muito. Mas não deixo que isso interfira no meu trabalho.

— E de mulheres.

— Sim, gosto delas, mas não dou muita importância.

— Você não se importa com elas?

— Sim, mas ainda não achei uma que me toque, como dizem que acontece.

— Acho que você está mentindo.

— Talvez um pouco.

— Você gosta de Maria.

— É verdade. Muito, e aconteceu de repente.

— Eu também, gosto muito dela. Sim, bastante.

— Eu também — disse Robert Jordan, sentiu sua voz engrossar. — Sim, muito — dizer isso lhe proporcionou prazer, e ele disse de modo bem formal em espanhol. — Eu gosto muito dela.

— Vou deixá-los a sós, depois de vermos El Sordo.

Robert Jordan não disse nada, mas, depois de instantes, falou:

— Isto não é necessário.

— É sim, homem, não temos muito tempo.

— Você viu isto na minha mão?

— Não. E não lembre daquela besteira da mão.

Ela havia deixado de lado tudo que ferisse a República.

Robert Jordan ficou calado. Estava observando Maria guardar a louça, dentro da caverna. Ela enxugou suas mãos, virou-se e sorriu para ele. Não poderia ouvir o que Pilar estava dizendo mas, ao sorrir para Robert Jordan, ficou corada, sob a pele morena, e sorriu mais uma vez.

— Tem também o dia — disse a mulher. — Você tem a noite, mas tem o dia também. Certamente não há tanta luxúria como nos meus tempos de Valência, mas poderá colher alguns morangos silvestres ou coisa parecida — falou ela, e deu uma risada.

Robert Jordan colocou o braço por sobre os ombros da mulher e disse:

— Eu gosto de ti — disse ele. — Gosto muito de ti.

— Estás te saindo um Don Juan barato — disse a mulher, meio embaraçada agora pelo afeto. — Está começando a correr afeto demais por aqui. Olhe, aí vem Agustín.

Robert Jordan foi para dentro da caverna, direto para onde Maria estava. Ela o ficou olhando aproximar-se e, com seus olhos brilhantes, corou novamente em sua face e garganta.

— Olá, coelhinha — ele disse e a beijou na boca. Ela o abraçou com força e disse bem perto de seu rosto:

— Olá, ah, olá, olá.

Fernando, que estava sentado à mesa, fumando um cigarro, balançou a cabeça, levantou-se e foi pegar sua carabina, encostada na parede.

— Isto está muito informal — disse para Pilar. — Não gosto disso. Você devia cuidar melhor da garota.

— Estou cuidando dela — disse Pilar. — Aquele camarada é o seu *novio*.

— Ah — disse Fernando —, neste caso, já que eles estão noivos, eu acho isso perfeitamente normal.

— Fico contente — disse a mulher.

— Igualmente — concordou Fernando, solene. — *Salud*, Pilar.

— Aonde você está indo?

— Para o posto de cima, render Primitivo.

— Para onde, diabos, você está indo? — perguntou Agustín, ao passar pelo solene homenzinho.

— Fazer a minha tarefa — disse Fernando, com dignidade.

— Tua tarefa — disse Agustín, debochando. — Eu *emporcalho o leite* da tua tarefa. — Então, virando-se para a mulher: — Onde está esta (...) de que eu tenho que cuidar?

— Na caverna — disse Pilar. — Nas duas mochilas, e já estou cansada das tuas obscenidades.

— Eu (...) no leite do teu cansaço — retrucou Agustín.

— Então vai te (...) — disse Pilar, sem se irritar.

— Vai tua mãe — replicou Agustín.

— Nunca tiveste mãe — disse Pilar. Os insultos alcançaram as últimas raias da formalidade em espanhol, em que nunca são ditos de fato, apenas insinuados.

— O que eles estão fazendo lá? — Agustín agora perguntou em caráter confidencial.

— Nada — disse Pilar —, nada. Afinal de contas, estamos na primavera, ó animal.

— Animal — disse Agustín, saboreando a palavra. — Animal. E tu, filha da mais vagabunda das vagabundas. Eu (...) no leite da primavera.

Pilar deu-lhe um tapa nos ombros.

— Você — disse ela, rindo aquela risada retumbante —, carece de variedade de palavrões. Mas tem força. Viu os aviões?

— Eu (...) no leite daqueles motores — disse Agustín, abanando a cabeça e mordendo o lábio inferior.

— Aí está uma coisa e tanto — disse Pilar. — Uma coisa e tanto. Mas de difícil execução.

— Ah, por causa daquela altitude, sim — disse Agustín, arreganhando os dentes. — *Desde luego*. Mas é melhor brincar.

— Sim — disse a mulher de Pablo. — É melhor brincar, e você é um bom homem e brinca com muita energia.

— Ouça, Pilar — disse ele, seriamente. — Alguma coisa está para acontecer. Não é verdade?

— O que te parece?

— Uma tolice que não poderia ser pior. Eram muitos aviões, mulher, muitos.

— E tu ficaste com medo, como os outros?

— *Qué va* — disse Agustín. — O que você acha que eles estão preparando?

— Olhe — disse Pilar. — Com este rapaz vindo para o negócio das pontes, é óbvio que a República está preparando uma ofensiva. Com esses aviões, é óbvio que os fascistas se preparam para enfrentar a ofensiva. Mas por que mostraram os aviões?

— Nesta guerra tem muita idiotice — disse Agustín. — Esta guerra é uma idiotice sem limites.

— Do contrário não estaríamos aqui.

— Sim — disse Agustín. — Nadamos na idiotice já se vai um ano. Mas Pablo é um homem de muita perspicácia. Pablo é muito astuto.

— Por que você diz isso?

— Eu digo, ora.

— Mas você precisa entender — explicou Pilar. — Agora é muito tarde para sermos salvos pela astúcia, e ele já perdeu a outra coisa.

— Eu entendo — disse Agustín. — Sei que devemos ir. Devemos vencer para sobreviver, e isso implica explodir a ponte. Mas Pablo, sendo o covarde que é agora, está sendo muito inteligente.

— Eu também sou inteligente.

— Não, Pilar, você não é inteligente. Você é valente. Você é leal. Você tem palavra. Intuição. Determinação e coragem. Mas não é inteligente.

— Você acha isso tudo?

— Acho, Pilar.

— O rapaz é inteligente — disse a mulher. — Inteligente e frio. Tem a cabeça fria.

— Sim. Deve conhecer o seu trabalho ou não teria sido designado para a operação. Mas não sei se ele é astuto; Pablo, eu *sei* que é.

— Mas se entregou, inutilizado pelo medo e pela indisposição para agir.

— Mas continua inteligente.

— E o que você quer dizer com isso?

— Nada. Eu tento ver a coisa com inteligência. Neste momento, precisamos agir com inteligência. Depois da ponte, precisamos cair fora imediatamente. Todos devem estar preparados. Temos que saber para onde vamos, e como.

— Naturalmente.

— Para isto... Pablo. Isto deve ser feito com esperteza.

— Não confio em Pablo.

— Para isto, eu confio.

— Não. Você não sabe o quanto ele está arruinado.

— *Pero es muy vivo*. É muito esperto. E, se não fizermos isto com esperteza, estaremos (...)

— Vou pensar nisto — disse Pilar. — Tenho o dia inteiro para pensar nisto.

— Para a ponte, o rapaz — disse Agustín. — Disso ele deve saber. Lembre-se da maneira meticulosa como o outro preparou o negócio do trem.

— Lembro — disse Pilar. — Foi realmente ele quem planejou tudo.

— Você para a energia e a resolução — disse Agustín. — Mas Pablo para a retirada. Faça ele começar a estudar isto.

— Você é um homem inteligente.

— Sim, sou inteligente, mas *sin picardía*. Isto é para Pablo.

— Com o seu medo e tudo?

— Com o seu medo e tudo.

— E o que você acha do negócio das pontes?

— Que é necessário. Isto eu sei. Duas coisas nós devemos fazer. Devemos sair daqui e devemos vencer. As pontes são necessárias, se nós quisermos vencer.

— Se Pablo é tão esperto, por que não enxerga isto?

— Ele quer as coisas como estão, sem mudança, por causa da sua própria fraqueza. Quer ficar no redemoinho de sua própria fraqueza. Mas o rio está subindo. Forçado a mudar, ele será esperto na hora da mudança. *Es muy vivo*.

— É bom que o rapaz não o tenha matado.

— *Qué va*. O cigano queria que eu o matasse na noite passada. O cigano é um animal.

— Você também é um animal — disse a mulher. — Mas é inteligente.

— Somos ambos inteligentes, mas o talentoso é o Pablo!

— Mas difícil de engolir. Você não sabe como ele está arruinado.

— Sim. Mas um talento é um talento. Olhe, Pilar, para se fazer uma guerra, tudo de que se precisa é inteligência. Mas para vencê-la são necessários talento e material.

— Vou pensar nisto — disse ela. — Devemos começar agora. Estamos atrasados.

E levantando a voz:

— *Inglés!* Venha! Vamos embora.

10

Descansamos aqui — disse Pilar para Robert Jordan.

— Sente, Maria, vamos descansar.

— Temos que continuar — disse Robert Jordan. — Descansem quando chegarmos no topo. Tenho que ver este homem.

— Você verá o homem — disse a mulher. — Não tenha pressa. Sente aqui, Maria.

— Vamos — insistiu Robert Jordan. — Descansem lá em cima.

— Eu quero descansar agora — disse a mulher, e sentou-se à beira do riacho. A garota sentou-se ao seu lado sobre a urze, o sol a brilhar em seus cabelos. Somente Robert Jordan ficou parado em pé, olhando para a campina alta, com o riacho de trutas serpenteando a montanha. Rochedos acinzentados saíam do meio de samambaias amarelas nascidas no lugar do urzal, ali, na parte mais baixa, e mais abaixo começava a linha escura de pinheiros.

— Quanto falta para chegar ao esconderijo de El Sordo? — ele perguntou.

— Não está longe — respondeu a mulher. — É do outro lado deste campo aberto, embaixo, no outro vale, acima do mato, na cabeceira do riacho. Senta-te e esquece a seriedade.

— Quero ver o homem e resolver logo o assunto.

— Eu quero banhar os meus pés — disse a mulher, tirando as alpargatas, e, livrando-se também das meias grossas de lã, colocou o pé direito na corrente de água. — Meu Deus, está gelada.

— Deveríamos ter vindo a cavalo — disse Robert Jordan.

— Isto é bom para mim — disse a mulher. — É disto que eu venho sentindo falta. Qual é o seu problema?

— Nada. Exceto que estou com pressa.

— Então acalme-se. Tem muito tempo. Que dia lindo, e como estou contente por não estar no meio dos pinheiros. Você não imagina como uma pessoa pode se cansar de pinheiros. Você não está cansada de pinheiros, *guapa*?

— Gosto deles — disse a garota.

— Como se pode gostar deles?

— Gosto do cheiro e da sensação de agulhinhas nos pés. Gosto do vento no topo das árvores e dos estalos que eles fazem roçando uns nos outros.

— Você gosta de qualquer coisa — disse Pilar. — Você seria uma dádiva para qualquer homem, se soubesse cozinhar um pouco melhor. Mas o pinheiro faz uma floresta de monotonia. Tu jamais conheceste uma floresta de faias, nem de carvalhos, nem de amendoeiras. Essas sim é que são florestas. Nelas cada árvore é diferente, tem o seu próprio caráter e a sua beleza. A floresta de pinheiros é monótona. O que você diz, *Inglés*?

— Também gosto dos pinheiros.

— *Pero, venga* — disse Pilar. — Hum, vocês dois. Eu até gosto dos pinheiros, mas estamos há muito tempo aqui. Também estou cansada das montanhas. Neste lugar só há duas direções. Para cima e para baixo, e para baixo o caminho nos leva somente para a estrada e para as cidades fascistas.

— Você nunca vai a Segóvia?

— *Qué va*. Com esta cara? Esta cara é conhecida. Você gostaria de ser feia, ó belezinha? — disse para Maria.

— Tu não és feia.

— Vamos. Eu não sou feia. Eu nasci feia. Fui feia a vida toda. Você, *Inglés*, que não sabe nada sobre mulheres. Você sabe como se sente uma mulher feia? Você entende o que é ser feia por fora, a vida toda, e por dentro você se sentir bonita? Isto é muito estranho. — Ela colocou o outro pé no riacho e o retirou rapidamente. — Deus, está gelada. Olhe o alvéolo da água — disse apontando para um pássaro feito uma bolota cinzenta, pulando sobre uma pedra do riacho. — Elas não servem para nada, nem para cantar, nem para comer. Só balançam o rabo para cima e para baixo. Me dê um cigarro, *Inglés* — disse ela, tomando o cigarro e acendendo-o com o isqueiro tirado do bolso de sua saia. Deu uma tragada e olhou para Maria e depois para Robert Jordan.

— A vida é curiosa — disse ela, soltando a fumaça pelas narinas. — Eu seria um bom homem, mas sou toda mulher e toda feia. Mesmo assim, muitos homens me amaram, e eu amei muitos homens. É curioso. Ouça, *Inglés*, isto é interessante. Olhe para mim, veja como eu sou feia. Olhe bem, *Inglés*.

— Tu não és feia.

— *Qué no?* Não minta para mim. Ou — ela soltou uma longa risada — será que já comecei a te agradar? Não. É brincadeira. Não. Olhe para a feiura. Ainda que haja um sentimento no seu interior que cega um homem quando ele ama você. Com este sentimento você o cega e a si mesma. Um belo dia, sem razão nenhuma, ele a vê feia, como você é realmente, e deixa de ser cego. Daí, você se enxerga feia como ele a vê, e perde o seu sentimento e o seu homem. Está entendendo, *guapa*? — deu um tapinha no ombro da garota.

— Não — respondeu Maria —, porque tu não és feia.

— Tente usar a tua cabeça e não o coração, e escute — disse Pilar. — Estou lhe dizendo coisas importantes. Isto não lhe interessa, *Inglés*?

— Sim, mas deveríamos ir andando.

— *Qué va*, ande você. Estou bem aqui. Então — continuou ela, dirigindo-se a Robert Jordan, agora falando como se estivesse dando uma palestra –, depois de algum tempo, quando você se tornar tão feia quanto eu, o mais feia que uma mulher pode ser, então, como eu dizia, depois de algum tempo o sentimento idiota de que você é bonita cresce vagarosamente outra vez. Como um repolho. Aí, quando o sentimento está crescido, outro homem a vê e acha você bonita e tudo acontece novamente. Acho que já superei isso tudo, embora talvez aconteça de novo. Você é sortuda, *guapa*, por não ser feia.

– Mas eu sou feia – Maria insistiu.

– Pergunte a ele – disse Pilar. – E não ponhas os teus pés na água, vais congelá-los.

– Se Roberto diz que precisamos ir, acho que devemos ir – disse Maria.

– Escuta só o que dizes – advertiu Pilar. – Tenho tanto a perder neste negócio quanto o teu Roberto, e digo que estamos bem, aqui, descansando neste riacho, e que temos muito tempo. Além do mais, gosto de conversar. É a única coisa civilizada de que dispomos. Do contrário, como poderíamos nos entreter? O que eu digo não tem interesse para você, *Inglés*?

– Você falou muito bem. Mas há outras coisas que me interessam mais do que a beleza ou a falta de beleza.

– Então vamos falar do que te interessa.

– Onde você estava quando o movimento começou?

– Na minha cidade.

– Ávila?

– *Qué va*, Ávila.

– Pablo disse que era de Ávila.

– Ele mente. Queria ser de uma grande cidade. Ele na verdade era de... – e ela disse o nome de uma cidade.

– E o que aconteceu?

– Muitas coisas – disse a mulher. – Muitas. E tudo muito feio. Mesmo o que foi glorioso.

– Me conte – pediu Robert Jordan.

– É brutal. Não quero falar na frente da garota.

— Fale — insistiu Robert Jordan. — Se não for para ela, então ela que não dê ouvidos.

— Eu posso ouvir — disse Maria. Pousou a mão sobre a de Robert Jordan. — Não há nada que eu não possa ouvir.

— Não é o caso de você poder ouvir ou não — disse Pilar.

— É se eu devo te contar e fazê-la ter pesadelos.

— Não terei pesadelos. Você pensa que depois de tudo que aconteceu com a gente ainda tenho pesadelos por causa de uma história?

— Talvez dê pesadelos ao *Inglés*.

— Tente, e veja.

— Não, *Inglés*, não estou brincando. Tu nunca viste o começo de um movimento numa cidade pequena?

— Não — respondeu Robert Jordan.

— Então tu ainda não viste nada. Viste a ruína em que Pablo se transformou, mas deverias ter visto Pablo naquele dia.

— Conte.

— Não. Não quero contar.

— Conte logo.

— Tudo bem, já que insiste. Vou contar a verdade, do jeito que aconteceu. Mas tu, *guapa*, se a história chegar a um ponto que te incomode, dize-me.

— Se me incomodar, eu paro de escutar — disse Maria. — Não pode ser pior do que tantas outras coisas.

— Eu acho que pode — disse a mulher. — Me dá outro cigarro, *Inglés*, e *vámonos*.

A garota escorou-se de costas contra as urzes, no barranco do riacho, e Robert Jordan esticou-se, seus ombros contra o chão e a cabeça numa moita. Estendeu o braço e alcançou a mão de Maria, segurando-a firme, as duas mãos se esfregando contra a urze, até que Maria abriu sua mão e a colocou sobre a de Robert Jordan, e ficaram ouvindo.

— Era de manhã bem cedo quando os *civiles* do alojamento se entregaram — iniciou Pilar.

— Vocês tinham assaltado o alojamento? — perguntou Robert Jordan.

— Pablo cercou o lugar durante a noite, cortou os fios de telefone, colocou dinamite numa das paredes e mandou a *guardia civil* se entregar. Eles não aceitaram. Na primeira luz do dia ele arrombou a parede com a explosão. Houve luta. Dois *civiles* foram mortos. Quatro ficaram feridos e quatro se entregaram.

— Estávamos espalhados, deitados no telhado, no chão e ao pé das paredes dos prédios, era a primeira luz da manhã e a nuvem de poeira da explosão ainda não tinha assentado, porque tinha subido muito alto e não havia uma só brisa para dissipá-la. Todos nós atirávamos sem parar através da parede rebentada, carregando nossas armas e atirando no meio da fumaça, e lá dentro ainda se podiam ver rifles rebrilhando quando alguém gritou para pararmos de atirar. Então saíram quatro *civiles* com as mãos para cima. Um enorme pedaço do telhado veio abaixo e a parede também desabou.

— "Tem mais alguém lá dentro?" — gritou Pablo.

— "Tem os feridos."

— "Vigie estes" — disse Pablo para quatro de nós que havíamos saído de onde atirávamos. — "Fiquem contra esta parede" — ele ordenou aos *civiles*. Os quatro encostaram-se contra a parede, sujos, empoeirados, cobertos de fuligem, com cada um de nossos quatro homens apontando uma arma para cada um deles. Pablo e outros entraram e terminaram de matar os feridos.

Depois disso, quando já não havia mais nenhum som dos feridos, nenhum gemido, nenhum grito, nem o barulho dos tiros no alojamento, nossos homens saíram e Pablo trazia sua carabina e uma pistola Mauser na mão.

— "Olhe, Pilar" — disse ele. — "Esta estava na mão dum oficial que se matou. Nunca atirei de pistola. Você" — disse ele para um dos prisioneiros —, "mostre-me como isto funciona. Não. Não me mostre. Diga-me."

— Os quatro *civiles* haviam permanecido imóveis contra a parede, suando, calados, enquanto os tiros soavam dentro do alojamento. Eles eram altos, com caras de *guardias civiles*, parecida com a minha. Exceto pelo fato de que eles estavam com a barba por fazer e estavam parados contra a parede, calados.

— "Você" — gritou Pablo —, "diga-me como isto funciona."

— "Puxe a pequena alavanca embaixo" — o homem falou com uma voz seca. — "Puxe o *receiver* para trás e deixe escapar para frente."

— "O que é *receiver*?" — perguntou Pablo, olhando para os quatro *civiles*. — "O que é *receiver*?"

— "O bloco de cima do cano."

— Pablo puxou o tal bloco para trás, mas ele emperrou.

— "E agora?" — ele perguntou. — "Está emperrada, você mentiu para mim."

— "Puxe tudo que puder para trás e deixe correr de volta, levemente" — disse o *civil*, e eu nunca ouvira aquele tom de voz antes. Era mais sombrio do que uma manhã sem sol.

— Pablo puxou a coisa e a soltou, como o homem tinha dito, e o bloco estalou no lugar, a pistola estava engatilhada com o tambor na posição. É uma pistola feia, tem um pequeno cabo redondo, um tambor enorme e chato e é muito larga. Todo esse tempo os *civiles* ficaram olhando para Pablo e não disseram nada.

— "O que você vai fazer?" — um deles perguntou.

— "Atirar em ti" — respondeu Pablo.

— "Quando?" — perguntou o homem com a mesma voz sombria.

— "Agora" — respondeu Pablo.

— "Onde?" — perguntou o homem.

— "Aqui!" — gritou Pablo. — "Aqui! Agora! Aqui e agora! Tem alguma coisa a dizer?"

— "*Nada*" — respondeu o *civil*. — "Nada. Mas isto é uma coisa horrorosa."

— "E você é uma coisa horrorosa" — replicou Pablo. — "Assassino de camponeses. Você mataria a sua própria mãe."

— "Nunca matei ninguém. E não fale da minha mãe."

— "Mostre como se morre. Você, que sempre foi o matador."

— "Não precisa nos insultar" — disse outro *civil*. — "Nós sabemos como se morre."

— "Ajoelhem-se de frente para a parede e com as mãos na parede" — ordenou-lhes Pablo. Os *civiles* se entreolharam.

— "Ajoelhados, eu disse!" — Pablo gritou. — "No chão, ajoelhados."

— "O que você acha, Paco?" — um dos *civiles* disse para o mais alto, aquele que tinha respondido a Pablo sobre a pistola. Ele exibia divisas de cabo nas mangas, e estava suando, embora estivesse frio cedo de manhã.

— "É bom se ajoelhar" — respondeu ele. — "Não faz diferença."

— "É mais perto da terra" — um deles falou em tom de brincadeira, mas estavam muito sérios para brincar e não sorriram.

— "Então vamos nos ajoelhar" — disse o primeiro *civil*, e os quatro caíram de joelhos, olhando para os lados, e Pablo passou para as costas deles e disparou em um por um, na nuca, com aquela pistola, indo de um por um, colocando o cano contra a cabeça do *civil*, cada homem escorregando para o chão depois do tiro. Eu ainda posso ouvir a pistola, um tiro agudo e ainda assim abafado, posso ver o tambor pular e a cabeça do homem cair para frente. Um deixou a cabeça imóvel quando a pistola encostou. Um jogou a testa de encontro à pedra, aguardando o tiro. Um tremia o corpo todo e sacudia a cabeça para os lados. Somente um deles colocou as mãos nos olhos, foi o último. Os quatro corpos ficaram inclinados contra a parede, e Pablo virou-se e veio até nós com a pistola na mão.

— "Segure para mim, Pilar" — disse ele. — "Não sei como desarmar o cão" — e colocou a pistola nas minhas mãos, parado lá, olhando para os quatro guardas no chão, junto à parede do alojamento. Todos nós ficamos parados, olhando, sem dizer nada.

— Havíamos tomado a cidade e ainda era de manhã bem cedo, ninguém tinha comido nem tomado café, olhamos para nós mesmos, cobertos de poeira, tão empoeirados quanto homens trabalhando numa debulha. Eu estava parada segurando aquela pistola pesada, e senti enjoo no estômago, quando olhei os corpos daqueles guardas mortos no chão. Todos cobertos de poeira cinza como nós, mas cada um deles umedecendo com o próprio sangue a poeira seca da parede onde se encostavam. Enquanto estávamos lá o sol subia por trás das colinas ao longe. Logo, brilhava na rua onde nos encontrávamos e nas paredes brancas do alojamento, e a poeira no ar ficou dourada, e um dos camponeses que estava ao meu lado olhou para os mortos, em volta, e para nós, e disse: — "*Vaya*, um dia que começa."

— Agora vamos tomar café — eu disse.

— "Bom, Pilar, bom" — disse ele.

— E fomos para o centro da cidade, para a Plaza, e aquelas foram as últimas pessoas mortas a tiros na vila.

— O que caconteceu com os outros? — perguntou Robert Jordan. — Não havia outros fascistas no vilarejo?

— *Qué va*, se havia mais fascistas? Havia mais de vinte, mas nenhum foi fuzilado.

— O que fizeram?

— Pablo mandou espancá-los com manguais até a morte, e depois jogá-los do alto do penhasco no rio.

— Todos os vinte?

— Vou te contar. Não é tão simples. E nunca mais na minha vida quero ver cena como aquela da praça, do açoite com manguais até a morte e corpos jogados do penhasco dentro do rio.

— A cidade fica na ribanceira do rio, e tem um quarteirão com uma fonte na praça, bancos, e grandes árvores que fazem sombra sobre os bancos. As varandas das casas debruçam-se sobre a praça. Seis ruas convergem para aquele ponto e tem uma arcada que sai das casas e contorna a praça, de tal modo que uma pessoa pode caminhar à sombra quando o sol está muito quente. Em três lados da praça há a arcada, e, no quarto, o passeio é assombreado pelas árvores, ao longo do penhasco, com o rio lá embaixo, a cem metros.

— Pablo organizou tudo ali da mesma forma como organizara o ataque do alojamento. Primeiro, bloqueou as entradas das ruas com carroças, como se fosse organizar a praça para uma *capea*. Para uma tourada de amadores. Os fascistas foram presos todos no *Ayuntamiento*, na prefeitura, o maior edifício, de um dos lados da praça. O prédio tinha um relógio na parede e era ali também o clube dos fascistas. Sob a arcada, na frente do clube, eles ficavam em cadeiras de vime, antes do movimento, tomando aperitivos. Parecia um café, mas era mais elegante.

— Mas não houve luta para prendê-los?

— Pablo prendera-os na noite anterior ao ataque ao alojamento. E o alojamento já estava cercado. Foram todos retidos em suas casas na mesma hora do ataque. Isto foi inteligente. Do contrário, haveria pessoas atacando-o pelos flancos e pelas costas, durante o assalto ao alojamento da *guardia civil*.

— Pablo é muito inteligente, mas é brutal. Ele planejou e organizou a operação da vila. Ouça isto: depois que o assalto foi executado, e que os quatro guardas se entregaram, e foram perfilados contra a parede, depois que ele matou os quatro, que bebeu café no bar que sempre abria bem cedo de manhã, na esquina de onde o primeiro ônibus saía, ele organizou a operação da praça. Carroças foram colocadas exatamente como se fosse haver uma *capea*, exceto pelo fato de que o lado em direção ao rio não foi fechado. Ficou aberto. Aí, Pablo mandou o padre tomar a confissão dos fascistas e dar a eles os sacramentos necessários.

— Onde isto foi feito?

— No *Ayuntamiento*, como eu disse. Havia uma multidão do lado de fora e, enquanto o padre fazia o serviço lá dentro, na rua havia algumas frivolidades e gritos obscenos, mas, de um modo geral, as pessoas ficaram sérias, mostraram-se respeitosas. Aqueles que faziam brincadeiras já estavam bêbados da comemoração da tomada do alojamento, além do que havia muitos inúteis que viviam bêbados o tempo todo.

— Enquanto o padre estava ocupado com suas tarefas, Pablo organizou duas filas na praça.

— Ele colocou as pessoas em duas filas como se fosse prepará-las para um jogo de cabo de guerra, ou como se elas estivessem assistindo a uma corrida de bicicletas, com o espaço exato para os ciclistas passarem entre as duas colunas de gente, ou como se as pessoas estivessem aguardando a passagem da imagem de um santo numa procissão. Dois metros entre as duas filas, e elas se estenderam desde as portas do *Ayuntamiento*, cruzando a praça, até a beira do penhasco. Deste modo, alguém vindo da porta do *Ayuntamiento*, olhando através da praça, veria duas filas compactas de pessoas aguardando.

— As pessoas estavam armadas com manguais, bons manguais como aqueles utilizados para debulhar grãos, e as pessoas dispostas a um mangual uma da outra. Nem todas tinham manguais, pois não foi possível arranjar para todo mundo. Muitos os pegaram do armazém de Dom Guillermo Martín, que era fascista e vendia toda sorte de suprimentos agrícolas. Quem não tinha mangual se armou com pesados bastões de pastorear, aguilhadas e muitos com forcados de madeira, aqueles com dentes de madeira usados para separar a alimpadura e as palhas após o debulho. Alguns tinham foices e gadanhos, mas estes Pablo colocou no final, perto do penhasco.

— Havia silêncio nas colunas, o dia estava claro, como hoje, e havia nuvens altas no céu, como agora, e a praça ainda não estava poeirenta, pois durante a noite tinha caído um orvalho carregado, as árvores formavam sombras sobre os homens, e se podia ouvir a água correndo do cano de bronze, na boca de leão e caindo no chafariz, onde as mulheres traziam as suas jarras para encher.

— Somente próximo do *Ayuntamiento*, onde o padre cumpria sua tarefa com os fascistas, havia alguma irreverência por parte daqueles inúteis, como eu já disse, os que estavam bêbados e ficavam agrupados, gritando obscenidades e piadas de mau gosto através das barras de ferro das janelas. A maioria dos homens enfileirados estava quieta, esperando, e eu ouvi um dizer para outro:

— "Será que tem mulheres?"

E o outro responder:

— "Eu espero por Cristo que não."

Aí um deles disse:

— "Aqui está a mulher de Pablo. Ei, Pilar, será que tem mulheres?"

— Olhei para ele, era um camponês com o seu paletó domingueiro e suava em bicas, e respondi: "Não, Joaquín. Não tem mulheres. Não estamos matando as mulheres. Por que deveríamos matar as suas mulheres?"

— E ele disse: — "Graças a Cristo, não tem mulheres. Quando vai começar?"

— E eu respondi: "Tão logo o padre acabe."

— "E o padre?"

— "Eu não sei" — disse-lhe, e vi sua face franzindo, o suor escorrendo na testa. — "Nunca matei ninguém" — disse.

— "Então você irá aprender" — o camponês a seu lado observou. — "Mas não acho que uma porrada com isto vá matar um homem" — e ergueu seu mangual, olhando com descrédito para ele.

— "Esta é a beleza disso" — outro camponês falou. — "Tem que dar muitas porradas."

— "Eles tomaram Valladolid. Tomaram Ávila" — alguém gritou. — "Ouvi antes de vir para a cidade."

— "Eles nunca tomarão esta vila. Esta vila é nossa."

— "Nós atacamos antes deles" — eu acrescentei. — "Pablo não é de deixar que eles ataquem primeiro."

— "Pablo é competente" — um outro gritou. — "Mas nesse extermínio dos *civiles* ele foi egoísta. Você não acha, Pilar?"

— "Sim, mas agora todos estão participando" — respondi.

— "É. E está bem-organizado. Mas por que não temos mais notícias sobre o movimento?"

— "Pablo cortou os fios de telefone, antes do assalto ao alojamento. Ainda não foram consertados."

— "Ah" — disse ele. — "É por isso que não ouvimos nada. Eu tenho notícias, ouvi-as esta manhã, da estação do conservador da estrada. Por que isto está sendo feito desse jeito, Pilar?"

— "Para economizar balas" — respondi. — "E para cada homem ter sua cota de responsabilidade."

— "Então quando é que vai começar? Que comece de uma vez" — olhei para ele e o vi chorando.

— "Por que você está chorando, Joaquín?" — perguntei. — "Isto não é motivo para chorar."

— "Não posso evitar, Pilar. Eu nunca matei ninguém" — respondeu-me ele.

— Se você ainda não viu o dia da revolução numa cidade pequena, onde todos se conhecem e sempre se conheceram, você não viu nada. Neste dia, quase todos os homens alinhados na praça estavam trajando as mesmas roupas que usavam para trabalharem no campo, tendo vindo para a cidade às pressas. Mas alguns, sem saber como deveriam se vestir para o primeiro dia do movimento, vestiram as suas roupas de domingo e de feriado, e estes, vendo que os outros, incluindo aqueles que atacaram o alojamento, vestiam suas roupas velhas, ficaram envergonhados por estarem com a roupa errada. Mas não quiseram tirar seus paletós por medo de perdê-los, ou de que fossem roubados pelos tais inúteis, e assim ficaram suando debaixo do sol, esperando pela deflagração. Então, o vento aumentou e a poeira seca da praça, agora com a movimentação dos homens, se soltou e começou a espalhar-se no ar, e um homem com um paletó domingueiro azul-escuro gritou "Água! Água!", e o zelador da praça, cuja tarefa era pulverizar a praça todas as manhãs com uma mangueira, veio com a mangueira ligada e começou a molhar o chão empoeirado, ao redor da praça, e depois no centro. As duas colunas afastaram-se para trás e o deixaram molhar o meio da praça. A mangueira arrastada em largos arcos e a água cintilante pelos raios de sol e os homens curvados sobre os seus manguais, nos cabos de foice, nos forcados de madeira esbranquiçada, olhando a varredura dos jatos de água. Então, quando a praça ficou umedecida e a poeira baixou, as filas foram reagrupadas e os camponeses gritaram: — "Quando nós vamos pegar o primeiro fascista? Quando o primeiro vai sair da toca?"

— "Não vai demorar!" — Pablo gritou da porta do *Ayuntamiento*. — "Já, já, o primeiro vai sair" — sua voz estava rouca de tanto gritar no assalto e da fumaça do alojamento.

— "Por que a demora?" — alguém perguntou.

— "Eles continuam ocupados com os seus pecados" — gritou Pablo.

— "Certamente, pois há vinte deles" — disse um homem.

— "Mais" — disse outro.

— "Nesses vinte, tem muitos pecados para se contar."

— "Sim, mas acho que é um truque para ganhar tempo. É claro que numa emergência destas é impossível se lembrar dos próprios pecados, exceto dos maiores."

— "Pois tenha paciência. Em mais de vinte pessoas, há muitos pecados grandes."

— “Eu tenho paciência” — respondeu o outro. — “Mas é melhor resolver isso logo. Para eles e para nós. Estamos no mês de julho e temos muito trabalho. Fizemos a colheita, mas ainda não debulhamos. Ainda não estamos na época das feiras e festivais.”

— “Mas hoje teremos feira e Festival” — gritou outro homem. — “A Feira da Liberdade, e deste dia em diante, depois de tudo acabado, a cidade e a terra serão nossos.”

— “Vamos malhar os fascistas hoje e da alimpadura virá a liberdade desse povoado.”

— “Temos que administrar isto muito bem para merecê-lo”

— disse mais um. — “Pilar, quando vamos nos reunir para a organização?”

— “Imediatamente depois disto acabar” — respondi. — “No próprio prédio do *Ayuntamiento*.”

— Eu tinha na cabeça um daqueles quepes de verniz, de três pontas, da *guardia civil*, de deboche, e colocara o detonador da Mauser no lugar, firmando-o com meu polegar enquanto puxava o gatilho, que era o óbvio a se fazer, e a pistola estava pendurada na corda que eu tinha atada à minha cintura, com aquele cano longo apontado para baixo. E quando eu pus o quepe de brincadeira, ele me caiu muito bem, embora mais tarde tenha percebido que seria melhor ter pego o coldre da pistola. Mas um dos homens alinhados gritou para mim: — “Pilar, filha. Eu acho de mau gosto que uses este quepe. Agora que acabamos com a *guardia civil*.”

— “Então” — eu disse — “vou tirá-lo.” — E o tirei.

— “Me dá aqui” — disse o homem —, “ele deve ser destruído.”

— Estávamos no final da fila, onde o passeio segue paralelo ao penhasco próximo ao rio. Ele pegou o quepe das minhas mãos e o atirou da borda do penhasco como um tropeiro joga uma pedra para arrebanhar a boiada. O quepe voou longe no vazio e foi ficando cada vez menor, o verniz brilhando no ar claro, voando para o rio. Olhei para trás, para a praça, e em todas as janelas e sacadas havia pessoas aglomeradas, e duas colunas de homens através da praça, desde as escadas do *Ayuntamiento*, mais a multidão apinhada na rua, próxima das janelas do prédio, e havia também aquele alarido de muitas pessoas falando ao mesmo tempo, e de súbito ouvi alguém gritar: — "Aí vem o primeiro!" — Era Dom Benito Garcia, o prefeito, cabeça descoberta, caminhando vagarosamente da porta para o alpendre, e nada aconteceu; caminhou entre as colunas de homens com manguais, e nada; passou por dois homens, quatro, oito, dez e nada, caminhava de cabeça erguida entre aquelas duas paredes de homens, a cara gorda, piscando e virando alternadamente os olhos para os lados, e mantendo o passo. E nada aconteceu.

— De uma sacada alguém gritou: "*Qué pasa, cobardes?* Qual é o problema, covardes?", e Dom Benito continuava caminhando entre os homens sem nada acontecer. Então eu vi um homem, três corpos abaixo de onde eu estava, com a cara transtornada, mordendo os lábios, as mãos pálidas no mangual. Ele fitou Dom Benito, acompanhando-o com os olhos no que ele vinha em sua direção. Até então nada sobreveio. De repente, um pouco antes de Dom Benito emparelhar com esse homem, o sujeito levantou seu mangual tão bruscamente que atingiu o companheiro mais próximo, e desceu uma porrada em Dom Benito, no lado da sua cabeça. Dom Benito olhou para ele e o homem lhe deu outra pancada gritando: — "Toma, *Cabrón*!" — e a pancada acertou a cara de Dom Benito, que levou as mãos ao rosto, e os outros começaram a bater nele até que ele caiu, e o homem que tinha começado segurou Dom Benito pelo colarinho da camisa chamando os outros para ajudá-lo, e os outros o pegaram pelos braços arrastando sua cara na poeira da praça até a borda do penhasco, e o atiraram lá embaixo, no rio. O homem que o agrediu primeiro ajoelhou-se na beirada do penhasco olhando ele cair e gritando: — "O *Cabrón*! O *Cabrón*! Ah, o *Cabrón*!" — Era um tenente de Dom Benito e os dois nunca se deram bem. Tinha havido uma disputa por um pedaço de terra, próxima do rio, que Dom Benito tirou desse homem e deu a outro, e desde então aquele homem tinha raiva do prefeito. Este homem não voltou à coluna. Sentou-se na beira da escarpa e ficou olhando o lugar onde o corpo de Dom Benito tinha caído.

— Depois de Dom Benito, ninguém saiu. O barulho cessou na praça, todos na expectativa de quem sairia. Então um bêbado soltou um brado: — "*Qué salga el toro!* Soltem o touro!"

— Alguém próximo da janela, pelo lado de fora do *Ayuntamiento*, gritou: — "Eles não se movem! Estão todos rezando!"

— Outro bêbado soltou a voz: — "Vamos puxá-los para fora! Vamos! O tempo de rezar acabou!"

— Mas ninguém saiu. Até que, instantes depois, vi alguém passar pela porta. Era Dom Federico González, dono do moinho e do armazém de suprimentos, um fascista de marca maior. Era um homem alto e magro, o cabelo penteado de um lado a outro no topo da cabeça para disfarçar a careca, e vestia um camisolão enfiado para dentro das calças. Estava descalço, como quando fora arrancado de sua casa, caminhava à frente de Pablo com as mãos sobre a cabeça, e Pablo pressionava o cano de seu revólver nas suas costas até que Dom Federico González alcançou as duas fileiras. Quando Pablo o deixou e retornou para o portal do *Ayuntamiento*, Dom Federico ficou parado, os olhos voltados para o céu e as mãos projetadas para cima como se quisesse agarrar o firmamento.

— "Ele perdeu as pernas!" — alguém gritou.

— "Qual é o problema, Dom Federico? O senhor não consegue caminhar?" — outro grito anônimo. Mas Dom Federico permaneceu imóvel, calado, as mãos para o alto, apenas os lábios se mexendo.

— "Continue!" — Pablo ordenou, lá da escada. — "Ande!"

— Dom Federico continuava imóvel, não conseguia andar. Um dos bêbados cutucou-o com o cabo de um mangual, Dom Federico deu um pulo curto como um cavalo empacado, mas ficou no mesmo lugar, com as mãos para o alto, olhando para o céu.

— Então, um camponês ao meu lado disse: — "Isso é vergonhoso. Não tenho nada contra ele, mas esse espetáculo tem que acabar." — Dito isso, caminhou ao longo das colunas, aos empurrões, até chegar onde Dom Federico estava e lhe falou: — "Com sua permissão." — E lhe desferiu um golpe do lado da cabeça com um bastão.

— Dom Federico baixou as mãos e as colocou sobre a cabeça inclinada, cobrindo a careca novamente, os cabelos finos e longos saindo por entre os dedos, e começou a correr rápido entre as duas colunas com os manguais descendo sobre a sua cabeça, ombros, costas, até que tombou e os homens do final da fila o pegaram e o jogaram do alto do penhasco. Ele não abriu a boca uma só vez, desde que saiu empurrado com a pistola de Pablo nas suas costas. Sua única dificuldade era caminhar, como se não tivesse mais o controle das pernas.

— Depois de Dom Federico, vi que havia uma concentração dos homens mais violentos no final da fila, na borda da escarpa, então saí de lá e fui até a arcada do *Ayuntamiento*, olhar pela janela, tendo que abrir espaço empurrando dois bêbados. Na sala maior, estavam ajoelhados em semicírculo, e o padre estava com eles, todos rezando. Pablo e um tal sapateiro chamado Quatro Dedos, que andava muito com Pablo, mais dois homens, estavam parados, de pé, empunhando seus revólveres, e Pablo disse ao padre: — "Quem vai agora?" — O padre continuou a rezar e não respondeu.

— "Escuta" — Pablo disse ao padre, com a sua voz rouca. — "Quem vai agora? Quem está pronto?"

— O padre não queria falar e agia como se Pablo não estivesse ali. Então, percebi que Pablo começou a ficar bastante enfezado.

— "Deixe-nos ir juntos" — falou Dom Ricardo Montalvo, proprietário de terras, dirigindo-se a Pablo, com a cabeça erguida, e parando de rezar.

— "*Qué va*" — disse Pablo. — "Um de cada vez assim que estiver pronto."

— "Então eu vou" — disse Dom Ricardo. — "Nunca estarei mais preparado do que estou agora." — O padre abençoou-o enquanto ele falava, e abençoou-o novamente, sem interromper suas preces, levantou um crucifixo para Dom Ricardo beijar, Dom Ricardo beijou-o, virou-se para Pablo e disse: — "Pronto como nunca, seu *Cabrón* de leite ruim. Vamos com isso!"

— Dom Ricardo era um homem baixo, de cabelos grisalhos e pescoço grosso, e usava uma camisa sem colarinho. Tinha as pernas arqueadas de tanto andar a cavalo.

— "Adeus" — ele disse para os demais que continuavam ajoelhados. — "Não fiquem tristes. Morrer não é nada. A única coisa ruim é morrer nas mãos dessa *canalla*. Não toque em mim" — disse para Pablo. — "Não encoste esse revólver em mim."

— Ele caminhou para fora, até a frente do *Ayuntamiento* com os seus cabelos grisalhos, olhos acinzentados, o seu pescoço grosso, parecia pequeno e furioso. Olhou para a coluna de camponeses e cuspiu no chão. Ele cuspiu saliva de verdade, coisa muito rara em tais circunstâncias, como você sabe, *Inglés*, e disse: — "*Arriba España!* Abaixo essa maldita República, me (...) no leite dos teus antepassados!"

— Aí, instigados por tais insultos, caíram logo de paulada em cima dele até matar, batendo nele assim que chegou perto do primeiro dos homens, batendo enquanto ele tentava caminhar com a cabeça erguida, batendo nele até ele cair, e então o cortaram com foices e gadanhos, e muitos homens estocaram ele até a borda do penhasco, e o jogaram lá embaixo. Agora eles tinham sangue em suas mãos e suas roupas. Agora sentiam que aqueles que saíam eram de fato inimigos e deveriam morrer.

— Até que Dom Ricardo saísse com aquela impetuosidade, gritando insultos, muitos nas filas teriam pagado para não estar lá, eu tenho certeza. E, até então, se alguém tivesse gritado "Ora, vamos perdoar os demais, agora que eles já aprenderam sua lição", estou certa de que a maioria teria concordado.

— Mas Dom Ricardo, com a sua bravura, fez um grande desserviço para os outros. Irritou os homens das colunas e, se antes eles estavam apenas executando uma tarefa por dever, sem prazer algum, agora estavam furiosos, e a diferença era visível.

— "Tire o padre de lá que a coisa vai mais rápido" — alguém gritou.

— "Tire o padre daí!"

— "Já pegamos três ladrões, agora nos dê o padre!"

— "Dois ladrões" — um camponês baixinho disse para o homem que gritara. — "Eram dois ladrões com Nosso Senhor."

— "Senhor de quem?" — o homem que tinha pedido pelo padre gritou, vermelho de raiva.

— "Este é o jeito de falar, Nosso Senhor."

— "Ele não é o meu Senhor nem brincando" — disse o outro. — "E tu, olha tua boca, se tu não quiseres caminhar entre as duas colunas!"

— "Sou tão Republicano Libertário quanto tu" — disse o camponês baixinho. — "Eu bati na boca de Dom Ricardo. Bati nas costas de Dom Federico. Não consegui acertar Dom Benito, mas digo Nosso Senhor porque é o jeito formal de se falar Dele, que esteve entre dois ladrões."

— "Eu (...) no leite do teu republicanismo. Tu falas Dom disso, Dom daquilo."

— "Aqui eles são chamados assim."

— "Não por mim, esses *cabrones*. E esse teu Senhor... Ei! Vem vindo mais um!"

— Foi então que vimos uma coisa vergonhosa. O homem que saía do *Ayuntamiento* era Dom Faustino Rivero, o filho mais velho de Dom Celestino Rivero, um proprietário de terras. Era alto e seu cabelo alourado estava recém-penteado para trás, pois sempre trazia um pente no bolso, e tinha penteado o cabelo antes de sair. Era conhecido por molestar as garotas, um covarde que queria ser toureiro amador. Andava no meio dos ciganos, dos criadores de touros e dos toureiros, e gostava de aparecer trajado à moda andaluza, mas não tinha nenhuma coragem e era considerado uma piada. Certa vez anunciaram que ele montaria um cavalo, no estilo andaluz, para uma tourada em benefício de um asilo de idosos em Ávila, mas ele consumiu muito tempo treinando e quando viu o tamanho do touro que ia enfrentar, um enorme touro que substituiu na última hora um pequeno, fraco das pernas, que era o que ele havia escolhido antes, disse que estava enjoado, enfiou três dedos na própria garganta e vomitou.

— Quando os homens das filas o viram, começaram a gritar: —"*Hola*, Dom Faustino. Cuidado, não vá vomitar."

— "Escute, Dom Faustino, tem lindas garotas lá embaixo do penhasco."

— "Dom Faustino, espere um minuto, vamos trazer um touro maior do que aquele outro."

— E outro homem gritou: — "Escuta, Dom Faustino, nunca ouviste falar da morte?"

— Dom Faustino parou na saída do *Ayuntamiento*, ainda bancando o corajoso. Ainda estava sob o impulso que o fizera anunciar para os outros que ia sair. Impulso igual ao que o fizera candidatar-se para a tourada. Que o tinha convencido de que podia se tornar um toureiro amador. Havia se inspirado no exemplo de Dom Ricardo e parou, com elegância e bravura, fazendo uma cara de desprezo. Mas não conseguia falar.

— "Venha, Dom Faustino" — alguém gritou das filas. — "Venha, Dom Faustino. Aqui está o maior de todos os touros."

— Dom Faustino permaneceu parado na frente do *Ayuntamiento*, e eu acho que, naquele momento, ninguém sentiu piedade dele nas filas. Ainda assim ele parecia elegante e soberbo, mas o tempo corria, e ele tinha apenas uma direção para seguir.

— "Dom Faustino" — alguém chamou. — "O que está esperando, Dom Faustino?"

— "Ele está se preparando para vomitar" — alguém respondeu, e uma risada uníssona estourou nas colunas.

— "Dom Faustino" — um camponês gritou. — "Vomite, se quiser. Para mim tanto faz."

— Então, enquanto o observávamos, Dom Faustino mirou ao longo das colunas de homens, através da praça até o penhasco, além do qual havia o vazio imenso, e virou-se abruptamente, mergulhando de volta para dentro do *Ayuntamiento*.

— As filas soltaram um rugido e alguém gritou muito alto: — "Aonde você vai, Dom Faustino? Aonde você vai?"

— "Ele vai vomitar" — alguém sugeriu, e todos riram.

— De repente, vimos Dom Faustino voltando, com Pablo empurrando-o com a carabina nas suas costas. Agora, todo o seu estilo tinha desaparecido. A visão das colunas de homens tirou-lhe a empáfia, e ele saiu empurrado por Pablo, como se Pablo estivesse limpando a rua e Dom Faustino fosse a vassoura. Dom Faustino saiu fazendo o sinal da cruz e rezando, e depois, com as mãos cobrindo os olhos, desceu os degraus até as colunas.

— "Deixem-no" — alguém gritou. — "Não toquem nele!"

— As colunas entenderam e ninguém moveu-se para tocar em Dom Faustino; cobrindo os olhos com as mãos trêmulas, os lábios semoventes, ele caminhou entre os homens.

— Ninguém falou mais nada e ninguém tocou nele. Quando ele estava a meio caminho do fim, não conseguiu mais andar e caiu de joelhos.

— Ninguém bateu nele. Eu estava caminhando ao longo de uma das colunas de homens e vi o que aconteceu com ele. Um camponês inclinou-se, levantou Dom Faustino e disse: — "Levante, continue caminhando, o touro ainda não veio."

— Dom Faustino não conseguia caminhar sozinho e o camponês de bata preta pegou-o por um braço, outro de bata preta e botas de tropeiro chegou para segurar o outro braço, arrastando-o através das duas fileiras. Dom Faustino com as mãos nos olhos, os lábios tremelicantes, os cabelos louros lustrosos, brilhando ao sol, e à medida que ele ia passando os camponeses diziam: — "Dom Faustino, *buen provecho*. Dom Faustino, tenha bom apetite. Dom Faustino, *a sus ordenes*." — E um camponês que havia também fracassado numa tourada disse: — "Dom Faustino, Matador, *a sus ordenes*." Um camponês aproximou-se e disse: — "Dom Faustino, lá no céu há lindas garotas, Dom Faustino." — Cada um de um lado conduziu Dom Faustino através das fileiras, pelos braços; ele cobria os olhos com as mãos, mas devia estar olhando através dos dedos, pois quando chegaram perto do penhasco ajoelhou-se novamente, atirando-se ao chão e agarrando-se à grama, dizendo: — "Não. Não. Não. Por favor. Não! Por favor. Por favor. Não. Não."

— Então, os camponeses que o traziam, e os outros, aqueles mais violentos do final da fileira, agacharam-se por trás dele assim que ele se ajoelhou e o empurraram penhasco abaixo, sem ter-lhe dado uma só mangualada. Podia-se ouvi-lo gritando, um grito muito alto e agudo, durante a queda.

— Foi quando eu percebi que as fileiras haviam se tornado cruéis, primeiro por causa dos insultos de Dom Ricardo, segundo pela covardia de Dom Faustino.

— "Queremos mais outro" — um camponês exigiu, e alguém lhe deu um tapa nas costas dizendo: — "Dom Faustino! Que coisa! Dom Faustino!"

— "Agora ele está vendo o grande touro" — alguém comentou. — "Só que vomitar não vai ajudá-lo em nada."

— "Na minha vida" — disse outro camponês —, "nunca vi coisa igual a Dom Faustino."

— "Tem outros" — falou mais um camponês. — "Seja paciente. Quem sabe o que ainda veremos?"

— "Talvez tenha gigantes e anões" — disse o primeiro camponês. — "Talvez negros e bestas raras da África. Mas, para mim, nunca, nunca haverá alguém como o Dom Faustino. Mas vamos pegar outro! Venham. Vamos pegar mais um!"

— Os bêbados estavam passando de mão em mão garrafas de anis e conhaque saqueadas do bar do clube dos fascistas, bebendo delas como se bebe vinho, e muitos homens das colunas já começavam a ficar meio embriagados também, por beberem após tanta emoção com Dom Benito, Dom Federico, Dom Ricardo e, especialmente, Dom Faustino. Quem não bebia das garrafas de licor, bebia vinho de odres de couro que eram passados, e alguém me passou um odre e eu bebi um longo gole, deixando o vinho rolar fresco pela minha garganta abaixo, direto da bota de couro, porque eu estava com muita sede também.

— "Matar dá muita sede" — o homem com o odre disse para mim.

— "*Qué va*" — eu disse. — "Tu já mataste alguém?"

— "Matamos quatro" — respondeu ele com orgulho. — "Sem contar os *civiles*. É verdade que tu mataste um dos *civiles*, Pilar?"

— "Nenhum" — respondi. — "Disparei na direção da nuvem de fumaça, quando a parede veio abaixo, como todos os demais, e foi só."

— "Onde tu arranjaste esta pistola, Pilar?"

— "De Pablo. Foi Pablo quem me deu, depois de matar os *civiles*."

— "Ele matou os *civiles* com esta pistola?"

— "Com ela mesma" — eu disse. — "E depois ele a entregou para mim."

— "Posso vê-la, Pilar? Posso segurá-la?"

— "Por que não, homem?" — respondi, e tirei a pistola da corda da minha cintura passando-a para ele. Mas eu estava matutando porque ninguém mais tinha saído até então, quando, justamente neste momento, sai Dom Guillermo Martín, de cujo armazém tinham sido pegos os manguais, foices, gadanhos, cabos de aguilhadas e os forcados de madeira. Dom Guillermo era fascista, mas fora isso não havia nada contra ele.

— É verdade que ele pagava pouco para aqueles que faziam os manguais, mas também cobrava pouco por eles, e quem não quisesse comprá-los podia fazê-los pelo preço do custo do cabo de madeira e do couro. Tratava-se de um sujeito grosseiro para falar e era indiscutivelmente um fascista, membro do clube, e sentava todas as tardes e noites naquelas cadeiras de vime na varanda do clube fascista para ler *El Debate*, e ali engraxavam seus sapatos, bebia vermute, água mineral gasosa, e comia amêndoas torradas, camarões secos e anchovas. Mas não se mata uma pessoa por isso. Tenho certeza de que se não fosse pelos insultos de Dom Ricardo Montalvo e o lamentável espetáculo de Dom Faustino, mais a bebedeira consequente da emoção de todos por tudo isso, alguém teria gritado: — "Que Dom Guillermo vá em paz. Nós temos os seus manguais. Soltem-no."

— Penso assim, porque as pessoas dessa cidade são tão afáveis quanto podem ser cruéis e têm um senso natural de justiça e o desejo de fazer o que é certo. Mas a crueldade invadiu as fileiras junto com a bebedeira, ou o começo dela, e as fileiras já não eram mais as mesmas que recepcionaram Dom Benito. Não sei como é em outros países, e ninguém dá tanta importância ao prazer da bebida como eu dou, mas na Espanha, a bebedeira, quando produzida por outros elementos diferentes do vinho, é uma coisa muito feia e as pessoas fazem coisas que não fariam sóbrias. Não é assim no seu país, *Inglés*?

— É assim — respondeu Robert Jordan. — Quando eu tinha sete anos de idade e estava indo com minha mãe para um casamento no estado de Ohio, eu ia ser um dos pajens com outro menino, e mais uma menina como dama de honra carregando flores...

— Você já fez isso? — perguntou-lhe Maria. — Que graça!

— Nesta cidade um negro foi enforcado, num poste de luz, e depois queimado. Era um arco de luz elétrica. Uma luz que caía do topo do poste até o pavimento. Ele estava pendurado pelos fios que içavam a lâmpada elétrica, mas eles rebentaram e...

— Um negro! — exclamou Maria. — Que barbaridade!

— As pessoas estavam bêbadas? — perguntou Pilar. — Elas estavam bêbadas, por isso queimaram o negro?

— Eu não sei — respondeu Robert Jordan. — Porque eu vi aquilo por debaixo das cortinas da janela da casa, que ficava na esquina onde havia aquele poste de luz. A rua estava cheia de gente e eles levantaram o negro pela segunda vez e...

— Se você tinha somente sete anos de idade e estava dentro da casa, então não poderia saber se as pessoas estavam bêbadas.

— Como eu ia dizendo, quando eles levantaram o negro pela segunda vez, minha mãe me puxou da janela, de modo que eu não vi mais nada. Mas tive experiências que mostram que as bebedeiras são a mesma coisa em meu país. Horrendas e brutais.

— Aos sete anos você era uma criança — disse Maria. — Era muito jovem para essas coisas. Nunca vi um negro, só em circo. A não ser que os mouros sejam considerados negros.

— Alguns são negros e alguns não — disse Pilar. — Posso contar muito sobre mouros.

— Não como eu — contestou Maria. — Não, como o que eu posso.

— Não fale dessas coisas — repreendeu Pilar. — Não é saudável. Onde nós estávamos?

— Falando da bebedeira das fileiras — respondeu Robert Jordan. — Continue.

— Não é justo dizer bebedeira — corrigiu Pilar. — Até então eles estavam longe de estar bêbados. Mas já mostravam sinais de mudança de comportamento e, quando Dom Guillermo saiu, empertigado, míope, cabeça agrisalhada, estatura média, de camisa sem colarinho, aparecendo somente o botão de prendê-lo, olhando fixo para frente, mas sem enxergar muito bem sem os óculos, dando passos firmes, com calma, sua aparência era de inspirar piedade. Mas alguém gritou: — "Ei, Dom Guillermo. Aqui, Dom Guillermo. Nesta direção, Dom Guillermo. Aqui nós todos estamos com suas mercadorias." — Eles tinham tido tanto prazer debochando de Dom Faustino que não podiam ver, agora, que Dom Guillermo era uma coisa diferente e, se Dom Guillermo deveria ser executado, teria que ser rapidamente e com dignidade.

— "Dom Guillermo!" — alguém gritou. — "Devemos mandar buscar os seus óculos na sua casa?"

— A casa de Dom Guillermo não era propriamente uma casa, uma vez que ele não tinha tanto dinheiro assim e era fascista apenas para poder ser esnobe, e consolar a si mesmo por ter de trabalhar por pouco, já que possuía uma oficina de produtos de madeira. Era fascista também por aceitar a religiosidade de sua esposa, devido ao amor que tinha por ela. Morava num apartamento no prédio a três casas da praça e, quando Dom Guillermo lá estava, encarando de perto as fileiras por entre as quais deveria caminhar, uma mulher começou a gritar da varanda do apartamento onde ele morava. Ela podia vê-lo da varanda do apartamento, e era a sua esposa.

— "Guillermo!" — gritava. — "Guillermo. Espera que eu vou ao teu encontro!"

— Dom Guillermo virou a cabeça na direção daquele grito. Ele não podia enxergá-la. Tentou dizer algo, mas não conseguiu. Então, ele acenou para onde a mulher gritava e começou a andar entre as fileiras.

— "Guillermo!" — a esposa berrava. — "Guillermo! Ah, Guillermo!" — Ela agarrava-se ao parapeito da sacada e agitava seu corpo para frente e para trás, gritando: — "Guillermo! Guillermo!"

— Dom Guillermo acenou mais uma vez naquela direção e prosseguiu a caminhada, de cabeça erguida, e não se podia dizer o que ele sentia, exceto pela cor da sua face.

— Neste momento um bêbado gritou das fileiras: — "Guillermo!" — imitando a voz esganiçada da mulher, e Dom Guillermo avançou cegamente contra ele, com lágrimas rolando pelo rosto, e o homem bateu duro na sua cara com o mangual fazendo-o estatelar-se no chão, chorando, mas não por medo, enquanto outros bêbados o agrediam e um deles montou nos seus ombros, desferindo um golpe com uma garrafa. Depois disso, muitos homens deixaram as colunas e seus lugares foram tomados pelos vagabundos bêbados, que estavam berrando obscenidades sob as janelas do *Ayuntamiento*.

— Por mim, já tinha tido emoção o bastante no fuzilamento da *guardia civil* executado por Pablo. Foi uma coisa horrorosa, mas algo que tinha de ser feito. Pelo menos não foi cruel, somente a privação de vidas, e, como aprendemos nesses anos, uma coisa horrenda, no entanto necessária, se quisermos vencer para preservar a República.

— Quando a praça foi fechada e as colunas de homens organizadas, admirei e entendi a concepção de Pablo, embora me parecesse algo fantástica, e seria necessário executá-la com bom gosto para não se tornar repugnante. Certamente que, se os fascistas deveriam ser executados pelo povo, seria melhor toda a gente ter participação naquilo, e eu queria a minha cota de culpa como qualquer outra pessoa, assim como esperava a minha parte nos benefícios quando a cidade fosse nossa. Mas após Dom Guillermo, eu tive um sentimento de vergonha e desgosto, e com a chegada dos bêbados e vagabundos para as fileiras, e a abstenção daqueles que as abandonaram em protesto, depois de Dom Guillermo, desejei me afastar das fileiras, atravessei a praça e fui me sentar num banco sob a sombra das enormes árvores.

— Dois camponeses lá das colunas passaram por mim, conversando, e um deles me chamou.

— "O que aconteceu contigo, Pilar?"

— "Nada, homem" — eu respondi.

— "Aconteceu, sim" — disse ele. — "Fale, o que foi que houve?"

— "Acho que estou enjoada" — respondi contrariada.

— "Nós também" — disse ele, e os dois sentaram-se no banco.

Um deles carregava um odre de vinho e o passou para mim.

— "Enxágua a tua boca" — disse ele, e o outro continuou a conversa que vinham tendo.

— "O pior é que isto trará má sorte. Ninguém vai me dizer que uma coisa como a execução de Dom Guillermo, do jeito como foi feita, não trará má sorte."

— Então o outro falou:

— "Se é necessário matar a todos, e não estou convencido disto, que sejam mortos com decência e sem palhaçada."

— "A palhaçada foi justificável no caso de Dom Faustino" — o outro comentou. — "Ele era um farsante e nunca foi um homem sério. Mas, ridicularizar um homem sério, como Dom Guillermo, é perder a razão."

— "Minha barriga está cheia" — falei. — E isto era literalmente verdade, porque eu sentia um enjoo por dentro, suava, uma náusea, como se tivesse comido frutos do mar estragados.

— "Então, chega" — o camponês falou. — "Não tomaremos mais parte nisso. Mas fico pensando no que acontece nas outras cidades."

— "Eles ainda não consertaram as linhas de telefone" — eu disse. — "É uma falha que deve ser remediada."

— "Certo" — disse o camponês. — "Quem sabe não seria melhor se nos ocupássemos em colocar a cidade em condições de defesa, em vez de massacrarmos as pessoas com essa lentidão e brutalidade?"

— "Vou falar com Pablo" — disse-lhes. Levantei-me do banco e comecei a caminhar em direção à arcada que levava até a porta do *Ayuntamiento*, de onde as fileiras se estendiam através da praça. As colunas, já não estavam nem retas nem ordeiras e a bebedeira era geral. Dois homens caídos no chão, de costas, no meio da praça, passavam uma garrafa de bebida um para o outro. Um bebia um gole e gritava "*Viva la Anarquia*", deitado de costas berrando como se fosse um louco. Usava no pescoço um lenço vermelho e preto. O outro berrava "*Viva la Libertad*", chutava o ar com as duas pernas e berrava "*Viva la Libertad*". Também usava um lenço vermelho e preto, e o acenava com uma das mãos segurando uma garrafa com a outra.

— Um camponês que deixara as fileiras, parado sob a sombra da arcada, olhou-os com desprezo e disse: — "Deveriam gritar 'longa vida para a bebedeira', isto é tudo em que eles acreditam."

— "Nem mesmo nisso eles acreditam" — comentou outro camponês. — "Eles não entendem nem acreditam em nada."

— Justo nesse momento, um dos bêbados ficou de pé, com os braços para o alto e os punhos cerrados, e gritou: — "Longa vida para a anarquia e a liberdade, e eu estou (...) para a República."

— O outro bêbado, ainda deitado no chão, agarrou o calcanhar do vagabundo que gritara o palavrão e rolou de lado, de modo que o bêbado que acabara de soltar o brado obsceno caiu sobre ele, rolando os dois juntos no chão, e então sentaram-se, e aquele que havia derrubado colocou o braço em torno do pescoço do que gritara e passou-lhe a garrafa, e beijou o lenço vermelho e preto que estava usando, e os dois ficaram bebendo juntos.

— Neste momento, um grito veio lá do início das fileiras e, olhando em direção à arcada, não vi quem estava saindo, por causa das cabeças das pessoas aglomeradas na porta do *Ayuntamiento*. Era possível ver apenas que alguém estava sendo empurrado para fora por Pablo e Quatro Dedos, com suas carabinas, mas eu não sabia quem era e, para descobrir, me desloquei para as colunas desorganizadas e espremidas na entrada.

— Os empurrões acirraram-se, e as cadeiras e mesas do café dos fascistas estavam reviradas de pernas para o ar, exceto uma única com um bêbado deitado sobre ela, a cabeça pendida e com a boca aberta para cima, daí eu peguei uma cadeira, coloquei-a contra uma pilastra e trepei nela para poder olhar por sobre as cabeças da multidão.

— O homem empurrado por Pablo e Quatro Dedos era Dom Anastasio Rivas, indubitável fascista e o homem mais gordo da cidade. Era um comprador de grãos, agente de várias companhias de seguro e também agiota que cobrava altas taxas de juros. De sobre a cadeira, eu o vi descer as escadas em direção às fileiras, o pescoço gorducho, protuberante sobre o colarinho da camisa social, a careca rebrilhando ao sol, mas ele não chegou a andar entre as fileiras, pois ouviu-se um grito, não de vários homens, mas de todos. Uma barulheira escabrosa, uma gritaria de bêbados das colunas, todos gritando em uníssono, e dispararam em direção ao homem, e eu vi Dom Anastasio atirar-se no chão com as mãos na cabeça, e já não se podia mais ver o seu corpo sob a pilha de homens. Quando os homens saíram de sobre o corpo dele, Dom Anastasio estava morto, com a cabeça esfacelada por pedras do pavimento, e já não havia mais colunas e sim uma turba.

— "Nós vamos entrar!" — começaram a gritar. — "Vamos buscá-los!"

— "Ele é muito pesado para se carregar" — falou um homem, chutando o corpo de Dom Anastasio, jazido com a cara na terra. — "Deixem ele aí."

— "Por que arrastar esse barril de tripas até o penhasco? Vamos largá-lo aí mesmo."

— "Vamos entrar e terminar com eles aí dentro!" — um homem gritou. — "Vamos entrar."

— "Para que esperar o dia todo no sol?" — alguém gritou. — "Vamos lá, vamos entrar."

— A multidão pressionava em direção à arcada. Gritavam entre empurrões, e produziam o barulho de um animal enfurecido, todos juntos, "Abram!", "Abram!", pois os guardas tinham fechado as portas do *Ayuntamiento* logo que as fileiras se desfizeram.

— De sobre a cadeira eu podia ver o que se passava lá dentro, através das barras da janela, e no *Ayuntamiento* estava tudo como antes. O padre em pé à frente dos que restaram, ajoelhados num semicírculo, todos rezando. Pablo sentado na enorme mesa do prefeito, as pernas balançando livres no ar, com a sua arma a tiracolo, jogada às costas, enrolando um cigarro. Quatro Dedos sentado na cadeira do prefeito, fumando, com os pés sobre a mesa. Todos os guardas sentados em cadeiras da administração, empunhando as armas. A chave da grande porta estava na mesa ao lado de Pablo.

— A multidão ensandecida gritava, "Abram! Abram! Abram!", como se fosse um cantochão, e Pablo continuava sentado como se não ouvisse. Ele falou algo para o padre, mas, com aquela gritaria, eu não podia ouvir.

— O padre, como fizera antes, não respondeu, continuou rezando. Com aquelas pessoas me empurrando, eu levei a cadeira para mais perto da parede, empurrando-a para a frente à medida que me empurravam pelas costas. Ao subir novamente na cadeira, com a cara próxima da janela, agarrada nas suas barras, um homem subiu na cadeira também, enlaçou os braços em volta dos meus e segurou-se nas barras.

— "A cadeira vai quebrar" — eu disse.

— "Que importa?" — disse ele. — "Olhe para eles, olhe para eles rezando."

— O seu hálito no meu pescoço fedia como a multidão, era azedo, de bêbado, como vômito no asfalto, e ele enfiou sua boca entre as barras, com a sua cabeça por sobre o meu ombro e gritou: "Abram! Abram!" — Foi como se a multidão louca estivesse nas minhas costas, como se o próprio diabo estivesse colado em mim como num pesadelo.

— Agora, a turba se espremia contra a porta, os da frente esmagados pelos demais, e lá do meio da praça um bêbado, com um lenço vermelho e preto no pescoço, vestindo uma bata preta, correu em direção à turba que pressionava a porta e jogou-se de encontro a ela, caindo sobre algumas pessoas, e então levantou-se, voltou uns passos e tornou a correr e se jogar nas costas dos que empurravam, gritando: — "Longa vida para mim e longa vida para a anarquia!"

— Enquanto eu olhava aquilo, o bêbado afastou-se da multidão da porta e foi sentar-se no chão, bebendo direto da garrafa; então, sentado, viu o corpo de Dom Anastasio, emborcado de cara na terra, agora muito pisoteado, e levantou-se e foi até ele, inclinou-se e derramou o conteúdo da garrafa na cabeça de Dom Anastasio, nas suas roupas, e então tirou uma caixa de fósforos do bolso e lascou alguns palitos, tentando atear fogo no corpo. Mas o vento soprava e apagava os palitos de fósforo e, após algumas tentativas mais, o bêbado sentou-se ao lado de Dom Anastasio, sacudindo a cabeça, bebendo da garrafa e, de vez em quando, dando tapinhas nos ombros do cadáver de Dom Anastasio.

— Todo esse tempo a multidão gritava para que se abrisse a porta e o homem, na cadeira comigo, agarrado firme nas barras, gritava até me ensurdecer, com a sua voz urrando rente ao meu ouvido, seu bafo repugnante sobre mim. Tirei os olhos do bêbado tentando queimar o corpo de Dom Anastasio, e voltei-me para o que acontecia dentro do *Ayuntamiento*. Tudo na mesma. Continuavam rezando, ajoelhados, com as camisas abertas, uns com as cabeças pendidas, outros com as cabeças atiradas para trás, voltados para o padre, rezando rápido, sem parar. Olhando por cima deles, vi Pablo com seu cigarro aceso, sentado na mesa, balançando as pernas, a arma a tiracolo, brincando com a chave na mão.

— Percebi Pablo falando alguma coisa ao padre, inclinado para frente, sobre a mesa, mas não pude ouvir, a gritaria continuava ensurdecedora. O padre não respondeu, continuou rezando. Então um homem levantou-se do semicírculo e eu vi que ele queria sair. Era Dom José Castro, a quem todos chamavam de Dom Pepe, um fascista inveterado, negociante de cavalos, e ele ficou de pé, era baixo e bem-apanhado mesmo sem fazer a barba, e vestia pijamas com a parte de cima para dentro de calças listradas de cinza. Ele beijou o crucifixo, o padre lhe deu a bênção, ele olhou para Pablo e fez um movimento brusco com a cabeça em direção à porta.

— Pablo sacudiu a cabeça e continuou fumando. Percebi Dom Pepe dizendo algo para Pablo, mas não pude ouvir. Pablo não respondeu. Ele fez com a cabeça, novamente, o movimento para a porta.

— Então eu vi Dom Pepe olhar firme para a porta e me dei conta de que ele não sabia que a porta estava trancada. Pablo lhe mostrou a chave em sua mão, ele parou um instante, olhando, e voltou a ajoelhar-se e a rezar. Vi o padre procurar Pablo com os olhos e Pablo arreganhando um sorriso para ele, exibindo a chave da porta em sua mão, e pareceu então que o padre se deu conta, só agora, de que a porta estava fechada a chave, pareceu que ia balançar a cabeça, mas inclinou-a e voltou a rezar.

— Não consigo entender como eles não sabiam que a porta estava fechada com chave, a menos que estivessem inteiramente concentrados na reza e em seus próprios pensamentos; mas agora eles sabiam, e entendiam os gritos e deviam saber que tudo mudara. No entanto, permaneceram como estavam.

— Os gritos eram tantos que não se entendia nada, e o bêbado, às minhas costas, sacudia os braços, agarrado às barras da janela, e gritava "Abram!", "Abram!", até ficar rouco.

— Vi Pablo falando ao padre mais uma vez, e o padre não respondeu. Então Pablo tirou a carabina das costas, inclinou-se e tocou no ombro do padre com a arma. O padre ignorou-o e Pablo balançou a cabeça. Daí ele falou, por cima do ombro, com Quatro Dedos, e Quatro Dedos falou com os outros guardas, e todos ficaram de pé e caminharam para a parede dos fundos da sala com as suas armas.

— Pablo disse alguma coisa para Quatro Dedos e ele arrastou duas mesas e alguns bancos, e os guardas ficaram atrás deles, empunhando suas armas. Formavam uma barricada naquele canto da sala. Pablo inclinou-se e bateu no ombro do padre, outra vez com a arma, e o padre o ignorou uma vez mais, mas vi Dom Pepe olhar para ele enquanto os outros não davam atenção, apenas rezavam. Pablo sacudiu a cabeça vendo Dom Pepe olhando para ele, e lhe mostrou a chave. Dom Pepe entendeu, baixou a cabeça e começou a rezar bem rápido.

— Boleando as pernas, Pablo desceu da mesa e a contornou em direção à cadeira do prefeito, no tablado atrás da longa mesa do conselho. Sentou-se lá e enrolou um cigarro, o tempo todo olhando para os fascistas que rezavam com o padre. Não se podia ver nenhuma expressão em seu rosto. A chave estava sobre a mesa, à sua frente. Era uma chave enorme, de ferro, de uns trinta e cinco centímetros de comprimento. Então Pablo ordenou aos guardas algo que não pude ouvir, e um guarda foi até a porta. Eu podia vê-los, todos rezando mais rápido, e percebi que todos já sabiam.

— Pablo falou com padre e este não respondeu. Pablo inclinou-se para a frente, pegou a chave e, sem levantar as mãos, atirou-a com um sorriso para o guarda da porta, que a pegou no ar. O guarda colocou a chave na fechadura, girou-a, puxou a porta em sua direção e se enfiou atrás dela, deixando a multidão invadir o salão.

— Vi os camponeses entrarem, o bêbado na cadeira comigo começou a gritar "Eia! Eia! Eia!", enfiando a cara nas grades, de modo que perdi a visão e então ele berrou: "Matem todos! Todos! Paulada neles! Matem todos!" Ele me empurrou para o lado e eu não pude ver mais nada.

— Dei-lhe uma cotovelada na barriga e disse: "Bêbado, de quem é essa cadeira? Deixe-me ver."

— Mas ele continuou sacudindo os braços e as mãos nas barras e urrando: — "Matem todos! Paulada neles! Porrada neles! Arrebentem eles! Acabou! Matem todos! Matem todos! *Cabrones*! *Cabrones*! *Cabrones*!"

— Acertei-o duramente com meu cotovelo e disse: — "*Cabrón*! Bêbado! Sai, eu quero ver!"

— Então, ele colocou as duas mãos na minha cabeça e me empurrou para baixo, apoiando-se com todo o peso na minha cabeça, e continuou berrando: — "Porrada neles! Isso! Paulada neles!"

— "Paulada em você" — eu disse, e lhe dei uma porrada naquele lugar que dói pra valer, fazendo-o tirar as mãos de minha cabeça para segurar a si mesmo, gemendo: — "*No hay derecho, mujer*. Isto, mulher, você não tinha o direito de fazer." — Naquele momento, olhei através das grades e vi o salão cheio de homens malhando com porretes a torto e a direito, batendo com os manguais, espetando e porreteando, aos empurrões, chocando-se uns contra os outros, com os forcados sujos de sangue e com os dentes quebrados, isto tudo rolando por todo o salão, enquanto Pablo apenas olhava, sentado na cadeira de espaldar alto, com a sua carabina sobre os joelhos, em meio aos gritos, porradas, estocadas e urros de homens relinchando como se fossem cavalos afugentados num incêndio. Vi o padre com a sua batina arregaçada trepando num banco enquanto os que estavam atrás dele retalhavam-no com foices e gadanhos, e então um deles segurou-o pela batina e ouvi um grito, e mais outro grito, e vi dois outros homens cortando-o nas costas com foices, enquanto um terceiro homem segurava a saia de sua batina e os braços do padre estavam levantados e ele se agarrava às costas de uma cadeira, e nisso a cadeira em que eu estava com o bêbado quebrou-se e nós fomos parar no pavimento fedido de vinho e vômito, o bêbado agitando seu dedo para mim e dizendo: — "*No hay derecho, mujer, no hay derecho*. Você poderia ter-me aleijado." — As pessoas nos pisoteavam para avançar sobre o salão do *Ayuntamiento*, e eu via apenas as pernas das pessoas movendo-se na direção da porta de entrada e o bêbado sentado, de frente para mim, com as mãos naquele lugar que eu lhe acertara.

— Foi assim que a matança dos fascistas terminou em nossa cidade e, impedida de ver tudo, fiquei contente de não ter visto mais do que pude, por causa daquele bêbado. Até que ele serviu para alguma coisa, pois no *Ayuntamiento* aconteceu uma coisa que quem estava lá deve lamentar ter visto.

— Mas o outro bêbado foi algo ainda mais incomum. Quando conseguimos nos levantar, depois daquela cadeira quebrada, e as pessoas ainda estavam aglomeradas no interior do *Ayuntamiento*, vi aquele bêbado da praça, com o seu lenço vermelho e preto, novamente despejando algo sobre Dom Anastasio. Sacudia a cabeça para os lados e mal podia ficar em pé, mas continuava despejando e tentando riscar fósforos, entornava, riscava fósforos, e eu caminhei para ele e disse: — "O que você está fazendo, sem-vergonha?"

— "*Nada, mujer, nada*" — respondeu ele. — "Deixe-me em paz."

— De súbito, talvez porque minhas pernas tenham formado uma proteção contra o vento, os fósforos se acenderam e uma chama azul começou a correr pelo ombro do casaco de Dom Anastasio, em direção à sua nuca, e o bêbado levantou a cabeça para cima e gritou num vozeirão: — "Estão queimando o morto! Estão queimando o morto!"

— "Quem?" — um anônimo perguntou.

— "Onde?" — alguém mais gritou.

— "Aqui!" — berrou o bêbado. — "Bem aqui!"

— Então surgiu um homem e desferiu um golpe com um mangual na cara do bêbado, que caiu de costas, cravou o olhar no homem, fechou os olhos, cruzou as mãos sobre o peito e ficou deitado, como se estivesse dormindo, ao lado de Dom Anastasio. O homem não bateu mais nele. Ficou largado ali até que vieram pegar o corpo de Dom Anastasio para colocá-lo numa carroça usada para despejar os mortos no penhasco ao anoitecer, depois de limparem o *Ayuntamiento*. Seria melhor para a cidade terem atirado junto uns vinte ou trinta bêbados, especialmente os de lenço vermelho e preto e, se algum dia tivermos outra revolução, acho que eles deveriam ser exterminados logo no início. Só que, até então, não sabíamos disso. Mas nos dias seguintes iríamos ficar sabendo.

— Naquela noite não tínhamos ideia do que estava para acontecer. Depois da matança no *Ayuntamiento*, não houve mais matança, e não pudemos fazer uma reunião porque muitos estavam bêbados. Era impossível obter ordem, e o único jeito foi prorrogar a reunião para o dia seguinte.

— Dormi com Pablo naquela noite. Não deveria dizer isso a você, *guapa*, mas, por outro lado, é bom que saiba de tudo, bom, pelo menos o que eu digo é verdade. Escute esta, *Inglés*. Foi muito estranho.

— Como eu ia dizendo, aquela noite nós jantamos e foi muito estranho. Como se fosse depois de uma tempestade, ou enchente, ou batalha, todos estavam cansados e ninguém falou muito. Eu mesma me sentia oca, não estava bem, cheia de vergonha, com uma sensação de pecado cometido, e uma angústia, sentia que algo de ruim ainda estava por acontecer, como nesta manhã depois dos aviões. E, de fato, em três dias o mal apareceu.

— Pablo falou pouco durante o jantar.

— "Gostou, Pilar?" — perguntou ele, finalmente, com a boca cheia de cabrito novo assado. — Estávamos comendo no hotel, de onde os ônibus saíam, o salão estava lotado, as pessoas cantando, e estava difícil para os garçons servirem.

— "Não" — eu respondi. — "Com exceção de Dom Faustino, eu não gostei de nada."

— "Eu gostei" — ele disse.

— "De tudo?" — perguntei-lhe.

— "De tudo" — ele respondeu, cortando um naco enorme de pão com a sua faca e começando a raspar o molho com o pão — "De tudo, exceto do padre."

— "Você não gostou do que fizeram ao padre?" — perguntei, porque sabia que ele odiava mais os padres do que os fascistas.

— "Ele foi uma desilusão para mim" — disse Pablo, com tristeza. — "Tanta gente cantava que nós tivemos que gritar para ouvir um ao outro."

— "Por quê?"

— "Ele morreu muito mal" — disse Pablo. — "Ele teve muito pouca dignidade."

— "Como é que você queria que ele tivesse dignidade sendo linchado pela multidão?" — eu disse. — "Acho que ele teve muita dignidade todo tempo, antes da invasão. Toda a dignidade que alguém poderia ter."

— "É" — retrucou Pablo. — "Mas no último minuto ficou amedrontado."

— "Quem não ficaria? Não viu com que eles estavam caçando o padre?"

— "Mas como não veria?" — disse Pablo. — "Só que acho que ele morreu mal."

— "Em circunstâncias como aquelas qualquer um morre mal" — eu lhe disse. — "O que você estava querendo? Tudo o que aconteceu no *Ayuntamiento* foi indecoroso."

— "Foi" — respondeu Pablo. — "Teve pouca organização. Mas um padre, ele tinha que dar o exemplo."

— "Pensei que você odiasse os padres."

— "E odeio" — disse Pablo, e cortou mais um pedaço de pão. — "Mas um padre *espanhol*...! Um padre *espanhol* deveria morrer corretamente."

— "Eu acho que ele morreu de maneira bastante correta. Sendo privado de todas as formalidades."

— "Não" — disse Pablo. — "Para mim, ele foi uma grande decepção. Esperei o dia inteiro pela morte do padre. Planejei para que ele fosse o último a passar pelas colunas. Aguardei essa hora com grande expectativa. Seria algo assim como uma culminância. Nunca tinha visto um padre morrer."

— "Você vai ter outras chances. Hoje o movimento apenas começou" — disse-lhe com sarcasmo.

— "Não" — ele protestou. — "Estou desapontado."

— "Agora" — disse-lhe — "suponho que você perderá a sua fé."

— "Você não entende, Pilar. Ele era um padre *espanhol*."

— "Que gente, os espanhóis"! — disse para ele. — E que povo para ter orgulho, hem, *Inglés*? Que povo! — Devemos ir agora — disse Robert Jordan. Olhou para o sol e acrescentou: — É quase meio-dia.

— Sim — concordou Pilar. — Nós iremos agora. Mas deixe-me falar sobre Pablo. Aquela noite, ele disse-me: — "Pilar, esta noite nós não vamos fazer nada."

— "Bom, isto me agrada" — respondi.

— "Acho que seria de mau gosto, após a matança de tantas pessoas."

— "*Qué va*" — disse-lhe. — "Que santo que você é. Depois de viver anos com toureiros, você pensa que eu não sei como eles ficam depois de uma *Corrida*?"

— "É verdade, Pilar?" — ele perguntou-me.

— "Quando é que eu menti para você?"

— "É verdade, Pilar, eu estou acabado esta noite. Não me reprove."

— "Não, *hombre*" — eu disse. — "Mas não vá matar gente todas as noites, Pablo."

— Ele dormiu aquela noite como um bebê, até eu acordá-lo de manhã, mas não consegui dormir, levantei-me, sentei numa cadeira e olhei através da janela, vendo a praça na luz do luar, onde as fileiras estiveram, e do outro lado da praça as árvores cintilando com os brilhos da lua e a escuridão das suas sombras, os bancos também refletindo o luar, garrafas espalhadas rebrilhando, e para além do penhasco onde todos eles foram atirados.

Não havia nenhum som, apenas o rumor da água no chafariz e, sentada lá, eu concluí que nós tínhamos começado muito mal.

— A janela estava aberta e depois da praça, vindo de Fonda, ouvi uma mulher chorando. Saí para a sacada, com os pés descalços no ferro, a lua brilhava na face dos prédios da praça e o berreiro vinha da varanda da casa de Dom Guillermo. Era a esposa dele que chorava, de joelhos, na sacada.

— Então eu retornei para o quarto e fiquei sentada lá, sem querer pensar, pois tinha sido o pior dia da minha vida, até que viesse um pior.

— E houve um pior? — perguntou Maria.

— Três dias mais tarde, quando os fascistas retomaram a cidade.

— Nem me conte. Eu não quero ouvir — disse Maria. — É o bastante. Já foi demais.

— Eu falei para você, não deveria ter ouvido — lembrou-lhe Pilar. — Vê? Eu não queria que ouvisse. Agora você vai ter pesadelos.

— Não terei — respondeu Maria. — Eu só não quero ouvir mais.

— Eu gostaria que você me contasse, noutra oportunidade — disse Robert Jordan.

— Eu contarei — respondeu Pilar. — Mas para Maria é ruim.

— Eu não quero ouvir — disse Maria, pesarosamente. — Por favor, Pilar. E não vá contar se eu estiver perto, talvez eu escute mesmo sem querer.

Seus lábios começaram a se mexer e Robert Jordan pensou que ela fosse cair em pranto.

— Por favor, Pilar, não conte.

— Não se preocupe, pequena tosquiada — acalmou-a Pilar. — Não se preocupe. Mas um dia eu conto ao *Inglés*.

— Mas eu quero estar onde ele estiver — suplicou Maria. — Ah, Pilar, não conte mais nada.

— Vou contar quando tu estiveres trabalhando.

— Não. Não. Por favor. Não vamos falar mais nada sobre isso — disse Maria.

— É justo que eu conte o resto, já que contei o que nós fizemos — explicou Pilar. — Mas você nunca vai ouvir.

— Não há coisas melhores para se conversar? — retrucou Maria. — Será que teremos sempre que falar sobre coisas horrorosas?

— Esta tarde — Pilar falou —, tu e o *Inglés*, os dois, podem falar do que quiserem.

— Então que a tarde venha, que ela venha voando — disse Maria.

— Ela virá — disse-lhe Pilar. — Ela virá voando e irá embora do mesmo jeito, assim como o amanhã voará também.

— Esta tarde — disse Maria. — Esta tarde. Que esta tarde venha.

11

Ao chegarem ao alto, encobertos pelas sombras densas dos pinheiros, após descerem da campina alta até o vale de mata fechada, escalarem uma trilha paralela ao riacho e ganharem novamente o topo de uma formação rochosa íngreme, um homem armado de carabina saiu de trás de uma árvore.

— Alto lá! — gritou ele. E então: — *Hola*, Pilar. Quem é este que vem contigo?

— Um *Inglés* — respondeu Pilar. — Mas com um nome cristão, Roberto. Mas que escarpa de m... se tem que subir para chegar até aqui.

— *Salud, Camarada* — o guarda disse para Robert Jordan e esticou a mão. — Você está bem?

— Sim — respondeu Robert Jordan. — E tu?

— Igualmente — disse o guarda. Era muito jovem, de compleição franzina, esguio, a cara meio aquilina, zigomas salientes e olhos cinza. Não usava chapéu, tinha cabelos pretos desgrenhados e seu aperto de mão era firme e amistoso, assim como seu olhar.

— Alô, Maria — disse ele para a garota. — Você não se cansou?

— *Qué va*, Joaquín — disse a garota. — Nós sentamos e conversamos mais do que caminhamos.

— Você é o dinamitador? — perguntou Joaquín. — Ouvimos que você andava por aí.

— Passamos a noite no acampamento de Pablo — disse Robert Jordan. — Sim, eu sou o dinamitador.

— Estamos contentes por vê-lo — disse Joaquín. — Está aqui para explodir um trem?

— Você estava no último trem? — Robert Jordan perguntou e sorriu.

— E como não? — respondeu Joaquín. — Foi lá que nós pegamos esta aí... — ele arreganhou os dentes para Maria. — Você está bonitinha agora. Eles já te disseram como está bonitinha?

— Cale a boca, Joaquín, e muito obrigada — disse Maria. — Você ficaria bonitinho de cabelo cortado.

— Eu te carreguei — disse Joaquín para a garota. — Te carreguei nos meus ombros.

— Como muitos outros — interferiu Pilar com voz grave. — Quem não a carregou? E onde está o Velho?

— No acampamento.

— Onde ele estava na noite passada?

— Em Segóvia.

— Ele trouxe notícias?

— Sim — respondeu Joaquín. — Temos notícias.

— Boas ou ruins?

— Acho que são ruins.

— Você viu os aviões?

— Ai — foi o lamento de Joaquín. — Nem me fale disso. Camarada dinamitador, que aviões eram aqueles?

— Bombardeiros Heinkel 1-11. Caças Heinkel e Fiat — disse-lhe Robert Jordan.

— E os grandes com asas baixas?

— Heinkels 1-11.

— Não importa o nome, são horríveis — disse Joaquín. — Mas estou atrasando vocês, vou levá-los para o comandante.

— Comandante? — perguntou Pilar.

Joaquín abanou a cabeça com ar sério e disse:

— Gosto mais do que *chefe*. É mais militar.

— Você está se militarizando rigidamente — disse Pilar, soltando uma gargalhada.

— Não — Joaquín explicou. — Gosto de termos militares porque fazem as ordens soarem mais exatas e estimula a disciplina.

— Aqui tem um do teu gosto, *Inglés*. Um rapaz bem sério.

— Quer que eu te carregue? — Joaquín perguntou à garota e colocou o braço em torno de seus ombros, sorrindo a um palmo de seu rosto.

— Uma vez foi o bastante — respondeu Maria. — Obrigada, mesmo assim.

— Você se lembra? — perguntou Joaquín.

— Lembro-me de ser carregada — disse Maria. — Não por você. Lembro-me do cigano porque ele me deixou cair muitas vezes. Mas eu te agradeço, Joaquín, e um dia ainda vou te carregar.

— Eu me lembro muito bem — disse Joaquín. — Posso me lembrar de segurar as tuas pernas, da tua barriga nos meus ombros e das tuas mãos penduradas batendo nas minhas costas.

— Tu tens muita memória — disse Maria, e sorriu para ele. — Não lembro nada disso. Nem dos teus braços, nem dos teus ombros, nem das tuas costas.

— Quer saber duma coisa? — Joaquín perguntou.

— O quê?

— Dei graças que tu estivesses pendurada às minhas costas quando os tiros vieram de trás.

— Porco — disse Maria. — Então foi por isso que o cigano também me carregou tantas vezes?

— Por isso e para agarrar nas tuas pernas.

— Meus heróis. Meus salvadores — disse Maria.

— Escute, *guapa* — disse Pilar. — Este rapaz te carregou muito e naquele momento as tuas pernas não diziam nada para ninguém. Naquele momento somente as balas falavam claramente. Se ele tivesse te deixado, teria saído do alcance das balas antes.

— Eu já agradeci a ele — disse Maria. — E eu vou carregá-lo um dia. Deixe-nos brincar. Eu não preciso chorar, preciso, só porque ele me carregou?

— Eu te deixaria para trás — continuou Joaquín, implicando com ela. — Mas daí tinha medo que Pilar atirasse em mim.

— Eu não atiro em ninguém — protestou Pilar.

— *No hace falta* — disse Joaquín para ela. — Você não precisa atirar. Mata qualquer um de susto com a tua boca.

— Que modo de falar — repreendeu-o Pilar. — E logo você, que costumava ser um rapaz polido. O que você fazia antes do movimento, rapaz?

— Muito pouco. Eu tinha apenas dezesseis anos.

— Mas o quê, exatamente?

— Uns pares de sapatos de vez em quando.

— Fabricava-os?

— Não. Engraxava.

— *Qué va* — disse Pilar. — Tem algo mais do que isso. — Ela observou o seu rosto moreno, o porte franzino, o cabelo arrepiado, o seu andarzinho ligeiro. — Por que você fracassou?

— Fracassei em quê?

— Em quê? Você sabe do que estou falando. Está deixando crescer o rabo de cavalo agora.

— Acho que foi o medo — respondeu o rapaz.

— Você é uma bela figura — disse-lhe Pilar. — Mas a cara não ajuda muito. Então, foi o medo, não foi? Você fez tudo certo no trem.

— Não tenho medo deles agora — disse o rapaz. — Nem um pouco. Vimos coisas piores e mais perigosas do que os touros. É verdade que nenhum touro é mais perigoso do que uma metralhadora. Mas, se eu estivesse numa arena agora, para enfrentar um touro, não sei se conseguiria dominar minhas pernas.

— Ele queria ser toureiro — Pilar explicou para Robert Jordan. — Mas tinha medo.

— Você gosta de touros, Camarada dinamitador? — perguntou Joaquín, arreganhando os dentes brancos.

— Muito, muito mesmo.

— Já os viu em Valladolid? — perguntou Joaquín.

— Já. Em setembro, no Festival.

— É a minha cidade — disse Joaquín. — Que bela cidade, mas como sua *buena gente* tem sofrido nesta guerra — ao falar isso sua face tornou-se séria. — Foi lá que fuzilaram o meu pai. Fuzilaram a minha mãe. Meu cunhado. E agora, a minha irmã.

— São uns bárbaros! — disse Robert Jordan.

Quantas vezes ele já ouvira essas histórias? Quantas vezes presenciara pessoas contarem isso com dificuldade? Já quantas vezes vira os olhos deles encherem-se de lágrimas, a garganta endurecer pela dor de pronunciar "meu pai", "minha mãe", "meu irmão", ou "minha irmã"? Ele não podia lembrar quantas vezes ouvira essa gente mencionar a morte dos seus familiares mortos, desta maneira. Quase sempre eles falavam como esse rapaz acabara de fazer. De repente, a propósito da menção à sua cidade natal, e sempre se dizia: — São uns bárbaros!

Apenas se ouviu a frase sobre as perdas. Não se viu o pai cair, tal qual Pilar foi capaz de fazê-lo ver a morte dos fascistas, na história que contara lá no riacho. Aqui, apenas se ficou sabendo que o pai morreu num quintal ou contra uma parede, num campo ou num pomar, ou à noite, sob os faróis de um caminhão, no acostamento de uma estrada. Ele vira as luzes de um carro descendo uma lomba, ouvira os tiros e logo depois descera até a estrada e achara os corpos. Não se viu a mãe do rapaz ser fuzilada, nem a irmã, nem o irmão. Apenas se ouviu falar sobre tudo isso; apenas escutou os tiros e viu os cadáveres.

Pilar fizera-o ver tudo o que acontecera naquela cidade. Ah, se aquela mulher soubesse escrever! Ele tentaria escrever e, se tivesse a sorte de lembrar de tudo, talvez pudesse colocar no papel do mesmo modo como ela contava. Deus! Como ela sabia contar uma história. "Ela é melhor do que Quevedo", pensou ele. "Ele nunca descreveu a morte de nenhum Dom Faustino tão bem quanto ela. Queria saber escrever bem o bastante para narrar aquela história. O que nós fizemos. Não o que os outros fizeram a nós." Sabia o suficiente sobre isso. Conhecia uma enormidade do que se passava atrás das linhas do inimigo. "Ah, mas para isso é necessário conhecer as pessoas muito antes. É preciso saber como elas eram em suas vilas."

"Graças à nossa mobilidade e já que não precisamos ficar para sofrer a punição, nunca soubemos como as coisas realmente acabaram", pensou ele. "A gente fica com a família de um camponês. Chega a noite e come com eles. Durante o dia se esconde, e no dia seguinte vai embora. Faz o nosso trabalho e cai fora. Na próxima vez que retorna ao lugar ouve dizer que eles foram fuzilados. Só isso, assim, simples."

"Mas sempre acontece quando a gente já não está mais lá. Os *partisans* fazem o seu estrago e se retiram. Os camponeses permanecem e recebem o castigo. Sempre soube sobre os outros. E o que fizemos contra eles no início. Sempre soube disso e odiei tudo o que ouvi contarem, fosse descaradamente ou com vergonha, vangloriando-se, gabando-se, na defensiva, explicando, negando. Mas o diabo daquela mulher me fez enxergar tudo, como se eu estivesse lá."

"Bem, é parte da formação de uma pessoa. Será uma formação e tanto quando tudo terminar. A gente aprende nesta guerra, se prestar atenção. E você certamente aprendeu um bocado. Teve sorte de ter vivido parte dos dez últimos anos na Espanha, antes da guerra. Eles confiaram em você principalmente por saber o idioma. Confiaram em você porque entendia bem a língua, falava o idioma como eles o falam e conhecia muitos lugares. Um espanhol era, no fim das contas, leal apenas a sua vila. Primeiro vinha a Espanha, é claro, depois a sua tribo, a seguir a sua província, aí então a sua vila, e a sua família e finalmente a sua profissão. Se você sabe espanhol, isto já o predispõe a seu favor; se conhece a província dele, ainda melhor, mas, se você conhece a sua vila e a sua profissão, está mais dentro das suas vidas do que qualquer outro estrangeiro jamais poderia estar." Ele nunca se sentiu um estrangeiro entre os espanhóis e eles não o tratavam como um estrangeiro, na maioria das vezes; somente nas vezes em que o traíram.

Claro que o traíram. Traíram várias vezes, mas sempre traem alguém. Traem-se entre si, inclusive. Se se juntam três deles, dois se unem contra um, e a seguir esses dois começam a trair um ao outro. Nem sempre é assim, mas acontece o bastante para se observarem muitos casos e começar a tirar uma conclusão.

Isso não era jeito de pensar. Mas quem iria censurar os seus pensamentos? Ninguém, além dele próprio. Ele não iria se entregar ao derrotismo. A primeira coisa era ganhar a guerra. "Se não ganharmos a guerra, tudo estará perdido." Mas ele observava, escutava e memorizava tudo. Estava servindo na guerra, dedicado com absoluta lealdade e executando as suas tarefas o melhor possível enquanto estivesse servindo. Mas ninguém era dono de sua mente, nem de suas faculdades de ver e ouvir, e, se ele fosse fazer julgamentos, só os faria após tudo acabar. Havia abundância de material para escrever a respeito. Já havia material demais. Às vezes, até um pouco mais do que convinha.

"Veja esta mulher, Pilar", pensou. "Não importa o que aconteça, se tiver tempo, hei de fazer com que ela me conte o resto daquela história. Olhe para ela, caminhando ao lado daquelas duas crianças. Impossível encontrar três produtos, genuinamente espanhóis, mais bonitos. Ela parece uma montanha, e a menina e o rapaz parecem duas árvores novas. As árvores velhas estão todas decepadas, as árvores novas estão florescendo desimpedidas, como elas. A despeito do que aconteceu aos dois, eles aparentam frescor, pureza, mocidade, um ar imaculado, como se nunca tivessem ouvido falar de desgraça. Mas, pelo que Pilar contou, Maria acabou de se restabelecer. Deve ter estado muito mal."

Ele lembrou de um jovem belga, na 11ª. Brigada, que havia se alistado com cinco outros rapazes da sua vila. Era um pequeno lugar com aproximadamente duzentas pessoas, e o rapaz nunca havia saído de seu vilarejo. Quando ele o viu pela primeira vez, entre o pessoal da Brigada de Hans, os outros cinco rapazes já tinham sido mortos, o rapaz estava péssimo, e eles o usavam como ordenança para servir a mesa dos oficiais. Tinha uma enorme cara flamenga, rosada, era louro, mãos gigantescas e desajeitadas de camponês; e se movimentava com os pratos, tão vigoroso e desastrado como um cavalo de roça. Chorava o tempo todo. Durante toda a refeição, um choro inaudível.

Era olhar e lá estava ele, chorando. Se alguém lhe pedisse vinho, ele chorava, se passava o prato para que ele servisse o ensopado, chorava, virando o rosto de lado. Então parava. Mas, se alguém o olhasse de novo, começava a chorar outra vez. Enquanto se comia a entrada e aguardava-se o prato principal, ele chorava na cozinha. Todos eram gentis com ele. Não adiantava. Robert Jordan sentia vontade de descobrir o que acontecera àquele rapaz, se ele chegara a superar aquilo tudo e estava preparado para ser um soldado novamente.

Maria estava recuperada, agora. Parecia, pelo menos. Mas ele não era psiquiatra. Pilar era a psiquiatra ali. Provavelmente fora bom para os dois ficarem juntos na noite anterior. Sim, a menos que acabasse. Certamente fora bom para ele. Sentia-se bem, hoje. Descansado, bem, despreocupado e feliz. A coisa toda parecia horrível, mas ele espantosamente tivera sorte. Já havia estado em outras situações que se anunciavam más. Que se anunciavam más; isto era pensar em espanhol. Maria era adorável.

"Olha só ela", disse para si mesmo. "Olha só."

Ficou observando a garota, caminhando a passos largos ao sol. Sua camisa cáqui aberta no pescoço. "Ela se movimenta como um potro", pensou ele. "Ninguém esbarra sem mais nem menos numa coisa destas. Estas coisas não acontecem. Vai ver nunca aconteceu. Talvez você tenha sonhado isso tudo, criou tudo na sua cabeça, e nunca aconteceu. Quem sabe foi um desses sonhos que se tem com um filme, em que uma atriz se aproxima da sua cama durante a noite, tão meiga, tão encantadora." Ele fizera amor com muitas delas daquele jeito, dormindo. Ainda podia lembrar-se de Garbo e de Harlow. Sim, Harlow, muitas vezes. "Só pode ter sido como naqueles sonhos."

Ainda retinha na memória quando Garbo veio até a sua cama. Foi na noite anterior ao ataque em Pozoblanco, e ela estava usando um suéter de algodão macio e sedoso, quando colocou os braços em torno dela e ela inclinou-se na sua direção, seus cabelos esvoaçando para frente e roçando em seu rosto, e perguntou-lhe por que ele nunca dissera que a amava, se ela já o amava todo esse tempo. Ela não estava encabulada, nem fria, nem distante. Estava simplesmente amorosa e gentil, adorável como nos velhos tempos, com Jack Gilbert, e tudo era tão real como se acontecesse de fato, e ele a amou muito mais do que a Harlow, embora Garbo tivesse estado lá somente uma vez, enquanto Harlow... "Sim, talvez fosse que nem num daqueles sonhos."

"Ou, talvez, não seja. Será que não poderia esticar a mão e tocar em Maria, agora? Mas talvez você esteja com medo... De descobrir que isto nunca aconteceu, que não foi verdade, que havia criado tudo na sua cabeça como os sonhos com as atrizes de cinema, ou como se as antigas namoradas tivessem retornado e dormido naquela manta na noite anterior, em todo tipo de chão, nas palhas de forragem dos celeiros, nas caminhonetes, estábulos, *corrales* e *cortijos*, nas matas, garagens, e caminhões e em todas as colinas da Espanha. Vieram todas elas para aquela manta quando ele estava dormindo, e todas foram mais amáveis do que nunca. Talvez tenha sido isso. Podia também estar com medo de tocar nela para ver se era verdade. Talvez você tente isso. Provavelmente vai descobrir que foi algo que você mesmo criou na sua cabeça."

Ele apressou o passo na trilha e tocou a mão no braço da garota. Sob os dedos, sentiu a maciez da sua carne na blusa cáqui. Ela olhou para ele e sorriu.

— Oi, Maria — disse ele.

— Oi, *Inglés* — ela respondeu, e ele admirou o seu rosto moreno bronzeado, os olhos cinza-amarelados, os lábios carnudos sorrindo, os cabelos tosados, queimados de sol, e ela ergueu o rosto para ele e sorriu. Era tudo verdade.

Agora, avistavam o acampamento de El Sordo, no último pinheiro, onde havia uma ravina redonda na forma de uma bacia virada. "Todas essas bacias altas de pedra calcária devem estar cheias de cavernas", pensou. "Tem duas cavernas lá adiante. Os pinheirinhos crescendo na rocha escondem-nas muito bem. Este lugar é bom, até melhor do que o de Pablo."

— Como foi esse fuzilamento da tua família? — Pilar estava perguntando a Joaquín.

— Nada, mulher — respondeu Joaquín. — Eles eram da esquerda como muitos outros de Valladolid. Quando os fascistas purificaram a cidade, fuzilaram primeiro o meu pai. Ele tinha votado nos socialistas. Depois, fuzilaram minha mãe. Ela tinha votado da mesma forma. Foi a primeira vez que ela votou. Em seguida, fuzilaram o marido de uma das minhas irmãs. Ele era membro do sindicato dos motorneiros de bondes.

Claro que ele não podia pilotar um bonde sem pertencer ao sindicato. Mas ele não era de política. Eu o conhecia bem. Ele era até mesmo meio desavergonhado. Acho que nem era um bom camarada. Daí, o marido da outra irmã, que também trabalhava nos bondes, foi para as colinas assim como eu. Eles pensaram que ela sabia onde ele estava. Mas ela não sabia. Então a fuzilaram porque ela não contou onde ele estava.

— Que barbaridade — disse Pilar. — Onde está El Sordo? Não o estou vendo.

— Ele está aqui. Provavelmente lá dentro — respondeu Joaquín. Então o rapaz se deteve, apoiou a coronha do rifle no chão para descansar e disse: — Pilar, escuta-me. Tu também, Maria. Perdoem-me se as incomodei contando coisas da minha família. Sei que todos temos os mesmos problemas e acho melhor não falarmos deles.

— Você deveria sempre falar — disse Pilar. — Para que nascemos, se não for para ajudar uns aos outros? E não escutar nem dizer nada é dar uma ajuda muito fria.

— Mas isso pode incomodar Maria. Ela já tem problemas demais.

— *Qué va* — disse Maria. — Meus problemas são um balde tão grande que os teus caindo dentro jamais conseguirão enchê-lo. Sinto muito, Joaquín, e espero que a sua irmã esteja bem.

— Até agora ela está bem — disse Joaquín. — Está na prisão e parece que não a maltratam muito.

— Você tem mais alguém da família? — perguntou Robert Jordan.

— Não — respondeu o rapaz. — Só eu. Ninguém mais. Exceto o cunhado que foi para as montanhas, e eu acho que ele está morto.

— Talvez ele esteja bem — disse Maria. — Vai ver está com um bando numa outra montanha.

— Para mim ele está morto — disse Joaquín. — Não era muito safo, era condutor de bonde e isto não o preparou para as montanhas. Duvido que pudesse sobreviver por um ano. Ele era meio fraco dos pulmões, também.

— Mas talvez ele esteja bem — insistiu Maria, colocando a mão sobre o seu ombro.

— Claro, garota. Por que não? — concordou Joaquín.

Com o rapaz parado ali, Maria espichou-se, colocou os braços em volta de seu pescoço e o beijou. Joaquín virou o rosto; estava chorando.

— Foi como a um irmão — disse Maria. — Eu te beijei como a um irmão.

O rapaz balançou a cabeça, chorando, mas sem fazer nenhum som.

— Eu sou a tua irmã — disse Maria. — Eu te amo e tu tens uma família. Somos a tua família.

— Incluindo o *Inglés* — mugiu Pilar. — Não é verdade, *Inglés*?

— Sim — disse Robert Jordan para o rapaz. — Nós todos somos a tua família, Joaquín.

— Ele é seu irmão — disse Pilar. — Certo, *Inglés*?

Robert Jordan colocou seu braço em volta dos ombros de Joaquín e disse:

— Somos todos irmãos.

O rapaz sacudiu a cabeça.

— Estou com vergonha de ter falado tanto — disse ele. — Falar disso torna as coisas mais difíceis para todos. Estou envergonhado por incomodá-los.

— Estou (...) para a tua vergonha — disse Pilar com a sua voz grave e afável. — E se Maria te beijar novamente, eu vou começar a te beijar também. Tem anos que eu não beijo um toureiro, mesmo um toureiro sem sucesso como tu, e eu gostaria de beijar um toureiro fracassado que se tornou um comunista. Segure ele, *Inglés*, que eu vou dar um beijo nele.

— *Deja* — disse o rapaz, e virou-se de lado bruscamente. — Deixe-me em paz. Estou bem e estou envergonhado.

Ele ficou ali, tentando controlar seu semblante. Maria pegou a mão de Robert Jordan. Pilar ficou com as mãos nos quadris, olhando para o rapaz, agora com ar debochado.

— Quando eu te beijar — disse ela para o rapaz —, não será um beijo de irmã. Esse truque de beijo de irmã.

— Não é preciso debochar — disse o rapaz. — Já falei, estou bem, e sinto muito ter falado.

— Bem, então vamos indo, vamos ver o velho — disse Pilar. — Me cansei com esta emoção toda. O rapaz olhou para ela. Pelos seus olhos se podia ver que ele subitamente se magoara.

— Não da tua emoção, da minha — Pilar disse para ele. — Que coisa mais tenra tu és para um toureiro.

— Eu fui um fracasso — disse ele. — Não precisa continuar insistindo nisso.

— Mas você está deixando crescer um rabo de cavalo novamente.

— Estou, e por que não? Corridas de touro são um bom negócio. Dão emprego para muitas pessoas e o Estado irá controlar tudo. Talvez agora eu não tenha mais medo.

— Talvez não — disse Pilar. — Talvez não.

— Por que você fala assim de modo tão brutal, Pilar? — perguntou-lhe Maria. — Eu gosto muito de ti, mas tu estás agindo como um bárbaro.

— É possível que eu seja um bárbaro — respondeu Pilar. — Escute, *Inglés*. Você sabe o que vai dizer para El Sordo?

— Sim.

— Pergunto porque ele é um homem de poucas palavras, diferente de ti, de mim e deste viveiro de animais sentimentais.

— Por que você fala assim? — Maria perguntou novamente, nervosa.

— Eu não sei — respondeu Pilar, dando passadas largas. — O que você acha?

— Não sei.

— Às vezes as coisas me cansam — Pilar falou, com raiva. — Você entende? E uma delas é ter quarenta e oito anos. Ouviu-me? Quarenta e oito anos e uma cara feia. E outra coisa é ver o pânico na cara de um toureiro fracassado e com tendências comunistas, quando eu digo, de brincadeira, que vou lhe dar um beijo.

— Isto não é verdade, Pilar — disse o rapaz. — Você não viu isso.

— *Qué va*, não é verdade. Eu (...) no leite de todos vocês. Ah, aí está ele. *Hola*, Santiago! *Qué tal?*

O homem a quem Pilar se dirigiu era pequeno e robusto, rosto moreno, enormes zigomas, cabelos grisalhos, olhos bem afastados e castanho-amarelados, nariz fino e adunco como o de um índio, o lábio superior enorme e a boca larga e fina. Estava barbeado e caminhava na direção deles, vindo da entrada da caverna, movendo-se com as pernas arqueadas, combinando com o culote e as botas de tropeiro. O dia estava quente, mas ele usava uma jaqueta curta de pele de ovelha abotoada até o pescoço. Ele esticou uma mão enorme e morena para Pilar.

— *Hola*, mulher — disse para Pilar. — *Hola* — disse para Robert Jordan e apertou a sua mão, com um olhar penetrante. Robert Jordan observou que seus olhos eram amarelos como os de um gato e rasos como os de um réptil. — *Guapa* — disse ele para Maria, e lhe deu um tapinha no ombro.

— Já comeram? — perguntou para Pilar. Ela abanou a cabeça.

— Comam — disse, e olhou para Robert Jordan. — Uma bebida? — perguntou, fazendo um movimento com o polegar para baixo.

— Sim, obrigado.

— Bom — disse El Sordo. — Uísque?

— Você tem uísque?

El Sordo fez que sim com a cabeça e disse:

— *Inglés*? Não *Ruso*?

— Americano.

— Poucos americanos por aqui — disse El Sordo.

— Não mais.

— Menos mal. Norte ou sul?

— Norte.

— O mesmo que *Inglés*. Quando explodir ponte?

— Você sabe sobre a ponte?

El Sordo balançou afirmativamente com a cabeça.

— Depois de amanhã.

— Bom — disse El Sordo.

— Pablo? — perguntou a Pilar.

Ela sacudiu a cabeça e ele deu um sorriso desdenhoso.

— Saia daqui — ele disse para Maria e sorriu do mesmo jeito novamente. — Volte! — olhou para um enorme relógio puxado de uma longa tira de couro de sua jaqueta. — Meia hora.

Fez um gesto indicando-lhes que se sentassem num tronco achatado, que servia como banco e, olhando para Joaquín, agitou o polegar na direção de onde eles tinham vindo.

— Eu vou caminhar até lá embaixo com Joaquín e depois eu volto — disse Maria.

El Sordo entrou na caverna e voltou com uma garrafa de uísque escocês e três copos. A garrafa estava debaixo de um braço e os três copos na mão deste mesmo braço, um dedo dentro de cada copo, e sua outra mão em volta do gargalo de uma jarra d'água de cerâmica. Colocou os copos e a garrafa no tronco feito banco e a jarra no chão.

— Sem gelo — disse para Robert Jordan, e lhe passou a garrafa.

— Eu não quero — disse Pilar, e cobriu seu copo com a mão.

— A noite passada gelo no chão — disse El Sordo e arreganhou os dentes. — Tudo derretido. Gelo lá em cima — disse, e apontou para a neve aparecendo na crista da montanha sem vegetação. — Muito longe.

Robert Jordan começou a servir o copo de El Sordo, mas o surdo sacudiu a cabeça e fez um gesto indicando-lhe que servisse a si mesmo.

Robert Jordan serviu-se de uma grande dose e El Sordo observou-o, impaciente, passando-lhe a jarra de água quando ele acabou; então, Robert Jordan completou o copo com água gelada corrente, trazida do riacho na jarra de cerâmica.

El Sordo serviu-se de meio copo de uísque e o completou com água.

— Vinho? — perguntou para Pilar.

— Não. Água.

— Tome — disse ele. — Não boa — disse para Robert Jordan abrindo um sorriso sem brilho. — Conheci muitos ingleses. Sempre muito uísque.

— Onde?

— Rancho — respondeu El Sordo. — Amigos do patrão.

— Onde você consegue o uísque?

— O quê? — ele não conseguiu ouvir.

— Você tem que gritar — disse Pilar. — No outro ouvido.

El Sordo apontou para o ouvido bom e arreganhou os dentes.

— Onde você consegue o uísque? — gritou Robert Jordan.

— Fabrico — El Sordo disse, e observou a mão de Robert Jordan interromper o movimento de levar o copo à boca.

— Não — disse El Sordo, e bateu no ombro de Robert Jordan. — Brincadeira. Vem de La Granja. Ouvi noite passada que vem dinamitador inglês. Bom. Muito contente. Peguei uísque para você. Você gosta?

— Gosto muito — disse Robert Jordan. — É um uísque muito bom.

— Estou contente — Sordo arreganhou os dentes. — Ia trazer esta noite com informação.

— Que informação?

— Muito movimento de soldados.

— Onde?

— Segóvia. Os aviões que você viu.

— Sim.

— Mau, hem?

— Mau. E o movimento de soldados?

— Muito entre Villacastín e Segóvia. Na estrada de Valladolid. Muito entre Villacastín e San Rafael. Muito. Muito.

— O que você acha?

— Estamos preparando alguma coisa?

— Possivelmente.

— Eles sabem. Estão preparando também.

— É possível.

— Por que não explodir a ponte esta noite?

— Ordens.

— Ordens de quem?

— Do Estado-Maior.

— Então...

— A hora da explosão é importante? — perguntou Pilar.

— De importância vital.

— Mas, e se eles estiverem movimentando tropas?

— Vou enviar Anselmo com um relatório de todo o movimento e concentração. Ele está vigiando a estrada.

— Você tem alguém na estrada? — perguntou Sordo.

Robert Jordan não sabia o quanto ele havia ouvido. Nunca se sabe quando se trata de um surdo.

— Sim — respondeu Robert Jordan.

— Eu também. Por que não explodir ponte agora?

— Eu tenho minhas ordens.

— Não gosto disso — disse El Sordo. — Disso eu não gosto.

— Nem eu — disse Robert Jordan.

El Sordo balançou a cabeça e bebeu um longo gole de uísque.

— Você quer a minha ajuda? — perguntou ele a Robert Jordan.

— Quantos homens você tem?

— Oito.

— Para cortar os fios de telefone, atacar o posto na cabana do conservador da estrada, tomá-la e correr de volta para a ponte.

— É fácil.

— Será tudo escrito.

— Não precisa. E Pablo?

— Irá cortar o telefone abaixo, atacar o posto da serraria, tomá-la e voltar para a ponte.

— E depois de tudo, a retirada? — perguntou Pilar. — Nós somos sete homens, duas mulheres e cinco cavalos. Vocês são... — ela gritou no ouvido de El Sordo.

— Oito homens e quatro cavalos. *Faltan caballos* — disse ele.

— Dezessete pessoas e nove cavalos — disse Pilar. — Sem contar a carga.

El Sordo não disse nada.

— Não tem como conseguir cavalos? — perguntou Robert Jordan no ouvido bom de El Sordo.

— Em um ano de guerra — disse El Sordo — juntei quatro. — Ele mostrou quatro dedos. — Agora você quer oito para amanhã.

— Sim — respondeu Robert Jordan. — Sabendo que você está deixando este lugar, não tendo mais necessidade de ser cuidadoso, como tem sido, nas redondezas. Sem mais precisar de cautela aqui, você não pode roubar oito cavalos?

— Talvez — disse El Sordo. — Quem sabe nenhum. Ou mais.

— Você tem um rifle automático? — perguntou Robert Jordan.

El Sordo fez que sim com a cabeça.

— Onde?

— Lá em cima na colina.

— De que tipo?

— Não sei o nome. Com latas como carregadores.

— Sabe quanta munição?

— Cinco latas.

— Alguém sabe como usá-la?

— Eu. Um pouco. Não atiro muito. Não quero fazer barulho aqui. Não quero usar cartuchos.

— Vou inspecioná-la mais tarde — disse Robert Jordan. — Você tem granadas de mão?

— Muitas.

— Quantas cargas para os rifles?

— Bastante.

— Quantas?

— Cento e cinquenta. Talvez mais.

— E os outros homens?

— Para quê?

— Para ter força suficiente para tomar os postos e cobrir a ponte, enquanto eu preparo a explosão. Precisamos do dobro do que temos.

— Tomar o posto, não se preocupe. Qual a hora do dia?

— À luz do dia.

— Não se preocupe.

— Seria bom levar mais vinte homens, para ter certeza — disse Robert Jordan.

— Bons não existem. Você quer quem não é confiável?

— Não. Quantos são os bons?

— Talvez quatro.

— Por que tão poucos?

— Não confio.

— E para manterem cavalos a cabresto?

— Tem de ser de confiança para cuidar dos cavalos.

— Gostaria de ter uns dez homens bons, se eu pudesse arranjá-los.

— Quatro.

— Anselmo me disse que havia mais de cem aqui nessas colinas.

— Não são bons.

— Você disse trinta, Pilar. Trinta com algum grau de confiabilidade.

— Que tal os homens de Elias? — Pilar gritou no ouvido de El Sordo. Ele sacudiu a cabeça.

— Não bons.

— Você não pode arranjar dez? — perguntou Robert Jordan. El Sordo olhou para ele com os seus olhos rasos amarelados e sacudiu a cabeça, negativamente.

— Quatro — disse ele, e mostrou no ar quatro dedos.

— Os seus são bons? — disse Robert Jordan, arrependendo-se de perguntar.

El Sordo sacudiu a cabeça.

— *Dentro de la gravedad*... depende do que vão enfrentar — disse ele em espanhol, e exibiu os dentes. — Vamos estar mal, hem?

— Possivelmente.

— Não muda nada para mim — disse El Sordo, simplesmente, sem gabar-se. — Melhor quatro bons do que muitos ruins. Nesta guerra, muitos ruins, poucos bons. A cada dia cada vez menos bons. E Pablo? — Ele olhou para Pilar.

— Você sabe — respondeu Pilar. — Cada dia pior.

El Sordo encolheu os ombros.

— Beba mais — disse para Robert Jordan. — Levo os meus e mais quatro. São doze. Hoje à noite discutimos tudo. Tenho sessenta bananas de dinamite. Você quer?

— Qual a percentagem?

— Não sei. Dinamite comum. Eu trago.

— Explodiremos a ponte pequena de cima com isto — disse Robert Jordan. — Certo, então. Você vem esta noite? Pode trazer a dinamite? Eu não tenho ordens para isto, mas ela devia ser explodida.

— Vou à noite e depois vou atrás dos cavalos.

— Quais as chances para os cavalos?

— Quem sabe? Agora, comer.

"Será que ele fala assim com todo mundo", pensou Robert Jordan, "ou é a sua ideia de como deve fazer para um estrangeiro entender?"

— E aonde iremos depois que isso acabar? — Pilar gritou no ouvido de El Sordo.

Ele encolheu os ombros.

— Tudo deve ser preparado — disse a mulher.

— Claro — disse El Sordo. — Por que não?

— As coisas estão ruins — disse Pilar. — Isto deve ser muito bem planejado.

— Sim, mulher — disse El Sordo. — O que está te preocupando?

— Tudo — gritou Pilar.

El Sordo arreganhou os dentes para ela.

— Você tem discutido com Pablo — disse ele.

"Quer dizer que ele fala aquele espanhol macarrônico somente com estrangeiros", pensou Robert Jordan. "Estou contente por ouvi-lo falar direito."

— Para onde você acha que devemos ir? — perguntou Pilar.

— Para onde?

— É, para onde?

— Tem muitos lugares — respondeu El Sordo. — Muitos lugares. Você conhece Gredos?

— Tem muitas pessoas lá. Todos esses lugares serão varridos logo que eles tiverem tempo.

— Sim, mas é uma vasta região, e bem agreste.

— Seria muito difícil chegar lá — disse Pilar.

— Tudo é difícil — replicou El Sordo. — Podemos chegar a Gredos ou a qualquer outro lugar. Viajando à noite. Aqui, agora, está muito perigoso. É um milagre que estejamos aqui há tanto tempo. Gredos é uma região mais segura que esta.

— Você sabe para onde eu quero ir? — perguntou-lhe Pilar.

— Para onde? A Paramera? Aquele não é um bom lugar.

— Não — disse Pilar. — Não a Sierra de Paramera. Eu quero ir para a República.

— Isto é possível.

— Seu pessoal iria?

— Sim, se eu disser.

— O meu, eu não sei — disse Pilar. — Pablo não gostaria da ideia, embora talvez se sentisse mais seguro lá. Ele é muito velho para o engajarem como soldado, a menos que chamem mais classes. O cigano não vai querer ir. Não sei os outros.

— Como nada acontece aqui faz tempo, eles não se dão conta do perigo — disse El Sordo.

— Depois dos aviões de hoje, vão perceber — disse Robert Jordan. — Mas acho que você poderia operar muito bem em Gredos.

— O quê? — disse El Sordo, e olhou para ele com seus olhos apáticos. Não foi amigável o jeito com que ele fizera a pergunta.

— Você faria ataques mais efetivos de lá — respondeu Robert Jordan.

— Então — disse El Sordo —, você conhece Gredos?

— Sim. Você poderia operar contra a linha principal do trem a partir de Gredos. Você continuaria a cortá-la enquanto nós trabalhamos mais para o sul em Extremadura. Operar de lá seria melhor do que voltar para a República — disse Robert Jordan. — Lá você seria mais útil.

Ambos foram ficando cada vez mais ensimesmados enquanto ele falava. El Sordo olhou para Pilar, que lhe retribuiu o olhar.

— Você conhece Gredos? — perguntou El Sordo. — Verdade?

— Verdade — respondeu Robert Jordan.

— Para onde você iria?

— Acima de Barco de Ávila. Bem melhor do que aqui. Assaltos contra a estrada principal e a estrada de ferro entre Béjar e Plasencia.

— Muito difícil — disse El Sordo.

— Nós trabalhamos contra a mesma estrada de ferro numa região muito mais perigosa em Extremadura — disse Robert Jordan.

— Quem são "nós"?

— O grupo de *guerrilleros* de Extremadura.

— Vocês são muitos?

— Cerca de quarenta.

— Aquele com péssimo humor e nome estranho era de lá? — perguntou Pilar.

— Era.

— Onde está ele agora?

— Morto, como eu já lhe disse.

— Você é de lá também?

— Sou.

— Você vê o que eu quero dizer? — disse Pilar.

"E eu cometi um erro", Robert Jordan pensou consigo mesmo. "Disse aos espanhóis que nós podemos fazer algo melhor do que eles, quando a regra é nunca falar das nossas proezas e habilidades. Eu deveria adulá-los, e lhes disse o que acho que eles devem fazer, e agora eles devem estar furiosos. Bem, tanto faz. Eles certamente são mais úteis em Gredos do que aqui. A prova é que neste lugar não fizeram mais nada, desde que Kashkin planejou o negócio do trem. E aquilo não foi um grande espetáculo. Custou aos fascistas uma locomotiva e alguns soldados mortos, mas eles falam como se fosse o ponto alto da guerra. Talvez eles se envergonhem de ir para Gredos. Sim, e talvez eu seja expulso daqui. Ora, seja como for, fiz uma tolice."

— Escute, *Inglés* — disse Pilar. — Como estão os seus nervos?

— Tudo bem — respondeu Robert Jordan. — O.k.

— O último dinamitador que eles enviaram para trabalhar conosco, embora fosse um técnico formidável, era muito nervoso.

— Nós temos alguns que são nervosos — disse Robert Jordan.

— Não digo que ele fosse um covarde, porque se comportou muito bem — continuou Pilar. — Mas ele falava de um jeito esquisito e muito empolado — ela aumentou a voz. — Não é verdade, Santiago, que o último dinamitador, aquele do trem, era um pouco estranho?

— *Algo raro* — o velho surdo assentiu, e seus olhos pousaram no rosto de Robert Jordan de um jeito que ele se imaginou sendo sugado por um aspirador de pó. — *Si, algo raro, pero bueno.*

— *Murió* — disse Robert Jordan para dentro do ouvido bom do velho surdo. — Ele está morto.

— Como foi isto? — o velho surdo perguntou, baixando seus olhos para os lábios de Robert Jordan.

— Eu atirei nele — disse Robert Jordan. — Ele estava muito ferido para viajar e atirei nele.

— Ele estava sempre falando dessa necessidade — disse Pilar. — Era a sua obsessão.

— Sim — disse Robert Jordan. — Ele estava sempre falando dessa necessidade e era a sua obsessão.

— *Como fué?* — perguntou o velho surdo. — Foi num trem?

— Retornando de um trem — contou Robert Jordan. — O trem foi um sucesso. Retornando no escuro encontramos uma patrulha fascista, fugimos, e ele foi atingido nas costas. O tiro não feriu nenhum osso, só no alto do ombro, a omoplata. Ele viajou um longo percurso, mas o ferimento impediu-o de seguir adiante. Ele não queria ser deixado para trás e eu atirei nele.

— *Menos mal* — disse El Sordo.

— Tem certeza de que está tudo bem com seus nervos? — insistiu Pilar.

— Tenho — disse-lhe Robert Jordan. — Estou certo de que meus nervos estão bem e acho que, quando terminarmos com essa ponte, vocês farão bem em ir para Gredos.

Mal acabou de dizer isto e a mulher começou a proferir uma torrente de palavrões, que o envolveu como se estivesse no meio de um jato de vapor de uma súbita erupção de gêiser.

O velho surdo balançou a cabeça para Robert Jordan e arreganhou os dentes, divertindo-se. Continuou balançando a cabeça de contente, enquanto Pilar prosseguia nos insultos e Robert Jordan sabia que agora estava tudo bem outra vez. Finalmente ela parou de xingar, tomou a jarra de água, bebeu um gole e disse com toda a calma:

— Então, *Inglés*, cale a boca sobre o que nós devemos fazer depois. Retorne para a República, leve o seu pedaço com você e nos deixe em paz para decidirmos em que parte dessas montanhas nós iremos morrer.

— Viver! — protestou El Sordo. — Acalme-se, Pilar.

— Viver e morrer — disse Pilar. — Posso ver muito bem onde isso irá acabar. Eu gosto de ti, *Inglés*, mas não meta o bico no que devemos fazer depois que o teu negócio acabar.

— É problema seu — disse Robert Jordan. — Não ponho minha mão nisso.

— Mas você já pôs — retrucou Pilar. — Pegue a sua pequena vagabunda de cabeça tosquiada e volte para a República, mas não feche a porta para quem não é estrangeiro e que já amava a República quando tu ainda limpavas do queixo o leite da tua mãe.

Maria voltara da trilha enquanto eles conversavam e ouviu a última frase que Pilar, levantando a voz novamente, gritou para Robert Jordan.

Maria sacudiu a cabeça vigorosamente para Robert Jordan e agitou o dedo em advertência. Pilar viu Robert Jordan olhando para a garota e sorrindo para ela, então se virou e disse:

— É, eu disse vagabunda e reafirmo isso. Suponho que vocês irão para Valência juntos, e nós podemos comer cabrito em Gredos.

— Sou uma vagabunda, se tu quiseres, Pilar — disse Maria. — Suponho que eu seja mesmo, se tu dizes. Mas acalma-te. Que se passa contigo?

— Nada — disse Pilar, e sentou-se no banco, com a voz calma agora, toda a sua raiva metálica sumira. — Não te chamo mais assim. Mas quero muito ir para a República.

— Nós podemos ir todos — disse Maria.

— Por que não? — disse Robert Jordan. — Já que, pelo visto, tu não amas Gredos.

El Sordo arreganhou os dentes para ele.

— Vamos ver — disse Pilar, sem nenhuma raiva. — Me dá um copo desta bebida esquisita. Gastei a minha goela com a ira. Vamos ver. Veremos o que acontece.

— Veja, Camarada — El Sordo explicou. — É de manhã que é difícil — já não falava mais o espanhol macarrônico e olhava direto nos olhos de Robert Jordan, explanativa e calmamente, sem perscrutar, sem suspeita, nem com o ar enfadado de superioridade de veterano que vinha ostentando. — Entendo as suas necessidades e sei que os postos devem ser liquidados e que a ponte deve ter cobertura enquanto você trabalha. Isto eu entendo perfeitamente. Isto é fácil de fazer antes do dia nascer ou à luz do dia.

— Sim — disse Robert Jordan. — Ande por aí por um minuto, está bem? — disse para Maria sem encará-la.

A garota caminhou para longe do alcance da conversa e sentou-se no chão com as mãos em volta dos tornozelos.

— Veja — explicou El Sordo. — Isso não é problema. Mas depois, deixar esta região à luz do dia representa um problema grave.

— Certamente — concordou Robert Jordan. — Eu pensei nisso. Vai ser dia claro para mim também.

— Mas você é apenas um, nós somos vários — disse El Sordo.

— Há a possibilidade de retornarmos para os acampamentos e nos retirarmos durante a noite — disse Pilar, levando o copo aos lábios.

— Isto é perigoso também — explicou El Sordo. — Talvez mais perigoso ainda.

— Posso ver isso — disse Robert Jordan.

— Explodir a ponte à noite seria fácil — disse El Sordo. — A condição de fazer o serviço durante a luz do dia é que traz graves consequências.

— Eu sei.

— Você não poderia fazê-lo à noite?

— Seria fuzilado por isso.

— Todos nós poderemos ser fuzilados se você fizer durante o dia.

— Para mim pouco importa, desde que a ponte vá pelos ares — disse Robert Jordan —, embora entenda o seu ponto de vista. Você não pode organizar a retirada durante o dia?

— Certamente! — afirmou El Sordo. — Vamos arranjar um meio de bater em retirada. Mas eu explicava por que nos preocupamos, por que nos irritamos. Você fala de irmos para Gredos como se fosse uma manobra militar a ser realizada. Chegar em Gredos seria um milagre!

Robert Jordan permaneceu calado.

— Escute — disse o velho surdo. — Estou falando muito. Mas é para nos entendermos bem. Se estamos aqui, é por um milagre. O milagre da preguiça e da estupidez dos fascistas, que será remediado cedo ou tarde. Obviamente somos muito cuidadosos, não criamos distúrbios nessas montanhas.

— Eu sei.

— Mas agora, depois desse negócio da ponte, teremos de partir. Precisamos pensar bastante no modo como sairemos daqui.

— Sem dúvida.

— Então — disse El Sordo —, vamos comer, agora. Já falei demais.

— Nunca te vi falando tanto — disse Pilar. — É isto? — ela levantou o copo de uísque.

— Não — El Sordo negou com a cabeça. — Não é o uísque. É que nunca tive tanto para falar.

— Agradeço pela sua ajuda e lealdade — disse Robert Jordan. — Lamento a dificuldade causada pelo cronograma da explosão da ponte.

— Nem fale nisso — disse El Sordo. — Estamos aqui para fazer o que pudermos. Mas esta operação é complicada.

— E no papel é muito simples — disse Robert Jordan fazendo uma careta. — No papel a ponte deve ser explodida no momento em que o ataque começar, de modo que nada venha pela ponte. Muito simples.

— Eles deveriam nos deixar fazer alguma coisa no papel — disse El Sordo. — Deveríamos conceber e executar alguma coisa no papel.

— Papel sangra muito pouco — disse Robert Jordan, citando um provérbio.

— Mas é muito útil — disse Pilar. — *Es muy útil.* Gostaria de usar as tuas ordens para *aquele* propósito.

— Eu também — disse Robert Jordan. — Mas jamais ganharíamos uma guerra assim.

— Não — disse a corpulenta mulher. — Acho que não. Mas você sabe do que eu gostaria?

— De ir para a República — disse El Sordo. Ele tinha colocado seu ouvido bom perto dela enquanto ela falava. — *Ya irás, mujer.* Vamos vencer e tudo será a República.

— Tudo bem — disse Pilar. — E agora, pelo amor de Deus, vamos comer.

12

Deixaram o acampamento de El Sordo após comerem e desceram pela trilha. El Sordo os acompanhou até o último posto.

— *Salud!* — disse ele. — Até hoje à noite.

— *Salud, Camarada* — disse Robert Jordan, e os três se foram pela trilha observados pelo velho surdo. Maria virou-se e acenou para ele, e El Sordo acenou de volta de um modo abrupto, algo rude, típico dos espanhóis, alavancando o antebraço como se fosse atirar algo para a frente, exprimindo contrariedade a toda a saudação que não tivesse nada a ver com os negócios em questão. Durante a refeição ele não desabotoou sua jaqueta de pele de carneiro e fora cuidadosamente polido, tendo o cuidado de virar o seu ouvido bom para escutar e retomando o seu espanhol macarrônico para falar com Robert Jordan, perguntando-lhe educadamente sobre a situação na República; mas era óbvio que ele queria se livrar de todos.

Quando se despediam, Pilar indagou:

— E então, Santiago?

— E então, nada, mulher — resmungou o velho surdo. — Está tudo bem. Mas eu estou pensando.

— Eu também — dissera Pilar, e, agora enquanto caminhavam na descida da trilha, uma caminhada fácil e agradável através dos pinheiros, no declive que tanto haviam lutado para vencer na subida, Pilar permanecia calada. Nem Robert Jordan, nem Maria falaram, e os três andavam rápido, até que a trilha elevou-se íngreme, para fora do vale coberto de bosques até a floresta, e, passando pela floresta, seguiram através da campina alta novamente.

Era uma tarde quente de final de maio e, a meio caminho da subida, a mulher parou. Robert Jordan parou, olhou para trás e viu as gotículas de suor na testa dela. Achou a sua face morena algo pálida, a pele descorada, e viu manchas negras sob os olhos.

— Vamos descansar um minuto — disse ele. — Estamos indo depressa demais.

— Não — ela disse. — Vamos continuar.

— Descanse, Pilar — disse Maria. — Você não parece bem.

— Cale a boca — disse a mulher. — Ninguém te pediu conselho.

Ela retomou a subida da trilha, mas, bem no topo, sua respiração estava pesada, arfante, seu rosto molhado de suor e não havia dúvida quanto a sua palidez.

— Sente-se, Pilar — pediu Maria. — Por favor, por favor sente-se.

— Tudo bem — disse Pilar. E os três sentaram-se aos pés de um pinheiro, contemplando a campina até onde os picos sobressaíam-se da cadeia de montanhas com neve brilhando ao sol do início da tarde.

— Que coisa podre é esta neve, e como pode ser tão bonita de olhar — disse Pilar. — Que ilusão é a neve — dirigindo-se a Maria. — Sinto muito ter sido rude contigo, *guapa*. Não sei o que me deu hoje. Tenho um temperamento dos diabos.

— Nunca me importei com o que você diz quando está zangada — disse-lhe Maria. — E você fica zangada com frequência.

— Não, é pior do que estar zangada — disse Pilar olhando para os picos.

— Tu não estás bem — disse Maria.

— Não é isso — disse a mulher. — Venha cá, *guapa*, e descanse a cabeça no meu colo.

Maria aproximou-se, cruzou os braços como quem vai dormir sem travesseiro e deitou com a cabeça nos braços de Pilar. Maria virou o rosto para ela e lhe sorriu, mas a mulher continuou contemplando a campina e as montanhas. Pilar deu um tapinha na cabeça de Maria, sem olhar para ela, e correu o seu dedo rombudo pela testa da garota, por volta das orelhas e embaixo na linha dos cabelos, até o pescoço.

— Você pode tê-la daqui a pouco, *Inglés* — disse ela. Robert Jordan estava sentado logo atrás.

— Não fale desse jeito — disse Maria.

— Sim, ele pode tê-la — disse Pilar, sem olhar para nenhum deles. — Eu nunca te quis, mas tenho ciúme.

— Pilar! — protestou Maria. — Não fale assim.

— Ele pode te possuir — disse Pilar, e passou seu dedo pelos lóbulos da orelha da garota. — Mas eu tenho muito ciúme.

— Mas, Pilar — disse Maria. — Foi tu quem explicaste que não haveria nada disso entre nós.

— Sempre há esse tipo de coisa — disse a mulher. — Sempre há algo que parece alguma coisa que por sua vez não deveria nem existir. Mas, comigo, não há nada. Verdade, não há nada. Eu quero a tua felicidade, nada mais.

Maria não disse nada, ficou deitada, tentando manter a sua cabeça o mais leve possível no colo de Pilar.

— Escuta, *guapa* — disse Pilar, passando seu dedo agora distraidamente mas percorrendo os contornos do rosto da garota. — Escuta, *guapa*, eu te amo e ele pode te possuir, não sou uma *tortillera*, sou uma mulher feita para os homens. É verdade. Mas agora me dá prazer dizer, assim à luz do dia, que eu gosto de ti.

— Eu te amo, também.

— *Qué va*. Não digas bobagens. Tu nem mesmo sabes do que eu estou falando.

— Eu sei.

— *Qué va*, você sabe. Você é para o *Inglés*. É evidente e é assim que deve ser. Isso sim. Outra coisa não. Não sou pervertida. Estou somente lhe dizendo uma verdade. Poucas pessoas irão te falar a verdade, e, mulher, nenhuma. Sou ciumenta e digo isso, digo na cara.

— Não diga — pediu Maria. — Não diga isso, Pilar.

— *Por qué* não dizer? — continuou a mulher, sem olhar para nenhum dos dois. — Direi até não sentir mais vontade de dizer. E — agora ela olhou para a garota —, a hora já chegou. Não direi outra vez, você entende?

— Pilar, não fale assim — pediu-lhe Maria.

— Tu és uma boa coelhinha — disse Pilar. — E levanta a tua cabeça agora, porque a tolice acabou.

— Não foi tolice — disse Maria. — E a minha cabeça está bem onde está.

— Não, levanta-a — insistiu Pilar, e colocou as mãos sob a cabeça da garota e a ergueu. — E tu, *Inglés*? — falou com a cabeça da garota nas suas mãos, contemplando a paisagem. — O gato comeu a tua língua?

— Não — respondeu Robert Jordan.

— Então, outro animal? — perguntou e deixou a cabeça da garota no chão.

— Nenhum.

— Você mesmo a engoliu, hem?

— Acho que sim.

— E gostou do sabor? — agora Pilar virou-se para ele e arreganhou os dentes.

— Não muito.

— Foi o que pensei — disse Pilar. — Mas eu lhe devolvo a sua coelhinha. Nunca tentei tomar a sua coelhinha. É um bom nome para ela. Ouvi você chamá-la assim esta manhã.

Robert Jordan sentiu a face avermelhar.

— Você é uma mulher muito dura — disse-lhe.

— Não — replicou Pilar. — Mas sou tão simplória que acabo me tornando muito complicada. Você é complicado, *Inglés*?

— Não. Tampouco simplório.

— Você me agrada, *Inglés* — disse Pilar. Então ela sorriu, inclinou-se para frente, sorriu e sacudiu a cabeça. — Agora, se eu pudesse tomar a coelhinha de ti, e te tomar da coelhinha...

— Você não poderia.

— Eu sei disso — disse Pilar, sorrindo novamente. — Nem gostaria. Mas, quando eu era jovem, eu podia.

— Eu acredito.

— Acredita mesmo?

— Certamente — disse Robert Jordan. — Mas esta conversa está sem sentido.

— Isto não parece tu — disse-lhe Maria.

— Hoje não estou parecendo muito comigo — disse Pilar. — Muito pouco parecida comigo mesma. Tua ponte me deu dor de cabeça, *Inglés*. — Podemos chamá-la de Ponte da Dor de Cabeça — disse Robert Jordan. — Mas eu vou derrubá-la no desfiladeiro como uma gaiola de pássaros quebrada.

— Bom — disse Pilar. — Continue falando assim.

— Vou derrubá-la como se parte uma banana depois de descascada.

— Eu gostaria de comer uma banana agora — disse Pilar. — Continue, *Inglés*. Continue falando corajosamente.

— Não é necessário — disse Robert Jordan. — Vamos para o acampamento.

— Ah, a tarefa — desdenhou Pilar. — Ela virá rapidamente. Mas eu disse que deixaria os dois a sós.

— Não. Tenho muito o que fazer.

— Isto é muito também, e não demora.

— Cale a boca, Pilar — protestou Maria. — Você está fazendo uma grosseria.

— Eu sou grossa — respondeu Pilar. — Mas sou delicada também. *Soy muy delicada*. Vou deixar os dois aqui. E a conversa de ciúme é bobagem. Estava brava por Joaquín, porque vi no olhar dele o quanto sou feia. Tenho é inveja de você ter dezenove anos. Mas não é uma inveja que dure. Você não terá dezenove anos para sempre. Agora eu me vou.

Ela levantou-se e, com uma mão no quadril, olhou para Robert Jordan que também estava de pé. Maria estava sentada no chão ao pé de uma árvore, com a cabeça caída para a frente.

— Vamos para o acampamento juntos — disse Robert Jordan. — É melhor e há muita coisa para fazer.

Pilar indicou Maria com um movimento de cabeça. A moça sentada no chão virou o rosto para o lado oposto, calada.

Pilar sorriu, encolheu os ombros quase imperceptivelmente e disse:

— Você sabe o caminho?

— Sei — disse Maria sem levantar a cabeça.

— *Pues me voy* — disse Pilar. — Vou cozinhar alguma coisa suculenta para você comer, *Inglés*.

Ela começou a caminhar pelo brejo da campina em direção ao riacho que ia até o acampamento.

— Espere! — disse Robert Jordan. — É melhor irmos todos juntos.

Maria ficou sentada e não disse nada.

— *Qué va,* fiquem juntos — disse Pilar. — Te vejo no acampamento.

Robert Jordan ficou parado, observando-a.

— Ela está bem? — perguntou para Maria. — Há pouco parecia doente.

— Deixe ela ir — respondeu Maria, com a cabeça baixa.

— Acho que eu deveria ir com ela.

— Deixe ela ir — repetiu Maria. — Deixe ela ir.

13

Caminhavam através das urzes, na campina da montanha, e Robert Jordan sentia o roçar das urzes nas suas pernas, o peso da pistola pendurada no coldre contra a sua coxa, o sol na cabeça, sentia a brisa fresca da neve da montanha nas mãos e no pescoço, sentia a mão da garota, firme e vigorosa, os dedos enlaçados nos seus. Desse toque, da sua palma contra a dela, dos seus dedos entrelaçados, do roçar dos pulsos, algo lhe veio tão fresco quanto o ar brando que sopra do mar, encrespando suavemente a superfície da água na calmaria, tão leve quanto uma pluma alisando os lábios, ou como uma folha caindo quando não há brisa, tão tênue que poderia ser sentido até com o toque dos dedos, mas que era tão forte, tão intenso, e tão urgente, tão cálido e forte, tal a pressão dos dedos, e das palmas das mãos tão juntas, e dos pulsos um de encontro ao outro, que era como se uma corrente subisse pelo seu braço tomando o corpo todo com um doloroso vazio de desejo. Com o sol brilhando nos seus cabelos bronzeados como o trigo, e no seu rosto amável, de um moreno dourado, e na curva de sua garganta, ele a tomou para junto do corpo, inclinou a sua cabeça e a beijou. Ela tremeu com o beijo, suspensa nos braços dele, os seios apertados contra o seu peito, ele a senti-los sob a blusa cáqui, pequenos, túrgidos, desabotoando sua blusa, inclinado sobre ela, e a beijou novamente e ela ficou arrepiada, com a cabeça pendida para trás, os braços dele sob os ombros dela. Então ela deixou seu queixo cair sobre a cabeça dele, e ele sentiu as mãos dela puxando-lhe a cabeça, fazendo-a girar para ela. Ele endireitou-se, com os dois braços em torno dela, prendendo-a tão firme que chegou a erguê-la do solo, selada inteira ao seu corpo, tremendo, com os lábios entreabertos tocando na sua garganta, enquanto ele a baixava.

— Maria, ah, minha Maria.

Então lhe disse:

— Para onde vamos?

Ela não disse nada, mas escorregou a mão por dentro da sua roupa e ele pode senti-la desabotoando sua camisa.

— Você também. Eu quero beijar você também — disse Maria.

— Não, coelhinha.

— Sim. Sim. Tudo, como você.

— Não. Não é possível.

— Bem, então... Ah, então... Ah, então. Ah.

Então foi o cheiro da urze esmagada e a aspereza dos galhos curvados sob a cabeça dela, com o sol brilhando nos seus olhos cerrados, e para o resto de sua vida ele iria lembrar da curva da garganta dela, da sua cabeça jogada para trás, no meio das raízes das urzes, e seus lábios movendo-se pequenos, irrequietos, o bater dos cílios sobre os olhos fechados contra o sol e contra tudo o mais, para ela tudo era avermelhado, laranja, ouro e vermelho, por causa do sol batendo-lhe nos olhos fechados, tudo tinha aquelas cores, tudo, o preenchimento, a posse, a fruição, tudo tinha aquelas cores, tudo uma cegueira com aquelas cores. Para ele era uma passagem escura para lugar nenhum, depois para lugar nenhum, e novamente para lugar nenhum, e mais uma vez, sempre para lugar nenhum, pesado sobre os próprios cotovelos fincados na terra, para lugar nenhum, escuridão, nunca um final, sempre dando em lugar nenhum, preso todo tempo sempre a nenhum lugar insabido, agora e de novo para sempre e para lugar nenhum, não para nascer de novo, agora, mas, mais uma vez, para nenhum lugar, agora, além de toda resistência, indo e indo para lugar nenhum de repente, escaldante, um amparo, todo o nada se esvaiu e o tempo de todo parou e os dois lá, o tempo parado, e ele sentiu a terra mover-se e fugir debaixo deles.

Ele estava deitado na relva, de lado, a cabeça afundada nas urzes, sentindo o seu cheiro e o cheiro da terra, e o sol derramava-se, e ele sentia coceira nos ombros nus arranhados e ao longo de seu corpo, o corpo da garota deitada de frente para ele, com os olhos ainda fechados, e então ela os abriu e sorriu para ele, que lhe disse exausto, distante, mas amigável, "olá, coelhinha". E ela sorriu e disse, tão próxima:

— Olá, meu *Inglés*.

— Eu não sou um *Inglés* — disse ele, muito preguiçosamente.

— Ah, você é — disse ela. — Você é meu *Inglés* — e tomou sua cabeça nas mãos, pelas orelhas, e beijou a sua testa.

— E então? Estou te beijando melhor? — disse Maria.

Logo caminhavam paralelos ao riacho e ele disse:

— Maria, eu te amo, você é tão encantadora, tão maravilhosa e linda, fazes-me coisas para ficar contigo que eu sinto como se quisesse morrer quando estou te amando.

— Ah, eu morro a cada vez. Você não morre?

— Não, quase. Mas tu sentiste a terra mover-se?

— Sim. Quando estava morrendo. Abraça-me, por favor.

— Não. Tenho a tua mão. Tua mão é o bastante.

Ele olhou para ela e além da ravina, onde um gavião caçava e grandes nuvens da tarde se aproximavam por sobre as montanhas.

— E não é assim com as tuas outras? — perguntou-lhe Maria, e agora eles caminhavam de mãos dadas.

— Não. De verdade.

— Tu tiveste muitas outras?

— Algumas, mas não como tu.

— E não era assim? Verdade?

— Tive prazer, mas não foi assim.

— E a terra se moveu? A terra nunca se moveu antes?

— Não, verdade, nunca.

— Ai — disse ela. — E isto só por um dia.

Ele ficou calado.

— Mas tivemos agora, pelo menos — disse Maria. — Você gosta de mim também? Eu te agrado? Eu vou ficar mais bonita depois.

— Tu estás bonita agora.

— Não — disse ela. — Mas passa a mão na minha cabeça.

Ele fez isso e sentiu seus cabelos tosados, macios, dobrando-se e eriçando-se novamente entre os dedos dele, que segurou a cabeça dela com as duas mãos e a beijou.

— Eu gosto muito de beijar — disse ela. — Mas não faço isso bem.

— Tu não tens que beijar.

— Tenho sim. Se eu for tua mulher, tenho que te agradar de todas as formas.

— Você já me agrada o bastante. Eu não teria como ficar mais satisfeito. Não conseguiria fazer nada se ficasse mais satisfeito.

— Mas você verá — ela disse, cheia de contentamento. — Meu cabelo te impressiona porque é diferente. Mas ele cresce a cada dia. Ficará longo e eu não vou parecer feia, daí talvez você me ame muito.

— Tu tens um corpo delicioso — disse ele. — O mais delicioso do mundo.

— É apenas jovem e esguio.

— Não. Num corpo lindo há mágica. Não sei o que faz com que um tenha e outros não. Mas tu a tens.

— Para ti — disse ela.

— Não.

— Sim. Para ti e sempre para ti e somente para ti. Mas é pouco para te dar. Vou aprender a cuidar bem de ti. E dize-me a verdade: para ti a terra nunca se moveu antes?

— Nunca — ele disse com sinceridade.

— Agora estou feliz — disse ela. — Agora eu estou feliz de verdade. Você está pensando em outra coisa?

— Sim. No meu trabalho.

— Gostaria de ter cavalos para passear — disse Maria. — Na minha felicidade, gostaria de ter um bom cavalo para cavalgar rápido contigo, e você cavalgando rápido ao meu lado, e nós cavalgaríamos mais e mais rápido, galoparíamos, e minha felicidade nunca iria passar.

— Poderíamos levar a tua felicidade num avião — ele disse distraidamente.

— E voar e voar no céu, como um avião de caça brilhando ao sol — ela disse. — Rodando em elipses e mergulhos. *Qué bueno!* — deu uma gargalhada. — Minha felicidade não iria nem notar.

— Tua felicidade tem um bom estômago — disse ele, não completamente atento ao que ela ia falando.

Porque, agora, ele já não estava ali. Caminhava ao seu lado, mas sua mente se ocupava do problema da ponte, agora totalmente nítido e bem-definido como se focalizado pela lente de uma câmera. Viu os dois postos e Anselmo e o cigano vigiando. A estrada vazia e depois o movimento. Viu a posição onde ele colocaria os dois rifles automáticos, de modo a cobrir o maior raio de fogo. "E quem os alimentaria", pensou, "eu, no final, mas quem no início?" Colocou mentalmente as cargas, calçou-as e as amarrou, afundou suas cápsulas explosivas e grampeou-as, correu os fios, enganchou-os, fez as ligações e voltou para onde tinha deixado a velha caixa do detonador, e começou a pensar em todas as coisas que pudessem acontecer e que poderiam dar errado. "Pare com isso", falou para si mesmo. "Fez amor com a garota e agora sua mente está lúcida, devidamente lúcida, e você começou a se preocupar. Uma coisa é pensar no que tem de fazer, outra coisa é preocupar-se com isso. Não se preocupe. Você não deve preocupar-se. Você sabe o que tem de fazer e sabe o que pode acontecer. Certamente isto poderá acontecer."

"Você entrou nisso sabendo qual era a sua luta. Você estava lutando exatamente contra o que estava fazendo, agora, e sendo forçado a fazer, para ter chance de vencer." Isto é, agora ele era forçado a usar as pessoas de quem gostava, como se fossem soldados, contra aqueles pelos quais não tinha nenhum sentimento, se quisesse ter sucesso. É evidente que Pablo era o mais sagaz. Percebera desde o início a gravidade do negócio. A mulher se engajara completamente na operação, e continuava resoluta, mas a recente constatação do que aquilo realmente consistia a desestabilizara seriamente. El Sordo reconhecera logo do que se tratava e tomaria parte, mas não gostava nada daquilo, assim como ele, Robert Jordan.

"Então você diz que está pensando não no que vier a acontecer a você, mas à mulher, à garota e às demais pessoas. Tudo bem. O que teria acontecido a eles se você não tivesse vindo? O que aconteceu com eles antes de você chegar? Você não deve pensar dessa forma. Não tem responsabilidade por eles, exceto em ação. As ordens não partiram de você. Vieram de Golz. E quem é Golz? Um bom general. O melhor com o qual você já serviu. Mas deveria um homem executar ordens impossíveis, sabendo o que iriam provocar? Mesmo tendo partido de Golz, que representa o partido e as forças armadas? Sim. Ele deve cumpri-las, porque é somente executando-as que se prova serem impossíveis. Como você sabe que elas são impossíveis antes de tentar executá-las? Se todos dissessem que as ordens eram impossíveis de serem cumpridas quando fossem dadas, onde você estaria agora? Onde nós todos estaríamos se você tivesse dito *impossível* quando as recebeu?"

Já havia visto muitos comandantes para os quais todas as ordens eram impossíveis. Aquele suíno, Gomez, na Extremadura. Já vira ataques demais em que os flancos não avançaram porque era impossível. Não, ele iria cumprir as ordens e azar seu que gostasse das pessoas com quem iria executá-las.

Todos os trabalhos que eles, os *partisans*, executaram, trouxeram perigo adicional e má sorte para as pessoas que os abrigaram e trabalharam com eles. Para quê? Para que, um dia, não houvesse mais perigo e o país se tornasse um bom lugar para se viver. Isto era verdade, não importa o quanto soasse trivial.

Se a República fracassasse seria impossível, para aqueles que acreditavam nela, viver na Espanha. Mas será que fracassaria? Sim, ele sabia que isso poderia acontecer, a partir do que acontecera nas áreas que os fascistas já haviam tomado.

Pablo era um porco, mas os outros eram pessoas boas, e acaso não era uma traição levá-los a tomar parte nisso? Talvez fosse. Mas, se eles não cumprissem as ordens, em uma semana dois esquadrões da cavalaria viriam caçá-los nestas montanhas.

Não. Não havia nada a ganhar deixando-os em paz. Exceto pelo fato de que todas as pessoas deveriam ser deixadas em paz e ninguém deveria interferir na vida de ninguém. Então, ele acreditava nisso, não acreditava? Sim, acreditava. E que tal a sociedade planejada e todo o resto? Era tarefa para os outros. Ele tinha outra coisa a fazer depois da guerra. Lutava nesta guerra porque ela começara num país que ele amava e porque acreditava na República e, se esta fosse destruída, a vida seria insuportável para todas as pessoas que acreditavam nela. Ele estava sob a disciplina comunista, enquanto a guerra durasse. Aqui, na Espanha, os comunistas ofereceram a melhor disciplina, a mais lúcida, para o prosseguimento da guerra. Ele aceitara essa disciplina durante a guerra porque, na conduta da guerra, eles eram o único partido cujo programa e cuja disciplina poderia respeitar.

Então, qual era a sua política? "Não tenho nenhuma, neste momento", disse para si mesmo. "Mas não conte isso para ninguém", pensou. "Nunca admita. E o que você fará depois da guerra? Vou ganhar a vida ensinando espanhol como antes, e vou escrever um livro também. Aposto", disse em pensamento. "Aposto que será fácil."

Ele teria de conversar com Pablo sobre política. Certamente seria interessante conhecer como se dera seu desenvolvimento político. O clássico deslocamento da esquerda para a direita, provavelmente. Como Lerroux. Pablo era bem parecido com Lerroux. Prieto era tão mau quanto ele. Pablo e Prieto tinham mais ou menos a mesma fé na vitória final. Todos eles tinham a política dos ladrões de cavalos. Ele acreditava na República como uma forma de governo, mas a República teria de banir todos esses ladrões de cavalos que a levaram ao desgaste em que estava quando a rebelião fora deflagrada. Será que já houve um povo como este, cujos líderes eram seus verdadeiros inimigos?

Inimigos do povo. Esta frase, ele talvez omitisse. Era uma frase a se evitar, suspeita. Dera para isso depois de ter dormido com Maria. Havia se tornado tão fanático e inflexível sobre seu posicionamento político quanto um Batista empedernido, e frases como aquela, inimigos do povo, vinham à sua mente sem nenhuma autocrítica. E toda sorte de clichês, revolucionários e patrióticos. Sua mente os empregava sem escrúpulos. Obviamente, eram verdadeiros, mas também muito fáceis de serem empregados irrefletidamente. Mas, desde a noite passada e durante esta tarde, tornara-se mais lúcido na questão política. O fanatismo é uma coisa singular. Ser fanático requer absoluta certeza de que você está correto, e nada estimula a certeza e a correção como a castidade. A castidade é a inimiga da heresia.

Como essa premissa se sustentaria se ele a examinasse? Talvez fosse por isso que os comunistas eram sempre rigorosos quanto à boemia. Quando se está bêbado, ou quando se fornica, ou se comete adultério, se reconhece a própria falibilidade em relação àquela tão mutável, substituta da doutrina dos apóstolos, a conduta do partido. Abaixo a boemia, o pecado de Maiakóvski.

Mas Maiakóvski era de novo um santo. Porque estava seguramente morto. "Você estará seguro, morto. Agora, pare de pensar nesse gênero de coisas. Pense em Maria."

Maria era algo difícil de se combinar ao seu fanatismo. Até o momento ela não tinha afetado sua resolução, mas ele preferiria não morrer. Rejeitaria um final de herói ou de mártir com alegria. Não queria repetir a batalha no desfiladeiro das Termópilas, nem ser um novo Horácio, uma ponte, nem o menino holandês com o dedo no dique. Não. Ele gostaria de passar um tempo com Maria. Era a expressão mais simples da coisa. Queria passar um longo, longo tempo com ela.

"Não acreditava mais que fosse haver qualquer coisa parecida com um longo tempo, mas, se houvesse, gostaria de consumi-lo ao lado de Maria. Entraríamos num hotel e faríamos o registro como Dr. e Sra. Livingstone, eu presumo", pensou ele.

"Por que não casar com ela? Certo", pensou. "Vou casar com ela." Então eles seriam Sr. e Sra. Robert Jordan, de Sun Valley, Idaho. Ou Corpus Christi, Texas, ou Butte, Montana. "Garotas espanholas dão esposas maravilhosas. Sei disso porque eu nunca tive uma. Quando retomar meu trabalho, na universidade, ela pode viver como a esposa do instrutor e, quando os estudantes da classe de Espanhol IV vierem fumar cachimbo à noite, e tiverem aquelas valiosas discussões informais sobre Quevedo, Lope de Vega, Galdós e os outros mortos sempre admiráveis, Maria pode contar-lhes como os cruzados de verdadeira fé, uniformes azuis, sentaram sobre a cabeça dela, enquanto outros torciam seus braços para trás, levantavam seu vestido e enfiavam suas coisas na boca dela."

"Fico pensando se eles gostarão de Maria em Missoula, Montana. Isto é, se eu conseguir meu trabalho de volta em Missoula. Suponho que já me rotularam para sempre de *vermelho* e estou na lista negra. Embora a gente nunca saiba. Nunca se pode afirmar. Eles não têm provas do que você faz, e a verdade é que nunca irão acreditar se você contar-lhes. Além do mais, o visto para a Espanha, em meu passaporte, foi validado antes de divulgarem as restrições."

"Só preciso ir embora lá pelo outono de 1937. Parti no verão de 1936 e, embora a licença seja de um ano, não tenho de retornar antes que inicie o período letivo no outono do ano seguinte. Há bastante tempo até o período letivo de outono. Há bastante tempo até amanhã, se quiser colocar a coisa nestes termos. Não. Acho que não é necessário me preocupar com a universidade. Desde que apareça no outono, tudo bem. Apenas tente chegar a tempo."

"Mas tem sido uma vida muito estranha, já faz um bocado. A Espanha era o seu trabalho e o seu emprego. Então, estar na Espanha era natural. Você já trabalhou no verão em projetos de engenharia, na floresta, no serviço de construção de estradas, e em parques, aprendendo a mexer com pólvora. Assim, demolição era um trabalho normal. Sempre um pouco apressado, mas normal."

"Quando você aceita o trabalho de demolição como um problema de cálculo, ele é só um problema de cálculo. É, mas muitas coisas não tão boas vieram junto, embora Deus saiba que as encarei com bastante serenidade. Havia a constante tentativa de criar condições para um assassinato bem-sucedido, que acompanhava a demolição. Será que palavras grandiosas tornam o negócio mais defensável? Com elas a matança fica mais palatável? Você as levou um pouco ao pé da letra demais, não acha?", disse para si mesmo. "O que você vai ser, ou para que servirá quando deixar o serviço da República? Isso é uma enorme dúvida. Mas o meu palpite é que você irá livrar-se de tudo ao escrever sobre isso. Será um bom livro, se conseguir escrevê-lo. Muito melhor do que o outro."

"Mas, por enquanto, toda a vida que você tem, ou a única que terá, é hoje, esta noite, amanhã, hoje, esta noite, amanhã e assim por diante — assim espero —, de modo que é melhor aproveitar todo o tempo disponível, e agradecer por isso. E se o negócio da ponte acabar mal? Aliás, já não parece nada bem."

"Ah, mas com Maria tem sido bom. Não tem? Ah, e como tem. Vai ver é o que estou ganhando da vida agora. Quem sabe isto é o que posso ter da vida, agora? Ou talvez seja esta toda a minha vida que em vez de durar setenta anos vai durar quarenta e oito horas, ou então setenta, ou melhor, setenta e duas horas. Com vinte e quatro horas num dia, dá setenta e duas horas em três dias completos."

"Suponho que seja possível viver uma vida completa em setenta horas, tanto quanto em setenta anos. Contanto que a vida esteja amadurecida desde o começo das setenta horas, e que já se tenha uma certa idade."

"Mas que bobagem! Como você ficou deteriorado, pensando em si mesmo. Realmente, quanto absurdo! Ou talvez não seja. Bem, veremos. A última vez em que eu dormi com uma garota foi em Madri. Não, não foi. Foi no Escorial e, tirando o fato de que acordei no meio da noite e pensei que fosse uma outra pessoa, e fiquei excitado até me dar conta de quem realmente era, não foi nada além de remexer nas cinzas, embora tenha tido muito prazer. Antes dessa foi em Madri, mais ou menos a mesma coisa, exceto pelo fato de que menti um pouco e fingi, para mim mesmo, enquanto durou. Quer dizer, eu não sou um romântico adorador da Mulher Espanhola, nem nunca pensei num caso amoroso por aqui como algo mais do que seria em qualquer outro país. Mas quando estou com Maria eu a amo, e me sinto, literalmente, como se fosse morrer e jamais acreditei que isso pudesse acontecer."

"Sendo assim, se a vida de alguém pode trocar setenta anos por setenta horas, eu tenho este montante agora, e tenho a sorte de saber disso. E se não existir esta coisa de um longo tempo, nem para o resto de suas vidas, tampouco daqui para frente, mas existir somente o agora, então que se glorifique o agora, e ficarei muito feliz com isso. Agora, *ahora, maintenant, heute*. *Agora* tem um som engraçado para conter um mundo inteiro e a sua vida. *Esta noche, ce soir, heute abend*. Vida e esposa, *Vie* e *Mari*. Não, não funciona. No francês a vida acaba sendo o marido. Havia o *now* e *frau*, mas isso não dá em nada também. Pegue morto, *mort*, *muerto*, e *todt*. *Todt* foi o mais morto de todos. Guerra, *guerre, war* e *krieg*. *Krieg* é o que mais se parece com a guerra, não é?" Ou talvez só porque o alemão era a língua que ele sabia menos? "Querida, *chérie, prenda* e *schatz*. Trocaria todos por Maria. Este sim é um nome."

"Bem, vamos estar nisso juntos dentro em pouco. Estava ficando cada vez pior. Definitivamente não era uma coisa que se pudesse executar com sucesso pela manhã. No caso de uma situação impossível, você espera até a noite para escapar. Você tenta sobreviver escondido até escurecer, para então continuar. Estará tudo bem com você, talvez, se puder aguentar até a noite, e só então sair em campo aberto. Sendo assim, por que não começar o trabalho à luz do dia? Que tal? E aquele safado do El Sordo, abandonando o seu espanhol macarrônico para lhe explicar tudo isso. Como se não tivesse pensado nisso desde que Golz mencionara o plano pela primeira vez. Como se ele não estivesse vivendo com aquilo como se fosse um pedaço de pão indigesto no estômago, desde antes de anteontem."

"Que coisa! Você toca a sua vida achando que ela tem um significado e sempre acaba não significando nada. Nunca houve nada assim. Você pensa que isso nunca vai acontecer com você. Daí, aparece um caso cretino como este, de coordenar dois bandos de guerrilheiros mal-ajambrados para ajudar a dinamitar uma ponte, sob condições impossíveis, para provocar o aborto de uma contraofensiva, provavelmente já iniciada, e você esbarra numa garota como Maria. Claro. Foi isso o que aconteceu. Você esbarrou nela um pouco tarde, só isso."

"Quer dizer que uma mulher como Pilar praticamente empurra esta garota para o seu saco de dormir e o que acontece? Sim, o que acontece? O quê? Me fale, o que acontece, por favor? Sim. Isto é o que acontece. É exatamente o que acontece."

"Não minta para si mesmo com relação a Pilar tê-la empurrado para o seu saco de dormir, e não tente reduzir isto a nada, ou a um fato corriqueiro. Você ficou desarmado logo que a viu pela primeira vez. E quando ela abriu a boca e falou com você, já havia acontecido, você sabe disso. Agora que já está sentindo isso, mesmo nunca tendo pensado que fosse lhe acontecer, não tem sentido tentar sujar a coisa; você sabe o que é, e reconhece que aconteceu já na primeira vez que olhou para ela trazendo aquela travessa de ferro."

"Foi quando pegou você, você sabe disso; então, por que negar? Você ficava estranho por dentro toda vez que olhava para ela ou ela olhava para você. Por que não admitir? Está certo, vou admitir. E quanto a Pilar empurrá-la para você, não fez mais do que ser uma mulher inteligente. Ela havia cuidado muito bem da garota e percebeu o que estava para acontecer, no instante em que Maria retornou para a caverna com a travessa."

"Pilar apenas facilitou as coisas. Fez as coisas ficarem mais fáceis, só assim houve a noite passada e esta tarde. Aquela assombração é mais civilizada do que você e sabe tudo sobre o valor do tempo. Sim, acho que podemos admitir que ela tem uma razoável noção do valor do tempo. Ela sofreu uma derrota, tudo porque não queria que outras pessoas perdessem o que ela perdeu, e a ideia de admitir que o perdera era algo grande demais para engolir. Ela sofreu uma derrota, lá na colina, e eu acho que nós não lhe facilitamos nada."

"Bem, é isto, é o que tem acontecido, melhor você admitir agora, nunca terá duas noites inteiras com ela. Nem uma vida, nem viverão juntos, nem vai ter o que as pessoas normalmente têm, não mesmo. Uma noite que é passado, uma vez numa tarde, uma noite por vir — talvez. Não, senhor."

"Nem tempo, nem felicidade, nem divertimento, nem crianças, nem casa, nem banheiro, nem um par de pijamas limpos, nem o jornal da manhã, nem acordarem juntos, nem acordar e saber que ela está ao seu lado e que você não está sozinho. Não. Nada disso. Mas por que, quando isso é tudo o que você quer da vida, justo quando você o encontra, por que não, pelo menos uma noite numa cama com lençóis?"

"Você pede o impossível. O impossível. Se ama essa garota tanto quanto diz, é melhor amá-la seriamente e compensar pela intensidade o que à relação irá faltar em duração e continuidade. Está ouvindo? Nos velhos tempos as pessoas devotavam uma vida inteira a isso. E agora, você encontra, dispõe de duas noites e fica pensando de onde a sorte veio. Duas noites. Duas noites para amar, honrar e respeitar. No melhor e no pior. Na doença e na morte. Não, não era assim. Na doença e na saúde. Até que a morte os separe. Em duas noites. Mais ou menos isso, mais ou menos assim e agora afaste estes pensamentos. Não lhe fazem bem. Não faça nada que não faça bem. Certo, acabou."

"Era disso que Golz tinha falado. Quanto mais tempo se ficava perto dele, mais inteligente ele parecia. Então era sobre isso que ele estava se perguntando, sobre a compensação de um trabalho irregular. Será que Golz passa por coisa igual, com a urgência, a falta de tempo e as circunstâncias que provocaram isso? Será algo que acontece com todo mundo, em certas circunstâncias? Será que acho que é algo especial só porque está acontecendo comigo? Teria Golz dormido por aí com garotas, apressado, quando comandava a cavalaria do Exército Vermelho, e a combinação das circunstâncias e o resto fizeram com que todas as garotas se parecessem com Maria?"

"Provavelmente Golz sabe tudo a respeito, e queria reforçar a ideia de que se deve viver uma vida inteira nas duas noites que nos são dadas, e que, vivendo como nós vivemos, é sempre preciso concentrar tudo aquilo que deveríamos ter dentro do curto espaço de tempo disponível."

Era um bom sistema de crenças. Mas ele não acreditava que Maria tivesse sido apenas uma obra das circunstâncias. A menos, é claro, que ela seja uma reação das suas próprias circunstâncias, assim como das dele. "As particularidades dela não eram boas. Nem um pouco."

Se era assim, então era assim. Mas não havia nenhuma lei que o fizesse gostar disso. "Não sabia que poderia sentir o que senti. Nem que isso pudesse acontecer comigo. Gostaria que fosse para a vida toda." Então, foi a vez da outra parte dele se manifestar! "E será! Será! Você tem isso agora e isto será toda a sua vida: um agora. Não há nada mais. Não há o ontem, certamente não haverá o amanhã. Quanto tempo terá de viver para aprender? Existe somente o agora, e, se agora é apenas dois dias, então dois dias são a sua vida e tudo o mais será uma proporção disso. É assim que se vive uma vida em dois dias. Será uma boa vida se parar de reclamar e pedir o que nunca terá. Uma boa vida não se mede em períodos bíblicos."

"Então não se preocupe, pegue o que tem, execute a sua tarefa e terá uma longa vida e muito feliz. Não é o que tem sido ultimamente? Está reclamando do quê? O bom neste tipo de trabalho", disse para si mesmo, e estava agradecido por pensar assim, "não é tanto o que você aprende, quanto as pessoas que você conhece". Daí, ficou contente por estar debochando de si mesmo e então voltou a atenção para a garota.

— Amo você, coelhinha — disse para ela. — O que você disse?

— Que você não precisava preocupar-se com o seu trabalho porque eu não vou incomodá-lo nem interferir. Se tiver alguma coisa que eu possa fazer me diga.

— Não há nada. É realmente muito simples.

— Vou aprender com Pilar o que eu devo fazer para cuidar de um homem. Depois, à medida que eu for aprendendo, descobrirei outras coisas por mim mesma e mais as que você me disser.

— Não há nada para fazer.

— *Qué va*, homem, não há nada! Tua manta de dormir, esta manhã, deveria ter sido sacudida, ventilada, pendurada ao sol. Aí, antes do orvalho, deveria ser recolhida.

— Continue, coelhinha.

— Tuas meias deveriam ser lavadas e postas para secar. Eu vi que tu tens dois pares.

— O que mais?

— Se tu me mostrares como se faz, eu poderia limpar e lubrificar a tua pistola.

— Me beija — disse Robert Jordan.

— Não, isto é sério. Tu me ensinarás como cuidar da pistola? Pilar tem panos e óleo. Tem uma vareta na caverna que deve servir.

— Está certo, eu vou te mostrar.

— Então — disse Maria —, se tu me ensinares a usá-la, um de nós pode atirar no outro, e em si mesmo, caso um dos dois esteja ferido, para não ser capturado.

— Muito interessante — disse Robert Jordan. — Você tem muitas ideias como esta?

— Não muitas — respondeu Maria. — Mas é uma boa ideia. Pilar me deu isto e mostrou como se usa — abriu o bolso da blusa, na altura do peito, e tirou uma capinha de couro, semelhante àquelas em que se carregam pentes, e puxou dela uma lâmina de barbear. — Está sempre comigo. Pilar disse que você tem que fazer o corte aqui, logo abaixo da orelha e até aqui mostrou com o dedo. — Ela disse que tem uma grande artéria neste ponto e que passando a lâmina desse jeito não tem como não cortá-la. Disse também que não dói, desde que você pressione firme abaixo da orelha e risque para baixo. Falou que não é nada e que eles não podem parar o sangue depois de cortado.

— É verdade — disse Robert Jordan. — É a carótida.

"Quer dizer que ela anda por aí com isso, o tempo todo, como uma possibilidade definitivamente aceita e premeditada."

— Mas prefiro que tu atires em mim — disse Maria. — Promete que se houver necessidade tu atiras em mim. — Sim, eu prometo — disse Robert Jordan.

— Te agradeço muito — disse Maria. — Sei que não é uma coisa fácil de fazer.

— É verdade — concordou Robert Jordan.

"A gente esquece disso tudo. Esquece as belezas da Guerra Civil quando pensa só no trabalho. Você esqueceu isso. Bem, esperava-se que esquecesse. Kashkin não conseguiu esquecer e isto arruinou o seu trabalho. Ou você acha que o velho Kashkin teve um pressentimento?" Foi muito estranho porque ele não teve nenhuma emoção ao atirar em Kashkin. Esperou que num dado momento fosse se emocionar. Mas, até então, absolutamente nada.

— Mas tem outras coisas que eu posso fazer para ti — continuou Maria, caminhando junto dele, agora bem séria e bem mulher.

— Além de atirar em mim?

— Sim. Posso enrolar cigarros para ti quando acabarem aqueles de canudinho branco. Pilar me ensinou a enrolá-los muito bem, apertados, alinhados e sem desperdiçar tabaco.

— Excelente — disse Robert Jordan. — Você os lambe?

— Sim — ela respondeu —, e se fores ferido, vou cuidar de ti, fazer curativos, te lavar e te alimentar...

— Talvez eu não seja ferido — interrompeu Robert Jordan.

— Então quando tu adoeceres eu cuido de ti, te faço sopa, te limpo e faço tudo para ti. E vou ler para ti.

— Talvez eu não fique doente.

— Então vou te levar café, de manhã, quando acordares...

— Talvez eu não goste de café — disse Robert Jordan.

— Não, você gosta — disse a garota, cheia de contentamento. — Esta manhã você tomou duas canecas.

— Suponha que eu me canse de café, que não haja necessidade de atirar em mim, que não fique nem ferido nem doente, que pare de fumar, que tenha apenas um par de meias e que pendure eu mesmo a minha manta. E aí, coelhinha? — ele deu um tapinha nas suas costas. — E aí?

— Aí — disse Maria —, tomarei uma tesoura emprestada de Pilar e cortarei o teu cabelo.

— Não quero cortar o meu cabelo.

— Nem eu — disse Maria. — Gosto do teu cabelo como está. Bem... Se não tiver nada para fazer para ti, vou me sentar do teu lado e te olhar e à noite nós faremos amor.

— Bom! — disse Robert Jordan. — Este último projeto é muito apreciável.

— Para mim também — disse Maria, sorrindo. — Ah, *Inglés*.

— Meu nome é Roberto.

— Não. Mas eu te chamo *Inglés* como Pilar te chama.

— Continua sendo Roberto.

— Não — disse ela. — Agora, pelo dia inteiro és *Inglés*. E, *Inglés*, posso te ajudar com o teu trabalho?

— Não. O que vou fazer agora eu faço sozinho e com a cabeça bem fria.

— Bom — disse ela. — E quando isso irá acabar?

— Hoje à noite, com sorte.

— Bom.

Abaixo deles estavam as últimas árvores que os orientavam para o acampamento.

— Quem é aquela pessoa? — Robert Jordan perguntou, apontando.

— Pilar — disse a garota, olhando na direção do seu braço. — Com certeza é Pilar.

Na borda mais baixa da campina, onde as primeiras árvores cresciam, a mulher estava sentada, a cabeça apoiada nos braços. De onde eles estavam, ela parecia um monte escuro, em contraste com o tronco marrom das árvores.

— Venha — disse Robert Jordan, e começou a correr em direção a ela através das macegas na altura dos seus joelhos. Estava pesado e duro para correr, e, após ter corrido um pequeno trecho, diminuiu o ritmo e seguiu caminhando. Podia ver a cabeça da mulher em seus braços dobrados, e ela parecia volumosa e negra contra a árvore. Aproximou-se dela e disse com vigor:

— Pilar!

A mulher levantou a cabeça e olhou para ele.

— Ah, vocês já acabaram?

— Você está passando mal? — perguntou ele e ajoelhou-se.

— *Qué va* — disse ela. — Estava dormindo.

— Pilar — disse Maria, que chegara um pouco depois e ajoelhara-se também. — Como você está? Está tudo bem?

— Estou magnífica — disse Pilar, mas permaneceu sentada. Olhou para os dois e continuou: — Bem, *Inglés*, você andou usando os truques de varão outra vez?

— Você está bem? — perguntou Robert Jordan, ignorando as palavras dela.

— Por que não? Eu dormi. Você dormiu?

— Não.

— Bem — disse Pilar encarando a garota —, dá para se notar em você.

Maria enrubesceu e não disse nada.

— Deixe-a em paz — disse Robert Jordan.

— Ninguém falou contigo — disse Pilar duramente. — Maria!

A garota não olhou.

— Maria — a mulher disse novamente —, eu disse que dá para notar em você.

— Ah, deixe-a em paz — repetiu Robert Jordan.

— Você cale a boca — Pilar falou, sem olhar para ele. — Escute, Maria, me conte alguma coisa.

— Não — disse Maria e sacudiu a cabeça.

— Maria — insistiu Pilar, com a voz grave; a expressão em seu rosto não era nada amigável —, conta-me alguma coisa, o que quiseres.

A garota sacudiu a cabeça.

Robert Jordan pensava: "Se não tivesse um trabalho para fazer com esta mulher e seu marido bêbado com sua indumentária mal-ajambrada, eu a esbofetearia de tal modo que... "

— Vá em frente e me fale, Maria — disse Pilar.

— Não — respondeu a garota. — Não.

— Deixe-a em paz — disse Robert Jordan e sua voz parecia a de outra pessoa. "Vou esmurrá-la, e que o resto vá para o inferno", pensou.

Pilar o ignorou. Não era como uma cobra enfeitiçando um pássaro, nem um gato com uma ave. O tom não era de um predador. Tampouco era de perversão. O que havia era uma expansão, entretanto, como a expansão do capelo de uma naja. Ele podia senti-la. Pressentia a ameaça da expansão. Mas a expansão era dominadora, sem ser diabólica, e, sim, de procura. "Gostaria de não estar presenciando isso", Robert Jordan pensou. Porém, não se tratava de um caso para bofetada.

— Maria — disse Pilar —, eu não vou te tocar. Agora, me conte por tua própria vontade — *de tu propria voluntad*.

A garota negou com a cabeça.

— Maria — disse-lhe Pilar —, agora e por tua própria vontade. Me ouviu? Qualquer coisa.

— Não — disse a garota, baixinho. — Não e não.

— Agora você irá me falar — teimou Pilar. — Qualquer coisa. Ah, vai. Agora você me dirá.

— A terra se moveu — disse Maria, sem olhar para a mulher. — Verdade. Foi uma coisa que eu não posso te contar.

— Então — disse Pilar e a sua voz ficou calorosa e amigável, sem compulsão. Mas Robert Jordan notou que havia pequenas gotas de suor na testa e no buço da mulher. — Então foi assim. Então foi isso.

— É verdade — disse Maria, mordendo o lábio.

— Claro que é verdade — disse Pilar, meigamente. — Mas não conte para a sua gente, não irão acreditar. Você não tem sangue *Calí*, *Inglés*? — Ergueu-se de pé com a ajuda de Robert Jordan.

— Não — respondeu ele. — Não que eu saiba.

— Nem Maria tem, pelo que ela sabe — disse Pilar. — *Pues es muy raro*. É muito estranho.

— Mas aconteceu — disse Maria.

— *Cómo que no, hija*? Quando eu era jovem a terra se movia, tanto que eu podia senti-la andar no espaço e tive medo de perder contato com ela. Acontecia todas as noites.

— Você mente — disse Maria.

— Sim, eu minto. Não acontece mais de três vezes numa vida. A terra realmente se moveu?

— Sim, verdade — a garota confirmou.

— E para você, *Inglés*? Não minta!

— Sim, de verdade.

— Bom — disse Pilar. — Bom, isto é algo especial.

— O que você quis dizer com três vezes? — perguntou Maria. — Por que você diz isso?

— Três vezes. Agora você já teve uma.

— Somente três vezes?

— Para a maioria das pessoas, nunca — disse Pilar. — Tem certeza de que ela se moveu?

— Dava para qualquer pessoa levar um tombo — confirmou Maria.

— Então, acho que se moveu. Venha, vamos para o acampamento.

— Que bobagem é essa sobre três vezes? — perguntou Robert Jordan para a enorme mulher, enquanto caminhavam juntos entre os pinheiros.

— Bobagem? — ela olhou para ele de esguelha. — Não me fale de bobagens, *inglesinho*.

— É alguma bruxaria como a da palma da mão?

— Não, é algo comum, e conhecimento comprovado com *Gitanos*.

— Mas não somos ciganos.

— Não. Mas você teve um pouquinho de sorte. Não ciganos têm um pouquinho de sorte vez ou outra.

— Você quer dizer que é verdade sobre as três vezes?

Ela olhou para ele, novamente esquisita, e disse:

— Deixe-me, *Inglés*. Não me aborreça. Você é muito jovem para falar comigo.

— Mas, Pilar — disse Maria.

— Cale a boca — cortou-a Pilar. — Você teve uma e há mais duas no mundo para você.

— E você? — perguntou Robert Jordan.

— Duas — respondeu ela, levantando dois dedos. — Duas e não haverá uma terceira.

— Por que não? — perguntou Maria.

— Ah, cala a boca — disse Pilar. — *Busnes* da tua idade me aborrecem.

— Por que não uma terceira? — perguntou Robert Jordan.

— Ah, quer calar a boca? — repetiu Pilar. — Cala a boca!

"Tudo bem", Robert Jordan disse em pensamento. "Só que eu não estou entendendo nada. Conheci uma porção de ciganos, todos bastante estranhos. Mas e nós, não somos? A diferença é que nós devemos trabalhar para viver decentemente. Ninguém sabe de que tribo nós viemos, ou qual é a nossa herança tribal, nem que mistérios tinham as florestas onde a nossa gente viveu. Tudo que sabemos é que não sabemos. Não sabemos nada do que acontece conosco através das noites. Embora, quando acontece durante o dia, *seja* algo mais concreto. O que quer que tenha acontecido, aconteceu, e agora esta mulher não só tem de fazer a garota dizer o que foi, contra a sua vontade, como insiste em assumir e se apossar do feito, como se fosse coisa de ciganos. Pensei que ela tivesse sido derrotada lá na colina, mas está claro que esteve dominando tudo, há pouco. Se tivesse sido por maldade, ela deveria ter sido fuzilada. Mas não foi. Foi só um desejo de manter-se agarrada à vida. De continuá-la através de Maria."

"Quando esta guerra passar para você, considere a hipótese de iniciar um estudo sobre as mulheres. Você começaria por Pilar. Ela conseguiu transformar o dia numa bela complicação, se quiser saber. Ainda não tinha trazido à tona esse negócio de ciganos. Exceto a mão. Sim, claro, a mão. E não acho que ela estava inventando sobre a mão. Não quis me contar o que viu, obviamente. E acreditou no que quer que tenha visto. Mas isso não prova nada."

— Escute, Pilar — ele chamou a mulher. Pilar olhou para ele e sorriu.

— O que é? — perguntou ela.

— Não seja tão misteriosa — disse ele. — Esses mistérios estão me cansando demais.

— E daí? — disse Pilar.

— Não acredito em ogros, adivinhos, tiradores da sorte ou bruxaria de ciganos mal-ajambrados.

— Não? — disse Pilar.

— Não. E você, deve deixar a garota em paz.

— Vou deixar a garota em paz.

— E deixe de mistérios — completou Robert Jordan. — Temos bastante trabalho que deverá ser executado sem complicar com esse negócio de titica de galinha. Menos mistérios e mais trabalho.

— Estou entendendo — disse Pilar e concordou com um movimento de cabeça. — E escute, *Inglés* — disse sorrindo. — A terra se moveu?

— Sim, desgraçada. Moveu-se.

Pilar soltou uma gargalhada e parou encarando Robert Jordan, rindo para ele.

— Ah, *Inglés. Inglés*. Você é muito engraçado. Agora você deve trabalhar bastante para resgatar a tua dignidade.

"Para o inferno!", Robert Jordan pensou. Mas manteve-se calado. Enquanto conversavam, o sol fora encoberto; ele olhou para trás, em direção às montanhas, e agora o céu estava pesado e cinza.

— Certo — disse Pilar, olhando para o céu. — Vai nevar.

— Agora? Quase em junho?

— Por que não? Estas montanhas não sabem os nomes dos meses. Estamos na lua de maio.

— Não pode ser neve — disse ele. — Não pode nevar.

— Mas vai, *Inglés* — disse a mulher. — Vai nevar.

Robert Jordan olhou para o alto, o céu espesso e cinza, o sol de um amarelo desmaiado sumiu completamente enquanto ele olhava, o cinza do céu ficou uniforme, macio e pesado, cortando o topo das montanhas.

— Sim — disse ele. — Creio que você está certa.

14

Quando chegaram ao acampamento já estava nevando, e os flocos de neve caíam em diagonal por entre os pinheiros. No início esparsamente atravessavam as árvores, rodopiando na queda; depois, com o vento frio descendo da montanha, vieram num espesso torvelinho e Robert Jordan parou na frente da caverna observando-os, irritado.

— Teremos muita neve — disse Pablo. Sua voz era grave e seus olhos estavam vermelhos e remelentos.

— O cigano já voltou? — perguntou-lhe Robert Jordan.

— Não — respondeu ele. — Nem ele, nem o velho.

— Você viria comigo até o posto mais alto da estrada?

— Não — disse Pablo. — Não tomarei parte nisso.

— Eu acho sozinho — retrucou Robert Jordan.

— Debaixo dessa tempestade, você pode se perder — avisou Pablo. — Eu não iria agora.

— É só descer a colina até a estrada e depois seguir em frente.

— Talvez. Mas as tuas duas sentinelas estão voltando, por causa da neve, e tu te desencontrarias delas.

— O velho está me esperando.

— Não. Ele voltará por causa da neve.

Pablo voltou a olhar para a neve que agora caía rápida na frente da caverna e disse:

— Não te agrada a neve, *Inglés*?

Robert Jordan praguejou. Pablo olhou para ele com seus olhos remelentos e riu.

— Com isto a tua ofensiva se foi, *Inglés*. Entra na caverna.

Teu pessoal virá direto para cá.

Lá dentro, Maria estava absorvida alimentando o fogo, e Pilar sentada à mesa da cozinha. O fogo esfumaçava, mas, assim que a garota começou a remexer nele, cutucando-o com um pedaço de pau, e a abaná-lo com um papelão dobrado, deu uma lufada produzindo uma chama, e a madeira começou a queimar vivamente, atiçada pela sucção de uma corrente de ar vinda de um buraco no teto da caverna.

— E então? — perguntou Robert Jordan a Pablo. — Você acha que vai cair muita neve?

— Muita — respondeu Pablo, contente, e chamou Pilar. — Esta neve não agrada a ti também, não é, mulher? Agora que estás no comando.

— *A mi qué?* — disse Pilar, por cima dos ombros. — Se nevar, que neve.

— Beba um pouco de vinho, *Inglés* — Pablo convidou. — Bebi o dia inteiro esperando pela neve.

— Me dá uma caneca — disse Robert Jordan.

— À neve — brindou Pablo, e tocaram os copos. Robert Jordan fitou-o bem nos olhos antes de aceitar e pensou: "Seu remelento, patife, assassino, eu queria é bater com este copo nos teus dentes, mas, calma, tenha calma."

— A neve é muito linda — disse Pablo. — Você não vai querer dormir lá fora com a neve caindo.

"Quer dizer que isto também está passando pela sua cabeça?", pensou Robert Jordan. "Você tem muitos problemas, não tem, Pablo?"

— Não? — disse ele, polidamente.

— Não. Muito frio, muito molhado — ironizou Pablo. "Você não sabe por que aqueles edredons custam sessenta e cinco dólares", pensou Robert Jordan. "Gostaria de ter ganhado um dólar para cada noite que dormi dentro dele na neve."

— Então eu deveria dormir aqui dentro? — perguntou ele polidamente.

— Deveria.

— Obrigado, mas eu vou dormir lá fora.

— Na neve?

— Na neve. ("E dane-se, olho vermelho de porco, suíno eriçado, cara de bunda de suíno.") — Na neve. ("Na absolutamente desgraçada, desastrosa, indesejável, conivente com a derrota, bastarda mal-afortunada da neve.") A seguir, foi para onde Maria estava. Ela acabava de alimentar o fogo com mais um pedaço de pinho.

— A neve é muito linda — disse para a garota.

— Mas é ruim para o trabalho, não é? — perguntou ela. — Você não está preocupado?

— *Qué va* — respondeu ele. — Preocupar-se não é bom.

Quando o jantar estará pronto?

— Pensei que você quisesse um aperitivo — disse Pilar. — Que tal uma lasca de queijo, agora?

— Obrigado — aceitou ele. Ela esticou a mão, alcançando um enorme queijo pendurado numa rede no teto, e cortou uma fatia para ele. Robert Jordan ficou sentado comendo. O queijo estaria saboroso se não fosse por seu gosto de leite de cabra, demasiadamente ativo.

— Maria — disse Pablo da mesa onde estava sentado.

— O que é? — a garota respondeu.

— Passe um pano na mesa — disse Pablo, e arreganhou os dentes para Robert Jordan.

— Limpa tuas próprias migalhas — disse-lhe Pilar. — Primeiro limpa a tua boca, tua camisa e depois a mesa.

— Maria — Pablo gritou.

— Não preste atenção a ele. Está bêbado — disse Pilar.

— Maria — gritou ele novamente. — Continua nevando e a neve é bonita.

"Ele não sabe sobre aquele saco de dormir. Um belo olho de porco, não sabe por que paguei sessenta e cinco dólares aos caras da Woods por aquele saco. Logo que o cigano retorne, irei render o velho. Deveria ir agora, mas é possível que eu me desencontre deles. Não sei onde ele está de tocaia."

— Quer fazer bolas de neve? — disse para Pablo. — Quer brincar de guerra de bolas de neve?

— O quê? — perguntou Pablo. — O que você propôs?

— Nada — disse Robert Jordan. — Cobriu bem as selas?

— Cobri.

Então, em inglês, Robert Jordan disse:

— Vai dar ração àqueles cavalos ou soltá-los para que cavem na neve para achar o pasto?

— O quê?

— Nada. É problema seu, meu velho amigo. Eu vou sair daqui com os meus próprios pés.

— Por que você está falando em inglês? — perguntou Pablo.

— Não sei — respondeu Robert Jordan. — Às vezes, quando estou muito cansado, falo em inglês. Ou quando estou muito desgostoso. Ou contrariado, vamos dizer. Quando fico contrariado ao extremo falo em inglês para ouvir o som. É um ruído animador. Você devia tentar, uma hora destas.

— O que você disse, *Inglés*? — perguntou Pilar. — Soou muito interessante, mas eu não entendi.

— Nada — respondeu Robert Jordan. — Eu disse "nada" em inglês.

— Bem, então fale em espanhol — disse Pilar. — É mais curto e mais simples.

— Certamente — concluiu Robert Jordan. "Mas, ah meu rapaz, ah Pablo, ah Maria, ah Pilar, ah aqueles dois irmãos de quem eu esqueci os nomes mas deveria lembrar, tem horas que eu me canso. De vocês, de mim mesmo, da guerra, e por que, ainda por cima, teve que nevar? É desgraça demais. Não, não é. A desgraça nunca é o bastante. Você tem de encarar a situação, lutar e parar de bancar a prima-dona temperamental, aceitar, como fez há momentos atrás, o fato de que está nevando, e ir checar o seu cigano e render o velho. Mas, nevar! Logo neste mês! Essa não! Pare com isso e encare os fatos. Por falar nisso, e aquela caneca?"

— Um copo de vinho para mim, por favor — disse em espanhol. — Muita neve? Hem? — disse para Pablo. — *Mucha nieve.*

O homem bêbado olhou para ele e arreganhou os dentes, assentiu com a cabeça e arreganhou os dentes novamente.

— Nada de ofensiva. Nada de *aviones*. Nada de ponte. Só neve — disse Pablo.

— Você acha que vai durar muito tempo? — perguntou-lhe Robert Jordan, sentando-se ao seu lado. — Você acha que ficaremos cobertos de neve o verão todo, velho Pablo?

— Todo o verão, não — respondeu Pablo. — Esta noite e amanhã, sim.

— O que te faz pensar assim?

— Há dois tipos de nevasca — respondeu Pablo, ofegante e criterioso. — Uma vem dos Pirineus. Com ela vem um frio intenso. É tarde para uma dessas.

— Bom — disse Robert Jordan. — Já é alguma coisa.

— Esta nevasca que está aí vem do Cantábrico — explicou Pablo. — Vem do mar. Com o vento nesta direção, teremos tempestade e muita neve.

— Onde você aprendeu tudo isso, meu velho? — perguntou Robert Jordan.

Agora que a raiva tinha desaparecido, estava excitado com a nevasca, como sempre ficava com qualquer tempestade. Num vendaval, numa tormenta, numa súbita borrasca, numa tempestade tropical, ou numa chuva de verão com trovoadas nas montanhas, uma excitação sem igual o acometia. Parecida com a inquietação de uma batalha, com a diferença de que era limpa. Permeando uma batalha há um vento quente. Um vento quente e seco como a boca das pessoas. Que sopra com severidade. Quente e sórdido. Que cresce e morre com as ocorrências de um dia. Conhecia aquele vento muito bem.

Mas uma nevasca era o oposto de tudo isso. Numa tempestade de neve você chega perto dos animais selvagens e eles não têm medo. Eles cruzam extensas regiões sem saberem onde estão e os veados por vezes abrigam-se a sota-vento da sua cabana. Você cavalga de encontro a um alce e ele confunde o seu cavalo com outro alce e vem trotando em sua direção. Quando havia neve com temporal era como se, por um momento, não houvesse inimigos. O vento poderia soprar duro, mas era branco, limpo, o ar ficava tomado de brancura, todas as coisas se transformavam, e quando parava vinha a quietude. Esta era uma grande nevasca e ele muito provavelmente haveria de gostar. A nevasca estava arruinando tudo, mas mesmo assim era possível que a apreciasse.

— Fui carreteiro por muitos anos — respondeu Pablo. — Nós transportávamos carga através das montanhas com enormes carretas, antes dos caminhões começarem a ser usados. Nesse ofício, aprendemos a conhecer o tempo.

— E como você se engajou no movimento?

— Sempre fui de esquerda — disse Pablo. — Tínhamos muito contato com gente de Astúrias, um lugar politicamente muito desenvolvido. Sempre fui a favor da República.

— Mas o que você fazia antes do movimento?

— Trabalhava para um negociante de cavalos de Zaragoza. Ele fornecia cavalos para as arenas de touros, e também para a remonta do exército. Foi aí que conheci Pilar, que, conforme ela lhe contou, estava com o matador Finito de Palência.

Disse isso com notável orgulho.

— Ele não era um grande matador — disse um dos irmãos, sentado à mesa, olhando para as costas de Pilar que estava na frente do fogão.

— Não era? — disse Pilar, virando-se e encarando o homem. — Ele não era um grande matador?

Parada diante do fogão, ela podia vê-lo, baixo e moreno, sério, olhos tristes, faces encovadas, o cabelo crespo molhado e reto na testa, onde o chapéu apertado de matador marcara uma linha vermelha, não percebida por mais ninguém na arena. Agora ela o via em pé, encarando o touro de cinco anos, fitando os chifres que já haviam arremessado um cavalo para cima, o grande pescoço impulsionando o cavalo para o alto, enquanto o cavaleiro espetava a bandarilha no seu cachaço, o touro meneando o pescoço violentamente, até fazer o cavalo se estatelar e o cavaleiro cair de encontro à cerca de madeira, empurrado adiante pelas pernas do touro, aquele vigoroso pescoço brandindo os chifres que estiveram buscando a vida do cavalo. Ela viu Finito, o matador-mediano, agora parado na frente do touro, postando-se de lado em relação ao animal. Ela viu-o com nitidez, enquanto ele enrolava a pesada capa de flanela em torno da haste, a flanela empapada de sangue dos passes que varreram a cabeça e a cernelha brilhante e ensanguentada do touro, e sobre o seu traseiro, quando o touro ergueu-se no ar e as bandarilhas fizeram um estardalhaço. Viu Finito distanciar-se cinco passos da cabeça do touro, perfilar-se, o touro estático, enraivecido, e erguer vagarosamente a espada até o nível de seus ombros, e então mirar ao longo da lâmina, mas sem poder enxergar a cabeça do touro, mais alta do que ele. Ele traria a cabeça do animal para a sua mira, com a varredura que seu braço esquerdo faria com a pesada capa ensanguentada, mas agora ele recuava alguns passos, apoiando-se nos calcanhares, e mirava ao longo da lâmina da espada, perfilado diante dos chifres ameaçadores do touro, cujo peito arfava, seus olhos fixos na capa de toureiro.

Ela viu-o com toda nitidez e pôde ouvir sua voz metálica, quando ele virou a cabeça, olhando para as pessoas na primeira fila sobre a cerca vermelha da arena, e disse:

— "Vamos ver se podemos matá-lo deste jeito."

Ela podia ouvir a sua voz, e ver o detalhe de seu joelho dobrando para o primeiro impulso à frente, e observar a sua arremetida em direção aos chifres, nesse instante abaixados como que por mágica porque o touro seguia com o seu focinho a varredura da capa, controlada pelo pulso magro e moreno, do toureiro, induzindo o touro a abaixar os chifres, enquanto passava a capa por sobre a cabeça do animal, e espetava a espada na empoeirada cernelha do touro.

Viu a espada reluzente entrando devagar e firme, como se o ímpeto do touro arrancasse-a para si, das mãos do homem, e ela observou-a penetrar até os nós dos dedos morenos de Finito descansarem contra o couro teso do animal, e Finito, baixinho, moreno, cujos olhos não se desviaram do ponto da estocada, agora girava sua barriga encolhida, e pendulava para trás, fora do alcance dos chifres e do próprio corpo do animal, para ficar observando o touro morrer, segurando a capa na mão esquerda e com a mão direita erguida no ar.

Ela viu-o parado, seus olhos fixos no touro que tentava manter-se de pé, fitos no touro que oscilava como uma árvore antes de cair, assistindo o animal lutar para não tombar sobre a terra, o pequeno homem, com a sua mão direita para o alto, num gesto formal de triunfo. Ela viu-o parado na arena, suado, o alívio vazio do fim, sentindo o alívio pelo touro estar morrendo, alívio por não ter havido choque com o animal, nem um golpe dos chifres, pois ficara longe do seu alcance, e enquanto ele se mantinha lá parado, o touro já não podia mais firmar-se sobre as pernas e tombara, rolando morto sobre si mesmo com as patas para o ar, e ela viu o pequeno homem moreno caminhar exausto, sem sorrir, em direção à cerca.

Ela sabia que ele não poderia correr através da arena, nem que a sua vida dependesse disso, e viu-o caminhar vagarosamente até a cerca, limpar a boca numa toalha, olhar para ela, sacudir a cabeça, limpar o rosto na mesma toalha, e começar a sua volta triunfante pela arena.

Ela viu-o movendo-se devagar, arrastando-se ao redor da arena, sorrindo, saudando, sorrindo, com seus assistentes caminhando logo atrás dele, fazendo reverências com o corpo para o público, apanhando charutos, atirando chapéus de volta para o público, contornando a arena com olhos tristes, mas sorrindo, até concluir a volta bem à sua frente. Então ela olhou por cima de todos e viu-o sentar-se agora sobre a cerca de madeira com a toalha na boca.

Pilar viu tudo isso, parada diante do fogão, e disse:

— Então ele não era um grande matador? Ora, com que tipo de gente ando desperdiçando minha vida hoje em dia!

— Ele era um grande matador — disse Pablo. — Mas, tinha uma desvantagem, sua pouca estatura.

— E estava na cara que era tuberculoso — disse Primitivo.

— Tuberculoso? — disse Pilar. — Quem não seria tuberculoso tendo se sacrificado como ele? Neste país onde nenhum pobre tem esperança de ganhar dinheiro, a menos que seja um criminoso como o Juan March, ou um toureiro, ou um tenor de ópera? Como ele não ficaria tuberculoso?

Num país onde a burguesia come tanto, até arruinar seus estômagos e não poderem mais viver sem bicarbonato de sódio, enquanto os pobres permanecem famintos desde o seu nascimento até a morte, como ele não seria tuberculoso? Se, para viajar de graça, tinha de ir sob os bancos de carruagens de terceira classe seguindo as feiras para aprender a lutar, quando ainda era menino, lá embaixo na poeira e na sujeira, recebendo cuspe de catarros frescos, respirando escarros secos, e então, se o seu peito fosse golpeado por um chifre, você não ficaria tuberculoso?

— Certamente — disse Primitivo. — Eu apenas disse que ele era tuberculoso.

— Claro que ele era tuberculoso — disse Pilar, parada, empunhando a enorme colher de madeira. — Ele era pequeno, tinha uma voz metálica e muito medo de touros. Nunca vi um homem com tanto medo antes de uma luta, e nunca vi um homem com tanta coragem dentro da arena. Você — disse para Pablo. — Você agora está com medo de morrer. Você pensa que isso é importante. Mas Finito ficava com medo o tempo todo e dentro da arena ele era como um leão.

— Ele tinha a fama de ser muito valente — disse o segundo irmão.

— Jamais conheci outro homem que tivesse tanto medo — disse Pilar. — Nem uma única cabeça de touro ele tinha na sua casa. Uma vez, na feira de Valladolid, matou um touro de Pablo Romero muito bem...

— Eu lembro — disse o primeiro irmão. — Estava na arena. Era um touro cor de sabão, com uma testa encrespada e com chifres bem altos. Pesava umas trinta arrobas, ou mais. Foi o último touro que ele matou em Valladolid.

— Exatamente — disse Pilar. — Havia um clube de aficionados que se reunia no Café Colon. Chegaram a dar o nome dele ao clube. Mas, depois da luta, montaram a cabeça do touro numa placa e a fixaram na parede. Houve um banquete, então, e deixaram a cabeça do touro coberta com um pano. Pretendiam presenteá-la a Finito. Eu estava na mesa e outras mulheres estavam lá também; Pastora, que é mais feia do que eu, Niña de los Peines, e outras ciganas e prostitutas de categoria. Era um banquete, pequeno, mas animado, e quase violento devido à disputa entre Pastora e uma das mais cobiçadas prostitutas, sobre uma questão de propriedade. Eu, comigo mesma, estava me sentindo mais do que feliz, e estava sentada ao lado de Finito, e pude notar que ele não olhava para a cabeça do touro, que estava envolta por um pano violeta, como as imagens dos santos que são cobertas na igreja, durante a semana da Paixão de Cristo.

— Finito não comeu muito porque tinha recebido um *palotaxo*, uma pancada de lado de um chifre, quando entrara na arena para matar o animal, na sua última tourada em Zaragoza. Havia ficado inconsciente por algum tempo e ainda não podia segurar a comida no estômago. Tinha que levar o lenço à boca com frequência, durante o banquete, para cuspir boas quantidades de sangue. O que eu ia mesmo dizendo?

— A cabeça do touro — disse Primitivo. — A cabeça empalhada do touro.

— Sim — disse Pilar. — Sim, mas devo contar alguns detalhes de modo que vocês possam entender como foi. Finito nunca foi uma pessoa muito alegre, vocês sabem. Ele era essencialmente solene e nunca o vi, quando estávamos sozinhos, rindo de coisa alguma. Nem mesmo de coisas muito engraçadas. Levava tudo com muita seriedade. Era quase tão sério quanto Fernando. Mas era um banquete oferecido a ele pelo clube de aficionados, reunidos no Clube Finito, então, era necessário que ele mostrasse alegria, simpatia e contentamento. Quer dizer, enquanto os demais comiam, ele ficou sorrindo e fazendo comentários simpáticos, e somente eu percebi o que ele fazia com o lenço. Tinha três lenços com ele e, após encharcá-los, me disse baixinho:

— "Pilar, não dá mais para suportar isso, acho que tenho que ir embora."

— "Então, vamos embora" — eu disse. — Percebi que ele estava sofrendo muito. O banquete estava hilariante nesse momento, e o barulho era tremendo.

— "Não, eu não posso" — ele me disse. — "Afinal, este clube tem o meu nome, tenho a obrigação de ficar."

— "Se tu estás doente, vamo-nos" — eu disse.

— "Não" — ele disse. — "Ficarei. Dê-me um pouco desta *manzanilla*."

— Achei que não fosse inteligente da parte dele beber, pois não tinha comido nada e também pelas condições de seu estômago. Mas é claro que ele não podia suportar aquela algazarra e euforia sem beber alguma coisa. Então eu observei-o beber, muito rapidamente, quase uma garrafa inteira de *manzanilla*. Tendo saturado seu último lenço, começou a usar seu guardanapo para a mesma função dos lenços.

— A essa altura o banquete estava no auge, e algumas prostitutas menos pesadas desfilavam em torno das mesas, nos ombros de vários membros do clube. Pastora, privilegiada pela voz, cantava; El Niño Ricardo tocava guitarra; e era tudo muito animado, uma ocasião de verdadeira alegria e de bebedeira amigável, na mais perfeita ordem. Nunca tinha visto um banquete com um nível tão alto de verdadeiro entusiasmo *flamenco,* embora ainda não tivéssemos chegado a exibir a cabeça do touro, que era, afinal de contas, o motivo da celebração do banquete.

— Estava me divertindo tanto, e tão ocupada batendo palmas para acompanhar a música de Ricardo, e saudar Niña de los Peines, que não notei Finito ensopar o seu guardanapo e pegar o meu. Continuava bebendo *manzanilla*, seus olhos estavam acesos e balançava a cabeça alegremente para todos. Não podia falar muito, porque ao falar tinha que recorrer ao guardanapo, mas demonstrava alegria e contentamento porque, afinal, era para isso que estava lá.

— Pois o banquete prosseguiu e o homem sentado ao meu lado, ex-agente de Rafael de Gallo, me contava uma história que terminava assim:

— "Aí, Rafael veio até mim e disse: 'Tu és o melhor amigo que eu tenho no mundo, e o mais nobre. Eu te amo como um irmão e gostaria de te dar um presente.' — E então ele me deu um bonito broche de diamante, e me beijou nos dois lados da face. Em seguida, Rafael de Gallo saiu do café, e eu disse para Retana, sentado ao meu lado, 'aquele cigano sujo acaba de assinar contrato com um outro agente.' — 'O que você quer dizer com isso?' — perguntou Retana."

— "Fui seu agente durante dez anos e ele nunca me deu um presente" — disse o homem. — "É só o que isto pode significar." — E era isto mesmo, foi assim que El Gallo o deixou.

— Mas, nesse momento, Pastora interveio na conversa, talvez não para defender o bom nome de Rafael, pois ninguém nunca falou tão mal dele quanto ela própria, mas porque o ex-agente ofendera os ciganos, empregando a expressão “cigano sujo”. Ela interveio tão agressivamente que o agente ficou reduzido ao silêncio. Tentei acalmar Pastora, e outra cigana se meteu para me calar, e a bulha foi tanta que ninguém podia mais escutar coisa alguma, exceto a palavra *puta*, que rugia alto por cima de todas as outras palavras, até que o silêncio foi restabelecido, nós três nos sentamos diante de nossos copos, e eu notei que Finito estava olhando fixo, com o semblante cheio de horror, para a cabeça do touro, ainda coberta com o pano violeta.

— Nesse momento, o presidente do clube começou o seu discurso, precedendo o desvelar da cabeça do touro, e durante toda a sua fala, acompanhada de aplausos, gritos de *Olé!* e murros nas mesas, assisti Finito usando o seu, não, meu guardanapo, afundando-se na cadeira e fitando com horror e fascinação a cabeça do touro, ainda coberta, na parede à sua frente.

— Já quase no final do discurso, Finito começou a sacudir a cabeça, afastando-se para trás cada vez mais na cadeira.

— “Como estás, meu pequeno?” — disse-lhe, e quando ele olhou para mim, não me reconheceu, somente abanou a cabeça e disse “não, não, não”.

— Então o presidente terminou o discurso, recebendo aplausos de todos, subiu numa cadeira, desamarrou o cordão que prendia o pano violeta e puxou-o lentamente desvelando a cabeça do touro. Um dos chifres prendeu uma ponta do pano, ele a soltou com um leve puxão revelando uma cabeça amarelada com chifres pretos e polidos, curvilíneos e longos, abertos, com as extremidades brancas e pontiagudas como uma cerda de porco-espinho, e a cabeça do touro era como se estivesse viva, com a sua testa encrespada, as pálpebras abertas e os olhos vibrantes, voltados diretamente para Finito.

— Todos gritaram e aplaudiram, e Finito ainda mais afundado para trás na cadeira, e de repente todos se calaram e olharam para ele.

— “Não, não!” — disse Finito, olhando para a cabeça do touro, escorregando a cadeira para trás. — “Não!” — gritou e uma grande golfada de sangue saiu da sua boca, sem que ele levasse o guardanapo para proteger-se, caindo pelo queixo, e ele continuava olhando para a cabeça do touro e dizendo: — "Todas as temporadas, sim! Ganhar dinheiro, sim! Comer, sim! Mas eu não posso comer! Ouviram? Meu estômago está arruinado. Agora a temporada acabou! Não! Não! Não!" — Olhou para os presentes à mesa, e novamente para a cabeça do touro, e disse mais uma vez: — "Não!" — Depois, abaixou a cabeça, com o seu guardanapo na boca, e ficou sentado lá, desse jeito, sem dizer mais nada, e o banquete, que começara tão bem, e prometia ficar para a história pela alegria e pela boa animação, foi um fracasso.

— Depois disso, quanto tempo ele levou para morrer? — perguntou Primitivo.

— Naquele inverno — disse Pilar. — Jamais se recuperou daquela pancada de chifre em Zaragoza. Elas são piores do que ser escornado, porque o ferimento é interno, não cura. Ele levava uma dessas quase toda vez que ia matar touros, e foi por isso que não teve mais sucesso. Era difícil para ele sair do alcance dos chifres, por causa da sua pequena estatura. Quase sempre os lados dos chifres o golpeavam. Claro que muitas eram apenas pancadas fracas.

— Se era tão pequeno, não deveria ter tentado ser um matador — disse Primitivo.

Pilar olhou para Robert Jordan e abanou a cabeça, abaixou-se para mexer no caldeirão de ferro, e continuou balançando a cabeça.

"Que gente", pensou ela. "Que gente são os espanhóis, 'se ele era tão pequeno, não deveria ter tentado ser um matador'. E eu ouço isto e fico calada. Não tenho raiva, dei a minha explicação e agora é melhor ficar em silêncio. Como é simples quando alguém não entende nada. *Qué sencillo!* Sem entender nada o outro diz 'ele era tuberculoso'. E o outro diz, já conhecendo a história, mesmo depois que alguém explicou, 'se ele era tão pequeno, não deveria ter tentado ser um matador'."

Agora, arqueada sobre o fogo, ela via sobre a cama novamente o corpo moreno, nu, com cicatrizes nodosas em ambas as pernas, com profundas estrias cauterizadas sob as costelas do lado direito do peito, e um longo vergão esbranquiçado, passando por baixo até a axila. Via os seus olhos cerrados, a face séria e morena, os cabelos crespos penteados para trás, e ela sentada ao seu lado, massageando suas pernas, esfregando os músculos retesados das panturrilhas dele, esticando-os, soltando-os, dando-lhes tapinhas leves com as mãos fechadas, relaxando os seus músculos grimpados de câimbra.

— Como estás? — ela dizia para ele. — Como estão as tuas pernas, meu pequeno?

— Muito bem, Pilar — ele dizia, sem abrir os olhos.

— Queres que eu esfregue o teu peito?

— Não, Pilar. Por favor, não toque nele.

— E as coxas?

— Não, elas doem muito.

— Mas se eu esfregá-las de leve, untadas com óleo, irá aquecê-las, e te sentirás melhor.

— Não, Pilar. Te agradeço. Prefiro que não toque nelas.

— Vou te lavar com álcool.

— Sim, bem de leve.

— Foste grandioso no último touro — ela dizia.

— Sim, eu o matei muito bem — respondia ele, com os olhos cerrados.

Tendo-o lavado e coberto com lençóis, ela se deitava ao seu lado, na cama, e ele esticava um braço para tocá-la com a sua mão morena, dizendo:

— Tu és uma grande mulher, Pilar — era o mais próximo de um chiste que ele conseguia fazer e, geralmente, após uma luta, adormecia, e ela se deitava ao seu lado, segurando a mão dele com as duas mãos, ouvindo a sua respiração.

Com frequência, era um sono irrequieto, amedrontado, e ela sentia sua mão crispar-se na dela e via as gotas de suor na sua testa, e quando ele acordava ela dizia:

— Não é nada — e ele voltava a dormir. Pilar ficou com ele cinco anos e nunca foi infiel, quer dizer, quase nunca, e após o funeral juntou-se a Pablo, que lidava com os cavalos picadores na arena e era como todos os touros que Finito passou a vida inteira matando. Mas nem a força do touro, nem a coragem do touro perduraram, agora ela sabia, e o que perdurou? "Eu perdurei", pensou ela. "Sim, eu perdurei. Mas para quê?"

— Maria — disse Pilar. — Preste atenção no que você está fazendo, isto é um fogo para cozinhar, não para incendiar uma cidade.

Nisso o cigano irrompeu na porta da caverna. Estava coberto de neve e ficou parado lá, segurando a sua carabina, batendo a neve de seus pés.

Robert Jordan levantou-se e caminhou até a porta.

— Bem, e então? — disse para o cigano.

— Vigia de seis horas, dois homens por vez na ponte principal. São oito homens e um cabo, na cabana do conservador da estrada. Aqui está o seu cronômetro.

— E no posto da serraria?

— O Velho está lá. Ele pode olhar a estrada e a serraria de onde está.

— E a estrada? — perguntou Robert Jordan.

— O mesmo movimento de sempre — disse o cigano. — Nada fora do normal. Vários automóveis.

O cigano parecia estar com frio, seu rosto escuro estava contraído de frio, e as mãos estavam vermelhas. Parado na entrada da caverna, ele tirou o casaco e sacudiu a neve.

— Fiquei até eles trocarem a guarda — disse o cigano. — Foi trocada ao meio-dia e às seis. É uma longa vigia. Estou contente por não estar no exército deles.

— Vamos render o Velho — disse Robert Jordan, vestindo seu casaco de couro.

— Eu não — respondeu o cigano. — Agora, vou para perto do fogo tomar uma sopa quente. Vou falar para um desses sujeitos onde o Velho está e ele poderá guiá-lo. Ei, vadios! — falou para os homens à mesa. — Quem quer guiar o *Inglés* até onde o Velho está vigiando a estrada?

— Eu vou — Fernando levantou-se. — Me diga onde é.

— Escute bem — disse o cigano. — Ele está... — e explicou onde o Velho, Anselmo, estava postado.

15

Anselmo estava agachado, ao abrigo do tronco de uma grande árvore, e a neve revoava passando por ambos os lados. Estava colado contra a árvore, cada mão enfiada na manga oposta de seu casaco, e a sua cabeça afundada no casaco o mais que podia. "Se eu ficar aqui por mais tempo vou congelar", ele pensou, "e não vou prestar para nada. O *Inglés* me falou para ficar até ser rendido, mas ele não sabia que ia cair essa nevasca. Não houve nenhum movimento anormal na estrada, e eu conheço as disposições e hábitos do posto da serraria do outro lado da estrada. Preciso voltar para o acampamento. Qualquer um de bom-senso esperaria que eu voltasse para o acampamento. Ficarei só mais um pouco, e então retorno para o acampamento. É a falha das ordens, são muito rígidas. Não há brecha para mudanças de acordo com as circunstâncias." Daí, esfregou os pés um no outro, tirou as mãos das mangas do casaco, inclinou-se e massageou as próprias pernas, batendo com os pés um no outro, para manter ativada a circulação. Estava menos frio ali, fora do alcance do vento, no abrigo da árvore, mas deveria começar a caminhar sem demora.

Quando agachou-se, massageando seus pés, ouviu um motor de carro na estrada. Estava equipado com correntes nas rodas e um elo da corrente batia. O carro vinha subindo a estrada coberta de neve, pintado com manchas alternadas de verde e marrom, as janelas tingidas de azul de modo que não se podia ver o interior, com apenas um meio círculo aberto para os ocupantes enxergarem. Era um automóvel Rolls-Royce de dois anos, camuflado para uso do Estado-Maior, mas Anselmo não sabia disso. Ele não podia ver, dentro do carro, os três oficiais enrolados nos seus capotes. Dois estavam no banco traseiro, e um sentado no banco dobrável. O oficial sentado neste banco olhava pela fenda, no azul da janela, quando o carro passou, mas Anselmo não sabia disso. Tampouco os oficiais viram Anselmo.

O carro passou na neve, diretamente abaixo de Anselmo. Ele viu o chofer, sua cara avermelhada e seu capacete de aço, projetados para fora do capote, e viu também a ponta do rifle automático que o ordenança sentado ao lado trazia. O Rolls-Royce já havia subido a estrada quando Anselmo tirou do bolso do casaco as duas folhas arrancadas do caderno de Robert Jordan, e fez uma marca ao lado do desenho do carro de passeio. Era o décimo carro do dia. Seis desceram. Quatro subiram. Não era incomum o movimento de carros na estrada, mas Anselmo não sabia distinguir entre os Fords, Fiats, Opels, Renaults e Citroëns do pessoal da Divisão que guardava as passagens e a linha da montanha, e os Rolls-Royces, Lancias, Mercedes e Isottas do Estado-Maior. Era o tipo de distinção que Robert Jordan teria feito e, se estivesse lá em vez do velho, saberia avaliar o significado desses carros que subiam a estrada. Mas ele não estava lá, e o velho simplesmente fez uma marca, para um carro subindo a estrada, na folha de papel.

Anselmo estava agora tão gelado que decidira retornar ao acampamento antes de escurecer. Não tinha medo de não achar o caminho, mas pensou que seria inútil ficar até mais tarde. Além do mais, o vento soprava cada vez mais frio e a neve não diminuía. Porém, quando se levantou e bateu com os pés no chão, e olhou para a estrada através da neve, em vez de começar a escalar o aclive da colina ficou encostado no lado abrigado do pinheiro.

"O *Inglés* disse para eu ficar. Talvez esteja a caminho e, se eu deixar este lugar, pode se perder na neve, me procurando. Em toda esta guerra nós sofremos com a falta de disciplina e a desobediência, e eu vou esperar um pouco mais pelo *Inglés*. Mas se ele não vier logo, vou precisar ir embora, apesar de todas as ordens; afinal, agora eu tenho um relatório para fazer e muito trabalho para os próximos dias, e congelar aqui é um exagero inútil."

Do outro lado da estrada, na serraria, a fumaça saía da chaminé, e Anselmo podia sentir o seu cheiro, soprado pelo vento na sua direção, através da neve. "Os fascistas estão aquecidos e confortáveis", pensou, "e amanhã à noite vamos matá-los. É uma coisa estranha e eu não gosto de pensar a respeito. Vigiei-os durante o dia inteiro e eles são homens iguais a nós. Acredito que eu poderia caminhar até a serraria e bater na porta, e seria bem-vindo, exceto pelo fato de que eles têm ordens para abordar todos os viajantes e pedir os seus documentos. São apenas as ordens que nos separam. Aqueles homens não são fascistas. Eu os chamo assim, mas eles não são. São homens pobres iguais a nós. Jamais deveriam estar lutando contra nós, e não gosto de pensar no ato de matar."

"Estes no posto são galegos. Sei, de ouvi-los conversar hoje à tarde. Não podem desertar porque, se o fizerem, suas famílias são fuziladas. Galegos são ou muito inteligentes, ou muito burros e brutais. Conheço os dois tipos. Lister é um galego da mesma cidade de Franco. Imagino o que estes galegos estão achando desta neve nesta época do ano. Eles não têm montanhas altas como estas, e na região deles chove constantemente, e está sempre tudo verde."

Uma luz transparecia através da janela da serraria. Anselmo tremia de frio e pensou: "*Inglés desgraçado!* Lá estão os galegos, aquecidos, numa casa no nosso país, e eu congelando atrás de uma árvore, morando num buraco nas rochas, como um animal das montanhas. Mas, amanhã, as feras sairão dos seus buracos, e estes, que estão agora tão confortáveis, morrerão aquecidos nos seus cobertores. Como aqueles que morreram à noite, quando assaltamos Otero." Ele não gostou de relembrar Otero.

Em Otero, naquela noite, fora a primeira vez que ele matara alguém, e esperava não precisar matar nessa ação contra esses postos. Fora em Otero que Pablo esfaqueou a sentinela, quando Anselmo cobriu a sua cabeça com um cobertor, e a sentinela agarrou-se em seu tornozelo, gritando sufocado sob a manta, e Anselmo teve que segurá-lo por cima do cobertor e esfaqueá-lo até que ele soltasse o seu pé e ficasse imóvel. Ele botara o joelho na garganta do homem, para que não gritasse, e continuava enfiando-lhe a faca através da manta, quando Pablo lançou a bomba pela janela, no quarto onde os homens do posto estavam dormindo. E, quando se fez o clarão, foi como se o mundo todo explodisse em vermelho e amarelo diante dos seus olhos, e duas outras bombas já tinham sido jogadas. Pablo puxara os pinos e atirara as bombas, rapidamente, através da janela, e os homens que não morreram nas suas camas foram mortos logo que se puseram de pé e a segunda bomba explodiu. Foi nos bons tempos de Pablo, quando ele flagelava a região como um tártaro, e nenhum posto fascista estava seguro à noite.

"Mas hoje ele é um homem acabado. Terminou como um porco-do-mato castrado", Anselmo pensou, "e quando a castração é feita e o guincho silencia, você atira fora os dois bagos e o porco-do-mato, que não é mais porco-do-mato, vai fuçá-los e os come. Não, ele não é tão mau assim", e Anselmo sorriu, "às vezes somos maldosos julgando alguém, até uma pessoa como Pablo. Mas só porque ele é um bocado feio e mudou muito."

"Está frio demais. Que aquele *Inglés* venha logo, e que eu não tenha que matar nesse negócio dos postos. Esses quatro galegos e o cabo são para quem gosta de matar. Foi o que o *Inglés* disse. Eu o farei, se for a minha tarefa, mas o *Inglés* disse que eu estarei com ele na ponte, e que o resto será deixado para os outros. Haverá uma batalha na ponte e, se for capaz de aguentar uma batalha, então eu teria feito tudo que um velho pode fazer nesta guerra. Mas, que o *Inglés* venha agora, estou congelado e ver aquela luz dentro da serraria, onde sei que os galegos estão aquecidos, me faz sentir ainda mais frio. Queria estar em minha casa novamente, e que esta guerra tivesse acabado. Mas agora não tenho mais casa. Temos que vencer esta guerra, ou jamais voltarei para minha casa."

Dentro da serraria, uma das sentinelas estava sentada, no seu beliche, e engraxava as suas botinas. Outra sentinela dormia, deitada no seu catre. A terceira estava cozinhando, e o cabo estava lendo um jornal. Os seus capacetes estavam pendurados em pregos na parede e os seus rifles encostados na parede de pranchão.

— Que lugar é esse, que neva quando já é quase junho? — resmungou o soldado sentado no beliche.

— É um fenômeno — concordou o cabo.

— Estamos na lua de maio — disse o soldado que cozinhava. — A lua de maio ainda não acabou.

— Que lugar é esse que neva em maio? — insistiu o soldado sentado no beliche.

— Em maio, não é raro nevar nessas montanhas — disse o cabo. — Já senti frio em Madri, no mês de maio, mais do que em qualquer outro mês.

— E mais calor também — disse o soldado que estava cozinhando.

— Maio é um mês de grandes contrastes de temperatura — disse o cabo. — Aqui, em Castela, maio é um mês de muito calor, mas também é possível fazer muito frio.

— Ou chover — disse o soldado do beliche. — Em maio do ano passado, choveu quase todos os dias.

— Não choveu, não — disse o soldado que cozinhava. — E, seja como for, o mês de maio passado foi a lua de abril.

— A gente pode ficar louco te ouvindo falar das tuas luas — disse o cabo. — Deixa as luas em paz.

— Qualquer um que viva perto do mar, ou no campo, sabe que é a lua, e não o mês, que conta — falou o soldado que estava cozinhando. — Agora, por exemplo, começamos a fase da lua de maio, embora ela esteja vindo em junho.

— Então por que nós não ficamos atrasados em relação às estações? — disse o cabo. — Todo esse negócio me dá muita dor de cabeça.

— Você é da cidade — disse o soldado que cozinhava. — Você é de Lugo. O que você saberia sobre o mar ou a terra?

— Se aprende mais na cidade do que vocês, analfabetos do mar e da terra.

— Nesta lua aparecem os primeiros cardumes de sardinha — disse o soldado que estava cozinhando. — Nesta lua os barcos de sardinhas se preparam e os de peixe cavala vão para o norte.

— Por que você não está na marinha, se é de Noya? — perguntou o cabo.

— Porque não sou inscrito em Noya, mas em Negreira, onde nasci. Em Negreira, lá para cima do rio Tambre, pegam a gente para o exército.

— Falta de sorte — disse o cabo.

— Não pense que na marinha não há riscos — disse o soldado sentado no beliche. — Mesmo sem a possibilidade de combate, há a costa, que é perigosa no inverno.

— Nada pode ser pior do que o exército — disse o cabo.

— Ora, você, um cabo — disse o soldado que estava cozinhando. — Que jeito é este de falar?

— Não — disse o cabo. — Eu me refiro ao perigo. Me refiro a enfrentar um bombardeio, à necessidade do ataque, à vida no forte.

— Aqui não temos muito disso — disse o soldado do beliche.

— Graças a Deus — disse o cabo. — Mas quem sabe quando estaremos sujeitos a isso novamente? Certamente não teremos esta moleza para sempre!

— Por quanto tempo você acha que ficaremos neste posto?

— Não sei — disse o cabo. — Mas eu gostaria que fosse pelo resto da guerra.

— Seis horas é um bocado de tempo de vigia — disse o soldado que estava cozinhando.

— Vamos fazer turnos de três horas enquanto essa nevasca durar — disse o cabo. — Isto é tolerável.

— O que eram todos aqueles carros de oficiais? — perguntou o soldado no beliche. — Não gostei da aparência daqueles carros.

— Nem eu — disse o cabo. — Aquilo é um mau presságio.

— E a aviação — disse o soldado que cozinhava. — A aviação é outro mau sinal.

— Mas nós temos uma aviação formidável — disse o cabo. — Os vermelhos não têm aviões como os nossos. Aqueles aviões desta manhã eram algo para fazer qualquer homem feliz.

— Vi os aviões dos vermelhos empenhados para valer numa ação certa vez — disse o soldado no beliche. — Já vi aqueles bombardeiros bimotores que são um horror para enfrentar.

— Sim, mas eles não são tão formidáveis como a nossa aviação — disse o cabo. — Temos uma aviação insuperável.

Era assim que eles conversavam na serraria, enquanto Anselmo esperava na neve, vigiando a estrada e observando a luz através da janela da serraria.

"Espero que eu não seja escalado para a matança", refletia Anselmo. "Acho que, após a guerra, deverá haver uma grande penitência pelas mortes cometidas. Se não tivermos mais religião, depois da guerra, então acho que deveria haver uma forma qualquer de penitência civil organizada, para que todos sejam purificados da matança, do contrário jamais teremos uma base verdadeira e humana para viver. A matança é necessária, eu sei. Mesmo assim, muito ruim para o homem, e acho que, após tudo isso acabar e ganharmos a guerra, deve haver uma forma de penitência qualquer para a purificação de todos nós."

Anselmo era um bom homem, e toda vez que ficava sozinho por muito tempo, e ele ficava sozinho com frequência, o dilema da matança retornava-lhe à consciência.

"Fico pensando no *Inglés*. Ele me falou que não se importa com isso. No entanto, parece ser generoso e sensível. Talvez para os jovens isso não tenha importância. Talvez, os estrangeiros, ou aqueles que não tiveram a nossa religião, não tenham a mesma noção das coisas. Mas eu acho que qualquer um que fique matando outras pessoas, com o tempo, se torna brutalizado, e mesmo que seja necessário é um grande pecado, e depois da guerra devemos fazer alguma coisa muito forte como reparação."

Já estava escuro. Ele voltou os olhos para a luz do outro lado da estrada e bateu os braços contra o peito, para aquecê-los. "Agora", pensou ele, "deveria retornar ao acampamento", mas alguma coisa o detinha junto da árvore acima da estrada. A nevasca tornara-se mais forte, e Anselmo pensou: "Se pelo menos pudéssemos explodir a ponte esta noite. Numa noite como esta, seria fácil tomar os postos e destruir a ponte, e tudo estaria acabado de uma vez. Numa noite como esta, dá para fazer qualquer coisa."

Mas ele ficou parado, contra a árvore, batendo os pés de leve para se aquecer, e não pensou mais na ponte. A chegada da noite sempre lhe trazia solidão, e nesta noite ele estava se sentindo tão só que havia um vazio dentro dele como se estivesse faminto. Nos velhos tempos, preencheria esta solidão com orações; muitas vezes, retornando para casa das caçadas, costumava repetir a mesma oração inúmeras vezes. Isso o fazia se sentir melhor. Mas não rezara uma única vez desde que o movimento começou. Sentia falta das orações, mas pensou que seria injusto, e hipócrita, se orasse, e não queria pedir qualquer favor ou um tratamento diferente do que todos estavam recebendo.

"Não", pensou, "estou me sentindo solitário. E também todos os soldados, e as esposas dos soldados, e todos aqueles que perderam os seus familiares. Não tenho esposa, mas fico feliz que ela tenha morrido antes do movimento. Ela não entenderia. Não tenho filhos e nunca os terei. Sou solitário durante o dia, quando não estou trabalhando, mas é quando a noite vem que a solidão aumenta de verdade. Só que uma coisa eu tenho que nenhum homem e nenhum deus podem me tomar, o fato de eu ter trabalhado bem para a República. Trabalhei duro para o bem que todos nós compartilharemos mais tarde. Dei o melhor de mim desde o começo do movimento, e não fiz nada de que me envergonhe."

"Sinto muito apenas pelas mortes. Mas certamente haverá uma oportunidade para reparação, porque para um pecado desta natureza, que tantos levam consigo, certamente haverá um alívio qualquer. Gostaria de conversar com o *Inglés* sobre isto, mas é possível que ele, sendo jovem, não entenda. Ele mencionou as mortes primeiro. Ou fui eu? Ele deve ter matado muita gente, mas não mostra nenhum sinal de gostar disso. Naqueles que gostam disso sempre há uma podridão."

"Deve ser realmente um grande pecado. É claro que não temos o direito de matar alguém, mesmo que, como sabemos, seja necessário. Mas, na Espanha, isto é feito de modo leviano, e sem necessidade, e há tanta injustiça que depois não terá reparação. Queria não pensar tanto nisso. Queria que houvesse uma penitência que eu pudesse começar agora, pois é a única coisa, em toda a minha vida, que me faz sentir muito mal quando estou sozinho. Todas as ações são perdoadas, ou se tem a chance de repará-las com a bondade, ou de outra forma decente. Mas acho que matar é um pecado grande demais, e eu gostaria de compensá-lo. Mais tarde, talvez haja certos dias que uma pessoa possa trabalhar para o Estado, ou alguma coisa que se possa fazer para remover isso da mente. Talvez alguma coisa que se vá pagar, como nos tempos da Igreja", e o pensamento o fez sorrir. A Igreja era organizada o bastante para punir os pecados. Aquilo lhe agradou, e ele sorria no escuro quando Robert Jordan aproximou-se. Ele veio silenciosamente, e o velho somente percebeu quando ele já estava ao seu lado.

— *Hola, Viejo* — Robert Jordan cochichou, e deu um tapinha nas suas costas. — Como vai o Velho?

— Com muito frio — disse Anselmo. Fernando permaneceu um pouco à parte, de costas para a direção de onde vinha a neve.

— Vamos — sussurrou Robert Jordan. — Levante-se e vamos para o acampamento nos aquecer. Foi um crime deixá-lo aqui tanto tempo.

— Aquela é a luz do posto — disse Anselmo, apontando.

— Onde está a sentinela?

— Não se vê daqui, está além da curva.

— Para o inferno com eles — disse Robert Jordan. — Me conte no acampamento. Vamos!

— Deixe-me mostrar-lhe — disse Anselmo.

— Vou olhar isto pela manhã — disse Robert Jordan. — Aqui, tome um gole disto.

Passou para Anselmo o seu frasco, e Anselmo virou um gole.

— *Aiee* — disse o velho, esfregando a boca. — Isto queima.

— Venha — disse Robert Jordan, no escuro. — Vamos!

Estava tão escuro que se podia ver apenas os flocos de neve, carregados pelo vento, e os vultos negros e rígidos dos troncos dos pinheiros. Fernando estava parado, um pouco acima no aclive. "Olhe só que figura. Parece um daqueles índios das lojas de charutos esculpidos em madeira", pensou Robert Jordan. "Acho melhor lhe oferecer um gole."

— Ei, Fernando — disse-lhe, assim que ele veio para perto. — Um gole?

— Não — disse Fernando. — Obrigado.

"Eu que agradeço", pensou Robert Jordan. "Que bom que índios de loja de charuto não bebam. Não sobrou muito. Rapaz, estou contente em ver o Velho." Ele olhou para Anselmo e lhe deu um tapinha nas costas novamente, enquanto começavam a subir a colina.

— Estou contente em ver você, *Viejo* — disse para Anselmo. — Se uma hora fico desanimado, ver você me anima. Venha! Vamos subir.

Eles estavam subindo a colina, na neve.

— De volta para o palácio de Pablo — disse Robert Jordan para Anselmo. Soou maravilhoso em espanhol.

— *El Palacio del Miedo* — replicou Anselmo.

— *La cueva de los huevos perdidos* — replicou Robert Jordan, alegremente.

— Que ovos? — perguntou Fernando.

— É uma brincadeira — disse Robert Jordan. — Apenas uma brincadeira. Não ovos, entende? Os outros.

— Mas por que eles estão perdidos? — perguntou Fernando.

— Eu não sei — disse Robert Jordan. — Procure num livro. Pergunte a Pilar — e colocou o braço sobre o ombro de Anselmo, segurando-o firme enquanto caminhavam, e sacudiu-o. — Escute — disse para Anselmo. — Estou mesmo contente por vê-lo, ouviu? Você não sabe o que significa encontrar alguém, neste país, no mesmo posto onde foi deixado.

Isto demonstrava o grau de confiança e intimidade que tinha no velho, a ponto de poder fazer comentários contra o país.

— E estou contente por te ver — disse Anselmo. — Mas estava quase deixando o posto.

— Você não deixaria, nem por um inferno — disse-lhe Robert Jordan. — Você congelaria e não abandonaria o posto.

— Como estão as coisas lá em cima? — perguntou Anselmo.

— Tudo bem — respondeu Robert Jordan. — Tudo está bem.

Ele estava muito feliz com aquela súbita e rara felicidade, que pode acontecer a qualquer um, no comando de uma força revolucionária; a felicidade de encontrar pelo menos um único flanco que resiste. "Ah, se ambos os flancos resistissem, seria pedir demais", pensou. "Não sei quem estaria preparado para aguentar. E se você fica exigindo demais de um flanco, qualquer flanco, mais cedo ou mais tarde ele se reduz a um único homem. Sim, um único homem." Não era o axioma que ele queria ver na prática. Mas este era um homem bom. O único homem bom. "Você será o flanco esquerdo quando ocorrer o combate", pensou ele. "Mas é melhor não lhe falar, por enquanto. Será um combate extraordinariamente pequeno, mas igualmente bom. Ora, sempre quis lutar num combate do meu próprio jeito. Sempre tive a minha opinião sobre o que estava errado no combate dos outros, desde Agicourt. Tenho que fazer deste um belo combate. Será pequeno mas especial. Se eu tiver que fazer o que penso, será muito especial, de verdade."

— Escute — disse para Anselmo. — Estou contente demais por ver você.

— E eu de te ver — disse o velho.

Enquanto subiam a colina, no escuro, o vento soprando em suas costas com a neve riscando o ar à volta deles, Anselmo não se sentiu solitário. Deixara de se sentir solitário desde o momento em que o *Inglés* lhe deu o tapinha no ombro. O *Inglés* estava satisfeito e alegre e os dois faziam piadas. O *Inglés* disse que estava tudo bem e que não estava preocupado. A bebida no seu estômago o esquentou e seus pés estavam aquecidos, agora que caminhavam.

— Pouco movimento na estrada — disse para o *Inglés*.

— Isto é bom — disse-lhe o *Inglés*. — Você me mostrará quando chegarmos no acampamento.

Anselmo estava contente e satisfeito por ter permanecido no posto de observação.

"Se ele tivesse retornado para o acampamento, não se poderia reclamar. Teria sido inteligente e correto, sob tais circunstâncias", pensava Robert Jordan. "Mas ele permaneceu conforme foi instruído. É a coisa mais rara de acontecer na Espanha. Permanecer numa tempestade, em certo sentido, corresponde a muitas coisas. Não é por nada que os alemães chamam um ataque de tempestade. Como eu gostaria de ter mais uns dois do tipo que permanecem no posto. Claro que eu gostaria. Será que esse Fernando ficaria? É até possível. Afinal, foi ele que se ofereceu para vir comigo. Quem sabe ele permaneceria? Como isto seria bom. Ele é teimoso o bastante para isso. Vou ter que fazer umas perguntas. O que será que este cara de índio de loja de charuto está pensando, neste momento?"

— O que você está pensando, Fernando? — perguntou-lhe Robert Jordan.

— Por que pergunta?

— Curiosidade — disse Robert Jordan. — Sou um homem muito curioso.

— Estava pensando no jantar — respondeu Fernando.

— Gosta de comer?

— Gosto, muito.

— Que tal é a comida de Pilar?

— Na média — respondeu Fernando.

É um segundo Coolidge,* pensou Robert Jordan. Mas, sabe, tenho o palpite de que ele permaneceria no posto.

Os três homens se arrastaram colina acima, sob a neve.

---

* John Calvin Coolidge, o 30º. presidente dos Estados Unidos de 1923 a 1929. Ficou conhecido como um presidente moralista e muito calado. (N. T.)

16

—El Sordo esteve aqui — disse Pilar para Robert Jordan. Eles tinham acabado de chegar da caminhada da nevasca, para o aconchego da caverna aquecida e enfumaçada, e a mulher fizera um movimento com a cabeça para que Robert Jordan se aproximasse dela. — Ele foi procurar cavalos.

— Isto é bom. Não deixou nenhum recado para mim?

— Somente que foi procurar cavalos.

— E nós?

— *No sé* — disse Pilar. — Olhe para ele.

Robert Jordan vira Pablo, logo que entrara, e Pablo fizera uma careta. Agora ele é que lançou um olhar para Pablo. Sentado à mesa de pranchas, arreganhou os dentes e acenou com a mão para ele.

— *Inglés* — gritou-lhe Pablo. — Continua caindo, *Inglés*.

Robert Jordan balançou a cabeça.

— Deixa-me pegar os teus sapatos e secá-los — disse Maria.

— Vou pendurá-los aqui, na fumaça do fogão.

— Cuidado, não vá queimá-los — disse-lhe Robert Jordan. — Não quero andar descalço por aí. Qual é o problema? — disse, virando-se para Pilar. — É uma reunião? Você não tem nenhuma sentinela lá fora?

— Nesta nevasca? *Qué va.*

Havia seis homens sentados à mesa, reclinados, com as costas na parede. Anselmo e Fernando continuavam na entrada, sacudindo a neve dos seus casacos, tapeando as calças e batendo com os pés na parede da entrada.

— Deixa-me pegar a tua jaqueta — disse Maria. — Não deixe que a neve derreta sobre ela.

Robert Jordan tirou a jaqueta, bateu a neve das suas calças e desamarrou os cadarços dos sapatos.

— Vai molhar tudo aqui — disse Pilar.

— Foste tu que me chamaste.

— Mas isto não impede que você volte para a porta e sacuda esta neve.

— Desculpa-me — disse Robert Jordan, parado e com os pés descalços no chão. — Cace um par de meias para mim, Maria.

— Sim, Mestre — disse Pilar, com ironia, enfiando um graveto entre as brasas.

— *Hay que aprovechar el tiempo* — disse-lhe Robert Jordan.

— Está trancada — disse Maria.

— Toma a chave — e atirou-lhe a chave.

— Não encaixa.

— Está na outra mochila. As meias estão bem em cima, do lado.

A garota achou o par de meias, fechou a mochila, chaveou-a e trouxe as meias junto com a chave.

— Senta-te e vista-as, e esfrega bem os teus pés — disse Maria.

Robert Jordan sorriu cinicamente para ela.

— Tu não podes secá-los com os teus cabelos? — disse ele, alto para Pilar poder ouvir.

— Ora, que suíno — disse Pilar. — Primeiro ele é o Senhor do Feudo. Agora ele é o Nosso ex-Senhor em pessoa. Bata nele com uma acha de lenha, Maria.

— Não — disse-lhe Robert Jordan. — Estou brincando porque estou contente.

— Você está contente?

— Estou — ele disse. — Acho que tudo está indo muito bem.

— Roberto — disse Maria. — Senta-te, enxuga os teus pés e deixa-me trazer-te uma bebida para te aquecer.

— Você pensa que este homem nunca ensopou os pezinhos antes? — disse Pilar. — Que um floco de neve nunca caiu nele?

Maria trouxe-lhe um pelego e o colocou à sua frente, no chão da caverna.

— Aí — disse ela. — Pise sobre isto até que os teus sapatos estejam secos.

A pele de carneiro fora seca recentemente, mas não fora curtida, e Robert Jordan descansou sobre ela os pés, com as meias, e sentiu-a estalar como um pergaminho.

O fogo estava esfumaçando e Pilar gritou para Maria:

— Abane o fogo, sua inútil. Isto aqui não é um defumadouro.

— Abana tu — respondeu Maria. — Estou procurando a garrafa que El Sordo deixou.

— Está atrás das mochilas dele — disse-lhe Pilar. — Você tem que tratá-lo como um bebê?

— Não — disse Maria. — Como um homem que está com frio e molhado. E como um homem que acaba de voltar para casa. Está aqui — e levou a garrafa para Robert Jordan. — É a garrafa desta tarde. Com esta garrafa se pode fazer uma linda luminária. Quando voltarmos a ter eletricidade, que linda luminária nós poderemos fazer com ela — e olhava admirada para a garrafa. — Como você quer, Roberto?

— Pensei que eu fosse o *Inglés* — disse-lhe Robert Jordan.

— Te chamo de Roberto na frente dos outros — disse ela, baixinho e ruborizou. — Como você quer, Roberto?

— Roberto — disse Pablo, grosseiramente e balançando a cabeça para Robert Jordan. — Como você quer beber, Dom Roberto?

— Quer um pouco? — perguntou-lhe Robert Jordan. Pablo recusou com a cabeça.

— Estou me embriagando com vinho — disse ele, com dignidade.

— Vá com Baco — disse Robert Jordan, em espanhol.

— Quem é Baco? — perguntou Pablo.

— Um camarada teu — disse Robert Jordan.

— Nunca ouvi falar dele, nestas montanhas — disse Pablo, rispidamente.

— Dá um copo para Anselmo — Robert Jordan disse para Maria. — É ele quem está com frio — ele calçava o par de meias secas, e o uísque com água no copo tinha um gosto tenuemente aquecedor. "Mas não circula dentro do corpo como o absinto", pensou ele. "Não há nada como o absinto."

"Quem poderia imaginar que eles tivessem uísque, aqui nessas montanhas. Mas pensando bem, La Granja era o lugar mais apropriado, da Espanha, para se encontrar uísque. Imagine, El Sordo ter oferecido uma garrafa para o visitante dinamitador, e depois ter lembrado de trazê-la e deixá-la aqui. Isto não eram apenas boas maneiras da parte deles. Boas maneiras seriam apresentar a garrafa e convidar para um drinque formal. É o que os franceses fariam, e então teriam guardado o restante para outra ocasião. Não, a verdadeira consideração de pensar que o visitante iria gostar disso, e então trazer a garrafa de uísque para ele desfrutar, quando você mesmo estava engajado num negócio em que teria tudo para pensar apenas em si mesmo, e em nada mais, mas somente no problema em questão: isto era bem espanhol. Um certo tipo de espanhol. Esse gesto de lembrar de trazer uísque é uma das razões pelas quais você ama essa gente. Mas não seja romântico. Há tantos tipos de espanhóis quanto de americanos. Ainda assim, trazer o uísque foi muito elegante."

— Como você quer? — perguntou a Anselmo.

O velho estava sentado perto do fogo, com um sorriso no rosto, suas mãos enormes segurando o copo. Ele abanou a cabeça.

— Não? — perguntou-lhe Robert Jordan.

— A criança botou água na bebida — disse Anselmo.

— Exatamente como Roberto gosta — disse Maria. — Tu és alguém especial?

— Não — disse Anselmo. — Nada especial. Mas gosto de sentir a bebida queimando, quando desce na garganta.

— Dá-me, que eu bebo — disse Robert Jordan para a garota. — E serve um pouco daquele que queima para o Velho.

Ele despejou o conteúdo do copo do velho em seu próprio e devolveu o copo vazio para a garota, que o serviu da garrafa, cuidadosamente.

— Ah. — Anselmo pegou o copo, atirou a cabeça para trás e entornou o uísque direto garganta abaixo. Ele olhou para Maria, parada com a garrafa na mão, e piscou para ela, com lágrimas correndo-lhe dos olhos. — É isto — disse o velho, lambendo os beiços. — *É isto* que mata os vermes que nos infestam.

— Roberto — disse Maria, aproximando-se dele, ainda com a garrafa na mão. — Quer comer?

— Já está pronto?

— Quando você quiser.

— Os outros já comeram?

— Todos, menos você, Anselmo e Fernando.

— Então vamos comer — disse ele. — E você?

— Eu como depois, com Pilar.

— Coma agora, com a gente.

— Não. Não ficaria bem.

— Vamos, coma. No meu país um homem não come antes da mulher.

— Isso é no teu país. Aqui, costumamos comer depois.

— Coma com ele — disse Pablo, olhando da mesa. — Coma com ele. Beba com ele. Durma com ele. Morra com ele. Siga os costumes do país dele.

— Você está bêbado? — disse Robert Jordan, erguendo-se diante de Pablo. O homem sujo e de barba por fazer olhou para ele com alegria.

— Estou — disse Pablo. — Onde é o teu país, *Inglés*, lá onde as mulheres comem com os homens?

— Nasci nos Estados Unidos, no estado de Montana.

— É lá que os homens vestem saias como as mulheres?

— Não. Isto é na Escócia.

— Mas escute — disse Pablo. — Quando você veste saias como aquelas, *Inglés*...

— Eu não uso saias — disse Robert Jordan.

— Quando você está usando aquelas saias — continuou Pablo —, o que você veste por baixo?

— Não sei o que os escoceses usam por baixo — disse Robert Jordan. — Sempre tive curiosidade.

— Os escoceses, não — disse Pablo. — Quem se importa com os escoceses? Quem se importa com algo com um nome tão estranho? Não eu. Não quero nem saber. Você, eu digo, você, *Inglés*. O que você usa por baixo das saias, no seu país?

— Já falei duas vezes que nós não usamos saias — disse Robert Jordan. — Nem quando estamos bêbados, nem brincando.

— Mas por baixo das suas saias — insistiu Pablo. — Uma vez que é sabido que você usa saias. Até os soldados. Já vi em fotografias e no *Circus de Price*. O que você usa debaixo das suas saias, *Inglés*?

— *Los cojones* — disse Robert Jordan.

Anselmo soltou uma gargalhada, assim como os outros que estavam ouvindo, todos menos Fernando. O som da palavra, do palavrão dito na frente das mulheres, foi ofensivo para ele.

— Bem, isto é normal — disse Pablo. — Mas, para mim, se você tivesse bastante *cojones*, não usaria saias.

— Não deixe ele começar novamente, *Inglés* — disse o cara achatada, com o nariz quebrado, chamado Primitivo. — Ele está bêbado. Diga-me, o que eles criam no seu país?

— Vacas e ovelhas — disse Robert Jordan. — Plantam muitos grãos também, e vagens. E também muita beterraba para o açúcar.

Os três estavam à mesa, agora, os outros perto, com exceção de Pablo, que se sentou à parte, em frente a um jarro de vinho. Era o mesmo ensopado da noite anterior, e Robert Jordan comeu esfomeado.

— No seu país há montanhas? Com esse nome, com certeza há montanhas — perguntou Primitivo, polidamente puxando conversa. Estava embaraçado por causa da bebedeira de Pablo.

— Muitas montanhas, e bem altas.

— E lá tem boas pastagens?

— Excelentes. Altas pastagens no verão, nas florestas mantidas pelo governo. Quando chega o outono, o gado é levado para as planícies.

— Lá a terra é propriedade dos camponeses?

— A maioria da terra pertence a quem nela produz. Antigamente a terra pertencia ao Estado; morando nela, declarando a intenção de promover melhorias, a pessoa podia obter um título de propriedade de cento e cinquenta hectares.

— Conte-me como é isso — perguntou Agustín. — Isto é uma reforma agrária, o que significa uma coisa e tanto.

Robert Jordan explicou o processo de cessão de terras aos colonos. Jamais pensara nisso como uma reforma agrária.

— Isto é magnífico — disse Primitivo. — Então você tem o comunismo no seu país?

— Não. Isto é feito sob o regime da República.

— Para mim — disse Agustín —, tudo pode ser feito sob o regime da República. Não vejo necessidade de outra forma de governo.

— Vocês não têm grandes proprietários? — perguntou Andrés.

— Muitos.

— Então deve haver abusos.

— Claro, há muitos abusos.

— Mas vocês irão eliminá-los?

— Nós tentamos, cada vez mais. Mas continua havendo muitos abusos.

— Mas não há grandes propriedades que podem ser desmembradas?

— Sim, mas há quem acredite que os impostos farão isso.

— Como?

Robert Jordan, limpando o tacho de ensopado com o pão, explicou como o imposto de renda e o imposto sobre a herança funcionavam.

— Mas as grandes propriedades permanecem existindo. E também temos impostos sobre a terra.

— Sem dúvida os latifundiários e ricos farão uma revolução contra tais impostos. Esses impostos me parecem revolucionários. Os ricos irão se revoltar contra o governo quando perceberem que estão ameaçados, exatamente como os fascistas fizeram aqui — disse Primitivo.

— É possível.

— Aí você terá que lutar no seu país, como nós lutamos aqui.

— Sim, teremos que lutar.

— Mas não há muitos fascistas no seu país?

— Há muitos que não sabem que são fascistas, mas com o tempo irão descobrir.

— Mas você não pode destruí-los, antes que eles se rebelem?

— Não — disse Robert Jordan. — Não podemos destruí-los. Mas podemos educar as pessoas, de modo que elas irão temer o fascismo, reconhecê-lo quando se manifestar, e combatê-lo.

— Você sabe onde não há fascistas? — perguntou Andrés.

— Onde?

— Na cidade de Pablo — disse Andrés, e abriu um sorriso.

— Você sabe o que foi feito naquela vila? — perguntou Primitivo a Robert Jordan.

— Sei. Ouvi a história.

— De Pilar?

— Foi.

— Você não ouviu tudo da mulher — disse Pablo, opressivamente. — Ela não viu o final do que aconteceu, porque caiu de uma cadeira, lá fora, quando olhava pela janela.

— Então você conta para ele o que aconteceu — disse Pilar. — Já que eu não conheço a história, conte-a você.

— Não — disse Pablo. — Nunca a contei.

— Não — disse Pilar. — E não vai contá-la. E hoje você gostaria que não tivesse acontecido.

— Não — disse Pablo. — Não é verdade. Se todos tivessem matado os fascistas como eu matei, não estaríamos nesta guerra. Mas não deixaria acontecer como aconteceu.

— Por que você diz isto? — perguntou Primitivo. — Está mudando a sua política?

— Não. Mas aquilo foi uma barbaridade — disse Pablo. — Naquele tempo eu era muito bárbaro.

— E hoje você é um bêbado — disse Pilar.

— Sou — disse Pablo. — Com a sua permissão.

— Gostava mais de você quando era bárbaro — disse a mulher. — De todos os homens, o bêbado é o mais idiota. O ladrão, quando não está roubando, é igual a qualquer outro. O chantagista não opera em casa. O assassino, quando está em casa, pode lavar as mãos. Mas o bêbado fede e vomita na sua própria cama, e dissolve seus órgãos no álcool.

— Você é uma mulher, você não entende — disse Pablo, tranquilamente. — Estou bêbado de vinho e seria feliz, se não fosse por causa daquelas pessoas que matei. Todas elas me enchem de remorso — balançou a cabeça, lobregamente.

— Dê-lhe um pouco daquilo que El Sordo trouxe — disse Pilar. — Dê-lhe algo para animá-lo. Ele está ficando muito triste de se aturar.

— Se eu pudesse restituir-lhes a vida, eu o faria — disse Pablo.

— Vá se (...) — disse Agustín para ele. — Que lugar é esse?

— Eu os traria de volta à vida — lamentou-se Pablo. — Todos!

— Vá se (...) — gritou Agustín para ele. — Pare de falar desse jeito ou caia fora. Aqueles que você matou eram fascistas.

— Você me ouviu — gritou Pablo. — Eu restituiria a vida a todos eles.

— E aí você caminharia sobre a água — disse Pilar. — Nunca vi em minha vida um homem como este. Até ontem você ainda preservava algum resto de masculinidade. E hoje, de você já não há o suficiente para se fazer um gato doente. Mesmo assim você está aí feliz, todo encharcado.

— Deveríamos ter matado todos, ou nenhum — disse Pablo, balançando a cabeça. — Todos ou nenhum.

— Escute, *Inglés* — disse Agustín. — Como você veio parar na Espanha? Não dê atenção a Pablo. Ele está bêbado.

— Vim para cá há doze anos, para estudar o país e aprender a língua — disse Robert Jordan. — Ensino espanhol numa universidade.

— Você não se parece muito com um professor — disse Primitivo.

— Ele não tem barba — disse Pablo. — Olhe para ele. Não tem barba.

— É verdade, você é professor?

— Um instrutor.

— Mas você ensina?

— Ensino.

— Mas, por que espanhol? — quis saber Andrés. — Não seria mais fácil ensinar inglês, já que você é inglês?

— Ele fala espanhol como nós — disse Anselmo. — Por que ele não poderia ensinar espanhol?

— Sim. Mas isto é, de uma certa maneira, presunçoso, para um estrangeiro, ensinar espanhol — disse Fernando. — Não tenho nada contra você, Dom Roberto.

— Ele é um falso professor — disse Pablo, muito satisfeito consigo mesmo. — Ele não tem barba.

— Certamente que você conhece melhor o inglês — disse Fernando. — Não seria melhor, mais fácil e mais lógico ensinar inglês?

— Ele não ensina para espanhóis — interferiu Pilar.

— Espero que não — disse Fernando.

— Deixe-me terminar, sua mula — disse-lhe Pilar. — Ele ensina espanhol para americanos. Norte-americanos.

— Eles não falam espanhol? — perguntou Fernando. — Os sul-americanos falam.

— Mula — disse Pilar. — Ele ensina espanhol para norte-americanos que falam inglês.

— Tudo bem, mas acho que seria mais fácil para ele ensinar inglês, se é esta a língua que ele fala — disse Fernando.

— Você não vê que ele fala espanhol? — Pilar abanou a cabeça para Robert Jordan, desesperançada.

— Sim. Mas com sotaque.

— De onde? — perguntou-lhe Robert Jordan.

— De Extremadura — disse Fernando, formalmente.

— Ah, minha mãe! — disse Pilar. — Que povo!

— É possível — disse Robert Jordan. — Vim de lá.

— Como ele bem sabe — disse Pilar. — Suas solteironas velhas! — virando-se para Fernando. — Já comeu o bastante?

— Comeria mais, se tivesse mais comida — disse-lhe Fernando. — E não pense que eu queira dizer algo contra você, Dom Roberto...

— Merda! — disse Agustín, simplesmente. — E merda outra vez. Fazemos a revolução para dizer Dom Roberto a um camarada?

— Para mim, a revolução é para que digamos Dom para todos — disse Fernando. — Assim é que deveria ser sob a República.

— Merda! — disse Agustín. — Merda e merda!

— Não abro mão de achar que seria mais fácil e mais lógico para Dom Roberto ensinar inglês.

— Dom Roberto não tem barba — disse Pablo. — Ele é um falso professor.

— O que você quer dizer com eu não tenho barba? — disse Robert Jordan. — O que é isto aqui? — ele bateu com a mão no queixo e nos dois lados da face com a barba loura de três dias por fazer.

— Isso não é barba — disse Pablo. Abanou a cabeça e repetiu: — Isso não é barba — seu tom era quase jovial. — Ele é um falso professor.

— Eu quero me (...) se isto aqui não parece um asilo de lunáticos! — exclamou Agustín.

— Você devia beber — disse Pablo. — Para mim, tudo parece normal. A não ser a falta da barba de Dom Roberto.

Maria passou a mão no rosto de Robert Jordan.

— Ele tem barba — disse ela para Pablo.

— Você deve saber — disse Pablo, e Robert Jordan lançou-lhe um olhar raivoso.

"Não acho que ele esteja tão bêbado assim", pensou Robert Jordan. "Não, não está tão bêbado. É melhor eu me cuidar."

— Tu — disse para Pablo. — Achas que esta neve vai durar?

— O que você acha?

— Perguntei a você.

— Pergunta a outro — respondeu Pablo. — Não sou o teu serviço de informação. Tens o relatório do teu serviço de informação. Pergunta à mulher, ela está no comando.

— Perguntei para ti!

— (...)! — disse Pablo. — Tu, a mulher e a garota.

— Ele está bêbado — disse Primitivo. — Não vale a pena dar atenção a ele, *Inglés*.

— Não acho que esteja tão bêbado — disse Robert Jordan.

Maria estava parada atrás de Robert Jordan e ele percebeu Pablo olhando para ela por sobre o seu ombro. Os olhos pequenos, como os de um javali, na cabeça redonda e quase nua seguiam Maria, e Robert Jordan pensou: "Conheci muitos assassinos nesta guerra, e alguns antes da guerra, e todos são diferentes, não têm um traço de caráter comum, nem criminoso; mas esse Pablo sem dúvida não é nada bonito."

— Não acredito que você saiba beber — disse para Pablo. — Nem que você esteja bêbado.

— Eu estou bêbado — disse Pablo com dignidade. — Beber não é nada. É estar bêbado que importa. *Estoy muy borracho.*

— Bêbado, eu duvido — disse Robert Jordan. — Acovardado, sim.

De repente a caverna ficou tão silenciosa que dava para se ouvir o assovio das madeiras queimando no fogão onde Pilar cozinhava. Ele ouviu o pelego estalar, enquanto descansava seu peso sobre ele com os pés descalços. Pensou que podia quase ouvir o barulho da neve caindo lá fora. Não podia, mas podia ouvir o silêncio onde ela caía.

"Gostaria de matá-lo e acabar logo com isso", Robert Jordan pensava. "Não sei o que ele fará, mas não cheira bem. Depois de amanhã é o negócio da ponte, e este homem está mal, constitui um perigo para o sucesso de toda a operação. Vamos lá. Vamos acabar com isso."

Pablo arreganhou os dentes para ele, ergueu um dedo e o passou horizontalmente na garganta, abanando lentamente a cabeça sobre o seu grosso e curto pescoço.

— Não, *Inglés* — disse Pablo. — Não me provoque. — Olhou para Pilar e disse-lhe: — Não é assim que você se livra de mim.

— *Sinvergüenza* — disse Robert Jordan, agora conscientemente decidido a agir. — *Cobarde!*

— É bem possível — disse Pablo. — Mas não deve me provocar. Pegue alguma coisa para beber, *Inglés*, e diga para a mulher que não obteve sucesso.

— Cala a tua boca. Eu te provoquei por mim mesmo — disse Robert Jordan.

— Não vale a pena — disse-lhe Pablo. — Não estou aceitando provocações.

— Tu és um *bicho raro* — disse Robert Jordan, sem querer deixar escapar a oportunidade, sem querer falhar pela segunda vez, sabendo, no que ia pronunciando as palavras, que isso já havia acontecido antes, tendo a sensação de que estava representando uma peça memorizada ou sonhada, sentindo tudo se movendo em círculos.

— Muito raro, sim — disse Pablo. — Muito raro e muito bêbado. À tua saúde, *Inglés* — ele mergulhou o copo no tacho de vinho e levantou um brinde: — *Salud y cojones!*

"Ele é estranho, tudo bem", pensou Robert Jordan, "e inteligente, e muito complicado." Não podia mais ouvir o assovio das madeiras no fogo por causa do som da sua própria respiração.

— Aqui, para você — disse Robert Jordan, e mergulhou um copo no tacho de vinho. "A traição não resultaria em nada sem todos esses brindes", pensou ele. "Faça o brinde." — *Salud* — disse ele. — *Salud* e *salud* outra vez — "a você, *salud*", pensou ele. — *Salud*, a você *salud*.

— Dom Roberto — disse Pablo, com arrogância.

— Dom Pablo — disse Robert Jordan.

— Você não é professor — disse Pablo — porque você não tem barba. E também, para se ver livre de mim, tem que me matar, e para isso você não tem *cojones*.

Ele encarava Robert Jordan, com a sua boca fechada de modo que os lábios formavam uma linha horizontal, como a boca de um peixe, foi o que pensou Robert Jordan. "Com aquela cabeça, ele se parece com um peixe porco-espinho, que engole ar e incha depois de ser pego."

— *Salud*, Pablo — disse Robert Jordan. Em seguida, levantou o copo e bebeu. — Estou aprendendo muito contigo. — Estou ensinando o professor — disse Pablo, balançando a cabeça afirmativamente. — Vamos, Dom Roberto, sejamos amigos.

— Já somos amigos — disse Robert Jordan.

— Mas agora vamos ser bons amigos.

— Já somos bons amigos.

— Vou sair daqui — disse Agustín. — É verdade que dizem que a gente tem que engolir toneladas de merda nesta vida, mas só neste minuto já me enfiaram mais de dez quilos em cada um dos meus ouvidos.

— Qual é o problema, *negro*? — disse Pablo. — Você não gosta de presenciar a minha amizade com Dom Roberto?

— Olha tua boca quando me chamar de *negro* — Agustín foi para cima dele e ficou parado à sua frente, com as mãos abaixadas.

— É assim que te chamam — disse Pablo.

— Não você.

— Bem, então, *blanco*...

— Também não!

— Então o que é você? Vermelho?

— Sim. Vermelho. *Rojo*. Com a estrela vermelha do exército, e a favor da República. E o meu nome é Agustín.

— Ora, que patriota — disse Pablo. — Olhe, *Inglés*, que patriota exemplar.

Agustín desferiu-lhe uma bofetada na boca, com as costas da mão esquerda. Pablo permaneceu sentado. Os cantos dos lábios estavam manchados de vinho, e a sua expressão não mudou, mas Robert Jordan percebeu seus olhos se estreitarem, como a pupila de um gato diante da luz forte.

— Não será este — disse Pablo. — Não conte com este, mulher. — Virou a cabeça para Pilar. — Ainda não me sinto provocado.

Agustín bateu-lhe outra vez na boca, agora com o punho cerrado. Robert Jordan segurava sua pistola sob a mesa. Já soltara a trava e empurrou Maria para longe, com a sua mão esquerda. Ela afastou-se só um pouco e ele a empurrou com mais vigor, pelas costelas, com a mão esquerda novamente, obrigando-a a se pôr realmente a distância. Com o canto dos olhos ele a viu deslizar pela lateral da caverna e ir em direção ao fogão, e agora ele observava o rosto de Pablo.

O homem de cara arredondada permanecia sentado, fitando Agustín com os seus olhos minúsculos e fixos. As pupilas estavam ainda menores. Ele lambeu os lábios, levantou o braço e limpou a boca com as costas da mão, depois baixou a vista e viu o próprio sangue na mão. Passou a língua sobre os lábios e cuspiu.

— Nem assim — disse Pablo. — Não sou idiota. Não me deixo provocar.

— *Cabrón!* — gritou Agustín.

— Você devia saber — disse Pablo. — Você conhece a mulher.

Agustín esmurrou-o novamente, com força, na cara, e Pablo soltou uma gargalhada, exibindo seus dentes quebrados e podres, na boca avermelhada.

— Deixe isso pra lá — disse Pablo, e esticou o braço para encher um copo de vinho do tarro. — Ninguém aqui tem *cojones* para me matar, e esse negócio de mão é bobagem.

— *Cobarde!* — gritou Agustín.

— Assim como palavras — disse Pablo, e produziu um barulho sibilante bochechando o vinho. Então o cuspiu no chão. — Estou muito além das palavras.

Agustín ficou parado à sua frente, olhando para ele, insultando-o, pronunciando as palavras sem pressa, com clareza e raiva, com arrogância, palavra por palavra como se estivesse descarregando estrume no campo, tirando-o com um forcado de uma carroça.

— Tampouco isso, Agustín. Deixa pra lá. Não me bate mais, vais machucar a tua mão.

Agustín virou-se e foi para a porta.

— Não saia — disse Pablo. — Está nevando lá fora. Acomoda-te aqui dentro.

— E tu! Tu! — disse Agustín, voltando da porta e falando para Pablo, botando toda a sua ira no "*Tu*".

— Sim, eu — disse Pablo. — Eu vou estar vivo quando você estiver morto.

Mergulhou outra vez o copo no tacho de vinho, e levantou-o na direção de Robert Jordan.

— Ao professor! — disse ele. E então virou-se para Pilar. — À senhora comandante! — e então brindou a todos. — A todos os demais iludidos!

Agustín avançou para cima dele e, desferindo um tapa rápido, tirou-lhe o copo da mão.

— Isto é um desperdício — disse Pablo. — Isto é uma imbecilidade.

Agustín disse algo insultante para ele.

— Não — disse Pablo, e mergulhou outro copo no tarro. — Eu estou bêbado, tu não vês? Quando eu não estou bêbado, não falo. Tu nunca me ouviste falar tanto. Mas um homem inteligente algumas vezes é forçado a ficar bêbado, para conseguir desperdiçar o seu tempo com idiotas.

— Vá se (...) com tua covardia! — disse Pilar. — Tu e a tua covardia eu conheço demais.

— Ora, como a mulher fala — disse Pablo. — Vou sair para olhar meus cavalos.

— Vai te enrabichar com eles. Não é o teu costume? — disse-lhe Agustín.

— Não — disse Pablo, e sacudiu a cabeça. Estava pegando a sua enorme capa, pendurada na parede, e disse para Agustín: — Tu e a tua violência.

— O que vais fazer com os cavalos? — disse Agustín.

— Ficar olhando para eles — disse Pablo.

— Vai emporcalhá-los, amante de cavalos! — disse Agustín.

— Gosto muito dos cavalos — disse Pablo. — Mesmo os seus traseiros são mais elegantes do que o de vocês. E eles têm mais juízo. Divirtam-se — disse, fazendo uma careta. — Fale para eles sobre a ponte, *Inglés*. Explique as tarefas de cada um para o ataque. Conte a eles como conduzir a retirada. Para onde você irá levá-los, *Inglés*, depois da explosão da ponte? Para onde você irá levar os seus patriotas? Eu pensei sobre isso o dia inteiro, enquanto bebia.

— O que você pensou? — perguntou Agustín.

— O que eu pensei? — disse Pablo, e movimentou a língua explorando o interior da boca em torno dos lábios. — *Qué te importa* o que eu tenha pensado.

— Diga! — insistiu Agustín.

— Pensei bastante — disse Pablo, e puxou a capa sobre a cabeça, o formato arredondado da sua cabeça agora salientando-se nas dobras da imunda capa amarela. — Pensei bastante.

— O quê? — gritou Agustín. — O quê?

— Pensei no quanto vocês estão iludidos — disse Pablo. — Liderados por uma mulher com o cérebro entre as coxas, e um estrangeiro que veio para destruir vocês.

— Sai! — gritou Pilar. — Sai e te enterra na neve. Tira a tua porra de merda daqui, cavalo esgotado, *maricón*.

— Assim é que se fala — disse Agustín, com admiração, mas com a mente ausente. Estava preocupado.

— Eu vou — disse Pablo. — Mas voltarei em breve. — Levantou a manta feito cortina da saída da caverna, deu um passo para fora e gritou: — Continua caindo, *Inglés*.

17

O único ruído na caverna, agora, era o chiado do fogão onde a neve caía através de um buraco no teto sobre os carvões em brasa.

— Pilar — disse Fernando —, tem mais ensopado?

— Ah, cale a boca — respondeu a mulher. Mas Maria tomou-lhe o pote, levou-o até o caldeirão, afastado para trás da beirada do fogo e o encheu. Trouxe-o, então, e colocou-o na mesa, dando um tapinha nas costas de Fernando, que se curvara para comer. Ela permaneceu por um instante junto a Fernando, com a mão no seu ombro, mas ele nem sequer levantou os olhos para ela. Manteve-se absorto na comida.

Agustín estava parado perto do fogo. Os outros estavam sentados. Pilar sentou-se de frente para Robert Jordan.

— Agora, *Inglés* — disse ela —, você viu como ele é.

— O que ele fará? — perguntou Robert Jordan.

— Qualquer coisa — respondeu a mulher, olhando para baixo, para o tampo da mesa. — Qualquer coisa. Ele é capaz de fazer qualquer coisa.

— Onde está o rifle automático? — perguntou Robert Jordan.

— Lá no canto, enrolado na manta — disse Primitivo. — Você o quer?

— Mais tarde — respondeu Robert Jordan. — Queria saber onde estava.

— Está lá — repetiu Primitivo. — Trouxe-o para dentro e o enrolei na minha manta para manter o detonador seco. Os carregadores estão naquele saco.

— Ele não faria isso — comentou Pilar. — Ele não faria nada com a *máquina*.

— Achei que você disse que ele seria capaz de qualquer coisa.

— E é — disse ela. — Mas não tem prática com a *máquina*. Ele poderia atirar uma bomba aqui dentro. Isto combina mais com o seu estilo.

— Foi uma idiotice, uma fraqueza não o ter matado — disse o cigano. Ele ainda não havia tomado parte na conversação daquela noite. — Na noite passada Roberto deveria tê-lo matado.

— Mate-o — disse Pilar. Seu enorme rosto estava escurecido e aparentava cansaço. — Sou a favor disso, agora.

— Eu era contra — disse Agustín, parado diante do fogo com seus longos braços pendidos lado a lado, com a barba por fazer nas faces afundadas, ensombreadas na luz do fogo. — Agora estou de acordo — disse ele. — Ele se tornou um veneno. Quer nos ver destruídos.

— Que todos falem — disse Pilar, com voz cansada. — Tu, Andrés?

— *Matarlo* — disse o irmão de cabelo preto caído sobre a testa, confirmando com a cabeça.

— Eladio?

— Igualmente — disse o outro irmão. — Para mim, ele é um grande perigo e, além do mais, não serve para nada.

— Primitivo?

— Igualmente.

— Fernando?

— Não poderíamos mantê-lo como prisioneiro? — perguntou Fernando.

— Quem iria cuidar de um prisioneiro? — indagou Primitivo. — Precisaríamos de dois homens para cuidar de um prisioneiro, e no final o que faríamos com ele?

— Poderíamos vendê-lo para os fascistas — disse o cigano.

— Nada disso — disse Agustín. — Nada dessas imundícies.

— Foi apenas uma ideia — disse Rafael, o cigano. — Me parece que os *facciosos* ficariam contentes de tê-lo nas mãos.

— Esqueça — disse Agustín. — Isto é nojento.

— Não é mais nojento do que Pablo — justificou-se Rafael.

— Uma imundície não justifica a outra — disse Agustín. — Bem, todos votaram. Como exceção do Velho e do *Inglés*.

— Eles não estão nisto — disse Pilar. — Pablo não era o líder deles.

— Um momento — disse Fernando. — Eu ainda não terminei.

— Vá em frente — disse Pilar. — Fale até que ele retorne. Fale até que ele role uma granada de mão, por baixo daquela manta da porta, e mande nós todos pelos ares, incluindo a dinamite.

— Acho que você está exagerando, Pilar — disse Fernando.

— Não acho que ele tencione fazer algo assim.

— Eu também não acho — disse Agustín. — Porque isso iria explodir o vinho também, e ele logo estará de volta para beber mais.

— Por que não entregá-lo a El Sordo, e deixar El Sordo vendê-lo para os fascistas? — sugeriu Rafael. — Poderíamos cegá-lo, assim ele seria fácil de controlar.

— Cala a boca — disse Pilar. — Sinto alguma coisa suspeita em ti, também, quando tu falas.

— Os fascistas não pagariam nada por ele — disse Primitivo. — Coisas parecidas já foram tentadas outras vezes, e eles não pagam nada. E acabam te fuzilando também.

— Acredito que uma vez cego ele poderia ser vendido por uns trocados — disse Rafael.

— Cala a boca — disse Pilar. — Fala outra vez de cegar alguém, e tu irás com Pablo.

— Mas Pablo cegou o *guardia civil* que estava ferido — insistiu o cigano. — Você esqueceu disso?

— Cala-te! — disse Pilar. Essa alusão a fez ficar embaraçada diante de Robert Jordan.

— Não me foi permitido terminar — interrompeu Fernando.

— Termina! — disse Pilar. — Vá em frente, termina!

— Já que é impraticável manter Pablo como prisioneiro — começou Fernando —, e já que é repugnante oferecê-lo em...

— Termina! — disse Pilar. — Pelo amor de Deus, termina!

— ... qualquer forma de negociação — prosseguiu Fernando, calmamente —, estou de acordo que talvez seja melhor que ele seja eliminado, pela máxima garantia de possibilidade de sucesso da operação ora planejada.

Pilar olhou para o pequeno homem, sacudiu a cabeça, mordeu os lábios e não disse nada.

— Esta é a minha opinião — disse Fernando. — Acho justificado acreditarmos que ele constitui um perigo para a República...

— Mãe de Deus! — disse Pilar. — Até aqui um homem consegue criar burocracia com a sua própria boca.

— Por conta de suas próprias palavras e recente comportamento — continuou Fernando. — E mesmo que ele mereça gratidão, pelas suas ações no início do movimento, e até bem pouco tempo...

Pilar havia caminhado para perto do fogo. Então retornou para a mesa.

— Fernando — Pilar falou baixinho, e lhe deu um pote de ensopado. — Come este ensopado, por favor, com toda a formalidade, e enche a tua boca com ele, e não dize mais uma só palavra. Já temos a tua opinião.

— Mas, então, como... — Primitivo iniciou uma pergunta, e fez uma pausa sem completá-la.

— *Estoy listo* — disse Robert Jordan. — Estou pronto para executá-lo. Estando vocês decididos, este é um serviço que eu posso fazer.

"O que houve?", pensou ele. "Estou falando como Fernando, só de ouvi-lo falar. Esta língua deve ser contagiosa. Francês, a língua da diplomacia. Espanhol, a língua da burocracia."

— Não — disse Maria. — Não.

— Isto não é da tua conta — disse-lhe Pilar. — Fica de boca calada.

— Vou executá-lo esta noite — disse Robert Jordan, e percebeu um sinal de Pilar, que com os dedos nos lábios olhava na direção da entrada.

A manta presa na entrada da caverna foi levantada, e Pablo enfiou sua cabeça por baixo. Ele arreganhou os dentes para todos, baixou a cortina atrás de si, e então virou-se e a prendeu novamente. Olhou em volta, parado na entrada, então tirou a capa por cima da cabeça e sacudiu a neve.

— Estavam falando de mim? — disse Pablo, se dirigindo a todos. — Estou interrompendo?

Ninguém respondeu, ele pendurou a capa numa estaca na parede e se dirigiu para a mesa.

— *Qué tal?* — perguntou Pablo; pegou seu copo, que havia ficado vazio sobre a mesa, e mergulhou-o no tacho de vinho. — Acabou o vinho — disse para Maria. — Tira um pouco do odre.

Maria pegou o tacho e foi até onde estava o odre, empoeirado, pesadamente inflado, curtido de alcatrão, pendurado pelo pescoço na parede, e desenroscou a tampa de uma das pernas, deixando o vinho esguichar dentro do tacho. Pablo observou-a ajoelhada, segurando o tacho, e observou o jato de vinho tinto transparente, formando um pequeno turbilhão no interior do tacho.

— Tenha cuidado — disse Pablo. — O vinho está abaixo do peito.

Ninguém disse nada.

— Hoje eu bebi do umbigo até o peitoral — continuou a falar Pablo. — Foi um dia de trabalho. Mas o que há com vocês todos? Perderam a língua?

Ninguém disse absolutamente nada.

— Enrosca a tampa, Maria — disse Pablo. — Não deixa vazar.

— Vai haver muito vinho — disse Agustín. — Você poderá estar sempre bêbado.

— Alguém achou sua língua — disse Pablo, e assentiu com a cabeça para Agustín. — Felicitações! Pensei que você tivesse ficado abobalhado.

— Por quê? — perguntou Agustín.

— Pela minha entrada.

— Tu pensas que a tua entrada tem alguma importância?

"Ele está conduzindo a coisa para isso mesmo", pensou Robert Jordan. "Talvez Agustín esteja se preparando para executá-lo. Ele certamente odeia Pablo o bastante para tanto. Eu não o odeio. Ele é asqueroso, mas não tenho ódio dele. Embora isso de cegar pessoas o ponha numa classe à parte. Mesmo assim, esta guerra é deles. Mas não é bom que ele fique por perto nos próximos dois dias. Ficarei fora disso. Na altercação com ele, esta noite, passei por bobo e estou disposto a liquidá-lo. Mas não serei tolo de brincar com ele, assim de primeira. E não haverá nenhum tiroteio, nenhuma palhaçada com esta dinamite aqui dentro. Claro que Pablo pensou nisso. E você pensou? Não, não pensou, nem Agustín. Está fazendo por merecer qualquer coisa que vier a acontecer com ele."

— Agustín — disse Robert Jordan.

— O quê? — respondeu Agustín, mal-humorado, e desviou o olhar da direção de Pablo.

— Quero falar contigo — disse Robert Jordan.

— Mais tarde.

— Agora! — insistiu Robert Jordan. — Por favor.

Robert Jordan foi para a entrada da caverna, e Pablo acompanhou-o com os olhos. Agustín, alto, com as suas faces afundadas, levantou-se e veio até ele. Vinha relutante e com ar de pouco caso.

— Esqueceste o que está nas mochilas? — perguntou-lhe Robert Jordan, falando tão baixo que não podia ser ouvido.

— Merda! — disse Agustín. — A gente fica tão acostumado com isso que esquece.

— Eu também esqueci.

— Merda! — disse Agustín. — Merda. Que idiotas nós somos. — Deu meia-volta, desengonçado, e foi sentar-se à mesa.

— Tome um drinque, Pablo, meu velho — disse ele. — Como estão os cavalos?

— Muito bem — disse —, e está nevando menos.

— Acha que irá parar?

— Acho — disse Pablo. — Está afinando agora e há pequenas bolinhas duras. O vento vai soprar forte, mas a neve está indo embora. A direção do vento mudou.

— Você acha que amanhã o tempo vai limpar? — perguntou-lhe Robert Jordan.

— Acho. Acredito que será um dia frio e limpo. Este vento está mudando.

"Olhe só para ele", pensou Robert Jordan. "Agora ele fala amigavelmente. Muda como o vento. Tem a cara e o corpo de um porco, e eu sei que ele é várias vezes assassino, mas tem a sensibilidade de um barômetro. Sim, esse porco é um animal muito inteligente também. Pablo tem ódio de todos nós, ou talvez do nosso plano, e empurra o seu ódio com insultos até que se fica pronto para eliminá-lo, então, quando percebe que chegamos a este ponto, recua e recomeça do zero, tudo outra vez."

— Teremos bom tempo para aquilo, *Inglés* — disse Pablo para Robert Jordan.

— *Nós?* — disse Pilar. — *Nós?*

— Sim, nós. — Pablo arreganhou os dentes para ela, e bebeu um gole de vinho. — Por que não? Repensei tudo isso enquanto estive lá fora. Por que não deveríamos entrar num acordo?

— Em quê? — perguntou a mulher. — Acordo agora em quê?

— Em tudo — disse-lhe Pablo. — Nesse negócio da ponte. Estou com vocês agora.

— Você está conosco agora? — disse-lhe Agustín. — Depois de tudo o que disse?

— Sim — disse-lhe Pablo. — Com a mudança do tempo, eu estou com vocês.

Agustín sacudiu a cabeça.

— O tempo — ele disse, e sacudiu a cabeça novamente. — E depois de eu te esbofetear na cara?

— Sim — Pablo sorriu para Agustín e passou os dedos pelos lábios. — Depois disso também.

Robert Jordan estava olhando para Pilar. Ela estava olhando para Pablo como se ele fosse um animal estranho. No seu rosto ainda permanecia uma sombra de constrangimento deixada pela menção a terem cegado um guarda. Ela sacudiu a cabeça, como se quisesse arrancar aquela expressão, e então a jogou para trás.

— Escuta! — ela disse para Pablo.

— Sim, mulher.

— Que está acontecendo contigo?

— Nada — disse Pablo. — Apenas mudei de opinião.

— Estiveste escutando atrás da porta?

— Estive — disse ele. — Mas não pude ouvir nada.

— Você tem medo que te matemos.

— Não — disse-lhe Pablo, e olhou para ela por sobre o copo de vinho. — Tu sabes que eu não tenho medo disso.

— Bem, o que está acontecendo contigo? — disse Agustín. — Num momento você está bêbado e nos insultando, e dissociando-se de um trabalho que diz respeito a todos nós, falando da nossa morte de uma maneira sórdida, ofendendo as mulheres, e se opondo ao nosso plano e...

— Eu estava bêbado — disse-lhe Pablo.

— E agora...

— Não estou bêbado — disse Pablo. — Mudei de ideia.

— Os outros que confiem em ti, eu não confio — disse Agustín.

— Confiando ou não — disse Pablo. — Ninguém pode levá-los a Gredos senão eu.

— Gredos?

— É o único lugar para se ir, depois desse negócio da ponte.

Robert Jordan, olhando para Pilar, levantou sua mão, fora do alcance de visão de Pablo, e fez uma concha na orelha direita, interrogativamente.

A mulher assentiu com a cabeça. E assentiu uma vez mais. Ela disse alguma coisa para Maria, e a garota aproximou-se de Robert Jordan.

— Ela disse "é claro que ele ouviu" — disse Maria ao ouvido de Robert Jordan.

— Então, Pablo — disse Fernando, judiciosamente. — Agora tu estás conosco, a nosso favor, nesse negócio da ponte?

— Estou, homem — disse Pablo. Ele olhou para Fernando com retidão e confirmou balançando a cabeça.

— De verdade? — perguntou Primitivo.

— *De veras* — disse-lhe Pablo.

— E você acha que podemos ter sucesso? — perguntou Fernando. — Agora você está confiante?

— Por que não? — disse Pablo. — Você não está confiante?

— Estou — disse Fernando. — Mas eu sempre tive confiança.

— Vou sair daqui — disse Agustín.

— Está frio lá fora — disse-lhe Pablo, num tom amigável.

— Talvez — disse Agustín. — Mas não consigo ficar nem mais um minuto nesse manicômio.

— Não chame esta caverna de um asilo de insanidade — disse Fernando.

— Um manicômio para criminosos lunáticos — disse Agustín. — E eu vou sair daqui antes de enlouquecer também.

18

"É como um carrossel", pensou Robert Jordan. "Não um carrossel que ande rápido, e com um realejo tocando, o passeio para crianças em vacas com chifres enfeitados, argolas para se pescar com varas, a chama a gás, azul, no entardecer da *Avenida du Maine*, com peixe frito vendido em barracas, a roda da fortuna girando com as palhetas de couro batendo nos pivôs dos compartimentos numerados, pilhas em forma de pirâmide de balas e guloseimas como prêmio. Não, não se trata desse tipo de carrossel, embora as pessoas daqui estejam esperando, como os homens usando barretes e as mulheres de suéteres de tricô, com suas cabeças descobertas e iluminadas pela luz a gás, e seus cabelos brilhando, paradas diante da roda da fortuna enquanto ela gira. Sim, estas são as pessoas. Mas esta é uma outra roda. Esta é uma roda que sobe e desce."

"Até agora, girou duas vezes. É uma roda enorme, oblíqua, e cada vez que completa um giro volta ao mesmo ponto de partida. Um lado é mais alto do que o outro, e a cada volta arremessa a gente para cima e traz de volta para baixo, ao começo. Não há prêmios e ninguém embarca nessa roda por vontade própria. Você faz uma volta, outra, e retorna sem jamais ter tido a intenção de embarcar nesse carrossel. Há apenas um único giro. Um longo giro, elíptico, subindo e descendo, e você retorna ao mesmo ponto onde começou. Acabamos de retornar de um giro, e nada foi resolvido ainda."

O interior da caverna estava aquecido, e lá fora o vento diminuíra. Debruçado à mesa, sobre o seu caderno de notas, ele calculava os detalhes técnicos para explodir a ponte. Desenhou três esquetes, calculou suas fórmulas, definindo o método da explosão com dois desenhos tão claros quanto um projeto de um jardim da infância, de modo que Anselmo pudesse completá-lo, caso algum acidente lhe acontecesse durante o processo de demolição. Acabou os esquetes e os estudou.

Maria permaneceu ao seu lado, espiando por cima de seus ombros enquanto ele trabalhava. Estava atento à presença de Pablo, sentado à mesa, na sua frente, e dos demais que conversavam ou jogavam cartas, e sentia os odores da caverna, não mais o da comida ao fogo, mas de fumaça, o cheiro de homem, de tabaco, de vinho, metálicos, azedos, de inhaca de gente; e, quando Maria, observando-o terminar os esquetes, colocou a mão sobre a mesa, ele a pegou com a mão esquerda e a levou ao rosto, e sentiu o cheiro de sabão rudimentar e a frescura da água da lavagem das vasilhas de comer. Ele pousou a mão da garota de volta à mesa, sem olhar para ela, continuou trabalhando e não notou que ela havia se ruborizado. Ela deixou a mão no mesmo lugar, perto da dele, mas não a tocou novamente.

Acabara o projeto de demolição e passara para outra página do caderno de notas, começando a listar ordens para a operação. Raciocinava bem e com clareza, sobre as ordens, e gostou do que escrevera. Preenchera duas folhas do caderno e as leu cuidadosamente.

"Acho que isso é tudo", disse para si mesmo. "Está perfeitamente claro e acho que não deixei nenhum buraco. Os dois postos serão destruídos e a ponte irá pelos ares, conforme as ordens de Golz, e essa é minha responsabilidade. Todo esse negócio com Pablo é algo com o qual eu jamais deveria ter arcado, e será resolvido de um jeito ou de outro. Com Pablo ou sem Pablo. Não me importa como será. Mas eu não irei embarcar naquela roda novamente. Entrei nela duas vezes, e duas vezes ela girou e parou no mesmo lugar, só que não ando mais nela."

Ele fechou o caderno de notas e olhou para Maria.

— *Hola, guapa* — disse-lhe. — Chegou a alguma conclusão?

— Não, Roberto — respondeu ela, e colocou sua mão sobre a de Robert Jordan que ainda segurava o lápis. — Já acabou?

— Acabei. Agora está tudo escrito e as ordens definidas.

— O que você estava fazendo, *Inglés*? — perguntou-lhe Pablo, com os olhos remelentos novamente.

Robert Jordan encarou-o bem fixamente. "Fique longe da roda", disse para si mesmo. "Não suba na roda. Acho que ela vai começar a girar outra vez."

— Trabalhando no problema da ponte — ele respondeu civilizadamente.

— Como está a coisa? — perguntou Pablo.

— Muito bem — disse Robert Jordan. — Tudo muito bem.

— Eu tenho trabalhado no problema da retirada — disse Pablo, e Robert Jordan encarou seus olhos de porco, embriagados, e olhou para o tacho de vinho. Estava quase vazio.

"Fique longe da roda", disse para si mesmo. "Ele está bebendo novamente. Certo. Mas agora não vá embarcar naquela roda. Não era Ulysses Grant que bebia a maior parte do tempo, durante a Guerra Civil Americana? Claro que era ele. Aposto que Grant ficaria furioso com a comparação, se conhecesse Pablo. Grant também fumava charuto. Bem, sendo assim, tenho que achar um charuto para Pablo. Era o que aquela cara redonda precisava para completar o quadro; um charuto mastigado pela metade. Mas onde achar um charuto para Pablo?"

— Como vai indo o seu plano? — perguntou Robert Jordan, polidamente.

— Muito bem — respondeu Pablo, confirmando com a cabeça, judiciosamente. — *Muy bien*.

— Você teve alguma ideia? — perguntou Agustín, de onde jogava cartas.

— Sim — disse Pablo. — Várias.

— Onde as achou? No tacho? — perguntou Agustín.

— Talvez — disse Pablo. — Quem sabe? Maria, enche o tacho, por favor?

— No próprio odre de vinho deve haver boas ideias — disse Agustín, voltando ao jogo de cartas. — Por que você não se enfia dentro dele e procura por elas?

— Não — respondeu Pablo, serenamente. — Eu as procuro no tacho mesmo.

"Nem ele está embarcando no carrossel", pensou Robert Jordan. "O carrossel deve estar girando sozinho. Presumo que ninguém consegue andar nele por muito tempo. Provavelmente deve ser um brinquedo letal. Fico contente de estarmos fora. Me deixaram aturdido, aquelas duas rodadas. É o tipo de passeio que fazem os bêbados e os verdadeiramente maus e cruéis até morrerem. Ele gira e sobe, e o balanço nunca é do mesmo jeito, e então ela retorna para baixo. Deixe-a. Desta vez ele não conseguirá me embarcar nela. Não senhor, general Grant, estou fora da roda."

Pilar estava sentada perto do fogo, sua cadeira virada numa posição em que, por sobre os ombros de dois jogadores virados de costas para ela, podia acompanhar o jogo de cartas.

"Aí está, a mais estranha mudança; da mortandade para a vida normal em família", pensou Robert Jordan.

"É quando o desgraçado do carrossel desce que agarra você. Mas eu estou fora. E ninguém irá me colocar no carrossel novamente."

"Dois dias atrás eu não sabia que Pilar, Pablo e os outros sequer existiam. Não havia no mundo nada parecido com Maria. Com certeza o mundo era muito mais simples. Eu tinha instruções de Golz, que eram perfeitamente claras, e pareciam perfeitamente possíveis de serem executadas, embora apresentassem certa dificuldade e envolvessem algumas consequências. Depois de explodir a ponte, esperava retornar, ou não, para as linhas de combate e, se retornasse, iria pedir alguns dias em Madri. Ninguém ganha folga nesta guerra, mas tenho certeza que uns dois ou três dias em Madri eu conseguia ganhar."

"Em Madri, gostaria de comprar alguns livros, ir para o Hotel Florida, ficar num quarto e tomar um banho quente. Pediria ao Luis, o porteiro, para sair e comprar uma garrafa de absinto, se ele pudesse achar uma em Mantequerías Leonesas ou em qualquer lugar fora da Gran Via, e ficaria deitado na cama, lendo, após o banho, e beberia duas doses de absinto e depois telefonaria para fazer uma reserva no restaurante do Gaylord."

Ele não gostava de comer na Gran Via, porque a comida realmente não era muito boa e tinha de ser pontual, do contrário, perderia a reserva. E também porque muitos jornalistas conhecidos seus frequentavam o restaurante e ele não queria ter de ficar de boca fechada. Queria beber absinto e falar à toa, por isso preferia ir ao Gaylord e comer com Karkov, onde a comida era boa e a cerveja era autêntica, e poderia descobrir o que estava acontecendo na guerra.

Ele não gostara do Gaylord, o hotel que os russos tomaram em Madri, quando fora lá a primeira vez, porque lhe parecera muito luxuoso, a comida era demasiado boa para uma cidade sitiada e a conversa muito cínica para uma guerra. "Mas acho que fui corrompido facilmente", pensou. "Qual o motivo de não merecer a melhor comida possível, quando você retorna dum negócio como este?" E a conversa que ele achara ser cinismo, ao ouvi-la pela primeira vez, tornou-se-lhe bem verdadeira. "Isto seria algo para contar no Gaylord, quando tudo acabar. Sim, quando isto acabar."

"Você poderia levar Maria ao Gaylord? Não. Não poderia. Mas ela poderia ficar no hotel, tomando um banho quente, esperando que você voltasse do Gaylord. Sim, poderia fazer isso, e, após contar a Karkov sobre Maria, poderia levá-la, pois todos estariam curiosos para conhecê-la."

"Talvez você nem aparecesse no Gaylord. Poderia comer mais cedo na Gran Via e correr de volta para o Florida. Mas você tinha certeza de que queria ir ao Gaylord para ver aquilo tudo outra vez. Queria comer aquela comida novamente, queria ver todo aquele conforto e aquele luxo, depois disto passar. Mais tarde você voltaria para o Florida, e Maria estaria lá. Claro que estaria. Quando isto acabar. Sim, depois que isto acabar." Se ele cumprisse bem a sua missão, iria merecer uma refeição no Gaylord.

O Gaylord era um lugar onde se podia conhecer famosos comandantes de camponeses e de trabalhadores espanhóis, que lançaram mãos às armas no começo da guerra, sem qualquer treinamento prévio, e descobrir que muitos deles falavam russo. Esta havia sido a sua primeira grande desilusão, poucos meses atrás, e começou a se mostrar cínico para consigo mesmo a esse respeito. Mas quando se deu conta de como isso aconteceu, achou normal. Eles *foram* camponeses e trabalhadores. Eram ativistas da revolução de 1934, e tiveram que debandar do país quando ela fracassou e, na Rússia, foram enviados para a academia militar e para o Instituto Lênin, mantido pelo Comintern, com o objetivo de estarem prontos para lutar na próxima vez, com a necessária educação militar para o comando.

O Comintern os educara. Numa revolução, você não poderia admitir que um colaborador de fora, ou qualquer outro, soubesse mais do que o permitido. Ele aprendera isso. Se a coisa era fundamentalmente certa, a mentira não importava. Embora houvesse muita mentira. Ele não se importou com as mentiras, no início. Detestou-as. Então, mais tarde, veio a gostar delas. Fazia parte de estar por dentro das coisas, mas era um negócio cheio de corrupção.

Foi no Gaylord que ficou sabendo que Valentín Gonzalez, chamado El Campesino, ou O Camponês, nunca havia sido um camponês, mas sim um ex-sargento da Legião Estrangeira Espanhola, que desertara e lutara com Abd el Krim, o competente líder das tribos Rif, do Marrocos. Tudo bem, isto era aceitável, também. Por que não seria? Era necessário arregimentar os líderes dos camponeses com rapidez neste tipo de guerra, e um líder camponês genuíno talvez fosse um pouco parecido com Pablo. Não se podia esperar que o Líder Camponês ideal aparecesse, e talvez tivesse excessivas características de camponês, quando aparecesse. Assim, precisava-se fabricar um líder. Quanto a isso, pelo que ele viu em Campesino, com sua barba escura, lábios grossos típicos de negro, e seus olhos vidrados e febris, achou que ele seria capaz de dar tanto trabalho quanto um líder camponês original. A última vez que o viu, parecia que ele passara a acreditar na publicidade, e já pensava que era de fato um camponês. Era um homem valente e forte. Não havia no mundo homem mais valente do que ele. Mas, por Deus, como falava! E, quando estava excitado, diria qualquer coisa, não importando as consequências da sua indiscrição. Consequências essas já acumuladas aos montes. Entretanto, era um maravilhoso comandante de brigada numa situação em que tudo parecia estar perdido. Nunca soube entender quando tudo estava perdido, e se estivesse ele lutaria para se safar.

No Gaylord conheceu também o simplório pedreiro, Enrique Lister, de Galícia, que agora comandava uma divisão e também falava russo. E também conheceu o carpinteiro Juan Modesto, de Andaluzia, que acabara de ganhar uma corporação do exército. Este nunca aprendeu russo em Puerto de Santa Maria; poderia ter aprendido, se houvesse lá uma escola Berlitz que os carpinteiros frequentassem. Era para os russos o mais confiável dos jovens soldados, porque era um verdadeiro homem do partido, "cem por cento", diziam, orgulhosos por usarem o americanismo. Era muito mais inteligente do que El Campesino e Lister.

"Sem dúvida, o Gaylord era o lugar para você completar a formação. Era lá que você aprendia como as coisas eram realmente, em vez de como deveriam ser." Ele havia recém-começado sua educação, assim pensava. Cogitou consigo mesmo se continuaria com a aprendizagem por muito tempo. O Gaylord era um bom lugar, animado, e era o de que ele precisava. No começo, quando ainda era um idealista convicto, todo esse absurdo o chocou. Mas agora ele sabia o bastante para aceitar a necessidade desta desilusão, e o que aprendera, no Gaylord, somente fortalecera sua crença nas coisas que ele considerava verdadeiras. Ele gostava de saber como as coisas eram realmente, não de como deveriam ser. Na guerra havia muita mentira. Mas a verdade a respeito de Lister, El Campesino e Modesto era muito melhor do que as mentiras e lendas. Bem, um dia eles contariam a verdade para todo mundo; enquanto isso, gostava que existisse um lugar como Gaylord, para a sua própria aprendizagem.

Sim, era para onde iria em Madri, após comprar livros e depois de ficar de molho numa banheira com água quente, e de beber uns drinques e ler um pouco. Mas este plano foi feito antes de Maria aparecer. "Tudo bem." Eles se instalariam em dois quartos, e ela poderia fazer o que quisesse, enquanto ele estivesse no Gaylord, e quando ele retornasse ficariam juntos. Ela estivera esperando nas montanhas todo esse tempo. Esperaria um pouco no Hotel Florida. Eles ficariam três dias em Madri. Três dias poderiam virar um tempo enorme. Ele a levaria para assistir aos Irmãos Marx no Opera. Estavam em cartaz havia três meses e certamente permaneceriam por mais três. Ela iria adorar os Irmãos Marx. Ela adoraria.

"Mas uma longa distância separa o Gaylord desta caverna. Não, era ao contrário. Uma longa distância separa a caverna até o Gaylord." Kashkin o levara àquele hotel pela primeira vez, e ele não gostara. Kashkin dissera que ele deveria se encontrar com Karkov, porque Karkov queria conhecer americanos, e porque ele era o maior admirador, do mundo, de Lope de Vega, e achava que *Fuente Ovejuna* era a melhor peça já escrita. Talvez fosse mesmo, mas Robert Jordan não pensava assim.

Ele gostara de Karkov, mas não do lugar. Karkov fora o homem mais inteligente que ele já conhecera. Vestindo botas pretas de cavalgar, culotes cinza, túnica da mesma cor, pequenas mãos e pés, o corpo e a face balofos e frágeis, um jeito de falar soltando perdigotos através dos dentes em péssimo estado, pareceu cômico quando Robert Jordan o viu pela primeira vez. Mas possuía mais cérebro, mais dignidade interior e mais atrevimento exterior, e humor, do que qualquer outro homem.

O Gaylord parecia um lugar indecentemente luxuoso e corruptivo. Mas por que os representantes do poder que governavam uma sexta parte do mundo não deveriam ter um pouco de conforto? Bem, eles tinham, e Robert Jordan sentira repulsa, à primeira vista, pelo ambiente como um todo, mas depois aceitara e apreciara. Kashkin mostrou-se um companheiro e tanto, e Karkov fora, inicialmente, de uma polidez insultante, e então, como Robert Jordan não se comportara como um herói, mas contara histórias engraçadas e obscenamente autodestrutivas, Karkov mudara da polidez extremada para uma rudeza relaxada, e por fim para o atrevimento, e eles se tornaram amigos.

Kashkin, entretanto, era apenas tolerado por lá. Havia alguma coisa errada com ele, evidentemente, e tentava resolvê-la na Espanha. Não lhe diriam do que se tratava mas, agora que estava morto, talvez lhe dissessem. De qualquer forma, Robert Jordan ficou amigo de Karkov e da incrivelmente magra, ressecada, sombria, amável, nervosa, despojada e doce mulher, com o seu delgado e descuidado corpo, seu cabelo preto agrisalhado, curto, a esposa de Karkov, que servia de intérprete das unidades dos tanques. Ele também era amigo da amante de Karkov, uma mulher de olhos de gato, cabelos vermelho-dourados (às vezes mais vermelhos, às vezes mais dourados, dependendo do cabeleireiro), com um corpo preguiçosamente sensual (feito para encaixar em outros corpos), uma boca desenhada para juntar-se a outras bocas, e uma mente ambiciosa, estúpida e extremamente fiel. Esta amante amava fofocas, e apreciava uma promiscuidade periódica moderada, que parecia apenas divertir Karkov. Suspeitava-se que ele tivesse outra esposa, além da do regimento dos tanques, talvez duas mais, embora ninguém soubesse ao certo. Robert Jordan gostava de ambas as mulheres, da esposa e da amante. Acreditava que talvez fosse gostar da outra suposta esposa também, se a conhecesse. Karkov tinha bom gosto para mulheres.

Havia sentinelas com baionetas, no andar térreo, no átrio do Gaylord, e nesta noite deveria ser o mais aprazível e confortável lugar da Madri sitiada. Ele gostaria de estar lá nesta noite em vez de estar nesta caverna. "Embora esteja tudo bem aqui, agora que eles pararam aquela roda desgraçada. A neve vai amainando, isto também é bom."

Gostaria de apresentar a sua Maria para Karkov, mas não poderia levá-la ao hotel, sem antes pedir permissão, e teria que ver como ele próprio seria recebido depois desta viagem. Golz estaria lá, após este ataque e, se Robert Jordan tivesse tido sucesso, todos saberiam através de Golz, que por sua vez faria troça dele sobre Maria, depois do que ele dissera sobre as garotas.

Ele esticou-se para alcançar o tacho diante de Pablo, e encheu um copo de vinho.

— Com a sua permissão — disse ele.

Pablo assentiu com a cabeça. "Imagino que ele esteja absorto nos seus estudos militares", pensou Robert Jordan. "Sem almejar a bolha da fama na boca do canhão, mas procurando a solução do problema no distante jarro. Mas você sabe que este bastardo deve ter sido razoavelmente capaz de dirigir este bando com sucesso, até agora." Olhando para Pablo, imaginou que tipo de líder ele teria sido na Guerra Civil Americana. "Havia muitos como ele. Mas sabemos pouco sobre isso. Não sobre os Quantrills e os Mosbys, nem sobre o nosso próprio avô, mas sobre os pequenos, os que se escondiam nas macegas para atacar. E, sobre a bebida? Você acha mesmo que Grant era um bêbado? Seu avô sempre afirmou isso, que Grant estava sempre meio bêbado por volta das quatro horas da tarde e que, antes de Vicksburg, houve vezes, durante o sítio da cidade, em que chegou a passar dois dias inteiros bêbado. Mas vovô contava que, mesmo embriagado, ele funcionava perfeitamente, era muito difícil acordá-lo. Se conseguiam acordá-lo, ele ficava normal."

"Não houve qualquer Grant, Sherman ou Stonewall Jackson em nenhum dos lados desta guerra, até o momento. Não. Nem qualquer Jeb Stuart, tampouco. Nenhum Sheridan, idem. Embora haja uma extravagância de McClellans. Os fascistas têm abundância de McClellans, e nós temos pelo menos três."

Nesta guerra ele não tinha conhecido nenhum gênio militar. Nenhum. Nem qualquer coisa parecida. Kleber, Lucasz e Hans tinham feito um trabalho refinado, na sua participação defendendo Madri, na Brigada Internacional, e então o velho careca, de óculos, presunçoso, estúpido como um mocho, burro para conversar, tão irritadiço e idiota quanto um boi, que a propaganda forjou como defensor de Madri, Miaja, sentia tanta inveja da publicidade que Kleber alcançara que forçou os russos a destituírem Kleber de seu comando e a enviá-lo para Valência. Kleber era bom soldado, mas limitado, e *falava* muito do trabalho que fizera. Golz era um bom general e excelente soldado, mas sempre o mantiveram em posições subordinadas, e nunca lhe deram liberdade de decisão. Este ataque seria o seu maior espetáculo até o momento, e Robert Jordan não gostou muito do que ouviu sobre o ataque. Depois, havia Gall, o húngaro, que deveria ser fuzilado, se fosse para se dar crédito à metade do que se ouvia no Gaylord. "Já se deveria fazê-lo por conta de dez por cento do que se ouve no Gaylord", pensou Robert Jordan.

Ele gostaria de ter visto a luta no platô, além de Guadalajara, quando derrotaram os italianos. Entretanto encontrava-se em Extremadura.

Hans lhe contou, uma noite no Gaylord, havia duas semanas, fazendo-o praticamente ver a luta. Houve um momento em que tudo estava perdido, quando os italianos desmantelaram a linha, próxima de Trijueque, e a 12ª. Brigada teria sido ilhada se a estrada Torija-Brihuega fosse interrompida.

— Mas, sabendo que eles eram italianos — dissera Hans —, experimentamos umas manobras que seriam injustificáveis contra outras tropas, e tivemos sucesso.

Hans mostrara tudo em detalhes, nos mapas da batalha. Carregava-os consigo o tempo todo, na sua pasta de mapas, maravilhado e feliz com o milagre. Hans era um bom soldado e boa companhia. As tropas espanholas de Lister, de Modesto e de Campesino lutaram muito bem neste episódio, Hans contou a ele o que devia ser creditado aos seus líderes e à disciplina que impuseram. Mas Lister, Campesino e Modesto, em muitos dos movimentos que deveriam fazer, tinham sido instruídos pelos seus conselheiros militares russos. Eram como estudantes voando em máquinas de controle duplo, de modo que o piloto poderia tomar o manche, no caso de eles cometerem um erro. Bem, este ano mostraria o quanto haviam aprendido. Depois de algum tempo, não haveria mais duplo controle, e então se veria como eles realmente comandavam sozinhos suas divisões e corporações militares.

Eram comunistas e disciplinadores. A disciplina que impunham formaria boas tropas. Lister era mortal com a disciplina. Um verdadeiro fanático, e um espanhol completo com relação à falta de respeito pela vida. Desde a invasão do Ocidente pelos tártaros, em poucos exércitos tantos homens foram executados sumariamente, por motivos tão irrisórios, como sob o seu comando. Mas ele sabia como transformar uma divisão numa unidade de luta. "Uma coisa é manter um território, outra é atacar uma posição e tomá-la. É muito diferente manobrar um exército no campo de batalha", pensou Robert Jordan sentado à mesa. "Como Lister agirá quando o comando duplo for extinto? Ou, talvez essa situação perdure. Será? Ou será que eles se fortalecerão? Tenho a curiosidade de saber qual é a posição dos russos no negócio todo. Gaylord é o lugar. Tem muito que preciso descobrir agora, e somente no Gaylord posso conseguir isso."

Houve um tempo em que pensava que o Gaylord tinha sido um mau lugar para ele. Era o oposto do comunismo puritano religioso do Velazquez 63, o palácio de Madri que havia sido transformado num quartel-general da Brigada Internacional na capital. "No Velazquez 63, era como se a gente fosse membro de uma ordem religiosa" — e o Gaylord estava muito distante do sentimento que se tinha no quartel general do Quinto Regimento, antes que tivesse sido desmembrado nas brigadas do novo exército.

Em ambos os lugares se tinha a sensação de estar fazendo parte de uma cruzada. Esta era a única palavra para descrevê-la, mas fora tão usada e desgastada de tal forma que perdera o seu verdadeiro significado. "Dava para sentir, a despeito dos entraves burocráticos, da ineficiência e conflitos do partido, alguma coisa parecida com aquilo que esperava sentir na primeira comunhão e não conseguiu alcançar. Era um sentimento de consagração para o dever com respeito a todos os oprimidos do mundo, tão difícil e embaraçoso de se explicar quanto as experiências religiosas, e mesmo assim era autêntico, como a sensação que se tinha ao ouvir Bach, ou ficar na Catedral de Chartres, ou na Catedral de Lyon, e ver a luz passar pelas grandes janelas, ou ver Mantegna, e Greco e Brueghel no Prado. É algo que transmite a você um sentimento de pertencimento a uma coisa em que você acredita integralmente, na qual vislumbra uma fraternidade absoluta, compartilhada com os demais que estivessem engajados. É uma experiência nunca vista, mas que você experimenta, então, e acaba dando tanta importância a ela, e às suas razões, que a sua própria morte não importa mais — torna-se apenas algo a ser evitado, para garantir o cumprimento do dever. Mas o melhor de tudo é que você pode fazer algo de concreto com esse sentimento e essa necessidade. Você pode lutar."

"Então você lutou. E com a luta, bem cedo, acabou a pureza de sentimento para aqueles que lutaram bem e sobreviveram. Antes dos primeiros seis meses."

"A defesa de uma posição, ou de uma cidade, é uma contingência na guerra na qual você tem aquele sentimento. Aconteceu assim na batalha em Sierra. Eles lutaram lá com o verdadeiro espírito de camaradagem da revolução." Lá, quando houve a primeira necessidade de impor a disciplina, ele aprovou e entendeu. Sob o fogo cerrado, homens acovardaram-se e fugiram. Viu esses homens serem fuzilados, e abandonados para incharem à beira da estrada, ninguém se importou em fazer algo além de aliviar-lhes da munição e de seus pertences de valor. "Tomar seus cartuchos, casacos de couro e botinas, tudo bem. Tomar os seus pertences de valor era uma questão de ser realista. Apenas evitava que os anarquistas o fizessem."

"Parecera necessário, justo e correto que os homens em fuga fossem fuzilados. Não havia nada de errado nisso. A fuga era um sinal de egoísmo. Os fascistas haviam atacado e nós os detivemos na subida daquelas rochas cinza, na capoeira espinhenta das colinas de Guadarrama. Resistimos ao longo da estrada, debaixo do bombardeio de aviões e dos tiros da artilharia, quando eles a trouxeram para cima, e aqueles que foram deixados para trás no final do dia fizeram o contra-ataque, repelindo os fascistas. Mais tarde, quando eles tentaram descer pela esquerda, infiltrando-se por entre as pedras e árvores, resistimos no Sanatório, atirando das janelas e do teto, embora eles começassem a passar por ambos os flancos, e aprendemos o que é estar cercado, até que o contra-ataque limpara a área, empurrando-os para a estrada novamente."

"No meio de tudo isso, do medo que resseca a boca e a garganta, da poeira dos rebocos destruídos, e do pânico súbito de uma parede desabando, caindo no meio dos clarões e estrondos dos tiros, descarregando a metralhadora e arrastando para um abrigo quem a estivesse alimentando, deitado com a cara no chão, coberto de cascalho, a cabeça atrás de um escudo enquanto trabalhava na obstrução dos carregadores, se desfazendo da caixa quebrada, ajeitando a correia, agora estirado atrás do escudo, a metralhadora varrendo a estrada novamente, você fez o que deveria fazer e sabia que estava correto. Você conheceu o êxtase da boca seca, que purga o medo, que purga tudo, o êxtase da batalha em que lutou naquele verão, e depois no outono, por todos os pobres do mundo, contra toda a tirania, por todas as coisas em que acreditava, e pelo novo mundo para o qual você foi educado para viver. E aprendeu naquele outono como enfrentar e ignorar o sofrimento num período longo de frio e umidade, de lama e escavação de trincheira. E a lembrança do verão e do outono foi enterrada sob o cansaço, o sono, o nervosismo e o desconforto. Mas continuava lá, e tudo o que você passou servia apenas para validar exatamente isso. Foi naquela ocasião que você teve um profundo e saudável orgulho altruísta — que, hoje, faria de você um tremendo chato num lugar como o Gaylord", pensou de repente.

"Não, na época você não se sentiria muito bem no Gaylord. Você era muito ingênuo. Estava numa espécie de estado de graça. Mas o Gaylord talvez não fosse daquele jeito, nem antes nem agora. Não, pensando bem, não era assim, não era desse jeito mesmo. Então nem sequer existia Gaylord."

Karkov lhe contara sobre aqueles dias. Os russos que moravam todos no Hotel Palace. Robert Jordan não conhecia nenhum deles, até então. Isto foi antes da formação do primeiro grupo de *partisans*. Antes de ele ter conhecido Kashkin, ou os outros. Kashkin havia estado no norte, em Irun, em San Sebastian, e na batalha abortada em direção a Vitoria. Chegara em Madri em janeiro, e, enquanto Robert Jordan estivera lutando em Carabanchel e em Usera, naqueles três dias quando eles detiveram a ala direita fascista, que atacava Madri, e retiraram os mouros e o *Tercio* de cada casa, para limpar aquele subúrbio bombardeado, na beira de um platô cinza e ensolarado, e estabeleceram uma linha de defesa ao longo dos montes que protegiam pontos estratégicos da cidade, Karkov tinha estado em Madri.

Karkov não era cínico, ao falar sobre aqueles episódios. Eram tempos em que todos serviam de apoio uns aos outros, quando tudo parecia perdido, e cada homem retém até hoje, melhor do que qualquer citação ou medalha, a sabedoria de como agir quando tudo parece perdido. O governo abandonara a cidade, tomando todos os automóveis do ministro da guerra, e o velho Miaja teve de andar de bicicleta para inspecionar suas posições de defesa. Robert Jordan não acreditou nessa história. Não conseguia imaginar Miaja montado numa bicicleta, nem na sua mais patriótica imaginação, mas Karkov dissera que fora verdade. Só que ele escrevera a história para jornais russos e, assim, provavelmente, queria acreditar no que havia escrito.

Mas havia uma outra história, que Karkov não escrevera. Havia três russos feridos que estavam sob a sua responsabilidade no Hotel Palace. Eram dois condutores de tanques e um aviador que, por estarem muito feridos, não podiam ser removidos, sendo que naquele tempo era de grande importância que nenhuma prova da intervenção russa vazasse, para não justificar uma intervenção fascista aberta. Era responsabilidade de Karkov que os soldados feridos não caíssem nas mãos dos fascistas, no caso de a cidade ser abandonada.

Na eventualidade de uma súbita retirada da cidade, Karkov deveria envenená-los e destruir qualquer vestígio das suas identidades, antes de deixar o Hotel Palace. Ninguém poderia provar que os corpos dos três homens feridos, um com três balas no abdômen, outro com o queixo arrancado por um tiro, expondo as suas cordas vocais, o terceiro com o fêmur esmagado, as mãos e rosto tão queimados que ele já não tinha mais pelos, cílios, sobrancelhas e no lugar dos cabelos apenas bolhas, eram de russos. Ninguém poderia dizer dos corpos feridos desses homens, que ele deixaria em camas do Hotel Palace, que eram russos. Nada provava que o corpo nu de um morto é de um russo. A nacionalidade e inclinação política de alguém não aparecem quando ele está morto.

Robert Jordan perguntara a Karkov o que sentiu sobre a necessidade de executar tais ordens, e Karkov respondera que não pensara sobre esta possibilidade.

— Como ia fazer, então? — perguntara-lhe Robert Jordan e adicionara: — Você sabe que não é tão simples envenenar uma pessoa.

E Karkov dissera:

— Ah, é sim, quando você carrega o veneno consigo para o próprio uso.

E então abrira a sua cigarreira e mostrara a Robert Jordan o que ele trazia numa das laterais.

— Mas a primeira coisa que qualquer um fará, quando o fizer prisioneiro, será tomar-lhe a cigarreira — objetou Robert Jordan. — Eles manteriam suas mãos para o alto.

— Mas eu tenho um pouco mais, aqui — Karkov arreganhara os dentes, e mostrara a lapela de sua jaqueta. — Você simplesmente põe a boca na lapela, assim, morde e respira fundo.

— Assim é melhor — dissera Robert Jordan. — Diga-me, isto tem cheiro de amêndoas amargas como em histórias de detetive?

— Não sei — dissera Karkov, prazerosamente. — Nunca cheirei. Deveríamos abrir um pequeno tubo e cheirar?

— Melhor guardar.

— Concordo — dissera Karkov, e guardara a cigarreira. — Não sou um derrotista, você entende, mas é possível que os tempos difíceis retornem, e não se ache isto em lugar algum. Já viu o comunicado do front de Córdoba? Está muito bonito. Passou a ser o meu favorito, entre todos os comunicados.

— O que diz? — Robert Jordan voltara para Madri, saindo do front de Córdoba, e sentira aquele súbito endurecimento de quando alguém faz uma brincadeira, que você faria também, mas ninguém mais tem o direito de fazer. — Diga-me.

— *Nuestra gloriosa tropa siga avanzando sin perder ni una sola palma de terreno* — dissera Karkov, no seu bisonho espanhol.

— Não é possível — duvidara Robert Jordan.

— Nossas gloriosas tropas continuam avançando, sem perder um palmo do território — repetira Karkov, em inglês. — Está no comunicado e vou lhe mostrar exatamente onde.

"Você podia se lembrar dos homens que morreram na luta nos arredores de Pozoblanco, mas isto era uma piada no Gaylord."

Quer dizer, aquela era a atmosfera no Gaylord. Mas o Gaylord não existiu sempre e, se a situação agora era tal que tinha produzido um Gaylord com os sobreviventes dos primórdios da revolução, ele gostava de poder ir ao Gaylord e de saber que ele existia. "Você está bem longe do que sentiu em Sierra, em Carabanchel e em Usera", pensou Robert Jordan. "Foi tão fácil corromper-se. Mas será que isto era corromper--se, ou seria a perda da ingenuidade com que comecei? Afinal, não seria assim em qualquer outra atividade? Quem mais manteve aquela castidade inicial da mente, sobre o seu trabalho, com que jovens doutores, jovens pastores e jovens soldados geralmente começam? O pastor certamente mantém ou abandona o negócio. Presumo que os nazistas mantenham e também os comunistas com severa autodisciplina. Mas olhe para Karkov."

Ele não se cansava de refletir sobre Karkov. Na última vez em que esteve no Gaylord, Karkov dissera maravilhas sobre um certo economista britânico que permanecera longo tempo na Espanha. Robert Jordan lera os artigos do tal homem, durante anos, e sempre o respeitara sem saber nada de sua vida. Não se importara muito com o que ele escrevera sobre a Espanha. Era tudo muito evidente e simples, muito aberto e definitivo, e muitas das estatísticas, ele sabia, eram falsificadas pelo pensamento tendencioso. Mas acreditava que raramente alguém se importasse com artigos de jornais escritos sobre um país que se conhecia bem, e respeitava o homem por suas intenções.

De repente, o vira numa tarde quando atacaram em Carabanchel. Eles estavam sentados ao abrigo da arena de tourada, e se ouviam tiros a duas ruas abaixo, e todos estavam muito nervosos esperando o ataque. Um tanque havia sido prometido e não tinha chegado, e Montero estava sentado, com as mãos na cabeça, dizendo:

— O tanque não veio. O tanque não veio.

Era um dia frio e a poeira amarela era soprada pelo vento nas ruas. Montero tinha sido ferido no braço esquerdo, e o braço estava endurecendo.

— Temos que arrumar um tanque — ele dizia. — Devemos esperar pelo tanque, mas não podemos esperar.

Ele estava ficando impertinente, por causa do ferimento. Robert Jordan fora verificar o que acontecera com o tanque, pois Montero dissera que talvez ele estivesse parado, atrás do complexo de apartamentos, na esquina da estação de trem. Estava tudo bem por lá. Mas, não havia tanque. Os espanhóis chamavam qualquer coisa de tanque, naqueles dias. Tratava-se de um velho carro blindado. O motorista não queria deixar o ângulo protegido do edifício de apartamentos, e dirigi-lo até a arena. Estava parado atrás do carro blindado, de braços cruzados contra o metal da blindagem, e a cabeça, protegida por um capacete revestido de couro, apoiada nos braços. Balançou a cabeça em negativa quando

Robert Jordan falou com ele, e manteve-a pressionada contra os braços. Então, em seguida, virou a cabeça sem olhar para Robert Jordan.

— Não tenho ordens para ir até lá — dissera, taciturnamente.

Robert Jordan tirara a pistola do coldre e pressionou o cano contra a jaqueta de couro do motorista.

— Estas são as suas ordens — dissera-lhe. O homem balançou a cabeça, com o seu enorme capacete, parecendo um jogador de futebol americano, e disse:

— Não tem munição para a metralhadora.

— Temos munição lá na arena — dissera-lhe Robert Jordan. — Vamos. Lá nós encheremos o cinto. Vamos indo!

— Não há ninguém para operar a metralhadora — disse o motorista.

— Onde está ele? Onde está o seu companheiro?

— Morto — dissera o motorista. — Aí dentro.

— Tire-o daí — dissera Robert Jordan. — Ande, tire-o, já!

— Não quero tocá-lo — dissera o motorista. — E ele está dobrado entre a metralhadora e a direção, não posso nem passar por ele.

— Ora, vamos — Robert Jordan dissera. — Nós dois tiramos ele daí.

Ele bateu a cabeça logo que subiu no carro blindado, fazendo um pequeno corte na sobrancelha, e o sangue escorria pelo rosto. O morto estava pesado e tão duro que era impossível endireitá-lo. Ele teve de golpear a sua cabeça para tirá-la de onde estava entalada, com o rosto para baixo, entre o banco e a direção. Finalmente, empurrando a cabeça do morto por baixo com os joelhos, e puxando pela cintura do cadáver, agora com a cabeça livre, conseguiu arrastá-lo sozinho pela porta do carro.

— Me dê uma mão — disse para o motorista.

— Não quero tocar nele — dissera o motorista, e Robert Jordan percebeu que ele chorava. As lágrimas corriam de ambos os lados do nariz, pela cara enfarruscada, e do nariz escorria muco.

Parado junto à porta do carro, jogou o morto e ele caiu na calçada, ao lado da estação de trem, ainda naquela posição, encurvado, dobrado. O corpo ficou jogado lá, a cara suja de graxa, acinzentada, contra o cimento do passeio, e as mãos dobradas sob o corpo do jeito que morreu no carro blindado.

— Entre, desgraçado! — dissera Robert Jordan, apontando a pistola para o motorista. — Entre aí, agora!

Só então viu direito o tal homem, que deixou a proteção da parede do edifício. Vestia um sobretudo longo, a cabeça estava descoberta e o cabelo era grisalho, os zigomas volumosos, tinha os olhos profundos e aproximados um do outro. Trazia um maço de Chesterfields na mão, tirou um cigarro e ofereceu a Robert Jordan, que empurrava o motorista para dentro do carro blindado com a sua pistola.

— Um minuto, camarada — dissera o homem para Robert Jordan, em espanhol. — Pode me explicar algumas coisas sobre o combate?

Robert Jordan pegou o cigarro, e colocou-o no bolso da jaqueta do seu macacão azul de mecânico. Ele reconhecera o camarada, de uma fotografia. Era o tal economista.

— Vá se (...) — disse em inglês, e então, em espanhol dirigiu-se ao motorista do blindado — Lá embaixo. Na arena. Está vendo? — e a seguir bateu a porta pesada de metal, passou o ferrolho e começaram a rodar o carro pela longa descida, enquanto as balas ricocheteavam contra o blindado, soando como cascalhos atirados numa caldeira de ferro. Então, quando as metralhadoras abriram fogo sobre eles, pareciam pancadas desferidas com martelos de ponta.

Abrigaram-se atrás da arena de tourada, com o último pôster de Outubro ainda colado próximo da janela da bilheteria, e a caixa de munição aberta, e os camaradas com os rifles, as granadas em seus cinturões e nos bolsos, tocaiando, e Montero gritara:

— Bom. Aí está o tanque. Agora podemos atacar.

Mais tarde, naquela mesma noite, tendo tomado as últimas casas do morro, ele deitou-se com relativo conforto atrás de uma parede de tijolos, com um buraco servindo de seteira para vigiar e atirar com o rifle, e ficou olhando ao longo do belo campo de fogo que havia entre eles e o ponto das trincheiras dos fascistas, e então pôs-se a pensar, com um conforto quase voluptuoso, na subida do morro com a vila bombardeada a proteger-lhes o flanco esquerdo. Deitara sobre um monte de palha, com suas roupas ensopadas de suor, enrolado num cobertor para secá-las. Deitado naquele lugar, ficou pensando no economista e riu, e então lamentou por ter sido rude com ele. Mas naquele momento, quando o homem oferecera-lhe um cigarro, como se estivesse dando gorjeta por uma informação, a aversão de combatente pelo não combatente falara mais alto.

Agora ele relembrava o Gaylord, e Karkov falando deste mesmo homem.

— Então foi lá que você o conheceu — dissera Karkov. — Já eu não consegui chegar além de Puente de Toledo, naquele dia. Ele estava bem adiantado em direção ao front. Aquele foi o seu último dia de bravura, eu acho. Deixou Madri no dia seguinte. Acredito que em Toledo ele foi mais bravo. Em Toledo, ele esteve formidável. Foi um dos arquitetos da estratégia que nos permitiu capturar Alcazar. Você devia tê-lo visto em Toledo. Não tenho dúvida de que foi através de seus esforços e conselhos que tivemos sucesso em sitiar a cidade. Aquela foi a mais tola parte da guerra. Alcançou a supremacia da tolice, mas diga-me, o que se pensa dele na América?

— Na América — disse Robert Jordan —, presume-se que ele seja bem chegado a Moscou.

— Mas, não é — disse Karkov. — Ele tem uma fachada maravilhosa e maneiras que fazem muito sucesso. Com meus atributos, por exemplo, eu não conseguiria nada. O pouco que conquistei, o fiz apesar desta minha cara que não inspira nem move as pessoas a me amarem e confiarem em mim. Mas este Mitchell tem uma cara com a qual faz a sua fortuna. A cara do conspirador. Todos que já leram livros de conspiração irão confiar nele instantaneamente. E ele ainda possui o jeito genuíno do conspirador. Qualquer um vendo-o entrar numa sala, sabe que está na presença de um conspirador de marca maior. Todos os seus ricos compatriotas que gostariam de, sentimentalmente, ajudar a União Soviética, por acreditar nela ou para garantirem-se no caso de um eventual sucesso do partido, veem instantaneamente na cara deste homem, e nas suas maneiras, que ele pode ser ninguém mais do que um agente confiável da Terceira Internacional.

— Ele não tem conexões em Moscou?

— Nenhuma. Escute, camarada Jordan. Você conhece os dois tipos de idiotas?

— Naturais e irados?

— Não. Os dois tipos que temos na Rússia — Karkov deu uma risada bisonha e começou. — Primeiro há o idiota do inverno. O idiota do inverno vem à sua porta e bate sonoramente. Você atende a porta, o sujeito está lá, e você nunca o viu na vida. É uma visão impressionante. É um homem enorme, usa botas altas, sobretudo e chapéu de pele e está coberto de neve. Primeiro, ele bate as botas e a neve cai. Depois, ele tira o sobretudo, sacode, e cai mais neve. Então ele tira seu chapéu de pelagem e bate com ele contra a porta. Mais neve cai do chapéu. Então, ele bate as botas e adianta-se para o interior da sala. Aí você olha para ele e na hora sabe que é um idiota. Este é o idiota do inverno.

— No verão você vê o idiota caminhando na rua, e ele está abanando, gesticulando, balançando a cabeça para todos os lados, e todos podem reconhecer, a duzentos metros de distância, que é um idiota. O idiota do verão. O economista é um idiota do inverno.

— Mas por que as pessoas confiam nele, aqui? — perguntou Robert Jordan.

— Sua cara — disse Karkov. — Sua linda *gueule de conspirateur*. E seu inestimável truque de ter acabado de chegar de outro lugar, onde ele é considerado muito confiável e importante. Naturalmente — Karkov sorriu — que ele deve viajar muito, para manter o truque funcionando. Você sabe que os espanhóis são muito estranhos — continuou Karkov. — Este governo teve muito dinheiro. Muito ouro. Eles não darão nada para os seus amigos. Você é um amigo? Então, muito bem. Você fará a coisa toda por nada, e não deve ser recompensado. Mas para as pessoas que representam uma firma importante, ou um país que não é amigável, mas deve ser influenciado, para esse tipo de pessoas eles dão bastante. É muito interessante quando você segue à risca esse princípio.

— Não gosto disso e, depois, o dinheiro pertence aos trabalhadores espanhóis.

— Não importa que você goste ou não. Mas deve entender como funciona — disse-lhe Karkov. — Eu lhe ensino um pouco a cada vez que nos virmos, assim você irá se instruindo. Deve ser interessante para um professor receber instrução.

— Não sei se poderei continuar a ser professor, quando voltar. Eles provavelmente irão me tachar de Vermelho.

— Bem, talvez você possa vir para a União Soviética, e continuar seus estudos lá. Seria a melhor coisa para você fazer.

— Mas espanhol é a minha área.

— Há muitos países em que o espanhol é falado — dissera Karkov. — Eles não podem ser todos tão difíceis para fazer as coisas quanto a Espanha. E depois, você deve lembrar que não é professor há quase nove meses. Em nove meses talvez você tenha aprendido outro ofício. O quanto da dialética você tem lido?

— Tenho lido aquele Manual do Marxismo, que o Emil Burns editou. É tudo.

— Mesmo se tiver lido todo ele, ainda é bem pouco. Há mil e quinhentas páginas, e você pode gastar bastante tempo em cada uma. Mas há outras coisas que você deveria ler.

— Não há muito tempo para leitura agora.

— Eu sei — dissera Karkov. — Quis dizer, ocasionalmente. Há muitas coisas para ler que farão você entender um pouco do que está acontecendo. Mas isto aqui dará um livro, um livro necessário, que explicará muitas coisas necessárias para serem entendidas. Talvez eu escreva este livro. Espero que seja eu quem o escreva.

— Não conheço quem poderia escrever melhor.

— Não me adule — dissera Karkov. — Eu sou um jornalista. E como todos os jornalistas, gostaria de escrever literatura. Exatamente agora, estou ocupado num estudo de Calvo Sotelo. Ele era um bom fascista, um verdadeiro fascista espanhol. Franco, e esta outra gente, não são. Tenho estudado toda a obra de Sotelo e seus discursos. Ele era muito inteligente e foi muito inteligente tê-lo matado.

— Pensei que você não acreditasse em assassinato político.

— É praticado muito amplamente — disse Karkov. — Muito, muito amplamente.

— Mas...

— Não acreditamos em atos de terrorismo feitos por indivíduos — Karkov sorrira. — Nem, naturalmente, por terrorista criminoso e organização contrarrevolucionária. Detestamos, horrorizados, a fraude e a patifaria dos assassinos hienas de Bukharinite, destruidores e escórias da humanidade como Zinoiev, Kamenev, Rykov e seus sequazes. Odiamos e abominamos esses autênticos endemoniados — ele sorrira novamente. — Mas continuo acreditando que assassinato político pode ser praticado amplamente.

— Você quer dizer...

— Não quero dizer nada. Mas certamente executamos e destruímos esses verdadeiros demônios, escórias da humanidade e cachorros traiçoeiros, os generais e os revoltantes almirantes infiéis aos seus encargos. Estes são destruídos. Eles não são assassinados. Vê a diferença?

— Claro — dissera Robert Jordan.

— E só porque eu faço piadas vez por outra; e você sabe como é perigoso fazer piada, mesmo que seja à toa? Bom. Por isso, porque eu brinco, não pense que o povo espanhol não irá viver para arrepender-se de não ter fuzilado certos generais que agora estão no comando. Eu não gosto de fuzilamentos, você entende.

— Não me incomodo com eles — dissera Robert Jordan. — Não gosto deles, mas não me incomodo mais.

— Sei disso — dissera Karkov. — Já me disseram.

— Isto é importante? — disse Robert Jordan. — Tentei apenas ser sincero.

— É de lamentar — dissera Karkov. — Mas é uma das coisas que faz uma pessoa ser tratada como confiável, enquanto geralmente levaria muito tempo para alcançar este *status*.

— Presume-se que eu seja confiável?

— No seu trabalho, presume-se que você seja muito confiável. Tenho que conversar com você ocasionalmente, para ver o que vai passando pela sua mente. É lamentável que nunca tenhamos tido uma conversa séria.

— Minha mente ficará em suspenso, até que ganhemos esta guerra — dissera Robert Jordan.

— Então, talvez você não precise dela por um longo tempo. Mas você deveria ter o cuidado de exercitá-la um pouco.

— Eu leio *Mundo Obrero* — dissera-lhe Robert Jordan.

— Tudo bem — replicara Karkov. — Bom. Eu também posso aturar uma brincadeira. Mas há muitos artigos inteligentes no *Mundo Obrero*. Os únicos artigos inteligentes escritos nesta guerra.

— É verdade — dissera Robert Jordan. — Concordo com você, mas para ter um quadro completo da situação não se pode ler apenas o órgão do partido.

— Não — dissera Karkov. — Mas você não terá esse quadro, mesmo se ler vinte jornais, e depois, se tiver, não sei o que você faria com isso. Tenho este quadro quase que constantemente e o que faço é tentar esquecê-lo.

— Acha que está assim tão mal?

— Agora está melhor do que antes. Estamos eliminando o pior. Mas está muito deteriorado. Estamos construindo um poderoso exército, e alguns membros, aqueles como Modesto, de El Campesino, de Lister e Durán, são confiáveis. São mais do que confiáveis. São magníficos. Você verá. Também temos as brigadas, embora a sua função esteja mudando. Mas um exército que é constituído de elementos bons e maus não pode ganhar uma guerra. Todos devem ser trazidos para um certo nível de desenvolvimento político; todos devem saber por que estão lutando e a sua importância; todos devem acreditar na guerra que estão fazendo, e devem aceitar a disciplina. Estamos arregimentando um monumental exército por alistamento, sem o tempo necessário para implantar um regime de disciplina, obrigatório para um exército de alistados para se comportar apropriadamente num combate. Nós o chamamos de exército do povo, mas ele não terá o valor de um verdadeiro exército do povo, nem a disciplina de ferro que um exército de alistados precisa ter. Você verá. É um procedimento muito perigoso.

— Hoje você não está muito animado.

— Não — respondeu Karkov. — Acabei de retornar de Valência, onde vi muitas pessoas. Ninguém retorna muito alegre de Valência. Em Madri, você se sente bem e limpo, com a convicção única da vitória. Valência já é outra história. Os covardes que debandaram de Madri continuam governando por lá. Eles se encaixaram alegremente na indolência e burocracia do governo. Eles apenas desprezam os de Madri. A obsessão deles agora é o enfraquecimento dos intendentes de guerra. E Barcelona? Você deveria ver Barcelona.

— Como está por lá?

— Continua uma ópera-cômica. Primeiro, foi o paraíso dos excêntricos e românticos revolucionários. Agora, é o paraíso dos falsos soldados. Daqueles que gostam de usar uniforme, pavonear-se, bravatear e ostentar o cachecol vermelho e preto. Adoram tudo em uma guerra, exceto lutar. Valência enoja e Barcelona faz rir.

— E a rebelião do POUM?

— O POUM nunca foi sério. Foi uma heresia dos excêntricos e selváticos, e foi realmente apenas um infantilismo. Com algumas pessoas honestas mal-orientadas. Tinha um cérebro, razoavelmente bom, e um pouco de dinheiro fascista. Nada mais. Pobre POUM Foram uns idiotas.

— Mas houve muitas mortes na rebelião?

— Não tantas quanto no fuzilamento posterior, ou que ainda ocorrerão. O POUM é como o nome, não é sério. Deveria ser chamado de MUMPS (caxumba) ou MEASLE (sarampo). Mas, não. O sarampo é muito mais perigoso. Pode afetar ambos os sentidos, a visão e a audição. Saiba que eles armaram uma trama para me matar, e matar Walter, matar Modesto e matar Prieto. Percebe como estavam confusos? Não somos nada parecidos. Pobre POUM Eles nunca mataram ninguém, nem no front nem em qualquer outro lugar. Ah, uns poucos em Barcelona, sim.

— Você estava lá?

— Estava. Eu enviara um telegrama descrevendo a iniquidade daquela infame organização de assassinos trotskistas, e todas as suas maquinações fascistas, escondidas no desdém. Mas, cá entre nós, o POUM não é muito sério. O seu único cérebro é o Nin. Nós o tivemos em nossas mãos, mas ele escapou.

— Onde ele está agora?

— Em Paris. Dizemos que ele está em Paris. Era um sujeito e tanto, mas imbuído de aberrações políticas.

— Mas eles tinham comunicação com os fascistas, não tinham?

— Quem não teve?

— Nós não.

— Quem sabe? Espero que não. A gente ultrapassa as fronteiras com frequência — Karkov arreganhou os dentes. — Mas o irmão de um dos secretários da Embaixada Republicana em Paris fez uma viagem para St. Jean de Luz, na semana passada, para reunir-se com pessoas de Burgos.

— Gosto mais do front — dissera Robert Jordan. — Quanto mais perto do front, melhores as pessoas.

— E lá atrás das linhas dos fascistas, você gosta?

— Muito. Temos pessoas excelentes lá atrás.

— Bem, eles devem ter as suas pessoas excelentes, da mesma forma que nós, atrás das nossas linhas. Nós os achamos e os fuzilamos, eles encontram os nossos e os fuzilam. Quando você está na região deles, deve pensar sempre em quantas pessoas estarão enviando para nós fuzilarmos.

— Tenho pensado sobre eles.

— Bem — Karkov dissera —, por hoje você já tem bastante para pensar, então beba o resto desta cerveja da jarra e vá embora, porque tenho que ir lá em cima ver pessoas. Pessoas *lá de cima*. Volte outra vez, em breve, para me ver.

"Sim", pensou Robert Jordan. "Você aprendeu muito no Gaylord. Karkov tinha lido o único livro que você publicou. O livro não foi um sucesso. Um livro com míseras duzentas páginas, e duvido que mais do que duas mil pessoas o tenham lido." Ele havia colocado no livro as suas descobertas sobre a Espanha, nos dez anos de viagem a pé, em carruagens de terceira classe, de ônibus, a cavalo, no lombo de mulas e em caminhões. Conhecera bem as regiões Basca, Navarra, Aragão, Galícia, as duas Castilas e Extremadura. Há bons livros escritos por Borrow e Ford, de sorte que ele pôde adicionar bem pouco. Mas Karkov disse que era um livro muito bom.

— É por isso que eu me importo com você — dissera Karkov. — Acho que você escreve absolutamente a verdade, e isto é raro. Por isso eu gostaria que você soubesse de algumas coisas.

Tudo bem. Ele escreveria um livro, após passar por tudo isso. Mas somente sobre coisas que realmente conhecera, verdadeiras, e sobre o que sabia. "Mas terei que ser um escritor muito mais preparado do que sou hoje", pensou. As coisas que aprendeu nesta guerra não eram assim tão simples.

19

— O que você faz aí sentado? — perguntou Maria. Ela estava ao seu lado, em pé, e ele virou-se para ela, sorrindo.

— Nada. Estava apenas pensando.

— Em quê? Na ponte?

— Não. A ponte já está liquidada. Pensava em ti, num hotel em Madri onde eu conheço alguns russos, e no livro que um dia irei escrever.

— Há muitos russos em Madri?

— Não. Bem poucos.

— Mas nos jornais fascistas diz que há centenas de milhares deles.

— São mentiras. Há bem poucos.

— Você gosta dos russos? Aquele que esteve aqui era russo.

— Você gostou dele?

— Gostei. Eu ainda estava doente, mas o achei bonito e muito corajoso.

— Que bobagem achar ele bonito — disse Pilar. — O nariz dele era tão chato quanto a minha mão, e os ossos da cara tão largos quanto as ancas de uma ovelha.

— Ele era um bom amigo, e meu camarada — disse Robert Jordan para Maria. — Gostava muito dele.

— Claro — disse Pilar. — Tanto que deu um tiro nele.

Quando ela disse isso os que jogavam baralho olharam da mesa, e Pablo fitou Robert Jordan. Ninguém disse uma palavra, e então o cigano, Rafael, perguntou:

— É verdade, Roberto?

— É — disse Robert Jordan. Ele preferiria que Pilar não tivesse tocado nesse assunto, e gostaria de não ter contado isso no encontro com El Sordo. — Foi ele quem pediu. Estava gravemente ferido.

— *Qué cosa mas rara* — disse o cigano. — Durante todo o tempo que ele esteve conosco, falava dessa possibilidade. Não sei quantas vezes eu lhe prometi que atiraria nele. Que coisa esquisita — repetiu mais uma vez e balançou a cabeça.

— Ele era um homem muito esquisito — disse Primitivo. — Muito singular.

— Escute aqui — disse Andrés, um dos irmãos. — Você que é um professor e tudo mais. Você acredita na possibilidade de um homem ver antecipadamente o que vai lhe acontecer?

— Não acredito que alguém possa ver seu futuro — disse Robert Jordan. Pablo fitava-o com curiosidade, e Pilar olhava para ele sem expressão. — No caso desse camarada russo, ele estava muito nervoso por ter estado muito tempo no front. Ele lutou em Irun e como vocês sabem foi um horror. Terrível. Depois disso, lutou no norte. E desde a formação dos primeiros grupos que fizeram o trabalho por trás das linhas inimigas, trabalhou aqui, em Extremadura e Andaluzia. Acho que ele andava muito cansado e nervoso, imaginando coisas muito feias.

— Sem dúvida que ele deve ter presenciado muitas coisas diabólicas — disse Fernando.

— Como todo o mundo — disse Andrés. — Mas escute-me, *Inglés*. Você acha que há essa coisa de um homem saber antecipadamente o que vai lhe suceder?

— Não — disse Robert Jordan. — Isto é ignorância e superstição.

— Continue — disse Pilar. — Vamos ouvir o ponto de vista do professor — ela falou como se estivesse se dirigindo a uma criança precoce.

— Acredito que o medo produz visões diabólicas — disse Robert Jordan. — Que traz maus presságios...

— Como aqueles aviões de hoje — disse Primitivo.

— Como a tua chegada — disse Pablo, baixinho, e Robert Jordan olhou para ele por sobre a mesa, mas percebeu que não era uma provocação, apenas uma expressão do pensamento, e continuou.

— Maus presságios, alguém com medo imagina um fim para si mesmo e pensa que as coisas que imagina lhe vêm como adivinhação — concluiu Robert Jordan. — Acredito que não é nada mais do que isso. Não acredito em bicho-papão, adivinhos, nem em coisas sobrenaturais.

— Mas este de nome esquisito viu o seu destino claramente — disse o cigano. — E foi como aconteceu.

— Ele não viu nada — contestou Robert Jordan. — Estava com medo de tal possibilidade, e ela se transformou numa obsessão. Ninguém pode me provar que ele tenha visto qualquer coisa.

— Nem mesmo eu? — perguntou Pilar, e pegou um punhado de cinza e soprou da palma da sua mão. — Não posso dizer o teu futuro também?

— Não. Com toda a bruxaria, ciganagem e tudo mais, tu não podes predizer o meu futuro.

— Porque tu és um milagre de surdez — disse Pilar, sua face enorme, áspera e robusta à luz de vela. — Não é que tu sejas estúpido. Tu és simplesmente surdo. E o surdo não pode ouvir música. Nem pode ouvir o rádio. Assim, ele dirá, não as tendo ouvido jamais, que tais coisas não existem. *Qué va, Inglés*. Eu vi a morte daquele com nome esquisito na cara dele, como se estivesse marcada lá a ferro e fogo.

— Você não viu a morte dele — insistiu Robert Jordan. — Você viu medo e apreensão. O medo foi produzido pelo que ele vinha enfrentando. A apreensão era causada pela possibilidade do mal que ele imaginou.

— *Qué va* — disse Pilar. — Eu vi a morte lá, como se ela estivesse sentada no seu ombro. E mais, ele cheirava a morte.

— Ele cheirava a morte — zombou Robert Jordan. — Talvez cheirasse a medo. O medo tem cheiro.

— *De la muerte* — disse Pilar. — Escute. Quando Blanquet, que foi o maior *peon de brega* que já nasceu, trabalhou sob as ordens de Granero, me falou que no dia da morte de Manolo Granero, ao pararem na capela no caminho para a arena, o odor da morte estava tão forte em Manolo que Blanquet quase vomitou. E ele estivera com Manolo, vira-o tomar banho, vestir-se no hotel, antes de ir para a arena. O odor não estava presente no carro, quando eles se sentaram apertados durante o trajeto para a arena. Nem era distinguido por ninguém mais, exceto por Juan Luis de la Rosa, na capela. Nem Marcial e Chicuelo sentiram o cheiro até então, nem na hora dos quatro alinharem-se para o desfile antes da tourada. Mas Juan Luis estava branco, Blanquet me contou, e aí ele perguntou a Juan Luis:

— "Tu também?"

— "Tanto que não posso nem respirar" — disse-lhe Juan Luis. — "É o teu matador."

— "*Pues nada*" — disse Blanquet. — "Não há nada a se fazer. Espero que estejamos errados."

— "E os outros?" — Juan Luis perguntou a Blanquet.

— "*Nada*" — disse Blanquet. — "Nada, mas este aí fede pior do que José em Talavera."

— Foi naquela tarde que o touro Pocapena, do rancho de Veragua, liquidou com Manolo Granero, jogando-o contra as tábuas da barreira, na frente do *tendido 2* na Plaza de Toros de Madri. Eu estava lá com Finito e vi. Os chifres destruíram inteiramente o crânio dele, a cabeça de Manolo foi fendida sob o estribo, na base da *barrera* onde o touro o atirou.

— Mas você sentiu o cheiro? — perguntou Fernando.

— Não — disse Pilar. — Estava muito longe. Ficamos na sétima fileira do *tendido 3*. Foi assim, de viés, que eu pude ver tudo. Mas, naquela mesma noite, Blanquet, que havia trabalhado sob as ordens de Joselito, quando este também fora morto, contou isso para Finito, no Fornos, e Finito pediu para Juan Luis de la Rosa confirmar e ele não quis falar nada. Mas assentiu com a cabeça, confirmando. Eu estava presente quando isso aconteceu. Então, *Inglés*, talvez tu sejas surdo para algumas coisas, como Chicuelo, Marcial Lalanda e todos os *bandarilleros*, picadores e toda a gente de Juan Luis e Manolo Granero estavam surdos à morte daquele dia. Juan Luis e Blanquet não estavam surdos. Nem eu sou surda para coisas como essa.

— Por que você diz surdo quando é um problema de olfato? — perguntou Fernando.

— *Leche!* — gritou Pilar. — Tu devias ser o professor em vez do *Inglés*. Mas eu poderia te contar outras coisas, *Inglés*, e não duvides de coisas que tu simplesmente não podes ver nem ouvir. Tu não podes ouvir o que os cachorros podem. Nem cheirar o que eles cheiram. Mas tu já experimentaste um pouco do que pode acontecer a um homem.

Maria colocou a mão no ombro de Robert Jordan e a descansou lá, e ele pensou, repentinamente, "vamos acabar com toda esta tolice e aproveitar o tempo que nos resta. Mas é muito cedo ainda. Ainda temos que matar um bom pedaço da noite." Então ele disse para Pablo:

— Tu acreditas em bruxaria?

— Não sei — disse Pablo. — Sou mais da tua opinião. Nenhuma coisa sobrenatural jamais aconteceu comigo. Mas medo certamente que sim. E muito. Acredito que Pilar possa adivinhar eventos lendo a palma da mão. Se ela não estiver mentindo, talvez seja verdade que tenha sentido o cheiro da morte.

— *Qué va,* ora, se eu mentiria! — disse Pilar. — Não é invenção minha. Este homem, Blanquet, era de extrema seriedade, e além do mais era muito devoto. Ele não era cigano, mas um burguês de Valência. Tu nunca viste ele?

— Vi — disse Robert Jordan. — Eu o vi muitas vezes. Era baixo, semblante triste, e ninguém manejava uma capa melhor do que ele. Era rápido com os pés como um coelho.

— Exatamente! — disse Pilar. — Tinha um semblante tristonho por causa de um problema de coração, e os ciganos diziam que carregava a morte com ele mas que podia espantá-la com a capa, como você limpa o pó de uma mesa. Mesmo não sendo cigano, sentiu o cheiro da morte em Joselito, quando este lutou em Talavera. Mas não sei como ele pôde sentir o cheiro por sobre o cheiro de *manzanilla*. Posteriormente

Blanquet falou sobre isso, com muita hesitação, mas todos aqueles que o escutaram diziam que era uma fantasia, que a verdade era que ele havia sentido o cheiro da vida que José levava, exalada pelo suor do sovaco. Então, mais tarde aconteceu com Manolo Granero, tendo Juan Luis de la Rosa participado também. Está certo que Juan Luis era um homem de pouca honra, companheiro de cama de muitas mulheres, mas de muita sensibilidade no seu trabalho. Mas Blanquet era sério, de poucas palavras e incapaz de mentir. E eu te digo que senti o cheiro da morte no teu colega que esteve aqui.

— Não acredito — disse Robert Jordan. — Você disse que Blanquet sentiu esse cheiro logo antes do desfile que precedeu a tourada. Aqui, vocês tiveram uma ação de sucesso, a do trem. Ele não foi morto na operação. Então, como você poderia sentir o tal cheiro?

— Uma coisa não tem nada a ver com a outra — explicou Pilar. — Na última temporada de Ignacio Sanchez Mejias, ele fedia tanto à morte que muitos se recusaram a sentar do seu lado no café. Todos os ciganos sabiam disto.

— Depois de uma morte, essas coisas são inventadas — argumentou Robert Jordan. — Todo mundo sabia que Sanchez Mejias estava no caminho de uma *cornada*, por ter ficado tanto tempo sem treinar. Além do mais, seu estilo era pesado e perigoso e ele já não tinha mais força nem agilidade nas pernas. Seus reflexos não eram mais os mesmos.

— Correto — disse Pilar. — Tudo isso é verdade. Mas todos os ciganos sabiam que ele cheirava à morte e, quando entrou na Villa Rosa, você via pessoas, como Ricardo e Felipe Gonzalez, deixando o ambiente pela porta dos fundos do bar.

— Provavelmente lhe deviam dinheiro — replicou Robert Jordan.

— É possível — disse Pilar. — Bem possível, mas também todos sentiram o cheiro e sabiam disso.

— O que ela diz é verdade, *Inglés* — disse o cigano, Rafael. — É uma coisa bem conhecida no nosso meio.

— Não acredito em nada disso — disse Robert Jordan.

— Escute, *Inglés* — manifestou-se Anselmo. — Sou contra toda sorte de bruxaria. Mas Pilar tem a fama de ser bem adiantada nesse assunto.

— Mas este cheiro se parece com o quê? — perguntou Fernando. — Se há um odor, então é um odor definível.

— Você quer saber, Fernandito? — disse Pilar, sorrindo para ele. — Acha que poderia sentir esse cheiro?

— Se ele realmente existir, por que eu não sentiria, como qualquer um?

— Por que não? — Pilar estava caçoando dele, as mãos enormes entrelaçadas em torno dos joelhos. — Tu nunca estiveste a bordo de um navio, Fernando?

— Não. E nem gostaria de estar.

— Então tu talvez não reconheças o cheiro. Porque uma parte do cheiro se parece com o odor que surge quando há uma tempestade, e as gaiutas do navio estão fechadas. Coloca o teu nariz contra o cobre do trinco de uma gaiuta fechada, num navio que balouça, que fica oscilando sob os teus pés, e tu ficas tonto e com o estômago vazio. Aí tu tens parte do cheiro.

— Será impossível para mim reconhecer o cheiro da morte, então, porque jamais irei embarcar em navio nenhum — disse Fernando.

— Já estive em navios várias vezes — disse Pilar. — Quando fui ao México e à Venezuela.

— Qual é o resto da mistura do cheiro? — perguntou Robert Jordan. Pilar lançou-lhe um olhar maroto, relembrando agora, orgulhosamente, as suas viagens.

— Tudo bem, *Inglés*. Aprenda. Este é o negócio. Aprenda. Tudo bem. Depois do navio você deve ir ao pé do morro em Madri, no Puente de Toledo, de madrugada, no *matadero*, e parar no pavimento molhado, onde tem cerração levantando de Manzanares. Depois, deve esperar pelas velhas que, antes da luz do dia, bebem o sangue dos animais que foram esquartejados. Quando uma dessas velhas sair do *matadero*, segurando o xale em torno dos ombros e da cabeça, com a face acinzentada e os olhos vazios, e os fiapos de barba da idade no queixo e nas bochechas, encerados e brancos como brotos de feijão, não exatamente cerdosos, mas pálidos brotos da morte no rosto, abrace-a bem apertado, *Inglés*, segure-a firme contra o seu corpo e beije-a na boca, e você conhecerá a segunda parte do cheiro.

— Esta parte me tirou o apetite — disse o cigano. — Essa do broto de feijão foi demais.

— Você quer ouvir um pouco mais? — perguntou Pilar a Robert Jordan.

— Certamente — disse ele. — Se for necessário para aprender, vamos aprender.

— Esta do broto de feijão, no rosto da velha, me enojou — disse o cigano. — Por que aquelas cerdas aparecem nas velhas, Pilar? Com a gente não é assim.

— Não — Pilar zombou dele. — Com a gente, as mulheres velhas, que fomos delgadas na juventude, exceto, é lógico, pelo perpétuo bojo que é a marca do favor prestado ao marido e que toda cigana carrega...

— Não fale assim — disse Rafael. — É ignóbil!

— Então, tu ficaste ofendido — disse Pilar. — Já viste uma *gitana* que não estivesse para ter ou tivesse acabado de ter um filho?

— Tu.

— Não diga isto — pediu Pilar. — Não existe quem não possa ser ofendido. O que eu estava querendo dizer é que a idade traz sua própria forma de feiura para todos nós. Não é necessário detalhar isso. Mas, se o *Inglés* deve aprender sobre aquele odor que tenciona reconhecer, precisa ir ao *matadero* de madrugada.

— Eu irei — disse Robert Jordan. — Mas pegarei o cheiro quando ele passar, sem precisar beijar uma delas. Também tenho medo dos brotos de feijão, como Rafael.

— Beija uma delas — disse Pilar. — Beija uma, *Inglés*, em nome de teu conhecimento e, com isso nas tuas narinas, caminha de volta para a cidade. Daí, quando encontrares um balde com água e flores mortas, enfia o teu nariz ali, o mais que puder, e inala o conteúdo para misturar com os outros odores da morte que já tiveres nas fossas nasais.

— Agora que já fiz isto — disse Robert Jordan —, que flores seriam?

— Crisântemos.

— Continue — disse Robert Jordan. — Sinto o cheiro delas.

— Então — continuou Pilar —, é importante que seja um dia chuvoso de outono, ou pelo menos com neblina. Também serve no início do inverno, e tu deves continuar caminhando pela cidade ao longo da Calle de Salud, cheirando o que eles estiverem varrendo das casas das putas, esvaziando das jarras de água suja nos bueiros, água misturada com os odores dos dejetos do trabalho de amor, adocicado pela água de sabão e as pontas de cigarros apenas tenuemente alcançando as tuas narinas. Então, tu deverias prosseguir até o Jardim Botânico, onde, à noite, as raparigas que são expulsas da zona fazem o seu trabalho encostadas nos portões de ferro do parque e contra as cercas de estacas de ferro e ao longo da calçada. É lá, na sombra das árvores, contra as grades de ferro, que elas fazem tudo o que os homens querem, dos desejos mais simples, por míseros dez centavos, a uma peseta pelo grande ato do qual nascemos; ali, sobre uma cama de flores mortas que ainda nem foram colhidas e replantadas, que servem de acolchoado sobre a terra, muito mais macia do que a calçada, tu vais achar sacos de aniagem abandonados com o odor de terra molhada de flores mortas e de todos os atos da noite. Este saco conterá a essência de tudo, da morte da terra, da morte dos talos de flores e dos botões arruinados, e o cheiro do nascimento e da morte do homem. Tu vais enfiar este saco na tua cara e respirar fundo.

— Não.

— Vais, sim — disse Pilar. — Vais enfiar este saco na cabeça e aspirar o mais fundo que puderes, e então, se tu não tiveres perdido nenhum dos cheiros anteriores, tu vais sentir o cheiro da morte chegando, como nós sentimos.

— Tudo bem — disse Robert Jordan. — E você diz que Kashkin tinha este cheiro quando ele esteve aqui?

— Tinha.

— Bem — disse Robert Jordan. — Se isso for verdade, foi bom eu ter atirado nele.

— *Olé!* — disse o cigano. Os demais riram.

— Muito bem! — aprovou Primitivo. — Isto deve parar esta mulher por algum tempo.

— Mas, Pilar — disse Fernando. — Certamente você não espera que alguém com a educação de Dom Roberto faça coisas tão abomináveis.

— Não — concordou Pilar.

— Tudo isso é de uma repugnância insuperável.

— É, sim — concordou Pilar.

— Você não espera que ele pratique todos esses atos degradantes.

— Não — disse Pilar. — Vá para a cama, Fernando.

— Mas, Pilar... — continuou Fernando.

— Cala esta boca — disse Pilar, abruptamente e com raiva. — Não te faças de idiota, e eu vou tentar não me fazer de idiota também, falando para gente que não entende o que uma outra pessoa diz.

— Confesso que não entendo — continuou Fernando.

— Não confessa, e não tenta entender — disse Pilar. — Continua nevando lá fora?

Robert Jordan foi até a boca da caverna, levantou a manta e olhou para fora. Era uma noite clara e fria e nenhum floco de neve caía. Ele olhou através dos troncos das árvores, onde a brancura assentava, e acima das copas o céu estava limpo. Respirou fundo e o ar veio-lhe até os pulmões agudo e gelado.

"El Sordo deixará muitas pistas, se roubar cavalos hoje à noite", pensou.

Largou a manta e retornou para o interior enfumaçado da caverna.

— Está limpo — disse ele. — A tempestade passou.

20

Era noite alta e ele esperava pela garota, deitado a céu aberto. Não havia nenhum vento e as copas dos pinheiros estavam imóveis. Os troncos dos pinheiros projetavam-se da neve que cobria o chão, e ele, acomodado no saco de dormir, sentindo, sob o corpo, a maciez da cama que fizera, as pernas esticadas e aquecidas pelo acolchoado do saco, o ar agudo e gelado na sua cabeça e penetrando em suas narinas. Sob a sua cabeça, virado de lado, estava o amontoado feito com as calças e o casaco que ele enrolara nos seus sapatos para fazer de travesseiro, e contra o seu flanco sentia o metal gelado da enorme pistola automática que tirara do coldre, quando se despira, amarrada no pulso com uma corda. Afastou a pistola, aconchegou-se dentro do saco de dormir e ficou olhando, através da brancura da neve para o corte escuro na rocha, que era a entrada da caverna. O céu estava claro e havia luz suficiente, refletida da neve, para se enxergar os troncos das árvores e o amontoado de rochas ao redor da caverna.

No início daquela noite deixara a caverna com o machado na mão, caminhara pelas beiradas da clareira, sobre a neve intacta que acabara de cair, e cortara um pinheiro pequeno. No escuro, ele o arrastara pelo tronco para o abrigo da parede da caverna. Lá, próximo da rocha, suspendera-o na vertical com umas das mãos e, segurando firme o cabo do machado na altura da cabeça, aparara os galhos até obter uma pilha. Então, deixando os galhos empilhados, deixara o tronco pelado no chão coberto de neve e entrara na caverna para pegar uma tábua que vira contra a parede. Com esta tábua, raspou a neve do chão, junto à parede de rocha, pegou os galhos amontoados, sacudiu-os tirando a neve, e colocou-os em fileiras como plumas superpostas, formando uma cama. Colocou o tronco pelado atravessado numa das extremidades dessa cama para prender as folhagens e fixou-o firmemente com duas lascas tiradas da tábua.

Em seguida, levou a tábua e o machado de volta para a caverna, mergulhou sob a manta da entrada e deixou as duas peças encostadas na parede.

— O que está fazendo lá fora? — perguntou-lhe Pilar.

— Uma cama.

— Não corte pedaços de minha nova prateleira para a tua cama.

— Sinto muito.

— Não importa — disse Pilar. — Há tábuas de sobra lá na serraria. Que tipo de cama fizeste?

— Como se faz na minha terra.

— Então dorme bem nela — disse Pilar, e Robert Jordan abriu uma das mochilas, tirou o saco de dormir, recolocando na mochila as coisas que estavam enroladas nele, e levou o saco para fora, mergulhando por debaixo da manta da entrada novamente, e estendeu o saco sobre o colchão de folhagens de modo que a sua parte fechada ficasse junto ao tronco atravessado aos pés da cama. A extremidade aberta do saco ficou protegida pela parede de rocha. Então, retornou à caverna para pegar as mochilas, mas Pilar disse:

— Elas podem dormir comigo esta noite.

— Não haverá sentinelas? — perguntou Robert Jordan. — A noite está clara e a tempestade passou.

— Fernando fica de sentinela — disse Pilar.

Maria estava nos fundos da caverna, e Robert Jordan não podia vê-la.

— Boa noite para todos — disse. — Estou indo dormir.

Em meio aos que estendiam mantas e colchões no chão, na frente do fogão, empurrando a mesa de tábua e os mochos de assento do couro cru para fazer espaço para suas camas, Primitivo e Andrés olharam para cima e disseram juntos:

— *Buenas noches.*

Anselmo já dormia num canto, enrolado na sua manta e na sua capa; nem o nariz aparecia. Pablo dormia na sua cadeira.

— Tu queres um pelego para a tua cama? — perguntou Pilar, baixinho.

— Não — respondeu ele. — Te agradeço. Não é necessário.

— Dorme bem — disse Pilar. — Me responsabilizo pelo teu material.

Fernando saiu com ele e permaneceu por um momento onde Robert Jordan estendera a sua manta.

— Muito curiosa, essa sua mania de dormir a céu aberto, Dom Roberto — disse Fernando, em pé no escuro, embrulhado em seu poncho, com a sua carabina pendurada no ombro.

— Estou acostumado. Boa noite.

— Já que está acostumado...

— Quando você será rendido?

— Às quatro.

— Tem bastante frio pela frente.

— Estou acostumado.

— Já que está acostumado... — disse Robert Jordan, polidamente.

— Estou — concordou Fernando. — Agora, tenho que ir lá para cima. Boa-noite, Dom Roberto.

— Boa noite, Fernando.

Então ele fez um travesseiro com as peças que despira e enfiou-se no saco de dormir; deitado, ficou esperando, sentindo os ramos vergarem-se sob o saco algodoado, leve como pena e acolhedor, olhando para a boca da caverna circundada de neve, ouvindo o próprio coração bater enquanto esperava.

Era uma noite clara e ele sentia-se lúcido, a mente limpa e fria como o próprio ar. Aspirou o odor das folhagens de pinheiro sob o corpo, o aroma de pinho exalado pelo esmagamento das ramas espinhentas, e o cheiro agudo, resinoso, da seiva dos galhos cortados. "Pilar", pensou ele. "Pilar e o cheiro da morte. Mas este é o cheiro que eu adoro. Este é o cheiro de trevo fresco, da salva esmagada quando cavalgamos atrás do gado, da fumaça de madeira e da queimada de folhas secas no outono. Devem ser o odor da nostalgia, o cheiro da fumaça de folhas varridas com ancinho, amontoadas, queimando nas ruas, no outono em Missoula. Qual desses você preferiria sentir? O cheiro adocicado das folhas que os índios utilizam nos seus cestos? De couro defumado? O cheiro de terra molhada depois de uma chuva na primavera? O aroma do mar numa caminhada no alto de um penhasco, na Galícia? Ou aquele trazido da terra pelo vento quando se chega a Cuba, de madrugada, o odor das flores do cacto, das tangerinas e dos parreirais litorâneos? Ou você prefere sentir o cheiro de bacon frito pela manhã, quando está com fome? Ou o aroma de café ao amanhecer? Ou o aroma de uma maçã Jonathan, assim que você dá-lhe uma mordida? Ou do suco de maçã no liquidificador, ou do pão fresco saindo do forno? Você deve estar com fome" e trocou de lado ajeitando-se na cama, olhando para a entrada da caverna, iluminada pela luz das estrelas e a brancura da neve.

Alguém apareceu por sob a manta da entrada e ele viu que, fosse quem fosse, encostava-se no corte da rocha que formava a boca da caverna. A seguir, escutou o ruído de algo derramando-se na neve e, então, quem quer que fosse enfiou a cabeça por sob a manta novamente e voltou para o interior da caverna.

"Acho que ela não virá antes que todos estejam dormindo. É uma perda de tempo. A metade da noite já passou. Ah, Maria. Venha agora, rápido, Maria, o tempo é curto." Nisso, ouviu o ruído de um punhado de neve caindo da copa das árvores sobre a neve do chão. Uma brisa começava a soprar. Sentiu-a no rosto, e de repente sentiu pânico, imaginando que ela não viesse. O vento era sinal de que em breve estaria amanhecendo. Mais neve caiu dos galhos das árvores e ele ouviu o vento mover-se no topo dos pinheiros.

"Venha agora, Maria. Por favor, venha para cá, rápido", pensou ele. "Ah, venha, não espere. Não é mais necessário esperar que eles durmam."

De repente ele a avistou passando por baixo da manta da entrada da caverna. Ela deteve-se um instante, e ele a enxergava nitidamente, mas não podia ver o que ela estava fazendo. Assoviou baixinho, mas ela continuava lá fazendo algo no escuro, à sombra da rocha ao lado da caverna. Então, ela correu em sua direção, trazendo alguma coisa nas mãos, com suas pernas compridas deslizando sobre a neve. Maria ajoelhou-se junto ao saco de dormir, sua cabeça pressionada sobre o corpo dele, batendo a neve dos pés. Ela beijou-o e entregou-lhe um embrulho.

— Põe isto no teu travesseiro — disse ela. — Tirei-os já fora da caverna, para ganhar tempo.

— Você veio de pés descalços na neve.

— Vim — disse ela —, e vestindo apenas a minha blusa de núpcias.

Ele a abraçou com paixão e ela roçou a cabeça no seu queixo.

— Não toque nos meus pés — disse ela. — Estão muito frios, Roberto.

— Ponha-os aqui, aqueça-se.

— Não, eles logo se aquecerão. Mas diga rápido que você me ama.

— Eu te amo.

— Isso é bom. Bom. Bom.

— Eu te amo, coelhinha.

— Você ama minha blusa de núpcias?

— É a mesma de sempre.

— É. A mesma da noite passada. Esta é a minha blusa de núpcias.

— Põe teus pés aqui.

— Não. Seria um abuso. Eles terão de se aquecer sozinhos. Para mim, já estão aquecidos. Apenas ficaram gelados pela neve, vindo na tua direção. Diz novamente.

— Eu te amo, minha coelhinha.

— Eu te amo também, e eu sou a tua esposa.

— Eles estão dormindo?

— Não — disse ela. — Mas não podia esperar mais. E que importância tem isso?

— Nenhuma — disse ele, e sentiu-a contra o seu corpo, esguia, longilínea, e calorosamente amorosa. — Nada mais tem importância.

— Passa a tua mão na minha cabeça — ela disse. — E deixa-me ver se eu consigo te beijar... Então, foi bom?

— Foi — disse ele. — Tira a tua blusa de núpcias.

— Tu achas que eu devo?

— Sim, se tu não sentires muito frio.

— *Qué va*, frio. Eu estou em brasa.

— Eu também. Mas depois não vai sentir frio?

— Não. Depois nós seremos como um animal da floresta, e estaremos tão juntos que ninguém poderá distinguir quem é um e quem é o outro. Tu não sentes que o meu coração é o teu coração?

— Sinto, são o mesmo coração.

— Agora, sente. Eu sou tua, tu és meu e somos um do outro. Eu te amo, ah, eu te amo tanto. Não é verdade que somos somente um? Tu não sentes isso?

— Sim, sinto — disse ele. — É verdade.

— Sente agora. Tu não tens outro coração senão o meu.

— Nem outras pernas, nem pés, nem corpo.

— Mas nós somos diferentes — disse ela. — Eu gostaria que fôssemos exatamente iguais.

— Você não diz isso de coração.

— Digo! É uma coisa que eu tenho que te dizer.

— Você não quer isso de verdade.

— Talvez não queira — disse ela, falando baixinho, com os lábios encostados nos ombros dele. — Mas queria dizer isso. Já que somos diferentes estou contente que tu sejas Roberto e eu Maria. Mas se tu algum dia quiseres mudar, ficarei contente em mudar também. E serei tu porque eu te amo muito.

— Eu não quero mudar. É melhor que cada um seja quem é.

— Mas seremos apenas um agora, e nunca nos separaremos — disse ela. — Vou ser tu quando tu não estiveres aqui. Oh, como eu te amo... tenho que cuidar muito bem de ti.

— Maria.

— Sim.

— Maria.

— Sim.

— Maria.

— Ah, sim, por favor.

— Não estás com frio?

— Ah, não. Puxa a manta sobre os teus ombros.

— Maria.

— Não posso falar.

— Ah, Maria, Maria, Maria.

Depois, juntos ao relento na noite fria, no calor do saco de dormir, sua cabeça roçando o queixo de Robert Jordan, quieta, relaxada e contente, ela disse baixinho:

— E tu?

— *Como tu* — disse ele.

— Sim — disse ela. — Mas não foi como hoje à tarde.

— Não.

— Mas eu gostei mais. A gente não precisa morrer.

— *Ojala no* — disse ele. — Espero que não.

— Não quis dizer isso.

— Eu sei. Te entendi. Quisemos dizer a mesma coisa.

— Então por que você falou aquilo em vez da mesma coisa que eu?

— Com o homem é diferente.

— Então, estou contente que sejamos diferentes.

— Eu também — disse ele. — Mas entendi o que você disse de morrer. Falei como homem, apenas força do hábito. Sinto o mesmo que tu.

— Sejas tu como fores ou como quer que fales, te quero do mesmo modo.

— E eu te amo e amo o teu nome, Maria.

— É um nome comum.

— Não, não é comum.

— Agora devemos dormir? — disse ela. — Eu dormiria como uma pedra.

— Vamos dormir — disse ele, e sentiu o corpo longilíneo, leve e quente, aconchegado ao dele, banindo a solidão de ambos, magicamente, pelo simples toque do seu ventre no seu abdômen, dos ombros, dos pés, formando uma aliança com ele contra a morte. — Durma bem, coelhinha comprida.

— Já estou dormindo — disse ela.

— Vou dormir — disse ele. — Durma bem, minha amada — e assim ele adormeceu se sentindo feliz.

Mas acordou, ainda noite, e a abraçou bem apertado como se ela fosse a sua vida e estivesse sendo tirada dele. Segurou-a firme, como se ela fosse a única vida que existia, e era verdade. Mas ela dormia um sono pesado e assim permaneceu. Então, ele virou de lado, puxou a manta sobre a cabeça dela, beijou-a no pescoço sob a manta, puxou a pistola pela corda, colocando-a ao alcance da mão, e ficou assim, na noite, pensando.

21

Um vento morno chegou com a primeira luz do dia, e ele ouviu a neve derretendo-se nas árvores, e o som pesado da sua queda. Era uma manhã de primavera atrasada. Sabia, pela primeira golfada de ar, que aquela nevasca fora apenas uma tempestade anormal nas montanhas, e ao meio-dia a neve toda já teria desaparecido. Então, escutou um cavalo, o bater surdo dos seus cascos na neve molhada, à medida que o cavaleiro aproximava-se a trote. Ouviu também um barulho de bainha batendo solta, e o estalar do couro.

— Maria — disse ele, e sacudiu os ombros da garota para acordá-la. — Fique debaixo da manta — falou para ela, e abotoou a camisa com uma das mãos, enquanto com a outra empunhava a pistola, destravando o gatilho com o polegar. Ele viu a cabeça tosquiada da garota abruptamente desaparecer sob a manta, ao mesmo tempo que observava o cavaleiro aproximando-se por entre as árvores. Agachou-se, ainda sobre o saco de dormir, e segurou a pistola com as duas mãos, apontando para o homem que troteava na sua direção. Nunca tinha visto aquele homem antes.

O cavaleiro estava quase diante dele. Montava um enorme castrado cinza, e usava uma boina cáqui, poncho e botas pesadas. Da bainha à direita da sela projetava-se o cano e o pente de balas retangular de um rifle automático curto. Tinha um rosto jovem e, de repente, viu Robert Jordan.

Ele levou a mão à bainha, e, quando se inclinou, virando-se num movimento brusco, Robert Jordan enxergou um distintivo oficial, vermelho vivo, que ele ostentava no lado esquerdo do peito em seu poncho cáqui.

Apontando para o coração do cavaleiro, um pouco abaixo da insígnia, Robert Jordan disparou.

A pistola troou entre os pinheiros carregados de neve.

O cavalo empinou de súbito, como se tivesse sido esporeado. O jovem cavaleiro, ainda tentando puxar o rifle da bainha, escorregou para o chão e o seu pé direito prendeu-se no estribo. O cavalo disparou entre as árvores, arrastando-o, fazendo o seu corpo bater nos montes de neve, o rosto contra o solo, e Robert Jordan levantou-se empunhando a pistola.

O grande cavalo cinza galopou por entre os pinheiros, deixando um sulco na neve e um rastro escarlate, de sangue, por onde o homem era arrastado. Os outros apareceram na boca da caverna. Robert Jordan abaixou-se, pegou suas calças debaixo do travesseiro e começou a vesti-las.

— Põe a tua roupa, Maria — disse para ela.

De cima vinha o ruído de um avião voando bastante alto. Por entre os pinheiros, avistou o cavalo estaqueado e o cavaleiro de rosto no chão, pendurado pelo estribo.

— Pegue o cavalo — gritou para Primitivo, que vinha em sua direção. — Quem estava de guarda lá em cima?

— Rafael — disse Pilar, lá da caverna. Seu cabelo ainda estava solto, às costas, dividido em duas tranças.

— Tem cavalaria se aproximando — disse Robert Jordan. — Ponha a desgraçada da metralhadora lá em cima.

Ele ouviu Pilar gritar "Agustín" para dentro da caverna. Então ela entrou e dois homens saíram correndo, um com o rifle automático, com o tripé nos ombros, o outro com um saco cheio de carregadores.

— Vá lá para cima com eles — disse Robert Jordan para Anselmo. — Deite-se ao lado da metralhadora e segure firme o tripé.

Os três subiram correndo pela trilha através das árvores. O sol ainda não tinha aparecido no topo das montanhas, e Robert Jordan abotoava as calças, em pé, e afivelava o cinto, a grande pistola pendurada pela corda amarrada no seu pulso. Ele enfiou a pistola no coldre da sua cinta, afrouxou o nó da corda do pulso e a recolocou num laço maior sobre a própria cabeça.

"Alguém ainda vai te enforcar com essa corda", pensou. "Bem, agora está feito." Ele sacou a pistola do coldre, removeu o pente de balas, recarregou um cartucho tirado do próprio coldre e prendeu novamente o pente na culatra da pistola.

Ele voltou a olhar para as árvores, onde Primitivo segurava as rédeas do animal e desprendia o pé do cavaleiro do estribo. O corpo estava emborcado de rosto para o chão coberto de neve, e Primitivo revirava seus bolsos.

— Vem! — gritou Robert Jordan. — Traz o cavalo.

Enquanto ajoelhava-se para calçar as alpargatas, Robert Jordan sentiu Maria vestindo-se sob as cobertas, roçando em seus joelhos. Neste momento, ela não tinha lugar na sua vida.

"Aquele cavaleiro não esperava um confronto", pensou. "Não estava seguindo pegadas de cavalos, nem alerta como deveria, apenas assustado e sozinho. Não estava seguindo nem sequer a trilha até o posto. Deve pertencer a uma patrulha espalhada por estas colinas. Mas quando a patrulha der pela falta dele seguirá as suas pegadas até aqui. A menos que a neve derreta antes. Ou a menos que alguma coisa aconteça à patrulha."

— É melhor ir lá para baixo — disse para Pablo.

Todos já haviam saído da caverna, armados com carabinas e com granadas nos cintos. Pilar passou uma sacola de couro cheia de granadas para Robert Jordan, que tirou três e as colocou no bolso. Ele mergulhou para o interior da caverna, em direção às mochilas; de uma delas tirou uma submetralhadora desmontável, tomou o cilindro e o cano, encaixou-os no chassi, carregou-a com um pente de balas e colocou mais dois nos bolsos. Olhou para as mochilas e encaminhou-se para a saída. "Estou com os dois bolsos cheios de munição", pensou. "Espero que as costuras aguentem." Então deixou a caverna e disse a Pablo:

— Estou indo lá para cima. Acha que Agustín pode atirar com esta arma?

— Pode — disse Pablo. Ele observava Primitivo conduzir o cavalo.

— *Mira qué caballo* — disse ele.

O enorme baio estava transpirando e tremendo ligeiramente, e Robert Jordan deu-lhe tapinhas no fio do couro ao longo das crinas.

— Vou colocá-lo junto com os outros — disse Pablo.

— Não — disse Robert Jordan. — Ele deixou pegadas aqui. Primitivo deve levá-lo para longe.

— Está certo — concordou Pablo. — Vou cavalgá-lo para longe e escondê-lo. Quando a neve derreter, trago-o de volta. Tu estás com uma boa cabeça hoje, *Inglés*.

— Mande alguém lá para baixo — disse Robert Jordan. — Temos que ir lá para cima.

— Não é necessário — disse Pablo. — Os cavaleiros não podem vir dessa direção. Mas nós podemos sair por ali, e por dois outros caminhos. É melhor não deixar pistas se estiverem vindo aviões. Dá-me a *bota* com o vinho, Pilar.

— Para você desaparecer e se embebedar? — vociferou Pilar. — Aqui, pegue isto em vez da *bota*. — Ele esticou a mão, pegou duas granadas e as colocou em seu bolso.

— *Qué va*, me embebedar — disse Pablo. — A situação tem gravidade, mas me dá a *bota*. Não quero fazer tudo isso bebendo apenas água.

Ele ergueu as mãos, tomou as rédeas e montou sobre a sela. Com um sorriso arreganhado, deu palmadinhas no cavalo nervoso. Robert Jordan percebeu-o esfregando as pernas nos flancos do cavalo afetuosamente.

— *Qué caballo más bonito* — disse ele, e palmeou o enorme baio novamente. — *Qué caballo más hermoso*. Vamos. Quanto mais rápido sairmos daqui melhor.

Pablo abaixou-se e pegou da bainha da sela o rifle leve automático, com o cilindro ventilado, uma verdadeira submetralhadora fabricada para receber cartuchos de pistola de 9mm, e olhando para ela disse:

— Vejam como eles estão bem-armados. Que cavalaria moderna.

— Essa tal cavalaria moderna está bem na cara dele — disse Robert Jordan. — *Vámonos*. Tu, Andrés, sela e deixa os cavalos prontos para sairmos. Se ouvires tiros, traze-os para as árvores, atrás da clareira. Volta com as tuas armas e deixa as mulheres cuidando dos cavalos. Fernando, faça com que tragam minhas mochilas. Acima de tudo, que as mochilas sejam carregadas com muito cuidado. Tu, cuida das mochilas também — disse para Pilar. — Faça com que venham com os cavalos. *Vámonos!*

— Eu e Maria vamos arrumar tudo para a retirada — assegurou Pilar. Então, disse para Robert Jordan: — Olha para ele meneando a cabeça na direção de Pablo, montado no enorme baio, à maneira de tropeiro, as narinas do cavalo intumescidas enquanto ele recolocava o rifle automático na bainha —, vê só o que um cavalo faz com ele.

— Queria ter dois cavalos — disse Robert Jordan, fervorosamente.

— Perigoso este teu cavalo.

— Então dá-me uma mula — disse Robert Jordan, arreganhando os dentes. — Depene esse aí para mim — disse para Pilar, guinando a cabeça para o corpo do homem emborcado na neve. — Traze tudo, as cartas, todos os papéis, e põe nos bolsos de fora de uma de minhas mochilas. Tudo, entende?

— Entendo.

— *Vámonos* — disse ele.

Pablo cavalgou avante e os dois homens seguiram, um atrás do outro para não deixar mais pegadas na neve. Robert Jordan carregava a submetralhadora com a ponta do cano para baixo. "Queria que tivesse a mesma munição que aquele rifle automático", pensou. "Mas não tem. É uma arma alemã. É a velha arma de Kashkin."

O sol surgia sobre as montanhas. Um vento morno soprava e a neve derretia. Era uma agradável manhã de uma primavera tardia.

Robert Jordan olhou para trás e viu Maria, em pé ao lado de Pilar. De repente, ela subiu a trilha correndo, e ele parou atrás de Primitivo para falar com ela.

— Tu — disse ela. — Posso ir contigo?

— Não. Ajuda a Pilar.

Ela continuou caminhando atrás dele e disse:

— Vou contigo.

— Não.

Ela continuou caminhando atrás dele.

— Eu poderia segurar as pernas da arma do jeito que tu disseste para Anselmo.

— Tu não vais segurar perna nenhuma. Nem de armas nem de nada.

Caminhando ao lado dele, ela colocou a mão dentro do seu bolso.

— Não — disse Robert Jordan. — Mas cuida bem da tua blusa de núpcias.

— Se tu vais — disse Maria —, me beija.

— Tu és uma sem-vergonha — disse ele.

— Sou — disse ela. — Totalmente.

— Volta, agora. Tem muito que fazer. Talvez haja combate aqui, se eles seguirem essas pegadas de cavalo.

— Viste o que ele usava no peito? — perguntou ela.

— Vi, por quê?

— Era o Sagrado Coração.

— Era, todas as pessoas de Navarra usam isto.

— E tu atiraste nele?

— Não, atirei mais embaixo. Volta, agora!

— Eu vi tudo — ela disse.

— Tu não viste nada. Um homem. Um homem num cavalo. *Vete*. Volta!

— Diga que tu me amas.

— Não. Agora não.

— Agora tu não me amas?

— *Déjamos*. Volta. Não dá para fazer isso e amar ao mesmo tempo.

— Eu quero ir e segurar as pernas da arma, e, enquanto ela disparar, te amar ao mesmo tempo.

— Tu estás louca. Volta, já, agora!

— Eu sou louca. Te amo.

— Então volta.

— Bom. Eu vou. E, se tu não me amares, eu te amo por nós dois.

Ele olhou para ela e sorriu por conta de seus pensamentos.

— Quando você ouvir os tiros — disse-lhe —, venha com os cavalos. Ajude Pilar com as mochilas. Talvez não aconteça nada. Espero que não.

— Eu vou — disse ela. — Olha só que cavalo Pablo está montando!

O enorme baio subia a trilha.

— É. Mas vai!

— Vou.

Seu pulso fechado enfiado dentro do bolso das suas calças bateu firme em sua perna. Robert Jordan olhou para ela e percebeu lágrimas em seus olhos. Tirou a mão dela de seu bolso e enlaçou os braços em torno de seu pescoço, beijando-lhe ternamente.

— Eu vou. *Me voy*. Me vou.

Olhando para trás, ele a viu, ainda parada, os primeiros raios de sol da manhã tocando a sua face morena, os cabelos tosados, dourados. Maria acenou para ele, virou-se e retornou pela trilha na neve, de cabeça baixa.

Primitivo virou-se e olhou para ela.

— Se ela não tivesse o cabelo tão curto, seria muito linda.

— É — disse Robert Jordan. Estava pensando em outra coisa.

— Ela é boa de cama? — perguntou Primitivo.

— O quê?

— Na cama.

— Olha tua boca.

— Não deveria se ofender quando...

— Pare com isso — disse Robert Jordan, examinando a posição.

22

— Corte-me alguns galhos de pinheiro — disse Robert Jordan para Primitivo — e traga-os rapidamente.

— Não gosto da arma aqui — disse para Agustín.

— Por quê?

— Coloca-a mais para lá — disse Robert Jordan, apontando. — Depois eu te falo.

— Aqui, assim. Deixa eu te ajudar. Aqui — disse ele, agachado.

Ele fixou o olhar através do estreito alongado entre as rochas, observando a altura de ambos os lados.

— Tem que estar mais para fora — disse. — Bom. Aqui. Por ora está bem, até que eu possa ajeitar melhor. Lá. Põe algumas pedras lá. Aqui tem uma. Põe outra do lado. Deixa espaço para o cano girar. A pedra tem que ficar afastada. Anselmo. Vai até a caverna, rápido, e traz o machado.

— Vocês nunca tiveram um lugar próprio para esta arma? — perguntou para Agustín.

— Sempre a colocamos aqui.

— Kashkin nunca disse-lhes para colocá-la mais para lá?

— Não. Ela foi trazida depois que ele partiu.

— Ninguém que soubesse utilizá-la veio junto?

— Não. Foi trazida por portadores.

— Que jeito de fazer as coisas — disse Robert Jordan. — Quer dizer que simplesmente foi deixada aqui, sem instruções?

— Isso mesmo. Foi um presente. Uma para nós, outra para El Sordo. Quatro homens a trouxeram. Anselmo guiou-os.

— É espantoso não as termos perdido com quatro homens, cruzando as linhas do inimigo.

— Pensei a mesma coisa — disse Agustín. — Pensei que as enviaram querendo que fossem perdidas. Mas Anselmo os trouxe direitinho.

— Sabe manejá-la?

— Sei. Já experimentei. Pablo sabe. Primitivo sabe. E Fernando também. Treinamos desmontá-la sobre aquela mesa lá da caverna. Daí, ficamos dois dias sem saber remontá-la. Desde então nunca mais a desmontamos.

— Ela dispara, agora?

— Dispara. Mas não deixamos o cigano nem os outros fuçarem nela.

— Vê? De lá ela era inútil — disse Robert Jordan. — Olha. Aquelas rochas, que deveriam proteger os flancos, cobrem aqueles que estarão te atacando. Com este tipo de arma é preciso ter uma área plana de tiro. E também espaço para mover-se de um lado ao outro. Está vendo? Olha agora. Toda esta área está coberta.

— Estou vendo — disse Agustín. — Mas nunca lutamos na defensiva, exceto quando a cidade foi tomada. No trem havia soldados com a *máquina*.

— Então vamos aprender juntos — disse Robert Jordan. — Há algumas coisas para observar. Onde está o cigano? Ele deveria estar aqui.

— Não sei.

— Onde ele pode estar?

— Não sei.

Pablo cavalgara para o outro lado do passo e retornara, circundando o topo, onde ficava o campo de tiro do rifle automático. Robert Jordan observou-o cavalgando no aclive da colina, ao lado da própria trilha que tinha deixado na ida, em seguida ele desapareceu por entre as árvores virando para a esquerda.

"Espero que ele não dê de frente com a cavalaria", pensou Robert Jordan. "Acho que devíamos mantê-lo bem à nossa vista."

Primitivo trouxe os galhos de pinheiro, e Robert Jordan enterrou-os na terra, debaixo da neve, arqueando-os sobre a arma pelos dois lados.

— Traga mais — disse ele. — Temos que cobrir os dois homens que a servem. Isto não está bom, mas dá conta do recado até que tenha o machado. Se ouvir aviões, deite-se no chão, sob a sombra das rochas. Eu fico aqui com a arma.

Agora com sol quase a pino e o vento morno soprando, estava agradável junto às rochas onde o sol brilhava. "Quatro cavalos", pensou Robert Jordan. "As duas mulheres mais eu, Anselmo, Primitivo, Fernando, Agustín e, diabos, como se chama o outro irmão? Somos oito. Sem contar o cigano, Rafael. São nove. Mais Pablo num cavalo, são dez. Andrés é o seu nome. O outro irmão. Tem mais um, Eladio. Dez. Dá menos de meio cavalo para cada um. Três homens podem aguentar a posição, e quatro podem escapar. Cinco, somando Pablo. Sobram dois. Três com Eladio. Onde está o desgraçado?"

"Só Deus sabe o que acontecerá a El Sordo hoje, se eles seguirem as pegadas de seus cavalos na neve. A nevasca parou muito de repente. Mas a neve, derretendo ainda hoje, vai equilibrar a situação. Não para El Sordo, entretanto. Receio que seja tarde para El Sordo se safar."

"Se pudermos aguentar hoje sem precisar lutar, amanhã entramos em ação com o que temos. Eu sei que podemos conseguir. Não tão bem, talvez. Não como deveria ser, sem erros. Mas utilizando todos, podemos liquidar a fatura. *Se não tivermos que lutar hoje*. Deus nos ajude se tivermos que lutar hoje."

"Não conheço outro lugar melhor do que este para esperar. Se sairmos daqui, agora, só faremos deixar pistas. Este lugar é tão bom quanto qualquer outro e, se as coisas ficarem piores do que já estão, há três opções de saída. Aí vem a noite e, de qualquer lugar que estivermos nesta colina, posso rapidamente alcançar a garganta e explodir a ponte durante o dia. Não sei por que fiquei preocupado. Agora parece tão fácil. Espero que enviem os aviões na hora certa, uma vez na vida. Amanhã será um dia de muita poeira na estrada."

"Bem, hoje será um dia movimentado, ou então, muito monótono. Graças a Deus tiramos aquela montaria da cavalaria daqui. E acho até que, se eles cavalgarem até aqui em cima, não seguirão os rastros do jeito que estão. Pensarão que ele parou e fez a volta, e aí seguirão as pegadas de Pablo. Onde será que aquele porco velho se meteu? Provavelmente deixará rastros como um velho alce fantasma, que vagueia por esta região, subirá e, quando a neve derreter, descerá pelo outro lado. Aquele cavalo fez bem a ele. Vai ver ele escondeu-se com cavalo e tudo. Bem, ele deve saber se cuidar. Está nisso há muito tempo. Só que minha confiança nele não vai muito longe, não vai mais longe do que se conseguiria arremessar o Monte Everest."

"Acho que será mais inteligente pegar algumas pedras e camuflar esta arma do que posicioná-la apropriadamente. A gente ficaria cavando e seria pego com as calças arriadas, se eles vierem, ou se os aviões chegarem. Ela irá aguentar daqui, do jeito que está, desde que haja uma maneira de fixá-la; de qualquer modo, não posso ficar para combater. Tenho que sair daqui com a dinamite, e levarei Anselmo comigo. Quem nos daria cobertura, enquanto escapamos, se houver uma escaramuça aqui?"

De repente, enquanto ele observava a área em todo o raio de visão, viu o cigano vindo pelas rochas, à esquerda. Caminhava descontraído, jogando uma anca após a outra, relaxadamente, a carabina pendurada à meia espalda, o rosto moreno arreganhando os dentes, e trazia duas lebres, uma em cada mão, pelas pernas, suas cabeças balançando.

— *Hola*, Roberto — gritou alegremente.

Robert Jordan levou a mão à boca, e o cigano olhou espantado. Escorregou até as rochas, onde Robert Jordan entrincheirava-se, ao lado do rifle automático camuflado com mato. Ele agachou-se e baixou as duas lebres na neve. Robert Jordan olhou para ele e disse, em voz baixa:

— *Hijo de la gran puta!* Onde diabos você andava?

— Seguindo essas lebres — disse o cigano. — Peguei as duas. Estavam copulando na neve.

— E o teu posto?

— Não fiquei fora por muito tempo — cochichou o cigano. — Que aconteceu? Houve um alarme?

— Há uma cavalaria por aí.

— *Rediós!* — disse o cigano. — Tu viste?

— Tem um no acampamento neste momento — disse Robert Jordan. — Veio para o café da manhã.

— Pensei ter ouvido um tiro ou coisa parecida — disse o cigano. — Mas que merda! Ele chegou até aqui?

— Isso mesmo! Pelo teu posto.

— *Ay, mi madre!* Sou um pobre azarado.

— Se tu não fosses um cigano eu ia te fuzilar.

— Não, Roberto. Não diga isto. Sinto muito. Foram as lebres. Logo antes do amanhecer escutei o macho andando na neve. Você não imagina a depravação das duas lebres. Segui o barulho, mas elas fugiram. Daí, segui os rastros na neve, encontrei as duas juntas e as matei. Veja como estão gordas, nesta época do ano. Pense no que Pilar fará com as duas. Sinto muito, Roberto, sinto tanto quanto tu. E o cavaleiro, foi morto?

— Foi.

— Por ti?

— Por mim.

— *Qué tio!* — disse o cigano, derretendo-se em adulação. — Tu és um verdadeiro fenômeno.

— É tua mãe! — esbravejou Robert Jordan. Mas não pôde evitar sorrir para o cigano. — Leva as tuas lebres para o acampamento e traga alguma coisa para o nosso café da manhã.

Ele esticou a mão e apalpou as lebres, flácidas, volumosas, de pelos espessos, pés enormes e orelhas compridas, na neve, os olhos escuros ainda abertos.

— São um bocado gordas — disse Robert Jordan.

— Gordas! — repetiu o cigano. — Tem uma tina de banha nas costelas de cada uma. Nem em sonho vi lebres como estas.

— Então vai — disse Robert Jordan. — E volta rápido com o café da manhã. Traze-me a documentação daquele *requeté*. Pede a Pilar.

— Você não está zangado comigo, Roberto?

— Zangado não. Desgostoso de que tenhas deixado o posto. E se uma tropa de cavalaria estivesse vindo por ali?

— *Rediós* — disse o cigano. — Como você é ponderado.

— Escute-me. Você não pode deixar outra vez o posto desta maneira. Nunca. E não falei de fuzilamento só por falar.

— Claro que não. E outra coisa. Não haverá outra oportunidade de duas lebres como estas outra vez. Nunca na vida de um homem.

— *Anda!* — disse Robert Jordan. — E volta depressa.

O cigano pegou as duas lebres e escorregou pelas rochas. Robert Jordan olhou para a clareira plana e para a descida da colina. Dois corvos circulavam no ar e se aninharam na copa de um pinheiro. Outro corvo veio para junto deles e Robert Jordan, observando-os, pensou: "Aquelas são as minhas sentinelas. Se ficarem quietos, significa que ninguém está se aproximando pelas árvores."

"O cigano é um verdadeiro inútil. Não tem um pingo de senso e cultura políticas, nem disciplina, e não se pode confiar nele para nada. Mas vou precisar dele amanhã. Tenho uma função para ele amanhã. É esquisito ver um cigano numa guerra. Eles deveriam ser dispensados como os que têm objeção de consciência. Ou por incapacidade mental e física. Não valem nada. Mas objeções de consciência não serviram como motivo de dispensa nesta guerra. Ninguém foi dispensado. A guerra veio para todos. Bem, chegou-se até aqui, agora, com este precário apetrecho. É assim agora."

Agustín e Primitivo chegaram com mais ramagens, e Robert Jordan construiu uma bela camuflagem sobre o rifle automático, que cobria da visão aérea e parecia natural olhando-se da floresta. Mostrou aos outros onde colocar um homem no alto, sobre as rochas, de onde pudesse ver toda a região lá embaixo, à direita, e outro que pudesse comandar a única faixa à esquerda por onde a encosta poderia ser escalada.

— Não atira se tu vires qualquer um lá de cima — disse Robert Jordan. — Rola uma pedra como aviso, uma pedra pequena, e sinaliza com o rifle, assim — levantou o rifle e o segurou sobre a cabeça com as duas mãos. — Assim, para quantidade — flexionou os braços no alto da cabeça, segurando o rifle, para cima e para baixo. — Se eles estiverem desmontados, aponta o cano do rifle para o chão. Assim. Não atira de lá, até ouvir a *máquina* atirando. Então mira nos joelhos, quando atirares daquela altura. Se ouvir eu assoviar duas vezes com este apito aqui, abaixa-te, mantendo as costas cobertas, e vem para estas rochas, onde está a *máquina*.

Primitivo levantou o rifle.

— Entendi — disse ele. — É muito simples.

— Primeiro atira uma pedra pequena, e indica o número de homens e a direção deles. Não deixe eles te verem.

— Sim — disse Primitivo. — Se eu puder, atiro uma granada?

— Não até ouvir a *máquina* cuspir fogo. Talvez a cavalaria venha procurar pelo camarada deles e nem queira entrar nesta área. Talvez sigam as pegadas de Pablo. Não queremos combater se pudermos evitar. Devemos evitar isso, acima de tudo. Agora vai lá para cima.

— *Me voy* — disse Primitivo, e escalou as rochas com a sua carabina.

— Tu, Agustín — disse Robert Jordan. — O que sabes desta arma?

Agustín estava agachado, alto, escuro, a queixada coberta de barba por fazer, seus olhos fundos, a boca fina e enormes mãos calejadas, de trabalhador.

— *Pues*, carregar. Apontar. Disparar. Nada mais.

— Você não deve atirar enquanto eles não estiverem dentro de um raio de cinquenta metros, e somente quando estiver certo de que estão vindo pelo passo, para a caverna — disse Robert Jordan.

— Sim. A que distância é isto?

— Aquela pedra. E se tiver um oficial, atire nele primeiro. Depois aponte a arma para os demais. Gire bem devagar. Ela admite pouco movimento. Vou ensinar Fernando a atirar também. Segure firme, de modo que ela não pule, e mire com atenção, não atire mais do que seis vezes de cada vez, se puder. Ao disparar, a arma pula para cima. Atire em um homem de cada vez, só então mire em outro. Num homem montado, atire na barriga.

— Certo.

— Um homem deve segurar o tripé, para que a arma não pule. Assim. Ele carrega a arma para ti.

— E onde você vai estar?

— Vou estar aqui, à esquerda. Acima, de onde eu possa ver tudo, e vou cobrir o teu flanco esquerdo com esta *máquina*. Aqui. Se eles vierem para cá, será possível massacrá-los. Mas não atire até que cheguem perto.

— Acho que podemos mesmo fazer um massacre. *Menuda matanza!*

— Mas tenho esperança de que não cheguem até aqui.

— Se não fosse a tua ponte, nós poderíamos fazer um massacre aqui e cair fora.

— Isto não valeria nada. Não teria propósito algum. A ponte é parte de um plano para ganhar a guerra. Isto aqui seria apenas um incidente e nada mais.

— *Qué va*, nada mais. Cada fascista morto é um fascista a menos.

— Sim, mas com esta operação da ponte, podemos tomar Segóvia. A capital da província. Pense nisso. Será a primeira que tomaremos.

— Tu acreditas nisso de verdade? Que podemos tomar Segóvia?

— Sim. Será possível, se a ponte for destruída.

— Gostaria de fazer o massacre e destruir a ponte.

— Tens muito apetite — disse Robert Jordan.

Todo o tempo ele esteve observando os corvos. E de repente percebeu que uma das aves avistara alguma coisa. O pássaro grasnou e alçou voo. Mas o outro corvo permaneceu nos galhos da árvore. Robert Jordan olhou para a posição de Primitivo, no alto das rochas. Viu-o perscrutar a região, mas ele não fez nenhum sinal. Robert Jordan inclinou-se para frente e começou a trabalhar na trava do rifle automático, checou a roda no tambor e manteve-a travada. O corvo continuava imóvel no pinheiro. O outro fez um círculo longo sobre a neve e pousou novamente. O sol e o vento morno, batendo nos pinheiros, derretiam a neve que caía de seus galhos carregados.

— Eu tenho um massacre para ti amanhã, pela manhã — disse Robert Jordan. — É necessário liquidar com os postos da serraria.

— Estou pronto — disse Agustín. — *Estoy listo*.

— O posto da casa do conservador da estrada também, abaixo da ponte.

— Preparado para um e para o outro, ou para os dois — confirmou Agustín.

— Ambos não. Devem ser atacados ao mesmo tempo — disse Robert Jordan.

— Então para qualquer um deles — disse Agustín. — Já esperei um longo tempo nesta guerra. Pablo nos arruinou aqui, na inação.

Anselmo chegou com o machado.

— Você quer mais galhos? — perguntou. — Para mim parece bem coberta.

— Galhos não — respondeu Robert Jordan. — Duas pequenas árvores que possamos replantar aqui perto, para a camuflagem parecer mais natural. Não há muita vegetação neste ponto.

— Vou trazê-las.

— Corte-as bem embaixo, assim os tocos não serão percebidos.

Robert Jordan ouviu o machado trabalhando na mata, atrás dele. Olhou para Primitivo, no alto das rochas, e para baixo, em direção aos pinheiros do outro lado da clareira. O corvo permanecia imóvel. Então, escutou o primeiro rumor vibrante de um avião se aproximando bem no alto. Olhou para cima e viu no infinito um aviãozinho prateado reluzindo ao sol, parecendo quase parado de tão alto.

— Não podem nos ver — disse para Agustín. — Mas é bom manter-nos abaixados. Aquele é o segundo avião patrulha de hoje.

— E aqueles de ontem? — perguntou Agustín.

— Agora, é como se tivessem sido um pesadelo — disse Robert Jordan.

— Devem estar em Segóvia. Onde o pesadelo espera para se tornar realidade.

O avião estava fora de vista agora, sobre as montanhas, mas o ronco de seu motor permanecia audível.

Robert Jordan olhou para o corvo e a ave voou. Voou em linha reta, para longe, entre árvores, sem grasnar.

23

— Abaixa-te! — cochichou Robert Jordan para Agustín, e girou a cabeça, gesticulando com a mão — abaixa, abaixa — para Anselmo, que vinha pela fenda de rochas trazendo um pinheiro sobre os ombros como uma árvore de Natal. Viu o velho largar seu pinheiro atrás de uma rocha e sair de vista, e Robert Jordan agora olhava para frente, para o outro lado da clareira, para a mata. Não avistou nem ouviu nada, mas seu coração palpitava, e então reconheceu o atrito de pedra contra pedra e o estalido baixo, repetido, de uma pedra em queda. Virou-se para olhar na direção de Primitivo e o viu erguendo e abaixando o rifle quatro vezes na horizontal. A seguir não havia mais nada para ver a não ser a faixa branca de neve à sua frente, com um círculo de pegadas de cavalos e a mata ao fundo.

— A cavalaria — sussurrou para Agustín.

Agustín olhou para ele, e sua face escura e profunda alargou-se na sua base quando ele arreganhou os dentes. Robert Jordan notou que ele transpirava. Esticou a mão e a colocou sobre o seu ombro. Sua mão continuava lá quando viram quatro cavaleiros movendo-se próximos da mata, e ele sentiu os músculos das costas de Agustín contraírem-se sob a sua mão.

Um cavaleiro ia à frente e três cavalgavam atrás. O da frente seguia as pegadas deixadas pelo cavalo. Olhava para baixo enquanto cavalgava. Os demais vinham atrás dele, espalhados por entre as árvores. Todos olhavam em volta, atentos. Robert Jordan, estirado de bruços, sentiu o coração bater contra o solo de neve, os cotovelos abertos, observando os homens pela mira do rifle automático.

O líder dos cavaleiros avançou pela trilha deixada por Pablo. De repente, parou. Os demais vieram até ele e pararam também.

Robert Jordan via-os claramente sobre o tambor azul de aço do rifle automático. Viu os rostos dos homens, os sabres pendurados, as ancas escuras e suadas dos cavalos, as suas capas cáqui cônicas e as boinas cáqui de Navarra, oblíquas à cabeça. O líder guinou o cavalo direto na direção da abertura nas rochas, onde a arma estava, e Robert Jordan enxergou seu rosto jovem, queimado pelo vento e pelo sol, os olhos miúdos e aproximados, nariz aquilino e a queixada longa e bem-definida.

Empertigado sobre a montaria, o peito estufado na direção de Robert Jordan, a cabeça do cavalo erguida, a coronha do seu rifle automático projetada fora da bainha do lado direito da sela, o líder apontou para a fenda onde a arma estava camuflada.

Robert Jordan afundou os cotovelos no chão e mirou ao longo do tambor direto para os quatro cavaleiros parados na neve. Três deles empunhavam seus rifles automáticos. Dois carregavam-nos atravessados no arção das suas selas. O outro carregava-o do lado, a coronha apoiada na sua coxa.

"Dificilmente se vê um deles tão de perto", pensou Robert Jordan. "Não com uma mira como esta. É mais usual vê-los pelas costas, subindo, parecendo miniaturas de homens, e a gente já passou o diabo para chegar até lá; ou eles vêm correndo, ziguezagueando, e você dispara uma saraivada de balas para baixo, numa ladeira, ou por sobre uma barreira numa certa rua, ou de uma janela; ou ao longe você os vê marchando na estrada. Só nos trens são tão visíveis. Só assim, e esses quatro aí podem se espalhar. Desta distância, pela mira, eles parecem duas vezes maiores."

"Embora", pensou ele, olhando pela cunha da mira frontal, colocada na fenda da mira anterior, o topo da cunha aprumado bem no peito do líder, um pouco para a direita do distintivo escarlate que brilhava no sol da manhã sobre o poncho cáqui... "Embora", pensou ele em espanhol e pressionando o dedo para frente, afastando o gatilho de onde este produziria o súbito choque do disparo do rifle... "Embora", pensou, e uma vez mais, "embora tu estejas morto agora na tua juventude... E embora e embora... Mas não deixe isso acontecer. Não deixe que isso aconteça... "

Sentiu Agustín ao seu lado começar a tossir, prender a tosse, engasgar-se e engolir. Então, olhando ao longo do tambor azul oleoso, através das brechas das ramagens, o dedo firme empurrando o gatilho na direção contrária, viu o líder guinar o cavalo em direção à trilha deixada por Pablo. Os quatro trotearam em direção à mata e Agustín disse baixinho:

— *Cabrones!*

Robert Jordan olhou para trás, onde Anselmo largara o pinheiro.

O cigano, Rafael, estava vindo entre as rochas, trazendo um par de sacos, o rifle a meia espalda. Robert Jordan acenou para ele lá embaixo e ele mergulhou num buraco saindo de vista.

— Poderíamos ter liquidado os quatro — disse Agustín.

Continuava molhado de suor.

— Podíamos, mas com os tiros, quem sabe o que viria depois?

Nisso ele ouviu o som de outra pedra quicando lá de cima, e olhou em volta rapidamente. O cigano e Anselmo estavam fora de vista. Ele consultou o relógio de pulso e olhou para a posição de Primitivo que erguia e abaixava o rifle na horizontal, infinitamente. "Pablo tem quarenta e cinco minutos de dianteira", pensou, e ouviu o tropear de um corpo de cavalaria se aproximando.

— *No te apures* — cochichou para Agustín. — Não te preocupes. Eles irão passar, como os outros.

Eles entraram no campo de visão, troteando ao longo da margem da mata em colunas de dois, vinte homens montados, armados e uniformizados como os anteriores, os sabres balançando, as carabinas nas bainhas, e se foram para a mata, como os outros.

— *Tu ves?* — disse Robert Jordan para Agustín. — Viste?

— Eram muitos — comentou Agustín.

— Teríamos de nos ver com esses, se tivéssemos liquidado aqueles quatro — disse Robert Jordan, bem baixinho. Seu coração acalmara-se agora, e sua camisa estava molhada no peito encostado na neve derretida. Havia um sentimento de vazio no seu peito.

O sol brilhava na neve, que se derretia rápido. Ele podia vê-la desfazer-se ao redor dos troncos das árvores, e bem à frente da arma, diante dos seus olhos, a crosta da neve ensopava-se com a própria água numa textura rendilhada cada vez mais frágil, à medida que o sol a dissipava, e o aquecimento da terra exalava calor através da mesma neve que repousava na terra. Robert Jordan ergueu o olhar para o posto de Primitivo e viu-o sinalizar *nada*, cruzando as duas mãos com as palmas viradas para baixo.

A cabeça de Anselmo apontou sobre a rocha e Robert Jordan gesticulou para que ele se aproximasse. O velho deslizou de rocha em rocha até ficar de gatinhas, colado no chão ao lado da arma.

— Muitos — disse ele. — Muitos!

— Não preciso mais dos pinheiros — disse Robert Jordan. — Não é mais necessário melhorar a camuflagem.

Agustín e Anselmo arreganharam os dentes, num sorriso.

— Este lugar foi bem examinado e seria perigoso amontoar outras árvores agora, porque aqueles soldados retornarão e talvez não sejam estúpidos.

Sentira necessidade de falar aquilo; nele, era um sinal de que o perigo rondara bem perto. Sabia o perigo que haviam passado pela intensidade do desejo de falar depois.

— Foi uma boa camuflagem, hem? — disse ele.

— Boa — disse Agustín. — Boa para (...) com todo o fascismo. Podíamos ter matado os quatro. Tu viste? — disse para Anselmo.

— Vi.

— Tu — disse Robert Jordan para Anselmo —, deves ir ao posto de ontem, ou para outro local que escolheres para observar a estrada e reportar todo o movimento como fizeste antes. Já estamos atrasados com isso. Fica até o anoitecer, então volta que enviaremos outro.

— Mas e os rastros que vou deixar?

— Vá por baixo assim que a neve derreter. A estrada estará enlameada pela neve derretida. Anote se tiver muitas marcas de tráfego de caminhões ou tanques na estrada. Isto é tudo que podemos dizer até que estejamos lá para observar.

— Com a sua permissão — o velho disse.

— Claro.

— Com a sua permissão, não seria melhor eu ir até La Granja e perguntar o que houve na noite passada e arranjar alguém para ficar de vigia hoje, do jeito que você me ensinou? Essa pessoa poderia relatar tudo hoje à noite, ou melhor, eu poderia voltar a La Granja e pegar o relatório.

— Você não teme encontrar a cavalaria?

— Não depois que a neve desaparecer.

— Há alguém em La Granja capaz de fazer isto?

— Há. Para isto há. Seria uma mulher. Há muitas mulheres de confiança em La Granja.

— Nisto eu acredito — disse Agustín. — E mais, eu sei, muitas servem também para outro propósito. Não quer que eu vá?

— Deixe o velho ir. Você sabe usar esta arma e o dia ainda não acabou.

— Vou logo que a neve derreter — disse Anselmo. — E a neve está derretendo rápido.

— O que você acha da chance deles pegarem Pablo? — Robert Jordan perguntou a Agustín.

— Pablo é safo — disse Agustín. — Pode-se pegar um veado macho sem cachorros de caça?

— Às vezes — disse Robert Jordan.

— Mas não Pablo — disse Agustín. — Está claro que ele é apenas um saco de lixo comparado com o que era antes. Mas não é por nada que está vivo e tem todo conforto nestas montanhas, podendo se embebedar até a morte enquanto tantos outros morreram contra uma parede.

— Ele é tão safo quanto se diz?

— Muito mais.

— Não pareceu ter muita habilidade.

— *Cómo que no?* Se não tivesse grande habilidade teria morrido na noite passada. Parece que você não entende de política, *Inglés*, nem de operações de guerrilha. Em política e em guerrilha, a primeira coisa é se manter vivo. Repare que ele continuou existindo depois da noite passada. E a quantidade de esterco que ele engoliu, de mim e de ti?

Agora que Pablo havia se engajado à operação, Robert Jordan não queria falar contra ele; logo que se deu conta disso lamentou o que disse sobre a sua habilidade. Sabia o quanto Pablo era esperto. Foi Pablo quem entendeu instantaneamente o que estava errado com as ordens de destruição da ponte. Fizera o comentário somente por não gostar do sujeito, e percebeu o seu erro. Era tagarelice logo após um momento de tensão. Deixou de lado o assunto e disse para Anselmo:

— E você irá à La Granja à luz do dia?

— Não é tão mal assim — disse o velho. — Não estou com um bando militar.

— Nem com um sino pendurado no pescoço — disse Agustín. — Nem carregando uma bandeira.

— Que caminho irá tomar?

— Vou por debaixo, pela floresta.

— E se pegarem você?

— Tenho documentos.

— Assim como todos nós, mas tu deves engolir os documentos errados rapidamente.

Anselmo assentiu com a cabeça e apalpou o bolso do peito da sua túnica.

— Quantas vezes enfrentei isto e não precisei engolir meus documentos — disse ele.

— Sempre achei que a gente devia passar um pouco de mostarda para andar com eles por aí — disse Robert Jordan. — No meu bolso esquerdo no peito, levo os nossos documentos; no direito, os fascistas. Assim a gente não se confunde numa emergência.

"Deve ter sido bem ruim quando o líder da primeira patrulha da cavalaria apontou para eles nas rochas, porque estavam falando demais. Demais mesmo", pensou Robert Jordan.

— Mas olha, Roberto — disse Agustín. — Eles dizem que dia a dia o governo desvia-se cada vez mais para a direita. Que na República não dizem mais Camarada, mas Señor e Señora. Não acha que deveria trocar os bolsos dos papéis?

— Quando o desvio for muito para a direita, ponho os meus papéis no bolso das calças — disse Robert Jordan. — E depois passo uma costura no centro.

— Que eles fiquem na tua camisa — disse Agustín. — Achas que vamos ganhar esta guerra e perder a revolução?

— Não — respondeu Robert Jordan. — Mas se não ganharmos essa guerra não haverá revolução nem República, nem qualquer de vocês, nem eu, nem nada, mas o maior *carajo*.

— Eu que o diga — comentou Anselmo. — Que nós ganhemos a guerra.

— E depois fuzilamos os anarquistas, os comunistas e toda essa *canalla*, exceto os bons republicanos — bradou Agustín.

— Que ganhemos esta guerra e não fuzilemos ninguém — disse Anselmo. — Que governemos com justiça e que todos participem dos benefícios conforme tiveram lutado. Que aqueles que lutaram contra nós sejam educados a enxergarem os seus erros.

— Teremos que fuzilar muitos deles — disse Agustín. — Muitos, muitos, muitos.

Ele bateu com o punho direito cerrado na palma da mão esquerda.

— Que não tenhamos que fuzilar ninguém. Nem mesmo os líderes. Que eles sejam reabilitados pelo trabalho.

— Eu sei onde os colocarei para trabalhar — disse Agustín levando um punhado de neve à boca.

— Onde, malvado? — perguntou Robert Jordan.

— Duas ocupações do mais alto brilhantismo.

— E elas são...?

Agustín levou mais neve à boca, e olhou para a clareira onde a cavalaria havia passado. Então cuspiu a neve derretida e disse:

— *Vaya!* Que café da manhã. Onde está aquele cigano fedorento?

— Quais as ocupações? — perguntou Robert Jordan. — Fala, boca maldita.

— Saltar de avião sem paraquedas — respondeu Agustín e seus olhos brilharam. — Isto para aqueles de quem nós gostamos. Os demais, nós os pregaríamos na ponta dos moirões das cercas empurrando-os para baixo.

— Este jeito de falar é desprezível — disse Anselmo. — Assim, nunca teremos uma República.

— Eu gostaria de nadar dez léguas numa sopa feita com os *cojones* de todos eles — disse Agustín. — E quando vi aqueles quatro lá embaixo, e pensei que podíamos matá-los, fiquei como uma égua no curral esperando pelo garanhão.

— Mas você sabe por que nós não os matamos? — perguntou Robert Jordan, calmamente.

— Sei — disse Agustín. — Sei. Mas o desejo estava em mim como numa égua no cio. Você não sabe o que é, se nunca sentiu isso.

— Você transpirou bastante — disse Robert Jordan. — Pensei que fosse medo.

— Medo, sim — disse Agustín. — Medo e a outra coisa. E nesta vida não há nada mais forte do que a outra coisa.

"É verdade", pensou Robert Jordan. "Nós fazemos isso friamente, mas este povo não, nunca. É o seu sacramento extra. O mais antigo, muito antes da nova religião vir do longínquo Mediterrâneo, o sacramento que eles nunca abandonaram, apenas sufocaram, esconderam, para trazê-lo à tona novamente nas guerras e inquisições. É o povo do auto de fé. Matar é algo que uma pessoa deve fazer, mas o nosso jeito de matar é diferente do deles. E você nunca foi seduzido por isto? Nunca teve este impulso em Sierra? Nem em Usera? Nem naquele tempo todo em Extremadura? Ou em outro lugar? *Qué va!* Sim, em todos os trens que explodiu."

"Pare de fazer literatura duvidosa sobre os berberes e ibéricos da Antiguidade, e admita que gostou de matar, como todos os que se tornam soldados por escolha, mintam sobre isso ou não. Anselmo não gosta porque é um caçador, não um soldado. Não o idealize, tampouco. Caçadores matam animais, e soldados matam homens. Não minta para si mesmo. Nem faça literatura sobre isso. Você vem sendo tentado a isso, já faz um longo tempo. E também não critique Anselmo. Ele é um cristão. Algo raro em países católicos."

"Mas com Agustín eu tive a impressão de que era medo. Aquele medo natural que antecede a ação. Quer me dizer que era a outra coisa, também. Claro, deve estar se gabando agora. Mas a porção de medo era grande. Senti na minha mão. Bem, já é hora de parar de falar..."

— Vê se o cigano trouxe comida — disse para Anselmo. — Não deixa ele vir aqui em cima. É um idiota. Traga você mesmo. E não importa o quanto ele tenha trazido, manda buscar mais, estou faminto.

24

Era uma manhã de fim de maio, o céu estava alto e límpido e o vento soprava morno nos ombros de Robert Jordan. A neve derretia rápido e eles tomavam o café da manhã. Dois enormes sanduíches de carne e queijo de cabra para cada um. Robert Jordan cortara duas rodelas grossas de cebola com o seu canivete e as entremeou na carne, e o queijo, entre as fatias de pão.

— Você ficará com um bafo que se espalhará pela floresta até os fascistas — disse Agustín, com a boca cheia.

— Passe-me o odre de vinho para eu enxaguar a boca — disse Robert Jordan, as bochechas estufadas de carne, queijo, cebola e pão mastigados.

Nunca estivera tão faminto; encheu a boca do vinho com um gosto delicado de alcatrão da bolsa de couro, deixando-o descer pela garganta. Em seguida, tomou outro gole de vinho, erguendo o odre de modo a lançar um jato direto dentro da boca, roçando a vasilha de couro, quando erguera os braços, nas agulhas de pinheiro que cobriam o rifle automático, encostando a cabeça nos galhos ao incliná-la para trás para fazer descer o vinho.

— Tu queres este outro sanduíche? — ofereceu Agustín, alcançando-o por sobre a arma.

— Não, obrigado, coma.

— Não posso. Não estou acostumado a comer de manhã.

— Você não quer mesmo, verdade?

— Não. Pega.

Robert Jordan pegou o sanduíche, ajeitou-o no colo enquanto tirava a cebola do bolso da jaqueta, onde também estavam as granadas, e abriu o canivete para fatiá-la. Tirou um pedaço da pele da cebola, com sujeira de seu bolso, e cortou uma grossa fatia. Um anel caiu, ele o recolheu e o reajuntou na fatia de cebola e a enfiou no sanduíche.

— Tu sempre comes cebola no café da manhã? — perguntou Agustín.

— Quando tem.

— Todos no teu país fazem isso?

— Não — disse Robert Jordan. — Lá, isto é malvisto.

— Fico contente. Sempre achei que a América fosse um país civilizado.

— O que tu tens contra a cebola?

— O cheiro. Nada mais. Fora isso, é como uma rosa.

Robert Jordan sorriu para ele, com a boca cheia.

— Como uma rosa — disse ele. — Pujante como uma rosa. Uma rosa é uma rosa é uma cebola.

— Tuas cebolas estão afetando o teu cérebro — disse Agustín. — Toma cuidado.

— Uma cebola é uma cebola é uma cebola — disse Robert Jordan sorridente, e pensou: "uma pedra é uma rocha é um rochedo é um cascalho, é uma pedra."

— Enxágua a tua boca com vinho — disse Agustín. — Tu és muito esquisito, *Inglés*. Há uma grande diferença entre tu e o outro dinamitador que trabalhou conosco.

— Há uma grande diferença.

— Diga qual é.

— Eu estou vivo e ele morto — disse Robert Jordan, e pensou: "Qual é o seu problema? Isto lá é jeito de falar? A comida lhe deu um surto de alegria? O que há com você, embriagado com cebolas? Tudo se resumiu a isto, agora? Nunca significou muito de fato", lembrou a si mesmo. "Você tentou fazer com que significasse, mas nunca conseguiu de verdade. Não há motivo para mentir no tempo que resta."

— Não — disse ele, agora seriamente. — Aquele homem tinha sofrido uma enormidade.

— E tu? Não sofreu?

— Não. Sou daqueles que sofrem menos.

— Eu também — disse Agustín. — Tem aqueles que sofrem e aqueles que não sofrem. Eu sofro bem pouco.

— Menos mal — disse Robert Jordan, entornando o odre de vinho novamente. — E com isto, menos ainda.

— Eu sofro pelos outros.

— Como todo bom homem deveria sofrer.

— Mas por mim mesmo, muito pouco.

— Tens esposa?

— Não.

— Nem eu.

— Mas agora tu tens a Maria.

— Verdade.

— Isto é intrigante — disse Agustín. — Desde que ela veio com a gente, daquele trem, Pilar a manteve afastada de todos, como uma fera protetora, como se ela estivesse num convento das carmelitas. Não imagina com que ferocidade ela a protegeu. Você chegou e ela lhe dá a garota feito um presente. O que isso te parece?

— Não foi assim.

— Como foi então?

— Ela a colocou sob os meus cuidados.

— E o teu cuidado é *joder* com ela a noite toda?

— Com sorte.

— Que maneira de se cuidar de alguém.

— Você não aceita que se possa cuidar bem de uma pessoa deste modo?

— Aceito, mas qualquer um de nós poderia cuidar dela assim.

— Não vamos mais falar disso — disse Robert Jordan. — Eu gosto dela, sério.

— Sério?

— Nada é mais sério neste mundo.

— E depois? Depois da ponte?

— Ela vai comigo.

— Então — disse Agustín —, que ninguém fale mais sobre isso e que vocês dois tenham toda a sorte do mundo — e levantou a vasilha de couro com vinho, tomou um longo gole e passou para Robert Jordan.

— Só mais uma coisa, *Inglés*.

— Naturalmente.

— Eu também gosto muito dela.

Robert Jordan colocou a mão sobre o ombro dele.

— Muito — repetiu Agustín. — Muito. Mais do que alguém possa imaginar.

— Eu imagino.

— Ela me provocou um sentimento que ainda não se dissipou.

— Posso imaginar.

— Olha. Te digo isso com toda a seriedade.

— Diga.

— Jamais a toquei, nem nunca tive nada com ela, mas gosto dela imensamente. *Inglés*, não seja superficial com ela. Só porque ela dorme contigo, não é uma prostituta.

— Vou cuidar bem dela.

— Acredito em ti. Mas tem mais. Tu não entendes como uma garota como essa seria, se não houvesse a revolução. Tua responsabilidade é grande. Maria sofreu de verdade. Ela não é como nós.

— Vou casar com ela.

— Não. Não se trata disso. No meio da revolução não é necessário. Mas... — balançou a cabeça lado a lado —, seria melhor.

— Vou casar com ela — garantiu Robert Jordan, e sentiu o nó na garganta. — Gosto dela pra valer.

— Mais tarde — continuou Agustín —, quando for conveniente. O importante é ter a intenção.

— Isto eu tenho.

— Escuta — disse Agustín. — Estou falando demais de um assunto que não me diz respeito, mas conheceste muitas garotas neste país?

— Algumas.

— Putas?

— Algumas não eram.

— Quantas?

— Várias.

— E você dormiu com elas?

— Não.

— Percebes?

— Sim.

— O que eu quero dizer é que Maria não faz isso superficialmente.

— Nem eu.

— Se eu pensasse isso de você, teria lhe dado um tiro na noite passada, quando se deitou com ela. Por conta disso matamos muita gente por aqui.

— Escuta, meu velho — disse Robert Jordan. — Foi só porque o tempo é escasso que houve tanta informalidade. O que não temos é tempo. Amanhã devemos lutar. Para mim isto não é nada. Mas para nós, para mim e Maria, o que importa é viver intensamente toda a nossa vida no tempo que tivermos.

— E um dia e uma noite é pouco — disse Agustín.

— É. Mas tivemos ontem, e anteontem e a noite passada.

— Olha — retomou a conversa Agustín. — Se eu puder te ajudar...

— Não. Está tudo bem conosco.

— Se eu puder fazer qualquer coisa por ti, ou pela carequinha...

— Não!

— De verdade, sempre é pouco o que um homem pode fazer pelo outro.

— Não. Há muito.

— O quê, por exemplo?

— Não importa o que aconteça hoje e amanhã, com respeito ao combate, me dá a tua confiança e obedece, mesmo que as ordens pareçam erradas.

— Você tem a minha confiança. Depois desse episódio da cavalaria e de ter despachado aquele do cavalo.

— Aquilo não foi nada. Você sabe que estamos trabalhando com um objetivo. Para ganhar a guerra. Se não vencermos, as demais conquistas serão fúteis. Amanhã teremos uma ação de grande importância. Verdadeiramente importante. Também teremos um combate. Num combate deve haver disciplina. Porque muitas coisas não são o que parecem ser. E a disciplina deve vir da responsabilidade e da confiança.

Agustín cuspiu no chão.

— Maria e este assunto são coisas diferentes — disse ele. — Que vocês façam uso do tempo que tiverem como dois seres humanos. Se eu puder te ajudar, estarei às ordens. Mas para esta ação de amanhã, vou obedecer cegamente. Se for necessário que alguém morra neste negócio de amanhã, que morra contente e de coração leve.

— É assim que eu sinto — disse Robert Jordan. — Mas ouvir isso de ti me dá prazer.

— E mais — disse Agustín. — Aquele lá em cima — apontou para o posto de Primitivo —, é um homem confiável. Pilar é muito, muito mais do que podes imaginar. O velho Anselmo, também. Andrés, idem. Eladio, o mesmo. Muito calado, mas um elemento confiável. E Fernando. Não sei o que achas do seu caráter, é verdade que ele é mais pesado do que o mercúrio, para esquentar é um custo, é mais tedioso do que um boi castrado puxando uma carreta numa estrada. Mas para lutar e cumprir ordens... *Es muy hombre!* Tu vais ver.

— Estamos com sorte.

— Não. Temos dois elementos fracos. O cigano e Pablo. Mas o bando de El Sordo é muito melhor do que o nosso, assim como somos melhores do que merda de bode.

— Então tudo bem.

— Sim, mas gostaria que acontecesse hoje — disse Agustín.

— Eu também. Para terminar logo com isso. Mas não será hoje.

— Achas que o combate será duro?

— Talvez.

— Mas tu estás muito animado agora, *Inglés*.

— Estou.

— Eu também. Apesar da Maria e tudo mais...

— Você sabe por quê?

— Não.

— Nem eu. Talvez seja o dia. Está lindo.

— Quem sabe? Talvez seja porque teremos ação.

— Acho que é isto — concordou Robert Jordan. — Mas não até amanhã. Por tudo, devemos evitar que aconteça hoje. Enquanto falava ouviu algo. Era um ruído vindo de longe, sobre o som do vento morno sobre as árvores. Não estava certo do que se tratava e manteve a boca aberta, escutando, relançando o olhar em direção a Primitivo. Pensou ter ouvido algo, mas perdeu o ruído. O vento soprava nos pinheiros e Robert Jordan esforçou-se ao máximo para escutar. Então começou a ouvir novamente, um ruído brando por baixo do vento.

— Não é nenhuma tragédia para mim — ouviu Agustín dizer —, não ter Maria não é nada. Continuarei me deitando com as putas, como sempre.

— Silêncio — disse Robert Jordan, sem ouvir o que ele dizia, deitado ao seu lado, girando a cabeça. Agustín olhou para ele subitamente.

— *Qué pasa?* — perguntou Agustín.

Robert Jordan cobriu a própria boca com a mão e continuou na escuta. Então o ruído voltou. Aproximou-se tênue, seco, longe. Mas não havia dúvida agora. Eram estalidos, precisos e enovelados, sons de tiros de rifles automáticos. Soavam como se fossem descargas de espoletas, uma após a outra, intermitentes, como se estivessem sendo estouradas a uma distância no limite audível.

Robert Jordan olhou para Primitivo, agora em posição de alerta, a cabeça em pé, seu rosto virado na direção deles lá embaixo, com a mão em concha no ouvido e apontando para a região mais alta das montanhas.

— É um tiroteio na zona de El Sordo — disse Robert Jordan.

— Então vamos ajudá-lo — disse Agustín. — Reúna os outros. *Vámonos!*

— Não — disse Robert Jordan. — Nós ficaremos aqui.

25

Robert Jordan olhou na direção de Primitivo, que se pusera de pé, em sua trincheira, empunhando o rifle e apontando. Robert Jordan abanou a cabeça, mas Primitivo continuava apontando e levando a mão em concha ao ouvido e novamente apontando, insistentemente, como se o outro não estivesse entendendo.

— Você fica com esta arma e, a menos que tenha certeza, absoluta certeza, certeza mesmo de que eles estejam vindo, não atire. E não até que eles cheguem àquele arbusto — Robert Jordan indicou o ponto. — Compreendeu?

— Compreendi, mas...

— Não tem *mas*! Depois eu te explico. Tenho que ir falar com Primitivo.

Anselmo estava ao seu lado e ele disse ao velho:

— *Viejo*, fique aqui com Agustín e a arma — falou vagarosamente, sem demonstrar ansiedade. — Ele não deve atirar, a menos que a cavalaria esteja realmente entrando. Se eles simplesmente aparecerem deve ignorá-los, como fizemos antes. Se ele tiver que atirar, segure firme o tripé da arma para ele, e dê-lhe cartuchos quando o tambor esvaziar.

— Está bem — disse o velho. — E La Granja?

— Mais tarde.

Robert Jordan escalou e rodeou o rochedo acinzentado, sentindo nas mãos o solo agora molhado. O sol derretia rápido a neve sobre os rochedos. No topo, a pedra estava seca, e lá de cima ele pôde ver toda a região, os pinheirais, a enorme clareira e o vale profundo entre as montanhas. Ficou de pé ao lado de Primitivo, numa fenda entre duas rochas, e o homem de baixa estatura e moreno lhe disse:

— Estão atacando El Sordo. O que vamos fazer?

— Nada — respondeu Robert Jordan.

Lá de cima, ouvia o tiroteio com nitidez, e avistou ao longe, do outro lado do vale no aclive da segunda montanha, tropas da cavalaria troteando para fora da mata e cruzando a neve em direção ao combate. Viu a dupla coluna de homens e cavalos escuros contrastando com a neve, forçando em oblíquo a subida da colina. Assistiu as duas fileiras alcançarem o espinhaço da montanha e aprofundarem-se na mata.

— Temos que ajudá-los — disse Primitivo. — Sua voz soava seca e sem entonação.

— É impossível — disse Robert Jordan. — Passei a manhã toda esperando que isso fosse acontecer.

— Como?

— Eles foram roubar cavalos ontem à noite. A neve parou e os soldados seguiram a trilha deles até lá em cima.

— Mas temos que ajudá-los — insistiu Primitivo. — Não podemos abandoná-los assim. São nossos camaradas.

Robert Jordan colocou a mão em seu ombro.

— Não podemos fazer nada. Se pudéssemos, nós faríamos.

— Há um caminho por cima para se chegar lá. Podemos ir a cavalo com as duas armas. Esta aí embaixo e a tua. Assim podemos ajudá-los.

— Escute... — disse-lhe Robert Jordan, e foi interrompido.

— É *aquilo* o que eu estou escutando — disse Primitivo.

O tiroteio revolvia-se em cascatas incessantes. De repente, ouviu-se um barulho abafado e pesado, de granadas de mão, no meio dos estampidos secos dos rifles automáticos.

— Eles estão perdidos — disse Robert Jordan. — Desde que a nevasca parou. Se formos para lá seremos liquidados também. É impossível dividir as forças que temos.

Restolhos de uma barba rala e acinzentada salpicavam o queixo, em torno dos lábios e pescoço de Primitivo. O resto de seu rosto era uma chapa morena com um nariz quebrado, achatado, e olhos fundos e acinzentados, e, olhando para o homem ao seu lado, Robert Jordan viu bem de perto os tocos de barba, crispando-se nos cantos da boca e nas cordas da garganta.

— Escute. Estão sendo massacrados — disse Primitivo.

— Se eles cercaram o vale, estão mesmo — disse Robert Jordan. — Alguns podem ter escapado.

— Indo agora poderíamos pegá-los por trás — argumentou Primitivo. — Deixe quatro de nós irmos até lá com os cavalos.

— E aí? O que acontece quando vocês chegarem por trás deles?

— Nos juntamos a El Sordo.

— Para morrer? Olhe para o sol. O dia é longo.

O céu estava alto, imenso, sem nuvens, e o sol quente agredia suas costas. Havia inúmeras manchas grandes sem neve no declive sul da montanha, na extensa clareira abaixo deles, e a neve já havia caído das copas dos pinheiros. Os rochedos sob os seus pés, úmidos até momentos antes, agora pareciam ferver pelo calor do sol.

— *Hay que aguantarse* — disse-lhe Robert Jordan. — Na guerra há situações como esta.

— Mas não há nada que possamos fazer? Verdade? — Primitivo olhou para ele e Robert Jordan sabia que tinha a sua confiança. — Tu não poderias me enviar com outro e uma metralhadora pequena?

— Seria inútil — respondeu Robert Jordan.

Pensou ter visto algo que estava procurando, mas era apenas um gavião mergulhando no ar e depois subindo com o vento acima da linha de cima dos pinheiros.

— Seria inútil mesmo que todos nós fôssemos até lá — completou Robert Jordan.

Nisso o tiroteio duplicou em intensidade, com o estrondo pesado de granadas de mão.

— Fascistas desgraçados! — disse Primitivo, com absoluta devoção e blasfêmia, lágrimas nos olhos e tremendo o queixo. — Ah, Deus e Virgem Maria, desgrace-os na merda da sua imundície.

— Acalma-te — disse Robert Jordan. — Você estará combatendo contra eles daqui a pouco. Ah, aí vem a mulher.

Pilar subia para encontrá-los, fazendo movimentos bruscos para escalar os rochedos.

Primitivo prosseguiu nas blasfêmias entremeadas com:

— Oh, Deus, Oh, Virgem — cada vez que uma lufada de vento trazia o som do tiroteio.

Robert Jordan esgueirou-se para baixo para ajudar Pilar a subir.

— *Qué tal*, mulher — disse ele, segurando-lhe pelos pulsos e puxando-a para o topo do rochedo.

— Teus binóculos — disse ela, tirando-os por cima da cabeça. — Quer dizer que eles vieram pegar El Sordo?

— Vieram.

— Coitado — disse ela compadecida. — Pobre Sordo.

Estava arfante por causa da subida, pegou a mão de Robert Jordan apertando firme enquanto olhava para a vasta região.

— Como te parece o combate?

— Péssimo. Muito mal.

— Ele está *jodido*?

— Acho que sim.

— *Pobre*. Sem dúvida por causa dos cavalos?

— Provavelmente.

— *Pobre* — disse Pilar. — Rafael me contou toda uma novela de bosta sobre cavalaria. O que era, afinal?

— Uma patrulha e uma parte de um esquadrão.

— Até onde chegaram?

Robert Jordan apontou para o ponto onde a patrulha tinha parado e mostrou a ela onde a arma estava escondida. De onde eles estavam podiam ver apenas uma das botas de Agustín saliente na parte de trás da camuflagem.

— O cigano disse que eles cavalgaram até que o cano da arma encostasse no peitoral do cavalo do líder — disse Pilar. — Que raça! Os teus binóculos estavam na caverna.

— Você já arrumou tudo para partir?

— Tudo o que pode ser levado. Alguma novidade sobre Pablo?

— Estava quarenta e cinco minutos à frente da cavalaria. Eles pegaram a sua trilha.

Pilar arreganhou os dentes para ele. Continuava segurando firme a sua mão. Então a largou.

— Eles nunca o acharão — disse ela. — Agora, e El Sordo? Podemos fazer alguma coisa?

— Nada.

— *Pobre* — disse Pilar. — Eu era afeiçoada a El Sordo. Tu tens certeza, tens mesmo, que ele está *jodido*?

— Tenho. Vi muitos cavaleiros.

— Mais do que os que vimos aqui?

— Uma tropa completa subindo por lá.

— Escute só — disse Pilar. — Pobre, pobre El Sordo. Ficaram escutando o tiroteio.

— Primitivo queria ir para lá — disse Robert Jordan.

— Tu estás louco? — disse a mulher para o homem de cara achatada. — Que espécie de *locos* estamos criando aqui?

— Queria ajudá-los.

— *Qué va* — disse Pilar. — Outro romântico. Não acreditas que morrerás já suficientemente rápido aqui, sem precisares fazer uma viagem inútil?

Robert Jordan olhou para ela, para suas robustas faces morenas com zigomas salientes de índia, olhos afastados e uma boca sorridente com lábios polpudos.

— Tu deves agir como um homem — disse ela para Primitivo. — Um homem crescido, fazer jus a esta barba grisalha e tudo mais.

— Não brinca comigo — disse Primitivo, casmurro. — Se um homem tem um pouco de coração e um pouco de imaginação...

— Ele deveria aprender a controlá-los — disse Pilar. — Tu vais morrer logo, com todos nós. Não há necessidade de procurar isso com estranhos. Com respeito à imaginação, o cigano tem o suficiente por todos nós. Que novela que ele me contou.

— Se tu visses com os teu olhos, não dirias que é uma novela — comentou Primitivo. — Houve um momento de gravidade máxima.

— *Qué va* — disse Pilar. — Alguns cavaleiros vêm até aqui e se vão. E todos vocês se enchem de heroísmo. Chegamos a isso com toda nossa inatividade.

— E isto aí com El Sordo, não é grave? — disse Primitivo, agora em tom de desdém. Sofria visivelmente cada vez que o tiroteio era trazido pelo vento, e ardia de vontade de ir combater ou que Pilar o deixasse em paz.

— *Total, qué?* — disse Pilar. — Aconteceu porque tinha que acontecer. Não percas os teu *cojones* pelo infortúnio dos outros.

— Vai chafurdar-se em você mesma! — disse Primitivo. — Certas mulheres são insuportáveis de tão estúpidas e cruéis.

— Para dar amparo e socorro aos homens pouco dotados para procriação. E já que não vejo nada acontecendo aqui, vou-me embora.

Naquele instante, Robert Jordan ouviu um avião acima deles. Olhou para cima e observou que parecia o mesmo avião que vira antes, naquela manhã. Agora retornava da direção das linhas inimigas, para a região montanhosa onde El Sordo estava sendo atacado.

— Lá está o pássaro agourento — disse Pilar. — Será que ele pode enxergar o que acontece por aquelas bandas?

— Certamente — respondeu Robert Jordan. — Se não forem cegos.

Eles observaram o avião movendo-se bem no alto, prateado, estável, refletido nos raios de sol. Vinha da esquerda, e eles podiam ver os discos de luz produzidos pelas duas hélices.

— Fiquem abaixados — disse Robert Jordan.

O avião alcançou o ponto onde estavam, projetando a sua sombra bem na clareira, o ronco dos motores atingindo a potência máxima. E passou em direção ao topo do vale. Observaram seu voo retilíneo, invariável até sumir de vista e então retornar, num longo mergulho em círculo duplo, e desaparecer na direção de Segóvia.

Robert Jordan olhou para Pilar. Ela transpirava nas têmporas e sacudia a cabeça, mordendo o lábio inferior.

— Cada um tem o seu problema — disse Pilar. — O meu são esses aviões.

— Tu pegaste o meu medo? — disse Primitivo, com sarcasmo.

— Não — respondeu ela, colocando a mão no ombro dele.

— Tu não passas medo para ninguém. Eu sei. Sinto muito ter zombado de você e ter sido rude contigo. Estamos todos no mesmo caldeirão. — E dirigindo-se a Robert Jordan: — Vou mandar comida e vinho. Precisas de mais alguma coisa?

— No momento não. Onde estão os outros?

— Tua preciosidade está intacta lá embaixo com os cavalos — ela disse, sorrindo e arreganhando os dentes. — Tudo está escondido, fora de vista. As malas estão prontas para a partida. Maria está com o teu material.

— Se por acaso aparecer aviação, mantenha-a na caverna.

— Sim, meu Lorde *Inglés* — disse Pilar. — *Teu* cigano (acabo de te dar ele), mandei-o pegar uns cogumelos para cozinhar com as lebres. Tem muito cogumelo por aí e parece que vamos comer as lebres, embora eu prefira comê-las amanhã ou depois de amanhã.

— Acho melhor comê-las de uma vez — disse Robert Jordan, e Pilar levou a sua mão enorme ao ombro dele, sobre a alça da carabina que estava a meia espalda, em seguida esticou mais o braço remexendo seus cabelos com os dedos.

— Que *Inglés* este — disse Pilar. — Vou mandar Maria com o *puchero* quando estiver pronto.

O tiroteio ao longe já havia quase completamente cessado, ouviam-se apenas ocasionais tiros isolados.

— Acha que acabou? — perguntou Pilar.

— Não — disse Robert Jordan. — Pelo barulho que ouvimos, eles devem ter atacado e foram repelidos. Os atacantes foram cercados, agora, eu diria. Os soldados buscaram cobertura e agora aguardam pelos aviões.

Pilar dirigiu-se então para Primitivo:

— Tu entendes que não houve intenção de te insultar?

— *Ya lo sé* — respondeu Primitivo. — Já aturei piores ofensas de ti. Tens uma língua maldita. Mas cuida da tua boca, mulher. El Sordo era um bom camarada meu.

— E meu não? — replicou Pilar. — Escuta, cara chata. Numa guerra não se pode dizer o que a gente sente. Temos o bastante para nós mesmos sem precisar sentir pela perda de El Sordo.

Primitivo permaneceu soturno.

— Você deveria tomar um purgante — disse-lhe Pilar. — Bem, estou indo preparar a comida.

— Trouxe os documentos daquele *requeté*? — perguntou-lhe Robert Jordan.

— Como sou burra — ela respondeu. — Vou mandá-los por Maria.

26

Eram três horas da tarde quando os aviões chegaram. A neve desaparecera por completo desde o meio-dia e as rochas estavam quentes do sol. Não havia nuvens no céu e Robert Jordan estava sentado numa pedra, sem camisa, banhando-se de sol, lendo as cartas que estavam nos bolsos do cavaleiro morto. De vez em quando, parava de ler para observar a região, através do vale, até o outro lado da mata, e então retornava à leitura. A cavalaria não aparecera novamente. Em intervalos, se ouvia o som de um tiro vindo do acampamento de El Sordo. O tiroteio tornara-se esparso.

Pelo exame dos documentos, soube que o rapaz era de Tafalla, Navarra, tinha vinte e um anos de idade, solteiro, filho de um ferreiro. O seu regimento era a Nona Cavalaria, o que surpreendeu Robert Jordan, pois pensava que estivessem no norte. Ele era carlista e havia sido ferido no combate em Irun, no início da guerra.

"Provavelmente vi-o correndo pelas ruas na frente dos touros, na *Feria* de Pamplona", pensou Robert Jordan. "Ninguém mata os que quer matar numa guerra. Bem, quase nunca", corrigiu-se e retomou a leitura das cartas.

As primeiras cartas eram repletas de formalidades, cuidadosamente escritas, e tratavam quase que integralmente de ocorrências locais. Tinham vindo de sua irmã, e Robert Jordan ficou sabendo que tudo ia bem em Tafalla, o pai dele estava saudável, a mãe também, como sempre, mas reclamando de dor nas costas, que ela esperava que ele estivesse com saúde e fora de perigo, e estava feliz que ele estivesse enxotando e eliminando os vermelhos para libertar a Espanha da dominação das hordas marxistas. Havia uma lista dos rapazes de Tafalla mortos ou gravemente feridos desde a última vez que ela escrevera. Mencionava dez que haviam morrido em combate. Era um número expressivo para uma cidade do tamanho de Tafalla, considerou Robert Jordan.

Havia bastante tempero religioso nas cartas, ela rezava para Santo Antônio, pela bênção da Virgem de Pilar e para outras Virgens, para protegê-lo, e queria que ele nunca esquecesse que era também protegido pelo Sagrado Coração de Jesus que, ela confiava, ele ainda usava no peito o tempo todo, perto do coração, e que provara inúmeras — a palavra vinha sublinhada — vezes ter poderes de parar as balas. Ela era a sua irmã adorada de sempre, Concha.

A carta estava um pouco manchada nas beiradas e Robert Jordan colocou-a de volta, com todo o cuidado, entre os documentos militares, e abriu uma carta com caligrafia menos esmerada. Vinha da noiva do rapaz, era discreta, formal, e completamente histérica com relação a sua segurança. Robert Jordan leu-a e então guardou todas as cartas com os documentos no bolso das calças. Não quis ler o restante da correspondência.

"Acho que fiz a minha boa ação por hoje", disse para si mesmo. "Acho que fiz mesmo", repetiu.

— O que você estava lendo? — perguntou Primitivo.

— A documentação e as cartas do *requeté* que matamos esta manhã. Quer vê-las?

— Não sei ler — disse Primitivo. — Tinha alguma coisa interessante?

— Não. Eram cartas pessoais.

— Como estão as coisas lá de onde ele veio? Dá para saber pelas cartas?

— Parece que estão indo bem — disse Robert Jordan. — Ocorreram muitas baixas na sua cidade. — Olhou para baixo, para a camuflagem do rifle automático, que havia mudado e sido melhorada após a neve derreter, e então perscrutou a região à frente.

— De onde ele é? — perguntou Primitivo.

— Tafalla.

"Tudo certo", pensou. "Sinto muito, se é que adianta."

"Não adianta."

"Então tudo bem, pare com isso."

"Está certo, parei."

Mas não iria parar tão fácil assim. "Quantos você já matou?", perguntou para si mesmo. "Não sei. Você pensa que tem o direito de matar qualquer pessoa? Não. Mas tenho que matar. Quantos você matou que eram realmente fascistas? Bem poucos. Mas eles são inimigos, a cuja força nós opomos força. Mas você gosta das pessoas de Navarra, mais do que de qualquer outra parte da Espanha. Sim. E você os matou. Sim. E, se não acreditar, desce até o acampamento. Você não sabe que é errado matar? Sei. Mesmo assim você mata? Mato. E continua acreditando que a sua causa é justa? Sim."

"Está certo", concluiu para si mesmo, não para tranquilizar-se, mas com o orgulho. "Acredito no povo e no seu direito de governar-se do jeito que quiser. Mas você não deve acreditar na matança. Deve fazer isso como uma necessidade, mas não deve acreditar nela. Se acreditar que matar está certo, tudo está errado."

"Quantos você acha que matou? Não sei, não tomo nota. Mas consegue calcular? Consigo. Quantos? Não dá para ter certeza. Explodindo trens você acaba matando muitos. Muita gente. Não dá para ter certeza. Então de quantos você tem certeza? Mais de vinte. E desses, quantos eram realmente fascistas? Pelo menos dois eu tenho certeza que eram. Porque tive que fuzilá-los quando os fizemos prisioneiros em Usera. E você não se importou? Não. Nem gostou? Não. Decidi nunca mais fuzilar ninguém. Tenho evitado isso. Tenho evitado matar quem não estiver armado."

"Escute", continuou o diálogo consigo mesmo. "É melhor parar com isso. É ruim para você e para o trabalho." Então replicou a si mesmo: "Ei, você, vai me escutar, entendeu? Porque está fazendo algo muito sério, e eu quero ter certeza de que esteja ciente disso o tempo todo. Tenho que manter a tua mente nos trilhos. Se você não estiver com a mente concentrada, não tem o direito de continuar matando, porque isso é um crime e nenhum homem tem o direito de tirar a vida de outro, a menos que seja para evitar a perda de outras vidas. Enfie isso na sua consciência e não minta para si mesmo."

"Mas, não vou ficar contando quantas pessoas matei, como se houvesse um troféu pelo recorde ou aquele negócio repugnante de marcar o cano da arma com risquinhos. Tenho o direito de não contar e o direito de esquecê-los."

"Não", disse ele. "Você não tem o direito de esquecer nada. Não tem o direito de fechar os olhos para isso, nem esquecer, nem de suavizar nada, tampouco de mudar as coisas."

"Cale-se", disse para si mesmo. "Você está ficando vergonhosamente pomposo."

"Nem de enganar a si mesmo sobre isso", continuou falando a si mesmo.

"Tudo bem. Obrigado por todos os conselhos; tudo bem amar a Maria?"

"Sim."

"Mesmo que não deva haver tais sentimentos como o amor, numa sociedade de concepção puramente materialista?"

"Mas, desde quando você tem essa concepção? Nunca teve. E jamais poderia ter. Você não é um marxista genuíno, e sabe disso. Você acredita na Liberdade, Igualdade, Fraternidade. Acredita na Vida, na Liberdade e na Busca da Felicidade. Jamais brinque com a sua consciência usando tanta dialética. Isso é para outros, mas não para você. Você deve conhecê-la para não se tornar um chato inconveniente. Você andou colocando muitas coisas em suspenso para ganhar uma guerra. Se esta guerra for perdida, tudo aquilo será perdido."

"Mas, no fim, você pode descartar as coisas em que não acredita. Tem muitas em que não crê e várias em que você põe fé."

"Outra coisa. Não se engane sobre amar alguém. Porque a maioria das pessoas não tem a sorte de sequer descobrir o amor. Você nunca teve essa chance, e agora a tem. O que aconteceu com você e Maria, dure apenas uma noite e uma parte de amanhã, ou dure uma vida, é a coisa mais importante que pode acontecer com um ser humano. Sempre existirão pessoas que dizem *isso não existe*, porque nunca o conheceram. Mas eu lhe digo, isso é verdadeiro, é seu e é a sua ventura, mesmo que você morra amanhã."

"Mas não fale em morrer", repreendeu a si mesmo. "Isto não é coisa que se diga. É o jeito dos nossos amigos anarquistas falarem. Sempre que as coisas ficam ruins, querem logo incendiar algo e morrer. Têm uma mente muito, muito estranha. Bem, o dia está passando, veterano", disse para si mesmo. "São quase três horas agora, e a comida deve estar chegando. Continuam atirando lá pelas bandas de El Sordo. E isso significa que provavelmente eles o encurralaram e estão esperando por reforços. Mas terão que obtê-lo antes do anoitecer."

"Queria saber como é estar no lugar de El Sordo. Isto é o que todos nós devemos esperar, é só dar tempo ao tempo. Imagino que não esteja nada alegre pelos lados do El Sordo. Com certeza empurramos El Sordo para uma bela enrascada com o negócio dos cavalos. Como se diz em espanhol? *Un callejón sin salida*. Acho que eu aguentaria bem. Você tem que passar por isso apenas uma vez e acabou-se. Mas não seria um luxo numa guerra, em dado momento, quando estivesse cercado, poder render-se? *Estamos copados!* Estamos cercados! Este foi o grande grito de pânico desta guerra. A seguir você leva um tiro; com sorte, nada pior acontece antes. El Sordo não teria esta sorte. Nem eles, quando for a hora."

Eram três horas da tarde. Ele ouviu ao longe uma vibração distante, olhou para cima e viu os aviões.

27

El Sordo combatia do topo da colina. Ele não gostou daquela colina, e, quando a viu, achou-a com um formato de úlcera. Mas não tivera escolha, escolhera aquele ponto que estava quase fora do alcance de visão e galopara até lá, o cavalo galgando com esforço, o rifle automático pesando nas costas, o cano da arma balançando entre as coxas, o saco de granadas oscilando num dos costados e o de cartuchos do rifle batendo no outro, Joaquín e Ignacio parando e atirando, parando e atirando para dar-lhe tempo para posicionar a metralhadora.

Lá ainda tinha neve, a neve que os arruinou, e, quando o seu cavalo foi atingido, El Sordo o puxou a cabresto, para cima, pelas rédeas junto aos freios do buçal, enquanto o animal gemia roufenho, aos pinotes e cambaleante a palmos da crista da colina, espalhando violentos jatos brancos de neve.

Ele escalou do jeito que pôde com as balas ricocheteando nas rochas, os dois pesados sacos de munição sobre os ombros e então, retendo o cavalo pela crina, bem no lugar que desejava que ele ficasse, fulminou-o compassivo com um tiro, dado com perícia, e o cavalo emborcou, a cabeça adiante e para baixo obstruindo um espaço entre duas rochas. Posicionara a metralhadora para atirar por sobre o lombo do cavalo morto e descarregou duas rajadas completas de balas, um estardalhaço, os cartuchos vazios encravando-se na neve, o cheiro de pelo queimado pelo contato do cano quente no couro. Disparava em tudo que tentasse subir a colina, forçando-os a se espalharem e procurarem abrigo, enquanto pelas costas lhe subia um frio agudo, por não saber o que poderia lhe suceder pela retaguarda. Quando o último dos cinco homens alcançou o topo da colina, o frio desapareceu e ele guardou as cargas de munição para quando precisasse.

Havia dois outros cavalos mortos ao longo do aclive e mais três mortos no topo. Conseguira roubar apenas três montarias, na noite anterior, e uma delas disparara quando tentaram montá-la sem sela no curral do acampamento, onde o tiroteio começara.

Dos cinco homens entrincheirados na crista da colina, três estavam feridos. El Sordo foi atingido na barriga da perna e em dois pontos do seu braço esquerdo. Sentia muita sede, os ferimentos incharam e seu braço doía muito. Sentia também uma forte dor de cabeça e, já aguardando pelos aviões, pensou numa piada em espanhol: "*hay que tomar la muerte como si fuera aspirina*". Mas não disse a piada em voz alta. Sorriu com uma careta para dentro da própria dor, em meio à náusea que advinha cada vez que movia o braço, e olhou ao redor, examinando o que havia sobrado de seu bando.

Os cinco homens assumiram posições, cada um num vértice de uma estrela imaginária. Com os joelhos e mãos abriram buracos no chão, empilhando pedras e terra para erguerem montes da altura de suas cabeças e ombros. Protegidos por estes montes, trabalharam na ligação entre eles utilizando mais pedras e terra, concluindo a trincheira. Joaquín, com dezoito anos de idade, tinha um capacete de aço com o qual cavava a terra.

Pegara esse capacete na explosão do trem. Tinha um furo de bala e todos debochavam dele por usá-lo mesmo assim. Mas ele martelara as farpas deixadas pelo furo da bala, alisara-o e colocara um tampão de madeira, limando-o e nivelando na parte interna do capacete.

Quando o tiroteio começara, enfiara o capacete tão rápido e com tanta força que bateu na sua cabeça como se tivesse sido agredido com uma caçarola e, no último trecho, pulmões doendo, perna amortecida, boca seca, balas ricocheteando, balas estalando, balas zunindo na corrida morro acima, depois que seu cavalo fora morto, o capacete pesava uma enormidade e parecia uma cinta de aço apertada na sua testa. Mesmo assim ele o mantivera na cabeça. Agora o utilizava para cavar, quase como uma máquina, desesperadamente. Ainda não tinha sido atingido.

— Finalmente isto está servindo para alguma coisa — El Sordo disse para Ignacio, com a sua voz possante.

— *Resistir y fortificar es vencer* — respondeu Ignacio, sua boca endurecida com a secura do medo que suprimiu a sede habitual da batalha. Era um dos *slogans* do partido comunista.

El Sordo avistou ao longe, na descida do morro, um cavaleiro inimigo gineteando atrás de um rochedo. Ele era muito afeiçoado àquele garoto, e não estava com humor para *slogans*.

— O que você disse?

Um dos homens virou-se da construção da trincheira em que ainda trabalhava, estirado com o queixo colado ao chão, esticando os braços cuidadosamente para empilhar pedras.

Joaquín repetiu o *slogan*, com a sua voz quebradiça de garoto, parando a construção de sua trincheira por um momento.

— Qual foi a última palavra? — o homem com o queixo no chão perguntou.

— *Vencer* — respondeu o rapaz.

— *Mierda* — disse o homem com o queixo no chão.

— Há outro que se aplica aqui — disse Joaquín, trazendo-o à tona como se fosse um talismã. — "Pasionaria disse que é melhor morrer de pé do que viver de joelhos."

— *Mierda* outra vez — disse o homem, e outro acrescentou por sobre os ombros: — Nós estamos deitados de barriga, não de joelhos.

— Tu, comunista. Sabias que a tua Pasionaria tem um filho da tua idade lá na Rússia, e que ele está lá desde que a guerra começou?

— É mentira — disse Joaquín.

— *Qué va*, é mentira — disse o outro. — O dinamitador com aquele nome esquisito me contou. Ele era do teu partido também. Por que mentiria?

— É mentira — disse Joaquín. — Ela não faria uma coisa dessas, esconder seu filho da guerra lá na Rússia.

— Gostaria de estar na Rússia — outro homem de El Sordo falou. — Será que a tua Pasionaria não me mandaria agora para a Rússia, comunista?

— Se tu acreditas tanto na tua Pasionaria, faça ela nos tirar desta colina — disse o homem com uma bandagem na coxa.

— Os fascistas farão isso — disse-lhe o homem com o queixo no chão.

— Não fala assim — disse-lhe Joaquín.

— Limpa da tua boca o leitinho do peito da tua mamãe, e me dá um capacete cheio de terra — disse o homem com o queixo no chão.

— Nenhum de nós verá o sol se pôr, neste entardecer.

El Sordo pensava: "Tem o formato de uma úlcera. Ou do peito de uma menina, sem o mamilo. Ou do topo de um vulcão. Você nunca viu um vulcão. Nem nunca verá. Este morro se parece com uma úlcera. Deixe os vulcões em paz. É tarde para vulcões."

Olhou atentamente ao longo do fio do lombo do animal morto à sua frente, houve uma descarga de tiros de metralhadora por detrás de um rochedo, bem lá abaixo do morro, e então, ouviu as balas se cravarem no animal. Engatinhou por trás do cavalo para observar em ângulo por sobre as suas ancas e a rocha. Havia três corpos na descida, próximos dele, onde haviam caído quando o ataque dos fascistas apertou em direção à crista da colina, com fogo cerrado de rifle automático e submetralhadora, e seus homens repeliram a carga jogando granadas de mão. Havia mais corpos que ele não podia ver, do outro lado do morro. Não havia ponto cego por onde os agressores pudessem chegar protegidos, e El Sordo sabia que, enquanto tivesse munição, granadas e os quatro homens atirando, não poderiam pegá-lo, a menos que trouxessem um morteiro de trincheira. Não sabia se eles tinham enviado alguém a La Granja para buscar um morteiro. Talvez não tivessem, porque sem dúvida logo os aviões viriam. O último avião de observação passara havia quatro horas.

"Este morro é uma verdadeira úlcera", pensou El Sordo, "e nós somos o pus. Mas matamos muitos deles quando cometeram a estupidez de nos seguir. Como puderam pensar que poderiam nos pegar daquele jeito? Têm tão bom armamento que perdem o senso de perigo por excesso de confiança." Ele matara o jovem oficial que liderara o assalto com uma granada de mão que foi rolando, pulando de pedra em pedra, enquanto os soldados inimigos corriam agachados. No meio dos estrondos e da fumaça e poeira amarela e cinza, viu o oficial mergulhar para frente, e cair onde jazia o seu corpo agora, como uma pesada trouxa de pano velho, marcando o ponto mais adiantado onde o ataque alcançara. El Sordo olhou para aquele corpo e então, mais abaixo da ladeira, para os demais.

"São valentes, mas estúpidos", pensou. "Mas recobraram o bom senso, e não irão atacar até que os aviões cheguem. A menos que tragam um morteiro de trincheira. Será tão fácil para eles." O morteiro seria a arma adequada e ele sabia que morreriam imediatamente se usassem um morteiro. Mas, quando pensou na chegada dos aviões, sentiu-se nu no cume da colina, como se todas as suas roupas e até a pele fossem arrancadas. "Não há nada mais nu do que como estou me sentindo", pensou. "Um coelho esfolado comparado a um urso está muito mais coberto. Mas por que trariam aviões? Poderiam nos arrancar daqui facilmente com um morteiro. Têm orgulho de sua aviação. Da mesma forma que têm tanto orgulho de suas armas automáticas que cometeram aquela estupidez. Mas sem dúvida devem ter mandado buscar um morteiro também."

Um dos homens atirou, reposicionou o gatilho e disparou novamente.

— Economiza teus cartuchos — disse El Sordo.

— Um daqueles grandes filhos da puta tentou deslocar-se para o outro rochedo — o homem disse e apontou.

— Acertou nele? — perguntou El Sordo, girando sua cabeça com dificuldade.

— Não — respondeu o homem. — O fornicador encolheu-se de volta.

— Quem é uma puta filha da puta é Pilar — disse o homem com o queixo enterrado. — Aquela vagabunda sabe que estamos morrendo aqui.

— Não há nada que ela possa fazer — disse El Sordo, pois o homem tinha falado do lado do seu ouvido bom. — O que ela poderia fazer?

— Atacar esses canalhas por trás.

— *Qué va* — disse El Sordo. — Estão todos espalhados pela colina. Como ela viria sobre eles? Há cento e cinquenta deles por aí, talvez mais.

— Mas se aguentarmos até a noite — disse Joaquín.

— E se o Natal vier na Páscoa — disse o homem com o queixo no chão.

— E se a tua tia tivesse *cojones* seria o teu tio — disse outro homem. — Traga a tua Pasionaria. Ela sozinha pode nos ajudar.

— Não acredito naquela história do filho — disse Joaquín. — Se ele estiver lá, deve estar aprendendo a ser aviador ou coisa parecida.

— Ele está escondido por segurança — disse o homem.

— Está estudando dialética. Tua Pasionaria esteve lá. Liste, Modesto e outros. Aquele com o nome esquisito me disse.

— Que eles tenham ido estudar e voltem para nos ajudar — disse Joaquín.

— Que nos ajudem agora — disse outro homem. — Que todos os rebotalhos vigaristas da Rússia venham nos ajudar. — Soltou uma rajada de tiros e disse: — Ah, *me cago en tal*, errei de novo.

— Economiza teus cartuchos e não fala muito ou ficarás com uma sede enorme — disse El Sordo. — Não tem água neste morro.

— Toma — disse o homem, e rolou de lado tirando por cima da cabeça uma bota de vinho que trazia a tiracolo, passando-a para El Sordo. — Enxágua a tua boca, velho. Tu deves estar com muita sede por causa dos ferimentos.

— Vamos todos beber — disse El Sordo.

— Então eu bebo primeiro — disse o dono da bota, e a espremeu jorrando um vigoroso fio de vinho na boca antes de passar adiante.

— El Sordo, quando tu pensas que os aviões virão? — o homem com o queixo na terra perguntou.

— A qualquer momento — respondeu El Sordo. — Já deveriam estar aqui.

— Você acha que esses filhos da puta atacarão outra vez?

— Somente se os aviões não vierem.

Ele achou que não havia necessidade de falar sobre o morteiro. Eles acabariam descobrindo, logo que o morteiro chegasse.

— Deus sabe que eles têm bastante aviões, pelo que vimos ontem.

— Aviões demais — confirmou El Sordo.

Sua dor de cabeça estava muito forte e seu braço endurecia, tornando a dor do movimento insuportável. Olhou para cima, o céu azul-claro, profundo, de verão antecipado, quando levantou a bota de vinho com o braço são. Estava com cinquenta e dois anos e não tinha dúvida de que seria a última vez que veria o céu.

Não estava com medo de morrer, mas sentia-se irritado por ter sido encurralado nesta colina que servia apenas como um lugar para morrer. "Se pudéssemos nos livrar", pensou. "Se tivéssemos feito o inimigo vir até o vale, ou se tivéssemos cruzado a estrada, cada um para um lado, tudo estaria bem. Mas esta úlcera de morro. Todavia, devemos utilizá-lo o melhor possível, como fizemos até o momento."

Se ele soubesse quantos homens na história utilizaram uma colina para morrer, não ficaria nada animado, pois num momento desses o homem não fica impressionado com o que aconteceu com outros homens em situação semelhante, da mesma forma que uma viúva, um dia depois da morte do esposo, não se sente consolada por saber que outros maridos já morreram. Com medo ou não, a morte é difícil de aceitar. El Sordo a aceitara, mas não havia nenhuma doçura nesta aceitação, mesmo no topo de seus cinquenta e dois anos de idade, ferido em três partes do corpo e cercado no topo de uma colina.

Fez piada da situação consigo mesmo, mas olhou para o céu e para a região montanhosa, engoliu o vinho, e simplesmente não sentiu vontade de morrer. "Se a morte é inevitável, e todos morrerão um dia, então eu posso morrer, mas odeio isso."

Morrer era nada, e ele não tinha uma imagem da morte, nem medo dela na mente. Mas viver era um campo de trigo ondulado ao vento numa encosta. Viver era um gavião no céu. Viver era um jarro de cerâmica com água na poeira do debulho do trigo, batido na eira com o mangual, e a palha esvoaçando. Viver era um cavalo entre as pernas e uma carabina sob a coxa, uma colina, um vale, um riacho com os pinheiros ao longe, mais adiante outro vale, e outras colinas além.

El Sordo passou o vinho adiante e abanou a cabeça agradecendo. Inclinou-se para frente e deu palmadinhas no dorso do cavalo morto, onde o cano do rifle automático queimara o couro. Ainda podia sentir o cheiro de pelo chamuscado. Relembrou como havia segurado o cavalo naquele ponto, cambaleante, com tiros por todos os lados, zunidos e estampidos de bala, por cima e em torno deles como uma mortalha, e fulminou com precisão o bicho bem na interseção das linhas entre os olhos e as orelhas. Quando o animal emborcou, ele jogou-se atrás do seu corpo ainda quente, suado, para colocar o rifle automático a disparar contra os que vinham subindo a colina.

— *Eras mucho caballo* — exclamou El Sordo, com sinceridade. El Sordo deitara-se sobre o ombro bom e olhava para o céu. Estava sobre uma pilha de cartuchos vazios, a cabeça protegida pela rocha e seu corpo abrigado atrás do cavalo. Os ferimentos pioravam drasticamente e sentia muita dor, sentia-se cansado demais para mover-se.

— Que está acontecendo contigo, velho? — o homem mais próximo dele perguntou.

— Nada. Estou apenas descansando um pouco.

— Dorme — o outro falou. — *Eles* nos acordam quando vierem.

Nisso alguém gritou lá de baixo.

— Escutem, bandidos! — A voz veio de trás dos rochedos, do mais próximo rifle inimigo. — Entreguem-se agora antes que os aviões espalhem seus pedaços.

— O que ele disse? — perguntou El Sordo.

Joaquín lhe disse. El Sordo rolou de lado e içou-se um pouco de modo a ficar acocorado atrás da sua arma novamente.

— Talvez os aviões não venham — disse ele. — Não responda e não atire. Talvez possamos provocá-los a atacar.

— E se os insultássemos um pouco? — sugeriu o homem que zombava de Joaquín sobre o filho de La Pasionaria ter ido para a Rússia.

— Não — disse El Sordo. — Dá-me a maior pistola que tiver. Quem tem uma pistola grande?

— Aqui.

— Dá-me. — Ajoelhou-se e pegou a enorme Star 9mm e disparou um tiro no chão, junto à cabeça do cavalo morto, esperou, e então atirou novamente, quatro tiros em intervalos regulares. Então contou até seis e atirou no corpo do cavalo novamente. A seguir, arreganhou os dentes e devolveu a pistola.

— Recarrega — cochichou — e que ninguém abra a boca nem atire.

— Ei, bandidos! — gritou a voz lá debaixo, detrás do rochedo.

Ninguém falou no topo da colina.

— Bandidos! Entreguem-se ou os explodiremos em pedaços.

— Estão mordendo a isca — cochichou El Sordo, alegre. Enquanto observava, um homem mostrou sua cabeça acima das rochas. Não houve tiros do topo da colina e a cabeça escondeu-se novamente. El Sordo esperou, ficou observando, nada aconteceu. Virou-se e olhou para os outros do bando que guarneciam seus setores e lhes devolveram um abano com a cabeça.

— Ninguém se mova — ele cochichou.

— Filhos de uma grande puta. — Novamente a voz detrás dos rochedos.

— Porcos vermelhos! Estupradores de mães! Chupadores dos próprios pais!

El Sordo arreganhou os dentes. Somente poderia escutar os insultos vindos lá de baixo se virasse o ouvido são. "Isto é melhor do que aspirina", pensou. "Quantos conseguiremos pegar? Será que eles serão tão idiotas assim?"

A voz calou-se e por três minutos não se ouviu nem viu mais nada. Então um atirador de elite levantou-se por detrás do rochedo, a cem metros abaixo, expondo-se em campo aberto, e atirou. A bala atingiu uma pedra e ricocheteou com um zunido agudo. Então El Sordo viu um homem correr agachado do abrigo das rochas para o rochedo, onde o atirador estava escondido. Ele literalmente mergulhou atrás do rochedo.

El Sordo olhou em volta. Sinalizaram para ele que não havia movimento pelo outro lado. El Sordo arreganhou os dentes, animado, e sacudiu a cabeça. “Isto é dez vezes melhor do que aspirina”, pensou, e continuou aguardando, tão excitado quanto um caçador.

Lá embaixo, o homem que correra da pilha de pedras até o rochedo conversava com o atirador.

— Você acredita?

— Não sei — disse o atirador.

— É a lógica — disse o oficial no comando. — Estão cercados. Não esperam nada além de morrer.

O atirador ficou calado.

— O que você acha? — o oficial perguntou.

— Nada — respondeu o atirador.

— Percebeu qualquer movimento desde os tiros?

— Nenhum mesmo.

O oficial conferiu o seu relógio de pulso. Faltavam dez minutos para três horas.

— Os aviões deveriam ter chegado faz uma hora — disse o oficial. Neste momento outro oficial pulou para trás do rochedo. O atirador arredou-se para dar-lhe lugar.

— Tu, Paco — disse o primeiro oficial.

— O que te parece? — O segundo oficial estava arfante do arranque em campo aberto até ali.

— Para mim, é um truque — disse ele.

— Mas e se não for? Que ridículo será ficar esperando e sitiando mortos.

— Já fizemos algumas coisas piores do que passar ridículo — respondeu o segundo oficial. — Olhe para aquele aclive.

Ele olhou para a subida onde os mortos estavam espalhados, perto do topo. De onde ele observava, na linha do topo da colina, viam-se as rochas espalhadas, a barriga, as pernas protuberantes, os cascos do cavalo de El Sordo apontados em ângulo, e a terra fresca tirada na construção da trincheira.

— E os morteiros? — perguntou o segundo oficial.

— Devem estar aqui dentro de uma hora. Se não antes.

— Então espere por eles. Já fizemos bastante besteira.

— *Bandidos!* — gritou de repente o primeiro oficial, ficando de pé com a cabeça à mostra, acima do rochedo de modo que a crista da colina pareceu-lhe mais perto. — Porcos vermelhos! Covardes!

O segundo oficial olhou para o atirador e sacudiu a cabeça. O atirador desviou o olhar, mas seus lábios estavam espremidos um contra o outro.

O primeiro oficial permaneceu onde estava, a cabeça à vista e com a mão na coronha da pistola amaldiçoando e insultando os do topo da colina. Nada, nenhuma reação. Então, ele deu um passo para fora do rochedo e parou observando a crista do morro.

— Atirem, covardes, se estiverem vivos — gritou. — Atirem em quem não tem medo de nenhum vermelho que veio da barriga de uma puta.

Era uma frase muito longa para gritar, e o rosto do oficial estava avermelhado, congestionado quando ele a concluiu.

O segundo oficial, um homem magro, queimado de sol, com olhos desmaiados, boca fina e grande, barba por fazer sobre bochechas chupadas, sacudiu a cabeça novamente. Fora este oficial que gritava quem ordenara o primeiro assalto. O jovem tenente que jazia morto na subida da colina era o melhor amigo do segundo oficial, também tenente, chamado Paco Berrendo, que escutava os gritos exasperados do capitão.

— Aqueles são os porcos que fuzilaram minha irmã e minha mãe — disse o capitão. Tinha faces rosadas, um bigode louro britânico e alguma coisa esquisita nos olhos. Eram azul-claros e as pestanas eram claras também, muito claras. Quando se olhava para eles, pareciam desfocados. De repente, ele gritou mais uma vez: — Vermelhos! Covardes! — E começou de novo a insultá-los.

Agora, estava inteiramente em campo aberto, apontou sua pistola cuidadosamente e disparou no único alvo visto no topo da colina, o cavalo morto que pertencia a El Sordo. A bala levantou um tufo de terra e grama a quinze metros do cavalo. O capitão atirou uma segunda vez, a bala acertou uma rocha e se desviou para longe.

O capitão continuava parado, olhando para o topo do morro. O tenente Berrendo olhava para o corpo do outro tenente, seu amigo, próximo ao cume. O atirador estava cabisbaixo e dirigiu o olhar para o capitão.

— Não tem ninguém vivo lá em cima — disse o capitão. — Tu — disse para o atirador —, vai lá em cima e confere.

O atirador olhou para baixo, calado.

— Tu não me ouviste? — gritou o capitão.

— Ouvi, meu capitão — respondeu o atirador, sem olhar para o capitão.

— Então levanta e vai! — ordenou o capitão com a pistola em punho. — Ouviste?

— Sim, meu capitão — disse o atirador, sem olhar para o capitão.

— Por que você não vai, então?

— Não quero ir, meu capitão.

— Você não quer ir? — O capitão estocou a parte inferior das costas do atirador com a pistola. — Você não quer ir?

— Estou com medo, meu capitão — disse o soldado com dignidade.

O tenente Berrendo, observando o rosto do capitão e seus olhos estranhos, achou que ele ia fuzilar o soldado.

— Capitão Mora — disse ele.

— Tenente Berrendo?

— É possível que o soldado esteja certo.

— Que ele esteja certo em dizer que está com medo? Ou que esteja certo em dizer que *não quer* obedecer uma ordem?

— Não. Que ele esteja certo achando que é um truque.

— Estão todos mortos — o capitão disse. — Você não me ouviu dizer que estão todos mortos?

— Você quer dizer nossos camaradas na subida? — perguntou Berrendo. — Concordo com você.

— Paco — disse o capitão —, não seja idiota. Você pensa que é o único que lamentou por Julián? Estou dizendo que os vermelhos estão mortos. Olhe!

Ele parou, colocou as duas mãos sobre o topo do rochedo e pulou para cima, ajoelhando-se desajeitadamente e então ficando de pé.

— Atirem — gritou ele, de pé no rochedo cinza e abanando os dois braços. — Atirem! Me matem!

Na trincheira, El Sordo estava deitado atrás do cavalo morto, e sorriu.

"Que gente", pensou ele. Riu tentando segurar-se, porque o movimento aumentava a dor do braço.

— Vermelhos! — subiu mais um grito. — Canalhas vermelhos! Atirem em mim! Me matem!

Com o peito sacudindo prendendo o riso, El Sordo espiou rápido por baixo dos arreios sob o cavalo e viu o capitão em pé no rochedo. O atirador estava do outro lado. El Sordo continuou espiando pelo rabicho do arreio sob a cola e abanou a cabeça contente.

— Atirem em mim — disse baixinho, para si mesmo. — Mate-me! — E sacudiu o ombro novamente. A risada fazia o seu braço doer mais ainda e cada vez que ria sua cabeça parecia que ia estourar. Mas o riso sacudiu-o de novo como um espasmo.

O capitão Mora desceu do rochedo.

— Agora você acredita em mim, Paco? — redarguiu ao tenente.

— Não — disse o tenente Berrendo.

— *Cojones!* — disse o capitão. — Aqui só tem idiotas e covardes.

O atirador voltou a proteger-se cuidadosamente atrás do rochedo e o tenente Berrendo ficou agachado ao seu lado.

O capitão em pé em campo aberto começou a gritar palavrões para o topo da colina. Não há língua com palavrões mais sujos do que a espanhola. Há palavras para cada palavrão em inglês e ainda há palavras e expressões somente usadas em países onde as ofensas e blasfêmias andam paralelas à austeridade religiosa. O tenente Berrendo era um fervoroso devoto católico. O atirador também. Eram carlistas de Navarra; os dois blasfemavam e xingavam quando nervosos, e consideravam isso um pecado, que confessavam regularmente.

Agora, agachados atrás do rochedo, ouvindo o capitão gritar obscenidades, os dois dissociaram-se completamente do capitão e do que ele gritava. Não queriam carregar na consciência aquela linguagem logo no dia em que talvez morressem. "Falar assim não traz sorte", pensou o atirador. "Falar assim da Virgem dá azar. Esse aí fala pior que os vermelhos."

"Julián está morto", pensava tenente Berrendo. "Morto lá na subida num dia como este. E esse boca-imunda fica aí praguejando e trazendo mais desgraça com as suas blasfêmias." O capitão parara de gritar e virara para o tenente Berrendo. Seus olhos estavam mais estranhos do que nunca.

— Paco — disse em tom alegre —, eu e você iremos lá em cima.

— Eu não.

— O quê? — disse o capitão, com sua pistola em punho novamente.

"Odeio estes brandidores de pistola", pensou Berrendo, "não conseguem dar uma ordem sem brandir uma pistola. Provavelmente eles sacam a pistola quando vão ao banheiro e dão ordens fisiológicas a si mesmos."

— Eu vou se você me mandar ir. Mas sob protesto — disse o tenente Berrendo para o capitão.

— Então eu vou sozinho — disse o capitão. — O cheiro de covardia está muito forte aqui.

Empunhando a pistola na sua mão direita, começou a subir a colina a passadas largas, regulares. Berrendo e o atirador ficaram observando. Ele não fazia nenhum esforço para abrigar-se e olhava direto para frente, para as rochas, para o cavalo morto e a terra fresca próxima do topo do morro.

El Sordo, deitado atrás do cavalo num canto da rocha, acompanhava as passadas largas do capitão subindo a colina.

"Somente um", pensou ele. "Pegamos somente um. Mas pelo seu jeito de falar é *caza mayor*. Olhe como ele caminha. Olhe que animal. Veja as suas passadas. Este aí é meu. Este aí eu vou levar comigo. Este que está vindo fará a mesma viagem que eu farei. Venha, camarada viajante. Venha a passadas largas. Venha direto. Venha ao meu encontro. Venha. Continue caminhando. Não diminua a passada. Venha direto. Não pare para olhar para esses que estão no chão. Isto, levante a cabeça. Mantenha-se em linha reta. Olhe para frente. Veja só, ele tem bigode. Que tal? O camarada viajante deixou crescer um bigode. Ele é capitão. Veja as listras nas suas mangas. Eu disse que ele era *caza mayor*. Tem a cara de um *Inglés*. Olhe só. Cara rosada, cabelo louro e olhos azuis. Sem quepe e com bigode amarelo. Olhos azuis, desbotados. Tem alguma coisa errada nestes olhos. Estão fora de foco. Perto o bastante, muito perto, sim, camarada viajante, tome isto, camarada viajante."

El Sordo pressionou o gatilho do rifle automático, bem devagar, levou três coices contra o ombro e sentiu a trepidação do tripé.

O capitão tombou com a cara no chão. Seu braço esquerdo sob o corpo e o direito, que estava com a pistola, jogado para a frente próximo da cabeça. Lá de baixo, da ladeira, todos começaram a atirar em direção à crista da colina.

Agachado atrás do rochedo, acreditando que agora deveria arrancar numa corrida até a sua antiga posição, o tenente Berrendo ouviu a voz grave e possante de El Sordo:

— Bandidos! Bandidos! Atirem em mim. Matem-me!

El Sordo deitou-se atrás do rifle automático com o peito ardendo de tanto rir e sua cabeça doía tanto que ele achou que iria explodir.

— Bandidos! — gritou ele uma vez mais, cheio de contentamento. — Me matem, bandidos! — Sacudiu a cabeça com alegria. "Temos bastante companhia para a Viagem", pensou.

Ele ia tentar atingir o outro oficial quando este saísse detrás do rochedo. Cedo ou tarde ele teria que sair. Sabia que ele não poderia comandar daquela posição e achava que teria uma boa chance de pegá-lo.

Neste momento, os outros na trincheira ouviram os primeiros roncos dos aviões aproximando-se.

El Sordo não os ouviu. Estava cobrindo os rochedos da beirada de baixo da ladeira com seu rifle automático e pensando: "Quando eu vir o danado, ele já estará correndo, tenho que ficar atento para não perdê-lo. Posso atirar atrás dele por toda aquela faixa. Devo guinar o rifle atrás e à frente dele. Ou deixá-lo arrancar e então atiro nele e à frente dele. Vou tentar pegá-lo bem na saída do rochedo e depois dou uma guinada no rifle e atiro adiante dele." Então, sentiu um toque no seu ombro, virou-se, viu o rosto pálido, amedrontado, de Joaquín, e olhou para onde o rapaz apontava. Eram três aviões vindo, naquela direção.

Neste momento, o tenente Berrendo disparou de trás do rochedo, a cabeça abaixada perto do próprio peito, as pernas feito remos frenéticos, e correu na transversal da ladeira até o abrigo das rochas onde havia a metralhadora.

Ao voltar-se para os aviões, El Sordo não o viu escapar.

— Ajude-me a tirar isso daqui — disse para Joaquín, e o rapaz arrastou o rifle de perto do cavalo morto e da rocha.

Os aviões vinham inabaláveis, dispostos em escalão. A cada segundo cresciam no céu e faziam mais barulho.

— Deitem-se de costas para atirar neles — disse El Sordo. — Atirem à frente deles assim que se aproximarem mais. — *Cabrones! Hijos de puta!* — disse El Sordo, olhando fixo para eles. — Ignacio! Põe a arma no ombro do menino. Tu! — disse para Joaquín. — Senta-te lá e não te move. Agacha-te. Mais. Não. Mais.

Ele deitou-se de costas e mirou nos aviões, que avançavam direto sobre eles, com o rifle automático.

— Tu, Ignacio, segura tripé de minha arma. — As pernas do tripé balançavam sobre as costas de Joaquín que, agachado, tentava esconder a cabeça do ribombar ensurdecedor, e tanto tremia o corpo, sem que pudesse controlá-lo, que o cano da arma saltitava.

Ignacio esparramou-se de barriga, girando o pescoço para trás para olhar os aviões no céu, e segurou firme as pernas do tripé com as duas mãos, mantendo a arma fixa no lugar.

— Abaixa a cabeça — disse para Joaquín. — Mantém a tua cabeça para frente.

— Pasionaria diz "melhor morrer de... " — Joaquín falava sozinho enquanto o zunido dos aviões chegava cada vez mais perto. De repente, ele mudou para "Ave-Maria, cheia de graça, o Senhor é convosco, bendita sois vós entre as mulheres, bendito é o fruto do vosso ventre, Jesus. Santa Maria, Mãe de Deus, rogai por nós, pecadores, agora e na hora de nossa morte. Amém. Santa Maria, Mãe de Deus...", então calou-se, mas lembrou-se rapidamente, agora que o troar ficara insuportável, e iniciou um ato de contrição apressado "Oh, meu Deus, eu me arrependo, de todo o meu coração, de vos ter ofendido, porque sois tão bom e amável..."

Então escutou um martelar de explosões passando pelos seus ouvidos e sentiu o cano quente em contato com os seus ombros. O martelar de estampidos recomeçou passando pelo cano rente às suas orelhas, ensurdecendo-o. Ignacio puxava o tripé com força para baixo e o cano queimava as suas costas. Com aquele martelar de estrondos, não conseguia mais lembrar-se do ato de contrição. Tudo o que conseguia lembrar era "na hora da nossa morte. Amém. Na hora da morte. Amém. Na hora. Na hora. Amém." Os outros atiravam. "Agora e na hora da nossa morte. Amém."

Então, no meio do martelar da arma houve um rasgo sibilante no ar e, com um estrondo vermelho e preto, a terra borbotou sob os seus joelhos, voou pelos ares e caiu no seu rosto, terra e pedaços de rochas, Ignacio estirado, Pablo sobre ele, e o rifle automático sobre ele também. Mas ele não estava morto porque o assovio veio de novo, o solo se abrindo ante mais um estrondo. E veio uma terceira vez, desta vez a terra jateando de sob a sua barriga, enquanto um lado do topo da colina subia aos ares com fúria, e depois veio caindo mansamente sobre seus corpos deitados.

Os aviões voltaram três vezes e bombardearam o topo do morro, mas ninguém na trincheira soube. Em seguida, os aviões descarregaram metralhadoras no topo da colina bombardeada e se foram. Quando mergulharam sobre a colina pela última vez, disparando suas armas, o primeiro avião subiu e emborcou sobre uma asa mudando o rumo, e os outros, um de cada vez, repetiram a manobra, depois reagruparam-se, agora em V, e desapareceram no céu em direção a Segóvia.

Mantendo fogo cerrado sobre o topo da colina, o tenente Berrendo empurrou o pelotão para cima, até uma das crateras deixadas pelo bombardeio, de onde poderiam jogar granadas de mão bem na crista do morro. Não queria arriscar-se, alguém poderia estar vivo esperando no meio da destruição lá em cima; atirou quatro granadas na profusão de cavalos mortos, rochas espedaçadas, terra amarelada fedendo a explosivos, e somente então saiu da cratera para dar uma olhada.

Ninguém estava vivo no topo da colina, exceto o rapaz Joaquín, inconsciente debaixo do corpo de Ignacio. Joaquín sangrava pelo nariz e pelos ouvidos. Ele não tinha visto nada acontecer e não sentiu nada, já que estivera bem no epicentro do turbilhão de bombas, e a sua respiração fora arrancada de seu corpo quando a bomba estourou junto a ele; o tenente Berrendo fez o sinal da cruz e, apontando para a nuca dele, disparou rápido e delicadamente, se é que uma ação destas pode ser delicada, da mesma forma que El Sordo fuzilou o cavalo ferido.

Parado no topo da colina, o tenente Berrendo olhou ao redor e ladeira abaixo, para seus próprios mortos e para tudo em volta; viu de onde haviam vindo, galopando, perseguindo El Sordo antes de encurralá-lo. Constatou todas as baixas ocorridas na tropa, e ordenou que os cavalos dos homens mortos fossem trazidos e seus corpos atados às selas para serem levados a La Granja.

— Pegue aquele também — disse para o imediato —, aquele com as mãos no rifle automático. Deve ser El Sordo. É o mais velho, era ele quem estava com a arma. Não. Decepem a cabeça dele e ponham-na num poncho — e, considerando a situação por um momento, emendou: — Melhor cortar todas as cabeças. E dos outros lá de baixo, onde os encontramos, recolha os rifles e pistolas e ponha aquela metralhadora num cavalo.

Depois disso, ele caminhou até mais abaixo, onde jazia o corpo do tenente morto no primeiro assalto. Contemplou-o por um instante, mas não tocou nele.

— *Qué cosa más mala es la guerra* — disse para si mesmo. Fez o sinal da cruz e rezou cinco vezes o pai-nosso e a ave-maria, para o repouso das almas dos companheiros mortos, enquanto descia a colina. Não quis ficar para assistir às suas ordens serem cumpridas.

28

Depois que os aviões se foram, Robert Jordan e Primitivo ouviram o tiroteio recomeçar, e seu coração pareceu palpitar novamente. Uma nuvem de fumaça se deslocava sobre o mais longínquo cume de montanha à vista e os três aviões em retirada foram se apequenando gradualmente no céu.

— Provavelmente, o bombardeio dizimou a própria cavalaria e nem tocou em El Sordo e seu bando — disse para si mesmo em voz alta Robert Jordan. — Os malditos aviões matam de medo, mas não acertam.

— O combate continua — disse Primitivo, ouvindo o pesado tiroteio. Estremecera ao baque surdo de cada bomba e agora lambia os lábios secos.

— Por que não? — disse Robert Jordan. — Aquelas coisas nunca mataram ninguém.

Então, os tiros cessaram completamente, e ele não ouviu um disparo a mais sequer. O tiro da pistola do tenente Berrendo não chegara tão longe.

Quando o tiroteio parou, não teve nenhuma reação. Então, como o silêncio persistia, sentiu um vazio no peito. Aí, escutou a explosão das granadas e por um momento seu peito se inflou. Mas o silêncio se prolongou e ele entendeu que tudo tinha acabado.

Maria veio do acampamento trazendo num panelão de metal o suculento ensopado de lebres ao molho de cogumelos, um saco de pão, uma bota de vinho, quatro pratos de folha, duas canecas e quatro colheres. Ela parou junto à arma e serviu dois pratos para Agustín e Eladio, que substituíra Anselmo, e deu-lhes alguns pães, desenroscou a tampa de chifre da bota e serviu-lhes vinho.

Robert Jordan observou-a escalando com leveza até onde ele estava, com o saco de pão nos ombros, o panelão numa das mãos, seus cabelos tosados brilhando ao sol. Ele desceu pelo último rochedo, pegou o panelão e ajudou-a no final da subida.

— O que os aviões fizeram? — perguntou ela com os olhos amedrontados.

— Bombardearam El Sordo.

Ele destampara o panelão e servia o ensopado num prato.

— Eles continuam combatendo?

— Não. Acabou.

— Ah — disse ela, e mordeu o lábio olhando ao longe a região.

— Não tenho apetite — disse Primitivo.

— Coma, mesmo assim — disse-lhe Robert Jordan.

— Não poderia engolir a comida.

— Toma um gole, homem — disse Robert Jordan, passando-lhe a bota de vinho. — E depois coma.

— O que aconteceu com o El Sordo tirou meu apetite — respondeu Primitivo. — Come tu. Não tenho vontade.

Maria foi até ele, enlaçou os braços em torno de seu pescoço e o beijou.

— Coma, meu velho — disse ela. — Cada um de nós deve cuidar das suas forças.

Primitivo afastou-se dela. Tomou a bota de vinho, jogou a cabeça para trás e esguichou a bebida direto na garganta. Então, encheu um prato com ensopado e começou a comer.

Robert Jordan olhou para Maria e balançou a cabeça. Ela sentou-se ao lado dele e colocou o braço sobre o seu ombro. Um sabia o que o outro sentia. Ficaram sentados ali, e Robert Jordan comeu o ensopado de lebre, dando-se tempo para saborear os cogumelos, e bebeu vinho. Não disseram mais nada.

— Você pode ficar aqui, *guapa*, se quiser — disse ele após um momento, tendo acabado de comer.

— Não — respondeu ela. — Devo ficar com Pilar.

— Tudo bem ficar aqui. Não acho que acontecerá nada agora.

— Não. Devo voltar para Pilar. Ela está me dando instruções.

— O que ela está te dando?

— Instruções — repetiu ela, com um sorriso e o beijou. — Tu nunca ouviste falar em instrução religiosa? — Ela corou. — Alguma coisa assim. — Ela corou novamente. — Mas diferente.

— Vai para tua instrução — disse-lhe Robert Jordan, dando tapinhas na sua cabeça.

Ela sorriu e disse para Primitivo:

— Quer alguma coisa lá de baixo?

— Não, filha — respondeu ele. Os dois perceberam que ele ainda não estava recuperado.

— *Salud!* Meu velho — disse-lhe Maria.

— Escuta — disse Primitivo —, não tenho medo de morrer, mas deixá-los sozinhos assim... — tartamudeou.

— Não havia escolha — disse-lhe Robert Jordan.

— Eu sei, mesmo assim...

— Não havia escolha — repetiu Robert Jordan. — E agora é melhor não se falar nisso.

— É. Mas deixá-los sozinhos, sem a nossa ajuda...

— Melhor não falar sobre isso — disse Robert Jordan. — E tu, *guapa*, vai para a tua instrução.

Ele observou-a descendo pelas rochas. Depois disso, ficou sentado lá, pensando e observando a região ao redor.

Primitivo lhe disse algo, mas ele não respondeu. O sol era escaldante, mas ele sequer notou, compenetrado na contemplação das ladeiras e das faixas longas de pinheiros estendidas até a mais alta colina. Passou-se uma hora e o sol descia à sua esquerda quando os avistou vindo sobre a crista de um dos morros e pegou seus binóculos.

Os cavalos pareceram miniaturas quando avistou os dois primeiros cavaleiros na longínqua ladeira verdejante. Logo após, mais quatro cavaleiros na diagonal da colina, e então, pelas lentes dos binóculos, viu a dupla coluna de homens e cavalos na aguda clareza do seu olhar. Enquanto os observava, sentiu o suor correr das axilas pelas costelas. Um homem cavalgava à frente da coluna. Atrás vinham mais cavaleiros. E mais atrás os cavalos sem montaria com suas cargas amarradas nas selas. E mais dois cavaleiros. E então os feridos, cavalgando ao lado de homens que caminhavam. Por fim mais cavaleiros.

Robert Jordan observou-os descerem a colina e sumirem de vista no meio da mata. Não podia ver, daquela distância, a carga atravessada em uma das selas, um longo poncho enrolado, com amarras espaçadas e, nas pontas, formando volumes redondos entre cada amarra, feito uma vagem de ervilhas gigantes. A carga vinha escanchada sobre a sela com cada ponta atada aos estribos de couro. E bem no topo da sela, com arrogância, estava amarrado o rifle automático utilizado por El Sordo.

O tenente Berrendo, que cavalgava adiante da coluna, com os batedores dos flancos bem abertos e o batedor da cabeça da coluna bem adiantado, não demonstrava altivez. Ele sentia apenas o vazio habitual após uma ação. Pensava: "Carregar as cabeças é coisa de bárbaro. Mas provas e identificação são necessárias. Terei problemas o bastante do jeito que as coisas estão. E sabe o que mais? Essas cabeças talvez impressionem àqueles que gostam dessas coisas. É possível que as enviem para Burgos. É um negócio de bárbaros. Os aviões fizeram um massacre. Tremendo. Tremendo. Mas poderíamos ter feito isso, e quase sem baixas, com morteiros Stokes. Duas mulas para carregar os cartuchos e uma mula com um lançador de cada lado da sela. Que exército teríamos sido! Com o poder de fogo de todas as armas automáticas. E uma outra mula. Não. Mais duas, para transportar munição. Isto não é mais a cavalaria. Ora, deixe isto para lá. Você está inventando o seu próprio exército. Daqui a pouco, vai querer uma arma de montanha."

Pensou em Julián, morto na colina, morto agora, amarrado no dorso de um cavalo lá na primeira tropa, e enquanto cavalgava pela floresta escura e silenciosa de pinheiros, deixando o brilho do sol para trás, começou a rezar para o amigo novamente.

— Salve, rainha, mãe de misericórdia, vida, doçura e esperança nossa, salve. A vós bradamos os degredados filhos de Eva. A vós suspiramos, gemendo e chorando neste vale de lágrimas.

Continuou rezando, os cascos dos cavalos macios sobre os ramos de pinheiro caídos no solo da mata, a luz vazando em fachos por entre os troncos das árvores como se fossem as colunas de uma catedral, e enquanto orava ele não perdia de vista os batedores dos flancos e da dianteira cavalgando entre as árvores. Logo atingia a estrada que levava a La Granja e os cascos dos cavalos agora levantaram uma poeira que cobriu a tropa por inteiro. Isto empoeirou o morto que vinha escanchado numa das selas, de rosto para o chão, assim como os feridos e os que caminhavam junto a estes.

Foi onde Anselmo os viu passar cavalgando em meio à nuvem de poeira.

Ele contou os mortos e feridos, e reconheceu o rifle automático de El Sordo, sem saber ainda o que era aquela trouxa de poncho, atada pelos estribos de couro batendo no costado do cavalo; no entanto, no caminho para casa, no escuro, cruzando a colina onde houve o combate, descobriu de imediato o que havia no poncho. No meio da noite não pôde saber quem esteve entrincheirado no topo. Mas os contou e depois atravessou as colinas até o acampamento de Pablo.

Caminhando sozinho no escuro, com o coração congelado de medo, por causa das crateras deixadas pelo bombardeio, e pelo que encontrou na colina, tirou por completo da mente todos os pensamentos sobre o dia seguinte. Simplesmente caminhou o mais rápido que pôde para levar as notícias. E enquanto caminhava rezava pelas almas de El Sordo e de todos de seu bando. Era a primeira vez que rezava depois que o movimento começara.

— Ó clemente, ó piedosa, ó doce sempre Virgem Maria!

Mas não conseguia deixar de pensar no dia seguinte. "Farei exatamente o que o *Inglés* disser", pensou. "Deixai-me perto dele, ó Senhor, e que as suas instruções sejam exatas, pois acho que não consigo me controlar durante o bombardeio dos aviões. Ajudai-me, ó Senhor, para que amanhã eu me comporte como um homem deve se comportar nas suas últimas horas. Ajudai-me, ó Senhor, a entender claramente as exigências do dia. Ajudai-me, ó Senhor, a dominar o movimento de minhas pernas, que eu não corra quando o pior acontecer. Ajudai-me, ó Senhor, para que eu me comporte como um homem amanhã, no dia do combate. Tendo pedido a Vossa ajuda, Senhor, por favor, me agracie com ela, pois eu não Te suplicaria se não fosse sério e prometo nunca mais te pedir nada novamente."

Caminhando no escuro, sozinho, sentia-se muito melhor por ter rezado, e tinha certeza, agora, de que iria comportar-se bem. Caminhando ladeira abaixo, recomeçou a rezar pelo pessoal de El Sordo, e em pouco tempo chegou ao posto onde Fernando lhe interpelou no escuro.

— Sou eu — respondeu Anselmo.

— Bom — disse Fernando.

— Já sabe de El Sordo, meu velho? — Anselmo perguntou, os dois parados no escuro na passagem entre as rochas.

— Como não? — respondeu Fernando. — Pablo nos contou.

— Ele estava lá em cima?

— Como não? — disse Fernando, imperturbável. — Foi até a colina assim que a cavalaria partiu.

— Ele contou...

— Contou tudo — disse Fernando. — Que bárbaros esses fascistas! Temos que eliminar toda essa barbaridade da Espanha — parou e então recomeçou amargamente. — Neles não há um mínimo de concepção de dignidade.

Anselmo arreganhou os dentes no escuro. Uma hora atrás não poderia imaginar que sorriria novamente. "Que maravilha este Fernando", pensou.

— É — disse para Fernando. — Devemos ensiná-los. Devemos confiscar seus aviões, suas armas automáticas, seus tanques, sua artilharia, e ensiná-los a ter dignidade.

— Exatamente — disse Fernando. — Estou contente que você concorde.

Anselmo deixou-o lá, parado, sozinho, com a sua dignidade, e desceu para a caverna.

29

Anselmo encontrou Robert Jordan sentado à mesa de pranchas dentro da caverna, com Pablo à sua frente do outro lado da mesa.

Tinham um tacho de vinho entre eles e cada um empunhava uma caneca. Robert Jordan segurava um lápis sobre o seu caderno de notas. Pilar e Maria estavam nos fundos da caverna, fora de vista. Não havia como Anselmo saber que a mulher mantinha a garota afastada, lá no fundo, longe da conversa, e ele achou estranho que Pilar não estivesse à mesa.

Robert Jordan olhou para cima assim que Anselmo entrou sob a manta pendurada na entrada. Pablo fitava fixamente o tampo da mesa. Seus olhos focavam o tacho de vinho, mas ele não o via.

— Vim lá de cima — Anselmo disse para Robert Jordan.

— Pablo nos contou — disse Robert Jordan.

— Havia cinco mortos no topo da colina e eles levaram as cabeças deles — disse Anselmo. — Estava escuro quando passei por lá.

Robert Jordan abanou a cabeça. Pablo permaneceu calado, olhando para o tacho de vinho. Não havia expressão no seu rosto, e seus pequenos olhos de porco olhavam para o tacho de vinho como se nunca tivesse visto aquilo antes.

— Sente-se — disse Robert Jordan para Anselmo.

O velho sentou-se à mesa, num dos mochos com assento de couro cru, e Robert Jordan esticou a mão sob a mesa, apanhando a garrafa de uísque presenteada por El Sordo. Ela estava pela metade. Robert Jordan pegou um copo debaixo da mesa, encheu-o e o empurrou sobre a mesa para Anselmo.

— Beba isto, meu velho.

Pablo olhou para o rosto de Anselmo enquanto este bebia, e voltou os olhos para o tacho de vinho.

Anselmo engoliu o uísque, sentindo uma queimação no nariz, nos olhos e na boca, e a seguir um aprazível calor e um conforto no estômago, limpando os lábios com as costas da mão.

Olhou para Robert Jordan e disse:

— Posso beber outro?

— Como não? — disse Robert Jordan, e despejou outra dose da garrafa, desta vez entregando-lhe nas mãos.

Este segundo gole não queimou, mas dobrou a sensação agradável de calor. Era tão bom para seu espírito quanto uma injeção salina para um homem que sofrera uma grande hemorragia.

O velho olhou para a garrafa novamente.

— O resto é para amanhã — disse Robert Jordan. — O que aconteceu lá na estrada, meu velho?

— Muito movimento — respondeu Anselmo. — Anotei tudo conforme você me instruiu. Botei uma pessoa vigiando para mim e anotando. Mais tarde voltarei para pegar o relato.

— Viu alguma arma antitanque? Aqueles com rodas de borracha e cano longo.

— Vi — disse Anselmo. — Passaram quatro caminhões pela estrada. Em cada um deles havia uma dessas, com ramagem de pinheiros sobre os canos e seis homens em cada caminhão.

— Quatro antitanques, você disse? — perguntou Robert Jordan.

— Quatro — disse Anselmo, sem olhar para a sua folha de caderno.

— Diga-me o que mais viu subindo pela estrada.

Enquanto Robert Jordan anotava, Anselmo lhe contou tudo o que viu acontecer na estrada. Contou em ordem cronológica desde o começo, com a memória fabulosa daqueles que não sabem ler nem escrever, e por duas vezes, enquanto falava, Pablo esticou a mão e serviu-se de mais vinho.

— Também vi a cavalaria que entrou em La Granja, vindo da colina onde houve o combate com El Sordo — contou Anselmo. Relatou o número de feridos e o número de cabeças naquela sela.

— Havia uma trouxa numa das selas, que eu não entendi o que podia ser — disse Anselmo. — Mas agora eu sei que eram as cabeças. Era um esquadrão da cavalaria. Apenas um oficial vivo. Não era aquele que esteve aqui pela manhã. Aquele deveria estar entre os mortos. Dois dos mortos eram oficiais, pelas listras nas mangas. Estavam amarrados nas selas, com a cara para o chão, os braços pendidos. Eles montaram o rifle automático de El Sordo sobre a sela que carregava as cabeças. O cano estava torto. Isto é tudo.

— É o bastante — disse Robert Jordan, e mergulhou sua caneca no tacho de vinho. — Quem, além de você, já passou pelas linhas inimigas para o lado da República?

— Andrés e Eladio.

— Quem é o melhor dos dois?

— Andrés.

— Quanto tempo levaria daqui até a Navacerrada?

— Sem carregar mochila e tomando precaução, com sorte em três horas. Nós viemos por uma rota mais longa e mais segura por causa da dinamite.

— Ele pode chegar lá, com certeza?

— *No sé*, tal certeza não existe.

— Nem para ti?

— Não.

"Isto decide a coisa", pensou Robert Jordan. "Se ele garantisse que chegaria lá com certeza, eu o enviaria."

— Andrés pode chegar lá como tu?

— Tão bem ou melhor. Ele é mais jovem.

— Mas ele tem que chegar lá, sem dúvida alguma.

— Se nada acontecer, chegará lá. Se acontecer alguma coisa é o que aconteceria com qualquer um.

— Vou escrever um despacho e mandá-lo como mensageiro — disse Robert Jordan. — Vou explicar-lhe onde ele pode encontrar o general. Ele vai estar no Estado-Maior da divisão.

— Ele não entenderá essas coisas de divisão e tudo o mais — disse Anselmo. — Sempre me confundo com isso. Ele deve ter o nome do general e onde encontrá-lo.

— Mas é no Estado-Maior da divisão que ele vai estar.

— Mas isto não é um lugar?

— Certamente que é, meu velho — disse Robert Jordan, explicando-lhe pacientemente. — Mas é um lugar que o general terá selecionado. Onde ele montará o seu comando para a batalha.

— Então onde é isto? — disse Anselmo nervoso; estava cansado e o cansaço o tornava estúpido. Ainda por cima, palavras como brigadas, divisões e corporação do exército o confundiam. Primeiro houvera as colunas, então vieram os regimentos, depois as brigadas. Agora havia brigadas e divisões, ambas. Ele não entendia mais nada. Um lugar era um lugar.

— Calma, meu velho — disse Robert Jordan. Ele sabia que, se não pudesse fazer Anselmo entender, não poderia explicar claramente para Andrés também. — O Estado-Maior da divisão é um lugar que o general terá tomado para instalar a organização do seu comando. Ele comanda uma divisão, que vem a ser duas brigadas. Não sei onde ela está porque eu não estava lá quando ele escolheu o lugar. Pode ser uma caverna ou uma trincheira, um refúgio, com fios correndo até lá. Andrés deve perguntar pelo general e pelo Estado-Maior da divisão. Ele deve entregar o despacho para o general ou para o chefe do seu Estado-Maior, ou para outro cujo nome eu vou escrever. Um deles com certeza estará lá, mesmo que outros estejam inspecionando as preparações para o ataque. Você entendeu agora?

— Entendi.

— Então traga Andrés, enquanto escrevo o despacho e carimbo com este selo — mostrou-lhe uma pequena rodela de madeira com borracha, redonda, tirada do bolso, com a inscrição SIM e o tinteiro redondo, do tamanho de uma moeda de cinquenta centavos. — Eles irão honrar este selo. Traga Andrés agora, tenho que lhe explicar tudo. Ele deve ir rapidamente, mas primeiro deve entender as instruções.

— Se eu entendi, ele entenderá. Mas você deve ser bem claro. Este negócio de Estados-Maiores e divisões é um mistério para mim. Sempre tive como rumo lugares definidos, como uma casa. Em Navacerrada o comando está num velho hotel. Em Guadarrama, está numa casa com jardim.

— Este general deve estar em algum lugar bem perto das linhas — disse Robert Jordan. — Talvez esteja num subterrâneo para proteger-se do ataque aéreo. Andrés o encontrará facilmente, perguntando, se ele souber o que perguntar. Ele terá apenas que mostrar o que eu escrever. Mas traga-o agora. Ele deve chegar lá bem rápido.

Anselmo saiu, mergulhando sob a manta pendurada na boca da caverna. Robert Jordan iniciou o despacho em seu caderno.

— Escute, *Inglés* — disse Pablo, sem tirar os olhos do tacho de vinho.

— Estou escrevendo — disse Robert Jordan, sem olhar para ele também.

— Escute, *Inglés* — Pablo falou diretamente para o tacho. — Não é necessário desanimar. Sem El Sordo ainda temos homens suficientes para tomar os postos e explodir a ponte.

— Isto é bom — disse Robert Jordan, sem parar de escrever.

— Bastante bom — disse Pablo. — Admirei muito o teu senso de julgamento de hoje, *Inglés* — disse Pablo, agora, para o tacho de vinho. — Acho que tu tens muita picardia. Que tu és mais esperto do que eu. Confio em ti.

Concentrando-se no seu relatório para Golz, tentando economizar as palavras sem deixar de ser convincente, tentando colocar que o ataque deveria ser cancelado, inapelavelmente, e deixando claro que não estava abortando a operação por medo do perigo da sua própria missão, mas querendo somente colocá-lo a par de todos os fatos, Robert Jordan escutava menos da metade do que Pablo falava.

— *Inglés* — disse Pablo.

— Estou escrevendo — respondeu Robert Jordan, sem levantar os olhos do papel.

"Talvez eu devesse enviar duas cópias", pensou. "Mas ficaria desfalcado de gente para explodir a ponte, se eu tiver que seguir em frente e explodi-la. O que eu sei sobre a razão desse ataque? Talvez seja apenas uma ofensiva de retenção. Talvez eles queiram retirar estrategicamente aquelas tropas de algum lugar. Vai ver eles querem tirar aqueles aviões do norte. Talvez seja isso. É provável que nem sequer esperem ter sucesso. O que eu sei sobre a operação? Este é o meu relatório para Golz. Não destruo a ponte até que o ataque comece. Minhas ordens são claras e se o ataque for cancelado não explodirei nada. Mas tenho que manter gente suficiente para cumprir as ordens."

— O que você disse? — perguntou a Pablo.

— Que estou confiante, *Inglés* — Pablo continuava servindo-se do tacho de vinho.

"Homem, eu é que gostaria de estar confiante", pensou Robert Jordan, e continuou escrevendo.

30

Assim, agora, tudo o que havia para fazer naquela noite havia sido feito. Todas as ordens tinham sido dadas. Cada um sabia exatamente o que fazer pela manhã. Andrés partira havia três horas. O sinal para a coisa viria agora, com o amanhecer, ou não viria. "Acho que virá", disse Robert Jordan para si mesmo, voltando do alto do rochedo onde fora falar com Primitivo.

"Golz executa o ataque, mas ele não tem o poder de abortá-lo. A permissão para cancelamento terá que vir de Madri. Será difícil que consigam acordar algum oficial do alto escalão, e se conseguirem ele estará muito sonolento para pensar. Eu deveria ter informado Golz antes sobre a preparação para responder ao ataque, mas como poderia saber alguma coisa antes de acontecer? Eles não movimentaram aquele aparato até o anoitecer. Não queriam que nenhum movimento na estrada fosse descoberto por aviões. Mas e todos aqueles aviões? E todos aqueles aviões fascistas?"

"Não há dúvida que nossa gente deve ser alertada sobre eles. Mas talvez os fascistas estivessem disfarçando para fazerem outra ofensiva lá em Guadalajara. Tropas italianas deveriam estar concentradas em Soria e em Siguenza novamente, além das operações no norte. Eles não têm soldados ou equipamento suficientes para tocar duas ofensivas de porte simultaneamente. Isto é impossível, quer dizer, deve ser um blefe."

"Sabemos quantos soldados os italianos desembarcaram nos dois últimos meses em Cádiz. É sempre possível que tentem novamente em Guadalajara, sem a estupidez de antes, mas em cunha, descendo e cobrindo uma área maior ao longo da estrada de ferro, para oeste do platô. Assim seria correto. Hans havia demonstrado este ponto. Eles cometeram muitos erros na primeira vez. A concepção como um todo estava equivocada. Não utilizaram as mesmas tropas na ofensiva de Arganda, contra a estrada Madri-Valência, em Guadalajara. Por que eles não fizeram os dois ataques simultaneamente? Por quê? Por quê? Quando saberemos?"

"Mesmo assim, detivemos ambas as ofensivas com as mesmas tropas. Jamais seríamos capazes de reprimi-los se tivessem feito os dois avanços ao mesmo tempo. Não se preocupe. Veja os milagres que aconteceram. Você terá que explodir a ponte pela manhã ou não precisará explodi-la. Mas não comece a enganar a si mesmo, pensando que não precisará explodi-la. Irá destruí-la cedo ou tarde. E, se não for esta ponte, será outra. Não é você quem decide o que deve ser feito. Você segue ordens. Cumpra-as e não tente pensar além disso."

"As ordens aqui são bem claras. Demasiado claras. Mas você não deve se preocupar, nem ficar amedrontado. Se permitir-se o luxo de sentir medo, este medo irá afetar aqueles que irão trabalhar com você."

"Mas aquelas cabeças foram uma coisa impressionante. E o velho esbarrando com os corpos no topo da colina, sozinho. Como você se sentiria topando com uma coisa dessas? Aquilo te impressionou, não impressionou? É, te impressionou, Jordan. Hoje você ficou impressionado, mais de uma vez. Mas comportou-se O.k. Até o momento você se comportou bem."

"Você está indo muito bem para um instrutor de espanhol da Universidade de Montana", debochou de si mesmo. "Bem demais para quem você é. Mas não pense que é alguém especial. Você ainda não foi muito longe nesse negócio. Lembre-se de Durán, que nunca teve nenhum treinamento militar, era compositor e rapaz da cidade antes do movimento estourar, e agora é um extraordinário general comandando uma brigada. Para Durán foi tão simples e fácil aprender, como o jogo de xadrez para um menino prodígio. Você leu e estudou sobre a arte da guerra desde garoto, e o teu avô te iniciou na Guerra Civil Americana. Embora teu avô sempre a chamasse de Guerra da Rebelião. Mas comparado com Durán você era como um razoável enxadrista contra um desses meninos prodígios do xadrez. O velho Durán. Seria tão bom rever Durán." Ele veria Durán no Gaylord, após esta guerra acabar. "Sim. Depois que esta guerra acabar. Como será que ele vai indo?"

"Vou reencontrá-lo no Gaylord depois que isto tudo acabar. Não brinque. Faça tudo certo. O.k. Frieza. Sem brincar. Você não verá Durán nunca mais, e isto não tem importância. Também não descambe para este lado. Não se dê a esses luxos."

"Nem à resignação heroica. Não queremos nenhum cidadão cheio de resignação heroica, nessas montanhas. Seu avô lutou quatro anos na nossa Guerra Civil, e você está apenas terminando o seu primeiro ano nesta guerra. Tem um caminho longo pela frente e está em boa forma para o trabalho. E agora você tem Maria também. Por que se preocupar? Não deveria, você está com tudo. O que é uma pequena escaramuça entre um bando de guerrilheiros e um esquadrão da cavalaria? Isto não é nada. Qual o problema deles terem cortado as cabeças? Faz alguma diferença? Não mesmo."

"Os índios sempre tiraram o escalpo dos soldados, quando seu avô estava no Forte Kearny depois da guerra. Lembra-se daquele armário no escritório do seu avô, com umas flechas espalhadas na prateleira, as penas de águia dos cocares de guerra pendurados na parede, suas plumas inclinadas, o cheiro de camurça defumada das perneiras, túnicas e dos mocassins enfeitados de contas? Lembra-se da enorme vara do arco de caçar búfalo, encostada ao lado do armário, com duas aljavas de caça e flechas de guerra, e da sensação ao fechar as mãos em torno de suas hastes?"

"Lembre-se de coisas como essas. Lembre-se de algo concreto e prático. Lembre-se do sabre de seu avô, reluzente e lubrificado na sua bainha pontiaguda. E seu avô lhe mostrou o quanto a sua lâmina perdeu em espessura depois de tantas idas ao amolador. Lembre-se da Smith & Wesson de vovô. Era uma arma de um só tiro, modelo oficial calibre 32 e gatilho sem trava. Era o gatilho mais suave e macio de puxar que você jamais experimentou, e estava sempre lubrificada, o miolo sempre muito limpo, embora o niquelado do cano estivesse gasto e o metal do tambor, gasto, também, e escurecido, mas luzindo da fricção com o coldre de couro. Ela era mantida no coldre com a inscrição US na aba, numa gaveta do armário, com o seu kit de limpeza e duzentas balas. As caixas de papelão com os cartuchos eram embaladas e amarradas meticulosamente com linha encerada."

"Você pegava a pistola da gaveta e a empunhava."

— "Segure-a com naturalidade — costumava dizer seu avô. Mas você não podia brincar com ela, pois era 'uma arma muito séria'."

"Uma vez você perguntou ao seu avô se ele havia matado alguém com aquela arma, e ele respondeu 'sim'."

"Aí você perguntou:"

— "Quando, vovô?"

"E ele disse:"

— "Na Guerra da Rebelião e depois dela."

— "O senhor me conta como foi, vovô? — você pediu."

— "Não me agrada falar disso, Robert — disse ele."

"Então, após o seu pai suicidar-se com um tiro dessa pistola, você voltou da escola, houve o funeral, o promotor devolvera a arma após a investigação, dizendo:"

— "Bob, presumo que você queira ficar com este revólver. Eu deveria retê-lo, mas sei que o seu pai teve muita estima por ele, porque o seu avô o carregou por toda a guerra, e aqui mesmo quando ele chegou com a cavalaria, e ela continua sendo uma arma excepcional. Eu a testei esta tarde. Uma bala de cada vez não é muito, mas é difícil errar o alvo com ela."

Ele recolocara o revólver na mesma gaveta do armário, mas no dia seguinte tirara-o e cavalgara até o topo da colina, na região acima de Red Lodge, com Chub, onde fora construída a estrada para Cooke City, agora um elevado através do Bear Tooth, e, neste lugar, onde o vento era fraco e havia neve mesmo durante o verão, pararam num lago que deveria ter uns duzentos e sessenta metros de profundidade, e a água era de um verde denso; Chub segurara os dois cavalos, ele subira numa pedra, inclinara-se e vira seu rosto espelhado na água, com a arma em punho, e então a deixara cair segurando-a pelo cano, acompanhando sua trajetória borbulhante, reduzindo-se ao tamanho de uma pulseira de relógio naquela água translúcida, até perdê-la de vista. Depois, se afastara da rocha, montara num pulo só sobre a sela e esporeara a velha égua Bess, de tal modo que ela dera um pinote para frente, corcoveando feito um velho cavalo de madeira sobre balanços. Ele a gineteara ao longo da margem do lago e quando a égua voltou a cavalgar normalmente retornaram para a trilha.

— Eu sei por que você fez isso com a velha arma, Bob — disse Chub.

— Bem, então não precisamos falar sobre isso — ele dissera.

E nunca mais conversaram sobre o episódio, e assim foi o fim da história das armas de seu avô, com exceção do sabre. Mas, ele ainda guarda o sabre no seu baú com o resto das coisas de Missoula.

"Fico pensando o que vovô acharia desta situação", refletiu ele. "Todos diziam que vovô era um soldado e tanto. Contavam que, se ele estivesse ao lado de Custer, naquele dia, jamais o deixaria ser atraído daquela maneira. Como é que ele não pôde ver a fumaça, nem a poeira de todas aquelas ocas lá embaixo, no recuo do Little Big Horn? A menos que houvesse uma neblina espessa no amanhecer. Mas não havia."

"Gostaria que vovô estivesse aqui, não eu. Bem, talvez estejamos todos juntos lá pela noite de amanhã. Se o negócio aqui encrencar, o que, eu acredito, não irá acontecer, gostaria muito de conversar com ele. Porque há muitas coisas que eu gostaria de saber. Tenho o direito de lhe perguntar agora, pois tive que fazer coisas do mesmo tipo. Não acho que hoje em dia ele se importaria que eu perguntasse. Antes eu não tinha o direito de perguntar. Entendo a sua recusa em me falar, ele não me conhecia. Mas agora acho que nos daríamos muito bem. Gostaria de conversar e ouvir seus conselhos. Diabos, mesmo que não me desse conselhos, eu queria conversar com ele, simplesmente. É uma pena que haja um abismo de tempo tão grande entre nós."

A seguir, continuando sua reflexão, se deu conta de que, se houvesse tal possibilidade de encontro, ambos ficariam intensamente constrangidos se seu pai também estivesse presente. "Qualquer um tem o direito de fazer aquilo", pensou. "Mas não é nada bom. Eu entendo, mas não aprovo. Lasso, foi a palavra, frouxo. Mas você *realmente* entende isso? Certamente, mas... É, mas. É preciso estar terrivelmente perturbado consigo mesmo para fazer uma coisa dessas."

"Diabos, eu queria o vovô aqui. Pelo menos por uma hora. Talvez ele tenha me dado o pouco que aprendi, através daquele que usou a arma para aquele fim impróprio. Vai ver foi o único meio de comunicação entre nós. Mas, diacho. Que droga. Eu queria mesmo que o abismo de tempo entre nós não fosse tão grande, que eu pudesse aprender com ele o que aquele outro não soube me ensinar. Mas suponha que o medo que teve de enfrentar e dominar, e depois livrar-se dele, durante os quatro anos de guerra, e depois na luta contra os índios, talvez aí nem tanto, houvesse transformado o outro num *cobarde*, como acontece a quase todas as segundas gerações de toureiros? E talvez o sumo nobre somente retorne na geração seguinte?"

"Lembro o quanto me revoltou o estômago quando descobri que ele era um *cobarde*. Vá em frente, diga na sua língua, covarde. Fica mais fácil, quando se consegue dizer, aí não há necessidade de dissimular, em outra língua, falando sobre o filho de uma puta. Embora ele não fosse um filho da puta. Ele era apenas um covarde, e isso é o pior traço de caráter num homem. Porque, se ele não fosse um covarde, poderia ter enfrentado aquela mulher que o tiranizava. Como eu seria, caso ele tivesse casado com outra mulher? Isso você nunca saberá", concluiu sorrindo tristemente. "Vai ver a tirania que havia nela ajudou a compensar o que faltava no outro. E você, tenha calma. Não se açode em conferir a si próprio o suprassumo, até chegar amanhã. E não se sinta superior agora; aliás, nunca. Amanhã veremos de que sangue você é feito."

Mas ele retomou os pensamentos sobre o avô:

— George Custer não era um líder inteligente da cavalaria, Robert — dissera seu avô. — Não era tampouco um homem inteligente.

Lembrou-se de que o avô disse ter ressentimento por ninguém falar contra aquela figura na túnica de camurça, com os caracóis louros esvoaçantes, que ficou parado no topo da colina, empunhando um revólver, cercado pelos índios sioux, na velha litografia de Anheuser-Bush pendurada na parede do salão do Red Lodge.

— Ele apenas tinha habilidade para meter-se em apuros e sair deles — comentara seu avô —, e no Little Big Horn ele entrou e não conseguiu se safar. Agora, o Phil Sheridan era inteligente, assim como o Jeb Stuart. Mas o John Mosby, este sim, foi o mais fino cavalariano que jamais existiu.

Ele tinha uma carta no seu baú, em Missoula, do general Phil Sheridan para o velho Killy-the-Horse Kilpatrick, que declarava ser o seu avô um líder da cavalaria mais sagaz do que o John Mosby.

"Eu deveria contar a Golz sobre o meu avô. Embora ele nunca deva ter ouvido sobre ele. Nem mesmo de John Mosby, ele deve ter ouvido falar. Os britânicos devem ter ouvido, já que tiveram de estudar sobre a nossa Guerra Civil muito mais do que as pessoas do Continente. Karkov disse que, após esta guerra, eu poderia ir para o Instituto Lênin, em Moscou, se eu quisesse. Ele disse que eu poderia ir para a Academia do Exército Vermelho. O que será que vovô diria sobre isso? Vovô, que notoriamente nunca em sua vida sentou-se à mesa com um democrata."

"Ora, não quero ser um soldado. Não. Isto está fora de cogitação. Apenas desejo que ganhemos esta guerra. Suponho que bons soldados não sejam realmente muito bons em outras coisas. Bem, isto é obviamente inverídico. Olhe para Napoleão e Wellington. Você está muito burro esta noite", concluiu.

Normalmente sua mente era uma boa companhia, e hoje à noite tinha sido também, quando relembrou seu avô. Mas, relembrar seu próprio pai o desanimou. Entendeu seu pai, perdoou-o por todas as coisas, sentiu piedade dele, mas envergonhava-se dele.

"É melhor você não pensar nada", falou para si mesmo. "Daqui a pouco você estará com Maria e não terá mais que pensar. É bom agir assim, já que tudo se resolveu até agora. Quando você está compenetrado num problema, não pode parar, o seu cérebro começa a trabalhar livre, como um rotor em alta velocidade, sem mais a fricção do próprio peso. Então é melhor não pensar."

"Mas vamos supor... Apenas suponha que o bombardeio dos aviões esmague aqueles canhões antitanque, explodindo pelos ares tudo o que estiver nas posições inimigas, e os velhos tanques deslizem triunfantes de uma vez por todas, Golz chutando para frente aquele bando de bêbados, *clochards*, mendigos, vagabundos, fanáticos e heróis que formam a sua Décima Quarta Brigada, e eu sei como é bom o pessoal treinado por Durán na outra brigada de Golz, e quem sabe amanhã pela noitinha estejamos em Segóvia."

"Sim. Apenas imagine por um momento... Vou me embora para La Granja. Mas você terá que explodir aquela ponte..." e ele deu-se conta disso de repente. "A missão não será abortada. Apenas tente imaginar o desdobramento das coisas da mesma forma que imaginaram aqueles que emitiram as ordens. É, você terá que explodir a tal ponte. Não importa o que aconteça com Andrés."

Voltando pela trilha no escuro, sozinho, e com a reconfortante sensação de que tudo o que havia a fazer estava feito para as próximas quatro horas, com a autoconfiança advinda de voltar a pensar em coisas concretas, o reconhecimento que tinha de explodir a ponte quase lhe deu um certo conforto.

A incerteza, o crescimento da sensação de insegurança, como uma confusão com possíveis datas, quando não se sabe se os convidados virão para a festa, sentimento que ele tivera quando despachou Andrés com o relatório para Golz, desapareceram agora. Tinha certeza de que a festa não seria cancelada. "É muito melhor ter certeza", pensou. "Ah, é sempre muito melhor."

31

Eles estavam novamente juntos no saco de dormir, e já era tarde nesta última noite. Maria deitara-se tão junto de seu corpo que ele lhe sentia a maciez das coxas contra as dele, seus seios túmidos feito duas colinas destacadas numa planície onde há uma fonte, e além dessas colinas ficava o vale de sua garganta onde moravam os seus lábios. Deitado, ele permanecia silencioso, sem pensar, e ela deu-lhe uma palmadinha na cabeça.

— Roberto — disse Maria com meiguice, e o beijou. — Estou envergonhada. Não queria desapontar-te, mas estamos vivendo tanto sofrimento e dor. Não acho que serei boa para ti.

— Sempre há sofrimento e muita dor — disse ele. — Não, coelhinha. Isto não é nada. Não faremos nada que vá doer.

— Não é isso. É que eu não estou bem para te receber, como eu gostaria.

— Não tem importância. Isto é uma coisa passageira. Estamos juntos quando nos deitamos juntos.

— É verdade, mas estou envergonhada. Acho que daquilo que fizeram comigo. Nada conosco.

— Não falemos disso.

— Nem eu quero. Quis dizer que poderia falhar contigo agora, esta noite, e procurei me desculpar.

— Escute, coelhinha — disse ele. — Todas essas coisas passam e então não tem mais problema. — Mas no que dizia isso pensou que não era um sinal de sorte para a última noite.

Então, sentindo-se constrangido, disse:

— Deita bem perto de mim, coelhinha. Eu te amo tanto, te sentindo contra o meu corpo no escuro, como se estivesse fazendo amor contigo.

— Estou muito envergonhada, porque pensei que poderia repetir esta noite o que aconteceu quando voltávamos de El Sordo.

— *Qué va* — disse ele. — Aquilo não acontece todos os dias. E eu gostei daquele dia tanto quanto dos outros — ele mentiu, disfarçando o desapontamento. — Vamos ficar aqui juntos, quietos, e vamos dormir. Ou vamos conversar. Te conheço muito pouco.

— Não deveríamos conversar sobre o teu trabalho de amanhã? Gostaria de saber tudo sobre o teu trabalho.

— Não — disse ele, e relaxou completamente na extensão do saco de dormir, agora deitado em silêncio, com o queixo encostado no ombro de Maria, seu braço esquerdo sob a cabeça dela. — O mais sábio é não conversar sobre amanhã, nem sobre o que aconteceu hoje. Neste negócio nós não discutimos as perdas, e o que devemos fazer amanhã nós vamos lá e fazemos. Tu não estás com medo?

— *Qué va* — respondeu ela. — Estou sempre com medo. Mas neste momento estou com medo por ti, não penso em mim.

— Não devias, coelhinha. Estive em muitas destas operações. Piores do que esta — mentiu ele.

De repente, entregando-se por algum motivo, dando-se ao luxo de fantasiar, ele disse:

— Vamos conversar sobre Madri, nós em Madri.

— Que bom — disse ela. — Oh, Roberto, sinto muito falhar contigo. Não há outra coisa que eu possa fazer para ti?

Ele deu um tapinha na sua cabeça e beijou-a, esticando o corpo, relaxado, bem perto dela, escutando o silêncio da noite.

— Tu podes conversar comigo sobre Madri — disse ele e pensou: "Vou guardar o que sobra do meu suprimento para amanhã. Vou precisar de toda a força para amanhã. Não há quem precise dela como eu precisarei. Quem foi mesmo, na Bíblia, que jogou sua semente na terra? Onã. Como é mesmo que Onã acabou? Nunca mais ouvi falar de Onã." Ele sorriu no escuro.

Então se entregou novamente e deixou-se escorregar, sentindo um desejo lascivo de sair da realidade como numa entrega sexual, numa espécie de aceitação do que pudesse acontecer naquela noite, além da compreensão, apenas pelo prazer de aceitar.

— Minha adorada — disse ele, e beijou-a. — Escuta. Ainda outra noite estava pensando em Madri, como poderia chegar lá, deixar-te no hotel enquanto eu fosse ver certas pessoas no hotel dos russos. Mas soou falso. Não te deixaria sozinha no hotel.

— Por que não?

— Porque vou cuidar de você. Nunca te deixarei. Irei contigo tirar os documentos na *Seguridad*. Depois vou comprar aquelas roupas que tu precisas.

— São poucas, eu posso comprá-las.

— Não, são muitas, e nós iremos juntos comprar roupas boas, e você ficará linda dentro delas.

— Prefiro ficar no quarto de hotel contigo, e mandar alguém buscar as roupas. Onde fica o hotel?

— Fica na Plaza de Callao. Vamos ficar muito tempo naquele quarto de hotel. Tem uma cama larga, lençóis limpos, banho quente e água corrente na banheira, e dois armários, um para mim, outro para ti. Tem janelas altas e espaçosas abertas para a rua, isto é, para a primavera. Conheço bons lugares para comer, lugares clandestinos, mas de excelente comida, e também conheço lojas que vendem vinho e uísque. Vamos levar comida para o quarto, para quando estivermos com fome, uísque para quando quisermos um drinque e eu comprarei *manzanilla*.

— Gostaria de provar o uísque.

— Mas é difícil de obter e, se tu apreciares *manzanilla*...

— Guarde o teu uísque, Roberto — disse ela. — Ah, eu te amo tanto. Tu e teu uísque que eu não posso provar. Que porco que tu és.

— Não, você pode prová-lo. Mas não fica bem para uma mulher.

— Então, vou ter somente aquelas coisas que são para mulheres de bem. E na cama, não vou tirar a minha blusa de núpcias?

— Não. Vou te comprar vários baby-dolls e pijamas, se você preferir.

— Vou comprar sete blusas de núpcias, uma para cada dia da semana. E vou comprar uma camiseta de núpcias para ti também. Tu nunca lavas a tua camisa?

— Às vezes.

— Vou manter tudo limpo, vou servir uísque com água para ti, como tu bebeste com El Sordo. Vou arranjar azeitonas e bacalhau salgado e amêndoas para tu comeres acompanhando a bebida, e ficaremos um mês inteiro no quarto sem nunca sair. Se eu estiver em forma para te receber — disse ela, ficando de repente infeliz.

— Isto não é nada — disse Robert Jordan. — Verdade, não é nada. É possível que tenhas ficado machucada uma vez, e agora as cicatrizes doem novamente. Isto é possível. Mas tudo isso passa. Depois, há bons médicos em Madri, se realmente persistir alguma coisa.

— Mas foi muito bom antes — disse ela, suplicante.

— Isto é a promessa de que tudo voltará a ser muito bom novamente.

— Então vamos falar de Madri outra vez. — Ela trançou as pernas entre as dele e roçou a cabeça no seu ombro. — Mas eu não pareceria tão feia com este cabelo tosado que tu sentirias vergonha de mim?

— Não. Tu és adorável. Tens um rosto amável, um corpo lindo, esguio, esbelto, uma pele lisa bronzeada, e todos irão tentar roubar-te de mim.

— *Qué va*, roubar-me de ti. Nenhum outro homem me tocará até a minha morte. Roubar-me de ti. *Qué va*.

— Mas muitos irão tentar. Tu verás.

— Eles verão que eu te amo, e entenderão que será como enfiar as mãos num caldeirão de chumbo derretido se tocarem em mim. Mas tu? Quando tu vires mulheres bonitas de cultura igual a tua, não sentirás vergonha de mim?

— Nunca, e eu vou casar contigo.

— Se você quiser — disse ela. — Mas como não temos mais a religião, isto não tem importância.

— Eu gostaria que casássemos.

— Se você quiser. Mas escute. Se estivermos em outro país, onde ainda exista religião, aí sim talvez possamos casar numa igreja.

— No meu país ainda existe religião. Lá nós podemos casar numa igreja, se isto significar algo para ti. Nunca fui casado. Não tem problema.

— Fico contente que nunca foste casado. Mas estou contente também que conheças essas coisas, significa que já estiveste com muitas mulheres, Pilar me disse que isto é necessário para ser um bom marido. Mas tu não vais sair com outras mulheres agora, vai? Porque isto iria me matar.

— Não saí com muitas mulheres — disse ele, sinceramente. — Até te conhecer eu pensava que não seria capaz de amar alguém profundamente.

Ela deu um tapinha no seu queixo, enlaçou seu pescoço com os braços e disse:

— Tu deves ter conhecido muitas mulheres.

— Mas não cheguei a amá-las.

— Escute. Pilar me disse...

— Diga.

— Não. É melhor não. Vamos voltar a falar de Madri.

— O que você ia dizer?

— Não quero dizer.

— Talvez fosse melhor dizer, pois poderia ser importante.

— Você acha que é importante?

— Acho.

— Mas como, se tu não sabes o que é, como vais achar importante?

— Pelos teus modos.

— Então não vou te esconder. Pilar me disse que morreremos todos amanhã, que você sabe disso assim como ela, mas que você não dá a menor importância. Ela disse não como uma crítica, mas com admiração.

— Ela disse isto? — espantou-se ele. "Cadela louca", pensou ele. — Isto é mais um pouco do seu estrume de cigana. Este é o jeito das velhas do mercado e dos covardes dos bares falarem. Não passa de bobagem — ele sentiu o suor sob as axilas e descendo pelos lados, e disse para si mesmo: "Quer dizer que está com medo, hem?" E falou para Maria: — Ela é uma cadela supersticiosa com a boca cheia de merda. Vamos conversar de novo sobre Madri.

— Então você não acha que vamos morrer?

— Claro que não. Não fale uma merda dessas. — E este era o pior palavrão que julgou poder usar.

Mas desta vez, quando ele falou de Madri, não houve a entrega ao faz de conta. Agora, ele mentia para a sua garota e para si mesmo, para poderem passar a noite antes do combate, e sabia disso. Toda a volúpia desaparecera, mas ele tentou recuperá-la.

— Tenho pensado sobre o teu cabelo — disse. — E o que nós podemos fazer a respeito. Veja, ele cresce por inteiro como o pelo de um animal e é gostoso senti-lo, e eu o adoro, ele é lindo, e aplaina e se eriça como um campo de trigo ondulado ao vento quando eu passo a mão.

— Passa a tua mão agora.

Ele atendeu o pedido dela e desceu a mão até a sua garganta sentindo a sua própria garganta apertar:

— Em Madri podemos ir juntos a um cabeleireiro para cortá-lo e ajeitá-lo dos lados e atrás, como eles cortam o meu.

— Eu ficaria parecendo você — ela disse, e apertou-o contra o seu corpo. — E aí eu nunca mais iria querer mudar.

— Não. Ele irá crescer, o corte é somente para mantê-lo alinhado e ao crescer ficar elegante. Quanto tempo levaria para ficar comprido?

— Bem comprido?

— Não. Até os ombros. É assim que eu gostaria que tu o usasses.

— Como Garbo no cinema?

— Isso mesmo — disse ele, arrebatado.

Agora a fantasia voltava com pressa e ele queria se entregar a ela. Fora invadido e novamente se rendera.

— Ele cairá direto aos teus ombros, cacheados nas pontas como as ondas do mar, terá a cor do trigo maduro, e a tua face, a cor de ouro queimado, e os teus olhos, a única cor que poderiam ter com essa pele e cabelos, caramelados, e eu te pegaria pelos cabelos, puxaria tua cabeça para trás e olharia bem dentro dos teus olhos te abraçando apertado.

— Onde?

— Em qualquer lugar. Onde quer que estejamos. Quanto tempo levará para o teu cabelo crescer?

— Não sei. Nunca foi cortado antes. Acho que levaria uns seis meses para descer abaixo de minhas orelhas, e um ano para cair nos ombros como tu queres. Mas tu sabes o que vai acontecer antes?

— Diga.

— Nós estaremos numa cama enorme e limpa no teu famoso quarto, em nosso famoso hotel, nos sentaremos em nossa cama famosa e nos olharemos no espelho do armário, e lá estaremos, nós dois refletidos no espelho, e aí eu vou me virar para ti, assim, botar as mãos em torno do teu pescoço, e vou te beijar, assim.

Então ficaram calados, abraçados, juntos na noite, quentes, rígidos, apertando-se um contra o outro, e Robert Jordan manteve junto a si todas aquelas coisas que ele sabia que não poderiam jamais ter e, mesmo assim, consciente disso, prosseguiu.

— Coelhinha, nós não viveremos para sempre num hotel.

— Por que não?

— Podemos alugar um apartamento em Madri, naquela rua que passa pelo Parque de Buen Retiro. Conheço uma americana que mobiliava apartamentos e alugava-os antes do movimento, e sei como conseguir um apartamento pelo preço que era pago antes de estourar a revolução. Há apartamentos que dão para o parque. Das janelas você pode ver todo o parque, a cerca de ferro, os jardins, os passeios gramados, as árvores frondosas com bastante sombra, as muitas fontes de água, e então as amendoeiras estarão florescendo. Em Madri podemos caminhar no parque e remar no lago, se já estiver com água de novo.

— Por que estaria sem água?

— Eles o drenaram em novembro, porque servia de marca para os aviões localizarem onde soltariam as bombas. Mas acho que a água já voltou. Não estou certo. Mas, mesmo que não tenha água, podemos caminhar por todo o parque, e longe do lago tem uma parte que parece uma floresta com árvores de várias regiões do mundo, com os seus nomes e origem numa pequena placa.

— Eu estava quase indo a um cinema — disse Maria. — Mas as árvores me soaram bem interessantes e eu vou aprender sobre elas contigo, se conseguir lembrar o nome delas.

— Elas não estão dispostas como num museu — disse Robert Jordan. — Crescem naturalmente, há lombas dentro do parque e parte dele é uma floresta. Mais embaixo há a feira de livros, com inúmeros estandes ao longo do passeio, que agora vendem livros usados. Desde o início do movimento, há muitos livros, roubados de restos da guerra, das casas que foram bombardeadas, das casas dos fascistas, trazidos para a feira de livros por quem os roubou. Se tivesse tempo em Madri, eu poderia passar o dia inteiro nas barracas da feira de livro, como fiz uma vez antes do movimento.

— Enquanto estiveres visitando a feira de livro, vou me ocupar do apartamento — disse Maria. — Vamos ter dinheiro para uma criada?

— Claro. Posso pegar Petra que trabalha no hotel, se tu quiseres. Ela cozinha muito bem e é asseada. Já comi com jornalistas para quem ela trabalha. Eles têm fogão elétrico em seus quartos.

— Se tu a quiseres — disse Maria. — Ou eu posso escolher uma. Mas tu não vais estar muito tempo longe, com o teu trabalho? Eles não vão deixar-me ir contigo num trabalho desses.

— Talvez eu possa arranjar trabalho em Madri. Faço esse tipo de trabalho há muito tempo, já luto desde que o movimento começou. É possível que eles me deem algo para fazer em Madri. Nunca pedi nada assim. Tenho estado sempre no front ou neste tipo de trabalho. Sabes que antes de te conhecer nunca pedi nada? Nem queria nada? Tampouco pensava em nada que não fosse o movimento e em ganhar esta guerra? Verdade, tenho sido muito puro em minhas ambições. Trabalhei duro, e agora eu te amo e — falou abarcando tudo que não poderia existir — te amo como a tudo o que temos lutado para conseguir. Te amo como amo a liberdade, a dignidade e o direito de todo homem de trabalhar e não ter fome. Te amo como amo Madri que temos defendido, como amei todos os meus camaradas que morreram. E muitos morreram. Muitos, muitos mesmo. Tu não podes imaginar quantos. Te amo mais do que tudo neste mundo, coelhinha. Mais do que posso dizer. Mas digo agora para te dizer pelo menos um pouco. Nunca tive uma esposa e agora eu tenho a ti e estou feliz.

— Serei uma boa esposa para ti — disse Maria. — Não sou bem-treinada, mas vou compensar. Se morarmos em Madri, bom. Se tivermos que viver em outro lugar, bom. Se vivermos em lugar nenhum, e eu estiver contigo, melhor ainda. Se formos para o teu país, aprenderei a falar *inglés* como um *inglés*. Vou estudar as suas maneiras e hábitos e fazer como eles fazem.

— Isso vai ser muito engraçado.

— Verdade. Vou cometer erros, mas tu vais me ensinar e nunca vou cometê-los duas vezes, talvez duas vezes e só. No teu país eu vou cozinhar para ti. Vou até para uma escola, aprender a ser esposa, se tiver escola para isso.

— Há este tipo de escola sim, mas tu não precisas dela.

— Pilar me disse que achava que no teu país talvez existissem essas escolas. Leu num jornal. Ela me disse que eu deveria aprender a falar *inglés* e falar bem, de modo que tu nunca sentisse vergonha de mim.

— Quando ela te falou tudo isso?

— Hoje, quando estávamos preparando tudo para a retirada. Ficou o tempo todo me falando sobre o que eu devo fazer para ser a tua esposa.

"Suponho que ela vá para Madri também", pensou Robert Jordan.

— O que mais ela falou? — disse ele.

— Ela disse para cuidar do meu corpo e protegê-lo como se eu fosse um toureiro. Disse que isso era muito importante.

— E é — disse Robert Jordan. — Mas tu não tem com que te preocupares por muitos anos.

— Não. Ela disse que as mulheres da nossa raça devem ficar sempre de olhos abertos, pois chega rápido. Me contou que já foi esguia como eu, mas naqueles tempos as mulheres não faziam muito exercício. Me mostrou que exercícios devo fazer e disse que não devo comer muito, inclusive que alimentos devo evitar. Mas esqueci quais são e devo perguntar a ela novamente.

— Batatas — disse Robert Jordan.

— Isso! Batatas e frituras. E sobre esse sofrimento e dor que eu tenho, que ela disse para não te contar e que deveria suportar calada e esconder de ti. Mas eu te contei porque não quero mentir nem esconder nada de ti. Tive medo também que tu pensasses que não temos mais o mesmo prazer em comum, e que aquilo lá na montanha não foi verdadeiro.

— Foi certo me contar.

— Verdade? Estou envergonhada e farei tudo o que tu quiseres. Pilar me disse algumas coisas que se pode fazer para um marido.

— Não precisa fazer nada. O que tivermos, teremos juntos e guardaremos para nós. Te amo assim, deitada ao meu lado, tocando em ti, sabendo que estás aqui de verdade, e, quando estiveres pronta novamente, teremos um ao outro como antes.

— Mas tu não tens necessidades que eu possa satisfazer? Ela me explicou isso também.

— Não. Vamos ter necessidades juntos. Não preciso de nada separado de ti.

— Assim é muito melhor para mim. No entanto, saiba sempre que farei tudo o que quiseres. Mas me diga, pois sou muito ignorante e muito do que ela me disse eu não entendi direito. Fiquei envergonhada com a sua sabedoria.

— Coelhinha, tu és maravilhosa.

— *Qué va* — disse ela. — Mas é esquisito aprender tudo que envolve a condição de casada num só dia, enquanto empacotamos tudo para uma retirada de um acampamento, indo para um combate, com um outro combate acontecendo ali perto, e se eu cometer algum erro tu deves me dizer, porque eu te amo. Posso lembrar de coisas, mas de modo incorreto, pois ela me falou de coisas muito complicadas.

— O que mais ela te disse?

— *Pues*, tantas coisas que não posso lembrar. Ela disse que eu poderia te contar o que fizeram comigo, se eu voltar a pensar naquilo, porque tu és um bom homem e já entendeu tudo. Mas que seria melhor não conversar mais sobre isso, a menos que venha, como uma nuvem negra, aí te falar pode ajudar a me libertar disso.

— Isto está pesando em ti agora?

— Não. É como se nunca tivesse acontecido, desde que estamos juntos. Tem a dor pelos meus pais, sempre. Mas isso nunca irá acabar. O que houve comigo tu sabes agora, porque era necessário que soubesses, já que eu serei tua esposa. Nunca falei para ninguém. Sempre lutei e foi necessário dois deles ou mais para me fazerem mal. Um sentou-se na minha cara e me segurou. Conto que lutei, para que te orgulhes!

— Eu me orgulho de você! Não fale mais nisso!

— Não. Eu falo pelo orgulho que é necessário ter pela honradez da tua esposa. E outra coisa: meu pai era o alcaide da vila, um homem honrado. Minha mãe era uma mulher respeitada e católica fervorosa. Eles os fuzilaram por questões políticas, porque meu pai era um republicano. Vi os dois serem fuzilados e meu pai gritou *Viva la República!* em pé contra a parede do matadouro, no momento em que lhe deram os tiros.

— Minha mãe, de pé contra a mesma parede gritou "viva meu marido que foi o alcaide desta vila" e eu tinha esperança que eles me fuzilassem também, pois eu diria *Viva la República y vivan mis padres!*, mas em vez do fuzilamento me fizeram aquelas coisas. Escuta, vou te falar uma coisa que diz respeito a nós dois. Depois do fuzilamento no *matadero*, nos levaram, os filhos e parentes dos fuzilados, para o morro no quarteirão principal da vila. Quase todos choravam, mas algumas pessoas estavam entorpecidas pelo que viram, chocadas, sem mais lágrimas. Eu era uma dessas. Não via nada a não ser meu pai e minha mãe na hora do fuzilamento e mamãe dizendo "vida longa para meu marido que foi o alcaide desta vila", um grito que ficou se repetindo na minha mente, sem parar. Minha mãe não era republicana, ela não diria *Viva la República!*, mas somente *viva* meu pai que jazia no chão a seus pés.

— Mas o que ela disse, disse gritando, como um guincho, e então eles a fuzilaram e ela caiu, eu tentei fugir da fila para correr para junto dela, mas estávamos amarrados e não consegui me soltar. O fuzilamento foi executado pela *Guardia Civil,* que ficou lá esperando mais gente para fuzilar, quando os falangistas nos arrebanharam para a parte alta da vila, deixando a Guardia descansando apoiada em seus rifles, com os corpos dos mortos caídos lá contra aquela parede. Estávamos amarrados pelos pulsos, numa longa corda com meninas e mulheres, levadas como vacas e novilhas pelas ruas, e nos fizeram parar na frente do salão do barbeiro, do outro lado da prefeitura.

— Aí, dois homens olharam para nós e um deles disse: "esta é a filha do prefeito"; e o outro disse: "então comece por ela."

— Cortaram a corda de meus pulsos e um dos homens disse para os outros: — "Amarre a corda novamente" — e dois me levaram pelos braços para o salão do barbeiro, me levantaram, me colocaram na cadeira do barbeiro e me prenderam lá.

— Vi o meu rosto no espelho e a cara dos dois homens que me seguravam, e de três outros homens que se inclinavam sobre mim, não conhecia nenhum deles, mas no espelho eu via a minha própria cara e a deles. Era como se eu estivesse numa cadeira de dentista com vários dentistas insanos ao redor. Meu rosto estava irreconhecível, tomado pela sensação de desgraça. De uma desgraça tão horrenda que não havia medo em mim, só a minha desgraça.

— Naquele tempo, usava meu cabelo em duas tranças. Enquanto eu olhava para o espelho, um dos homens levantou uma das tranças e a puxou com força e violência, doeu de repente, em minha desgraça, e então ele a cortou rente a minha cabeça com a navalha. Então, me vi no espelho com apenas uma trança e um toco onde a outra existia. Em seguida ele cortou a outra também, e a navalha me fez um talho na orelha, e eu vi o sangue verter. Você consegue sentir a cicatriz com o teu dedo?

— Consigo, mas não seria melhor não falar mais?

— Isto não foi nada. Não vou falar do que foi realmente ruim. Então, ele cortou as minhas tranças com a navalha rente à minha cabeça, os outros riam e eu nem senti o corte na orelha, então ele ficou na minha frente e me chicoteou no rosto com as tranças, enquanto os outros me seguravam, e disse: "É assim que nós fazemos com freiras Vermelhas. Vamos te mostrar como te unir aos irmãos proletários. Noiva do Cristo Vermelho!"

— Ele me chicoteou o rosto outra vez, e de novo, e então enfiou as pontas das minhas duas tranças na minha boca, amarrando as outras pontas atrás da nuca, me amordaçando, e os dois outros rindo sem parar.

— Todos que olhavam riram, e quando enxerguei as suas caras pelo espelho, dando gargalhadas, comecei a chorar, e até aquele momento o choro estava preso dentro de mim por causa dos tiros.

— Aí o tal que me amordaçara passou a máquina na minha cabeça, primeiro da testa até abaixo da nuca, depois de um lado a outro, e por toda a minha cabeça e atrás das minhas orelhas. Eles me seguravam de um modo que eu pudesse ver tudo no espelho o tempo todo, eu não podia acreditar no que estava acontecendo, e chorei, chorei, e não podia olhar para mais nada, a minha boca cheia das tranças, a minha cabeça sendo raspada.

— Quando o homem acabou de raspar com a máquina, pegou um vidro de iodo da prateleira do barbeiro (eles tinham fuzilado o barbeiro também porque ele pertencia ao sindicato, e o seu corpo estava estirado na entrada do salão, e tiveram que me levantar para pular sobre o seu corpo quando me traziam), e com o conta-gotas do frasco de iodo eles pingaram o líquido na minha orelha, mas encostaram com ele no corte e mesmo aquela dor, tão pequena, acentuou ainda mais o meu pavor e toda a desgraça que eu estava vivendo.

— Depois disso o homem parou na minha frente e escreveu na minha testa, com o iodo, *UHP*, pintando as letras cuidadosamente como se fosse um artista. Eu via tudo e já tinha parado de chorar, meu coração ficou congelado pelo que aconteceu à minha mãe e ao meu pai, e o que estava acontecendo comigo agora não era nada.

— Quando ele acabou de pintar as letras, os falangistas deram um passo atrás e me olharam no espelho, examinando o trabalho do outro que colocara o vidro de iodo na prateleira, pegara a máquina e dissera "a próxima". Aí eles me arrancaram da barbearia, apertando meus braços com violência, e eu tropecei no corpo do barbeiro morto, com a sua cara virada para cima, e nós quase colidimos com Concepción Garcia, minha melhor amiga, que dois deles traziam e que não me reconhecera. Ela gritava, pude ouvi-la gritando o tempo todo enquanto eles me arrastavam pelo quarteirão até as escadas da prefeitura, até o escritório de meu pai, e me deitaram no sofá. Foi lá que o pior aconteceu.

— Minha coelhinha — disse Robert Jordan, e a abraçou bem junto e delicado. Mas ele estava cheio de raiva como qualquer um estaria. — Não fale mais sobre isso. Não me conte mais nada, não posso mais suportar sentir tanto ódio.

Ela estava rígida e fria nos seus braços.

— Não. Nunca mais vou falar nisso. Mas eles são pessoas horríveis e eu gostaria de matar alguns deles contigo, se eu pudesse. Te contei tudo para a tua honra, como tua esposa. Assim tu entenderás.

— Estou contente que me contaste. Amanhã, com sorte, mataremos muitos deles.

— Mas vamos matar falangistas? Porque foram eles que me fizeram mal.

— Eles não combatem — disse Robert Jordan, com melancolia. — Eles matam pelas costas. Não é com eles que lutamos num combate.

— Mas não podemos matá-los de alguma maneira? Gostaria muito de matar alguns.

— Já matei alguns — disse ele. — E vou matar mais. Nas explosões dos trens nós matamos muitos deles.

— Gostaria de participar contigo de um ataque a um trem — disse Maria. — Quando Pilar me resgatou do trem, eu estava enlouquecida. Ela te falou como eu estava?

— Sim, mas não fale nisso.

— Eu estava morta dentro da minha mente, afogada em amargura, e não parava de chorar. Mas tem outra coisa que eu tenho que te falar. Isto eu preciso dizer. Aí, talvez, você não se case comigo. Mas, Roberto, se tu não quiseres casar comigo, nós não podemos simplesmente ficar juntos?

— Eu vou casar contigo.

— Não. Eu tinha esquecido disso. Talvez você não devesse. É possível que eu nunca possa te dar um filho ou uma filha. Pilar me disse que se eu pudesse teria concebido depois do que eles me fizeram. Eu tinha que te falar isso. Oh, não sei por que esqueci disso.

— Não importa, coelhinha. Primeiro porque pode não ser verdade. Só um médico pode dizer. Depois, eu não gostaria de trazer um filho para este mundo do jeito que está. E assim tu ficas com todo o amor que eu tenho para dar.

— Eu gostaria de dar-te um filho ou uma filha — disse Maria. — E como o mundo será melhor, se não tivermos filhos como nós para lutarem contra os fascistas?

— Tu — disse Robert Jordan. — Eu te amo. Ouviste? E agora devemos dormir, coelhinha. Devo acordar bem antes da primeira luz do dia, e o amanhecer chega cedo neste mês.

— Quer dizer que está tudo bem, sobre a última coisa que contei? Ainda podemos casar?

— Estamos casados agora. Caso contigo agora. Tu és minha esposa. Mas, vai dormir, minha coelhinha, o tempo é curto.

— Mas vamos casar de verdade? Não é só conversa?

— Não. É verdade.

— Então eu vou dormir e, se acordar, vou ficar pensando nisso.

— Eu também.

— Boa noite, meu marido.

— Boa noite, minha esposa.

Pouco depois, ouvia sua respiração constante, regular, certo de que ela dormia profundamente, então ficou o mais quieto que pôde para não acordá-la. Ficou pensando na parte da história que ela não chegou a contar e encheu-se de raiva e sentiu prazer por ter a oportunidade de matar alguns deles pela manhã. "Mas não devo levar para o lado pessoal", pensou.

"Contudo, como poderei esquecer? Sei que fizemos coisas medonhas com eles também. Mas foi porque não tínhamos educação e não conhecíamos nada melhor. No caso deles, fizeram de propósito, deliberadamente. E aqueles fascistas representam a fina flor do que a educação atual pode oferecer. São a elite da cavalaria espanhola. Que gente eles têm sido. Que filhos da puta; Cortez, Pizarro, Menéndez de Ávila, todos, de Enrique Lister até Pablo. E que gente maravilhosa. Não há gente melhor e pior no mundo. Não há pessoas mais afáveis e mais cruéis. E quem as entende? Eu não, porque, se as entendesse, as perdoaria. Entender é perdoar. Isto não é verdade. O perdão tem sido exagerado. O perdão é uma ideia cristã, e a Espanha nunca foi um país cristão. Sempre teve sua própria adoração e um culto especial a ídolos dentro da Igreja. *Otra Virgem más*. Suponho que seja por isso que eles tiveram que destruir as virgens dos seus inimigos. Certamente, este sentimento foi mais profundo nos fanáticos do que no povo. O povo teve que se desenvolver longe da Igreja, porque a Igreja estava no governo e este sempre foi corrupto. Este foi o único país que a reforma da Igreja nunca alcançou. Agora estavam pagando pela Inquisição, muito bem, então."

Bem, era um assunto a pensar. Algo para manter a mente ocupada. Era mais saudável do que disfarçar. Deus, ele tinha dissimulado bastante esta noite. E Pilar disfarçara durante todo o dia. Sem dúvida. Mas, e se eles fossem mortos amanhã? E o que isso importava, desde que eles explodissem a ponte corretamente? Isso era tudo o que eles deviam fazer no dia seguinte.

Não importava. Não dava para fazer essas coisas indefinidamente. Não podia esperar viver para sempre. "Talvez eu tenha vivido toda a minha vida em três dias", pensou. "Se for verdade, gostaria de ter passado a última noite de outra forma. Mas as últimas noites nunca são boas. As últimas coisas não são grande coisa. Sim, mas as últimas palavras são algo de bom, ocasionalmente."

"'Viva meu marido que era o alcaide desta vila', estas foram boas."

Sabia que eram palavras boas pelo formigamento que sentiu no corpo todo, quando as repetiu para si mesmo. Então, inclinou-se e beijou Maria. Em inglês, ele cochichou, para não acordá-la:

— Gostaria de casar contigo, coelhinha. Estou muito orgulhoso de sua família.

32

Em Madri, naquela mesma noite, havia muita gente no Hotel Gaylord. Um carro estacionou no pórtico do hotel, seus faróis pintados a cal azul, e dele saltou um homem baixo, usando botas pretas de cano alto, culotes cinza, jaqueta curta à altura do cós, abotoada até o pescoço; ele retribuiu a continência das duas sentinelas ao abrir a porta, fez um gesto de aprovação, com a cabeça, para o agente secreto da polícia, postado no balcão ao lado do *concierge*, e caminhou direto até o elevador. Havia duas outras sentinelas sentadas no interior do hotel, uma de cada lado do hall de entrada revestido de mármore, que deveriam revistar todos os desconhecidos que entrassem, as axilas, os flancos, os bolsos das pernas e, se alguém portasse pistola, deveria fazer registro no balcão da recepção. Mas este baixinho elas conheciam muito bem e apenas olharam para ele discretamente.

O apartamento onde ele morava no Gaylord estava apinhado quando ele entrou. Pessoas sentadas e em pé, conversando, homens e mulheres bebendo vodca, uísque e soda, e cerveja em pequenas taças servidas de uma grande jarra de vidro. Quatro dos homens estavam de uniforme militar. Os demais usavam gabardina, ou casacos de couro, e três das quatro mulheres vestiam-se informalmente, enquanto a quarta mulher, macilenta, magra e sombria, vestia um austero uniforme da milícia feminina, com saia reta e botas de cano alto.

Assim que entrou no apartamento, Karkov foi direto para a mulher de uniforme, curvou-se, estendeu-lhe a mão e a cumprimentou. Era sua esposa e disse a ela algo em russo, que ninguém mais no recinto pôde ouvir, e por um momento a arrogância estampada em seus olhos quando entrara desapareceu. Mas voltou a brilhar logo que avistou a cabeça cor de mogno, o rosto malemolente da garota bem-desenhada que era sua amante. Ele deslizou com passos curtos e precisos em sua direção, e ao cumprimentá-la ninguém diria que não era um arremedo do mesmo cumprimento que dirigira à esposa. Essa por sua vez não o seguiu com os olhos, indo ao encontro da outra mulher. Ela estava em pé, conversando em russo com um oficial espanhol alto e de boa aparência.

— Seu grande amor está ficando meio gordo — Karkov dizia para a garota. — Todos os nossos heróis estão engordando, agora que nos aproximamos do segundo ano — falara sem olhar para o homem a quem se referia.

— Você é tão feio que sentiria ciúme até de um sapo — disse-lhe a garota, jovialmente. Falava com ele em alemão. — Posso ir contigo para a ofensiva amanhã?

— Não. Não haverá ofensiva.

— Todos já sabem a respeito — disse a garota. — Não seja tão misterioso. Dolores vai te levar. Vou com ela ou Carmen. Muitas pessoas irão.

— Vá com quem você quiser — disse Karkov. — Eu não vou. — Aproximando-se então, da garota, ele perguntou seriamente: — Quem te contou? Seja específica.

— Richard — respondeu ela, com a mesma seriedade. Karkov encolheu os ombros e abandonou-a.

— Karkov! — gritou-lhe com voz dispéptica um homem de estatura média, grisalho, com cara flácida, olheiras pronunciadas e beiço mole. — Você já sabe das boas-novas?

Karkov dirigiu-se a ele e o homem disse:

— Acabo de saber. Menos de dez minutos atrás. Maravilha. Os fascistas lutaram entre eles mesmos o dia inteiro, perto de Segóvia. Foram forçados a reprimir amotinados com rifles automáticos e metralhadoras. À tarde, bombardearam suas próprias tropas com aviões.

— É mesmo? — perguntou-lhe Karkov.

— Verdade — respondeu o homem com olheiras. — A própria Dolores trouxe a notícia. Ela esteve aqui com a novidade e estava exultante como nunca. A verdade da notícia estava estampada no seu rosto, aquele rosto estupendo... — falou com alegria.

— Aquele rosto estupendo — repetiu Karkov, num tom insípido.

— Se você pudesse ouvi-la — disse o homem com olheiras. — A notícia rebrilhou a partir dela com uma luz que não era deste mundo. Pela sua voz podia-se constatar a verdade do que ela dizia. Vou colocar isto num artigo no *Izvestia*. Para mim, foi um dos grandes momentos da guerra, quando ouvi o relatório naquela voz estupenda na qual piedade, compaixão e verdade estão fundidas. Bondade e franqueza rebrilham a partir dela como de uma verdadeira santa do povo. Não é à toa que é chamada La Pasionaria.

— Não é à toa — repetiu Karkov, com voz melancólica. — É melhor você escrever agora mesmo para o *Izvestia*, antes que esqueça esta linda abertura de parágrafo.

— Ela é uma mulher com quem não se deve brincar. Nem mesmo um cínico como você — disse o de olheiras. — Ah, se você pudesse estar aqui para ouvi-la e ver aquele rosto.

— Aquela voz estupenda — disse Karkov. — Aquele rosto estupendo. Escreva aí. Não fale para mim. Não gaste parágrafos inteiros comigo. Ande, escreva.

— Agora não.

— Acho que seria melhor escrever — disse Karkov, e desviou o olhar do homem. O homem de beiço mole ficou parado ali, com o seu copo de vodca, as suas olheiras, absorvido pelo que tinha visto e ouvido e depois deixou o recinto para escrever.

Karkov foi ao encontro de outro homem de aproximadamente quarenta e oito anos, baixo, maçudo, aparência jovial, com olhos pálidos, cabelos ralos e louros, boca sorridente de bigode dourado e hirsuto. Era um dos que usavam uniforme. Comandante de divisão, húngaro.

— Viu Dolores quando ela esteve aqui?

— Vi.

— Do que se tratava?

— Alguma coisa sobre os fascistas brigarem entre eles. Lindo, se for verdade.

— Ouve-se falação demais sobre amanhã.

— Um escândalo! Todos os jornalistas deveriam ser fuzilados assim como a maioria das pessoas nesta sala, e certamente aquele maldito alemão chamado Richard. Quem quer que tenha dado o comando de uma brigada àquele *függler* deve ser fuzilado. Talvez eu e você devêssemos ser fuzilados também — disse o General, e gargalhou. — Mas não dê a sugestão.

— Está aí uma coisa que eu não gosto nem de falar — disse Karkov. — Aquele americano, que aparece aqui vez por outra, está lá. Você o conhece, Jordan, o tal que é do grupo *partisan*. Ele está onde esse negócio de que falam deve acontecer.

— Bem, então ele deveria ter enviado um relatório esta noite — disse o General. — Eles não gostam de mim naquelas bandas, senão iria até lá para você saber o que acontece. Ele trabalha para o Golz, não trabalha? Você verá o Golz amanhã.

— Bem cedo.

— Saia do caminho dele até que tudo fique bem — disse o General. — Ele detesta vocês, tanto quanto eu. Embora tenha um gênio melhor.

— Mas e sobre esse negócio...

— Talvez tenha sido uma manobra dos fascistas — o General sorriu de modo algo grotesco. — Ora, vamos ver se Golz consegue manobrá-los um pouco, deixe-o tentar do seu jeito. Nós os manobramos bem em Guadalajara.

— Ouvi dizer que você está viajando também — disse Karkov, mostrando seus péssimos dentes ao sorrir. E de repente o General ficou irritado.

— Eu também. Agora começaram a falar de mim. E de todos nós, como sempre. Este círculo fedorento de fofocas. O homem que mantiver a sua boca fechada poderia salvar o país, se acreditasse nisso.

— Seu amigo Pietro consegue ficar calado.

— Mas ele não acredita que pode vencer. Como você vai ganhar sem acreditar nas pessoas?

— Você decide isso, eu estou indo dormir um pouco — disse Karkov.

Ele deixou a sala enfumaçada, cheia de fofoqueiros, e foi para o seu quarto, sentou-se na cama e tirou as botas. Ainda ouvia as vozes da outra sala, então fechou a porta e abriu a janela. Nem se preocupou em tirar a roupa, pois às duas horas deveria estar de pé para ir, por Colmenar, Cerceda e Navacerrada, até o front onde Golz atacaria pela manhã.

33

Eram duas horas da manhã — quando Pilar o acordou. Primeiro, ele pensou que fosse a mão de Maria, tocando-lhe no ombro, e disse: — Coelhinha. — Então, a enorme mão da mulher sacudiu-o pelo ombro e ele de repente estava total e absolutamente desperto. Sua mão moveu-se de modo automático para a coronha da pistola, ao longo da sua perna direita desnuda, e ele todo ficou engatilhado como a pistola, já destravada.

No escuro, percebeu que era Pilar, e olhou direto para os dois ponteiros brilhantes do relógio de pulso, aproximados perto do topo, e vendo que eram apenas duas horas, disse:

— Que está acontecendo contigo, mulher?

— Pablo sumiu — disse a mulher.

Robert Jordan colocou suas calças e sapatos. Maria não acordara.

— Quando? — perguntou ele.

— Deve ter sido há uma hora.

— E?

— Levou alguma coisa tua — a mulher falou, num tom de miserável pesar.

— O quê?

— Não sei, vem ver.

Caminharam no escuro até a entrada da caverna, mergulharam por baixo da manta e entraram. Robert Jordan seguiu dentro da caverna cheirando a cinzas mortas, ar viciado e homens dormindo, empunhando sua lanterna elétrica para não pisar em ninguém deitado no chão. Anselmo acordou e perguntou:

— Está na hora?

— Não — disse Robert Jordan, cochichando. — Dorme, meu velho.

As duas mochilas estavam na cabeceira da cama de Pilar, que era separada do resto com uma manta pendurada. A cama cheirava a morrinha e suor seco, adocicado, como as camas dos índios, e Robert Jordan ajoelhou-se no costado e jogou a luz da lanterna nas mochilas. Havia um longo rasgão de cima a baixo em cada uma. Segurando a lanterna na mão esquerda, apalpou o interior de um dos sacos com a mão direita. Era onde ele carregava o saco de dormir, não deveria estar muito cheio. Ainda continha alguns fios, mas a caixa quadrada com a chave detonadora desaparecera. Assim como a caixa de charutos, cuidadosamente embalada, contendo os detonadores. E também as tampas rosqueadas e os fusíveis e suas cápsulas.

Robert Jordan apalpou o outro saco. Continuava cheio de explosivos. Talvez apenas um pacote a menos.

Ele ficou de pé e virou-se para a mulher. Há um sentimento de vazio quando a pessoa é acordada antes da hora, muito cedo, quase a sensação de um desastre, e ele teve essa sensação multiplicada muitas vezes.

— E você chama isso de guardar o material de alguém — disse ele.

— Dormi com a minha cabeça encostada nas mochilas, e um dos braços também — disse-lhe Pilar.

— Você dormiu bem.

— Escuta — disse a mulher. — Ele levantou-se no meio da noite e eu perguntei: Aonde vais, Pablo? Urinar, mulher, ele respondeu e eu voltei a dormir. Quando acordei novamente não sabia quanto tempo tinha passado, mas pensei, como ele não estava aqui, que deveria estar olhando os cavalos como de costume. Então — ela terminou, arrasada —, como ele não voltava, fiquei preocupada e apalpei as mochilas. Daí, senti os rasgões e fui correndo te chamar.

— Venha — disse Robert Jordan.

Agora estavam ao ar livre e era tão perto do meio da noite que o amanhecer ainda não podia ser percebido.

— Ele pode sair daqui com os cavalos sem passar pelas sentinelas?

— Por dois caminhos.

— Quem está lá no topo?

— Eladio.

Robert Jordan ficou calado, até que chegaram na campina, onde ficavam os cavalos à soga, pastando. Havia três cavalos. Faltavam o baio grande e o cinza.

— Há quanto tempo você acha que ele saiu?

— Deve fazer uma hora.

— Então é isso — disse Robert Jordan. — Vou pegar o que sobrou nas minhas mochilas e voltar para cama.

— Vou guardá-las.

— *Qué va*, irá guardá-las. Você já as guardou uma vez.

— *Inglés* — disse a mulher. — Sinto o mesmo que você. Não há nada que não faria para trazer de volta os teus pertences. Não precisa me agredir. Ambos fomos traídos por Pablo.

Enquanto ela falava, Robert Jordan se deu conta de que não podia se dar ao luxo de se amargurar, e não deveria discutir com esta mulher. Tinha que trabalhar com esta mulher naquele mesmo dia, já avançado duas horas e pouco.

Então colocou a mão no seu ombro e disse:

— Não é nada, Pilar. O que foi roubado tem pouca importância. Podemos improvisar algo que funcionará tão bem quanto o que perdemos.

— Mas o que ele levou?

— Nada, mulher. Algumas amenidades que a gente se permite ter.

— Era parte do teu mecanismo de explosão?

— Era, mas tenho outros meios de executar a explosão. Diga-me, Pablo não tinha cápsulas nem fusíveis? Sem dúvida que eles o equiparam com isso.

— Ele os levou também — disse ela, vexada. — Procurei por eles. Sumiram.

Caminharam de volta, através das árvores, para a entrada da caverna.

— Durma um pouco — disse ele. — Estamos melhor sem o Pablo.

— Vou ver Eladio.

— Ele deve ter escapado por outro caminho.

— Vou lá assim mesmo. Te traí com a minha falta de esperteza.

— Não. Vá dormir um pouco, mulher. Devemos estar a caminho às quatro horas.

Ele entrou na caverna com a mulher e pegou suas mochilas, carregando-as nos dois braços para não deixar nada cair pelos rasgos.

— Deixa eu costurá-las.

— Antes de sairmos — disse Robert Jordan, delicadamente. — Vou ficar com as mochilas não por você, mas para eu conseguir dormir.

— Tenho que pegá-las bem cedo, para costurá-las.

— Você as terá bem cedo. Agora vá dormir, mulher.

— Não. Falhei contigo, falhei com a República.

— Vá dormir, mulher — disse ele, com gentileza. — Vá dormir.

34

Os fascistas ocupavam as cristas das colinas, nesta região. Mas havia um vale que não era de ninguém, exceto por um posto dos fascistas numa casa de fazenda, com seus prédios anexos e seus celeiros, que haviam fortificado. No seu caminho para entregar a Golz a mensagem de Robert Jordan, Andrés fez um círculo bem aberto, já à noite, evitando este posto. Sabia onde havia uma armadilha com um fio colocado para disparar uma arma, mas ele a encontrou, mesmo no meio da escuridão, e passou cuidadosamente por cima dela, seguindo ao longo de um pequeno riacho com álamos na margem, cujas folhas balançavam com o vento noturno. Um galo cantou na casa da fazenda, que era o posto fascista; caminhando ao longo do riacho, Andrés olhou para trás e viu por entre os troncos de álamos uma luz numa das janelas da casa. A noite era silenciosa e clara, e Andrés deixou o riacho e enveredou pela campina.

Havia quatro medas de feno na campina, abandonadas desde a luta de julho do ano anterior. Ninguém levara dali o feno, e as quatro estações que passaram haviam inutilizado a ceifa.

"Que desperdício", pensou Andrés, enquanto pulava sobre um fio de armadilha entre duas medas. "Mas os republicanos teriam carregado o feno pela ladeira de Guadarrama acima, além da campina, enquanto os fascistas não precisam dele, suponho", pensou ele.

"Eles têm todo o feno de que precisam e todo o grão também. Têm muito", pensou. "Mas vamos dar-lhes uma bordoada amanhã de manhã. Por El Sordo, daremos o troco. São uns bárbaros! Mas pela manhã vai haver poeira na estrada."

Ele queria dar cabo desta entrega de mensagem e voltar para o ataque. Mas, será que queria mesmo estar de volta, ou disfarçava que queria? Sentiu uma suspensão temporária, quando o *Inglés* disse-lhe para levar a mensagem. Havia encarado calmamente a perspectiva daquela manhã. Era o que deveria ser feito. Votara a favor. O massacre de El Sordo impressionara-o profundamente. Mas, afinal de contas, aconteceu a El Sordo. Não era com eles. Eles fariam o que deveria ser feito.

Mas quando o *Inglés* conversou com ele sobre levar a mensagem, teve a mesma sensação de quando era menino, ao despertar na manhã de Festival, na sua vila, e ouvir que estava chovendo torrencialmente, e isto significava que o quarteirão estaria muito molhado e a festa dos touros seria cancelada.

Adorava a festa dos touros quando era menino, afligia-se de tanta expectativa pelo seu início e pelo momento em que entraria no quarteirão, na poeira e debaixo do sol escaldante, com as carroças fazendo barricada nas saídas para todas as ruas, fechando o lugar para onde o touro seria trazido, saltando do engradado, quebrando-a com as patas quando puxassem o alçapão traseiro. Esperava excitado, com deleite e suando de medo do momento em que ouviria o estardalhaço dos chifres do animal contra as paredes de madeira do engradado que o transportava, e da visão dele corcoveando para fora, no meio da praça, com sua cabeça erguida, as narinas se dilatando, as orelhas crispando-se, a poeira no seu couro preto, o esterco seco colado nos flancos. Daí, fixaria seus olhos arregalados, separados, longe um do outro, sob aqueles enormes galhos de chifres, lisos e sólidos como cascalhos polidos pela areia, as pontas agudas viradas para cima de um jeito que fazia tremer o coração.

Esperava o ano inteiro por aquele momento, quando o touro seria trazido para o quarteirão embarricado, como naquele dia, em que o seu coração parou ao olhar em seus olhos, quando o touro fez a escolha de quem atacaria, com aquele repentino abaixar da cabeça, os chifres procurando o alvo, galopando tão ágil como um gato. Aguardava aqueles dias, nos tempos de menino, mas o sentimento de quando o *Inglés* lhe deu a ordem sobre a mensagem foi o mesmo de quando acordava sabendo da suspensão da tourada por causa da chuva que ouvia, caindo no telhado cinzento de ardósia, contra as paredes de pedra e nas poças d'água das ruas de terra da vila.

Sempre fora muito valente contra os touros naquelas *capeas* da vila, tão valente quanto os demais dali e das vilas da redondeza, e não perderia esta festa por nada do mundo, embora não fosse às *capeas* nas outras vilas. Era capaz de esperar imóvel até o momento em que o touro o atacava, e então pulava no último instante. Balançava um saco debaixo do seu focinho para tirar-lhe a atenção quando o animal tinha alguém sob as patas, e muitas vezes ele segurou e puxou os chifres do touro quando alguém caía no chão, e puxava-o para os lados pelas guampas, lhe dava bofetadas e chutava-lhe o focinho até que abandonasse o desafortunado e perseguisse outro.

Costumava agarrar o rabo do touro e puxá-lo para afastá-lo de um homem caído, segurando com firmeza, puxando, torcendo. Certa vez agarrara o rabo com uma das mãos até poder alcançar também os chifres com a outra, e quando o touro erguera a cabeça, buscando-o, começara a rodar para trás, circulando com o animal, segurando-o pelo rabo e pelas guampas, até que a multidão apinhara-se sobre o touro e o esfaqueara. No meio da poeira e do calor, da gritaria, inalando o cheiro de homens, touro e vinho, fora o primeiro da massa que se atracara ao animal, e conhecia a sensação de quando o touro empinava e estatelava-se sob o seu corpo, e deitado ao longo do seu fio de lombo, com um braço em torno da base de um dos chifres, a mão segurando o outro, firme, seus dedos engastados no seu pelo enquanto o touro agitava-se querendo safar-se dali, sentia seu braço como se estivesse sendo arrancado do encaixe, deitado sobre aquele corpo quente, empoeirado, cerdoso, uma montanha de músculos tremelicantes, cerrava os dentes na sua orelha e afundava a sua faca, uma e mais uma vez, e mais outra, no calombo inchado do pescoço do animal que então jorrava um sangue quente no seu punho, enquanto ele permanecia sentado no seu dorso e golpeando-o, golpeando-o no pescoço.

A primeira vez que ele mordera a orelha do touro daquele jeito, mantendo-a firme entre os dentes, seu pescoço e mandíbula endureceram por causa dos arranques violentos do animal, e depois todos zombaram dele, embora tenham lhe respeitado desde então. E todos os anos ele tinha que repetir a façanha. Eles o chamavam de *o Buldogue da Villaconejos* e faziam piadas sobre ele comer carne crua. Mas todos ficavam aguardando-o repetir o feito, e ele sabia, quando o touro fosse solto, haveria a perseguição e os puxões, e, quando começassem os gritos para matar o touro, que correria entre os demais atacantes e pularia para executar o seu ato. Depois, quando tudo estivesse acabado, o touro finalmente sufocado e morto sob os matadores, ele se levantaria para sair caminhando envergonhado, pela parte da orelha, mas orgulhoso como nunca. Passando pelas carroças, iria lavar as suas mãos no chafariz, os homens iriam dar-lhe tapinhas nas costas, dar-lhe odres de vinho e gritariam:

— Hurra! Buldogue! Longa vida para a sua mãe.

Ou diriam:

— Isto é o que é ter um par de colhões! Todo ano ele faz isso.

Andrés ficava envergonhado, sentindo-se aliviado, orgulhoso e feliz, e cumprimentava a todos, lavava suas mãos, seu braço direito, sua faca, tomava o odre de vinho e enxaguava a boca para tirar o gosto de orelha daquele ano, cuspindo o vinho nas pedras da praça, e então levantava o odre e esguichava direto na garganta.

Sem dúvida. Ele era o Buldogue de Villaconejos e nada o faria perder aquele momento, a cada ano, na sua vila. Mas sabia que não havia sensação melhor do que a que lhe dava o som da chuva, porque então tinha certeza de que não precisaria fazer aquilo.

“Mas eu devo voltar”, disse para si mesmo. “Não há dúvida, devo retornar para o negócio dos postos e da ponte. Meu irmão Eladio está lá, meu sangue e minha carne. Anselmo, Primitivo, Fernando, Agustín, Rafael, embora este não seja sério, as duas mulheres, Pablo e o *Inglés*, embora este não conte, já que é estrangeiro e esteja cumprindo ordens. Estão todos lá para o negócio. Seria uma vergonha escapar dessa prova pelo acidente de uma mensagem. Devo entregá-la rápida e corretamente, e fazer todo o esforço para voltar a tempo para o assalto aos postos. Seria desprezível da minha parte não participar desta ação por causa do acaso de uma mensagem. Sem nenhuma dúvida. De mais a mais”, falou para si mesmo, como quem de repente relembra que haverá algum prazer no engajamento do qual havia considerado apenas os aspectos onerosos, “vou poder matar alguns fascistas. Faz tanto tempo que não eliminamos nenhum. Amanhã pode ser um dia de ação valiosa. Amanhã pode ser o dia de uma ação concreta. Que o amanhã venha e que eu esteja lá.”

Neste momento, com macegas de tojos até os joelhos, subindo a ladeira íngreme que levava às linhas republicanas, uma perdiz voou de sob os seus pés, explodindo um farfalhar de asas batendo na escuridão, fazendo-o prender de súbito a respiração pelo susto. “Foi tão de repente”, pensou. “Como podem bater as asas tão rápido? Deve ter se assustado. Provavelmente pisei perto dos ovos. Se não fosse esta guerra, eu amarraria um lenço neste arbusto para voltar durante o dia e procurar o ninho, pegaria os ovos para colocar sob uma galinha choca, e quando eles se rompessem teríamos pequenas perdizes no galinheiro, elas cresceriam diante dos meus olhos, e quando estivessem gordas as usaria como chamariz. Não precisaria cegá-las, pois seriam mansas. Ou será que elas fugiriam? Talvez. Então iria ter de cegá-las.”

“Mas eu não gosto de fazer isso depois de criá-las. Poderia podar as suas asas, ou amarrá-las por uma perna quando usadas como chamariz. Se não fosse a guerra, iria com Eladio pegar lagostim naquele riacho lá atrás, perto do posto dos fascistas. Uma vez pegamos quatro dúzias num só dia. Se formos para a Sierra de Gredos, após a ação da ponte, lá tem ótimos rios de trutas e também lagostim. Tomara que possamos ir para Gredos. Poderíamos ter uma boa vida em Gredos, no verão e no outono. Só que no inverno seria terrivelmente frio. Mas talvez pelo inverno já tenhamos vencido a guerra."

"Se nosso pai não fosse republicano, eu e Eladio teríamos virado soldados fascistas, e, sendo das forças armadas deles, não haveria problema. É só obedecer às ordens, e viver ou morrer, no final é tudo a mesma coisa. Apenas é mais fácil viver sob o regime do que lutar contra ele."

"Mas esta luta de combates irregulares é uma coisa de grande responsabilidade. Há muito com o que se preocupar, quando se é preocupado com as coisas. Eladio pensa mais do que eu. Ele é preocupado. Eu acredito na causa, mas não sou preocupado. É, mas é uma vida de muita responsabilidade."

"Acho que nascemos num tempo de muita dificuldade. Acho que em qualquer outro tempo seria mais fácil. Hoje em dia se sofre pouco porque todos nós aprendemos a resistir ao sofrimento. Quem sofre muito não é talhado para viver nestes tempos. Mas é uma época de decisões difíceis. Os fascistas atacam e tomam as decisões por nós. Nós lutamos para sobreviver. E eu gostaria de estar vivo para poder amarrar um lenço naquele arbusto lá atrás, voltar à luz do dia, pegar os ovinhos e colocá-los sob a galinha, e ver os filhotes de perdizes no meu quintal. Gostaria dessas coisas pequenas e simples."

"Mas você não tem casa, nem quintal. Não tem família, apenas um irmão que amanhã irá para um combate, e você não possui nada, apenas o vento, o sol e uma barriga vazia. O vento está fraco e não tem sol. Você tem quatro granadas no seu bolso, boas apenas para jogar fora. Tem uma carabina nas suas costas, que só serve para desperdiçar balas. Você tem uma mensagem para entregar. E você está cheio de merda para aliviar na terra", e ele riu, arreganhando os dentes no escuro. "Você também pode ungi-la com mijo. E é tudo o que você tem para dar. Tu és um fenômeno de filosofia e um homem desafortunado", e sorriu outra vez.

Mas, sobre todos os nobres pensamentos que tivera, momentos atrás, gravitava o sentimento de suspensão temporária que vinha sempre com o som da chuva em sua aldeia em algumas manhãs de *fiesta*. À frente dele, agora, no topo da colina, havia uma área sob controle do governo, que sabia que seria difícil ultrapassar.

35

Robert Jordan estava deitado no saco de dormir, ao lado de Maria, que continuava dormindo. Deitado de lado, de costas para a garota, sentindo o seu corpo longilíneo contra as suas costas, seu toque agora era uma ironia. "Você, você aí", esbravejou contra si próprio. "Sim, você. Você disse para si mesmo, logo na primeira vez que o viu, que quando ele ficasse amigável seria sinal de traição. Seu cretino. Cretino idiota. Deixa disso. Não é disso que você precisa agora."

"Quais são as probabilidades dele ter escondido o equipamento ou jogado fora? Pouquíssimas. Além disso, você nunca acharia nada no escuro. Deve ter levado com ele. Pegou alguma dinamite, também. Traidor sujo, reles, puto. Por que não sumiu apenas, sem levar os explosivos e detonadores? Por que eu fui tão idiota a ponto de deixar o material com aquela mulher dos diabos? Traidor esperto, bastardo. Aquele *cabrón* imundo."

"Pare e acalme-se. Você tinha que arriscar e aquela era a melhor opção. Você acabou de ser sacaneado. Você foi sacaneado e bem, por um patife dos maiores. Cabeça fria, deixe a raiva de lado, e chega de choradeira barata, como se estivesse num muro de lamentação. Ele a levou, desgraçado de você, levou. O porco imundo que vá pro inferno. Você pode se safar dessa. Você tem que se safar, sabe que tem que explodir aquela ponte, e pare com isso. Por que você não pede ajuda ao seu avô?"

"Ah, que vá à merda o meu avô e que vá à merda esse traidor desse país de merda e que vão à merda todos os espanhóis, dos dois lados, que apodreçam no inferno. Que essas merdas, Largo, Prieto, Asensio, Miaja, Rojo, todos eles, vão juntos para o inferno. Merda para todos até a morte, pro inferno. Merda de país dominado pela traição. Merda para o egotismo deles, o egoísmo interesseiro, a vaidade e a traição. Que se afundem na merda do inferno para sempre. Que se encham de merda antes e depois de morrermos pela sua causa. Pablo de merda. Pablo é todos eles. Deus tenha piedade do povo espanhol. Qualquer líder que tiverem irá levá-los à merda. Um único homem bom, Pablo Iglesias, em dois mil anos, e o resto cagou em cima deles. Como sabermos como ele se comportaria nesta guerra? Lembro quando pensei que Largo era bom. Durruti era bom e sua própria gente o fuzilou na Puente de Los Franceses, porque quis que eles atacassem. Fuzilaram-no na gloriosa disciplina da indisciplina. Os porcos covardes. Ah, que vão todos à merda, pro inferno, desgraçados. E o Pablo também, que sumiu com meus explosivos e minha caixa de detonadores. Vá à merda até o fundo do inferno. Mas não, ele é que nos leva à merda. Em vez de você mandá-los, são sempre eles que lhe mandam à merda, de Cortez e Menendez de Ávila até Miaja. Veja o que Miaja fez com Kleber. O porco careca egotista. O estúpido cabeça de ovo. À merda todos os porcos imundos, insanos, egotistas, traidores que sempre governaram a Espanha e deram as cartas no seu exército. À merda eles todos, menos o povo, e cuidado com este quando assumir o poder."

Sua raiva começou a amainar, na medida em que exagerava mais e mais, e espalhava seu menosprezo e desrespeito tão ampla e injustamente, que nem ele mesmo acreditava mais. "Se tudo isso é verdade, o que você faz aqui? Não é assim e você sabe disso. Olhe para os bons, para as pessoas confiáveis." Ele não suportava ser injusto. Odiava a injustiça assim como odiava a crueldade, e ficou deitado com a sua raiva que lhe cegou a mente, até que, gradualmente, sua ira começou a morrer e a fúria vermelha, negra, cega desapareceu e sua mente aquietou-se, vazia e calma, sagaz, fria como um homem fica depois de um intercurso sexual com uma mulher que não ama.

— E você, você, pobre coelhinha. — Inclinou-se sobre Maria e disse-lhe, enquanto ela sorria ao dormir e movia-se para perto dele: — Eu teria lhe dado uma bofetada lá atrás, quando estava enraivecido, se tu tivesses falado algo. Que animal é o homem quando está irado.

Deitado junto da garota, com seu braço em torno dela, o queixo no seu ombro, ele calculou exatamente o que e como deveria fazer.

"Não está tão ruim assim", pensou. "Realmente, não está tão mal. Não sei se alguém fez isso antes. Mas, a partir de agora, haveria pessoas fazendo o mesmo, todos os que se virem na mesma sinuca. Se conseguirmos fazer isso, e se eles ficarem sabendo. Se não lhes restar ficarem apenas imaginando o modo como fizemos. Estamos com pouca gente, mas não tem sentido preocupar-se com isso. Vou explodir a ponte com o que temos. Deus, estou contente de ter superado a minha raiva. Era como não conseguir respirar numa tempestade. E enraivecer é outro luxo que você não pode se permitir."

— Está tudo calculado, *guapa* — disse baixinho, próximo do ombro de Maria. — Você não foi incomodada pelo que aconteceu, não soube de nada. Seremos mortos, mas explodiremos a ponte. Você não teve que se preocupar. Não é bem um presente de casamento. Mas uma boa noite de sono não deveria ser impagável? Você teve uma boa noite de sono. Tente usá-la como um anel no dedo. Durma, *guapa*, durma bem, minha amada. Não vou te acordar. Isto é tudo o que eu posso fazer agora.

Ficou deitado, segurando-a nos braços com ternura, sentindo sua respiração e as batidas de seu coração, acompanhando as horas no seu relógio de pulso.

36

Andrés chegara à posição ocupada pelo governo. Deitou-se no chão duro, afastado da cerca de três arames, e gritou para a balaustrada de pedra e terra. Não havia uma linha contínua de defesa, poderia facilmente passar no escuro, e avançar pelo território do governo até ser abordado por alguém que lhe pediria documentos. Mas achou mais seguro e mais simples resolver isso logo.

— *Salud!* — gritou. — *Salud, milicianos!*

Ouviu o clique de um ferrolho, como se fosse um engatilhar. A seguir, da parte mais baixa do parapeito, um rifle disparou. Houve o som de algo despedaçando-se e uma nesga amarela flechando para baixo no escuro. Andrés deitara-se com a cabeça rente ao chão.

— Não atirem, camaradas — gritou Andrés. — Não atirem! Quero entrar!

— Quantos são vocês? — alguém gritou de trás do parapeito.

— Um. Eu. Sozinho.

— Quem é você?

— Andrés Lopez de Villaconejos. Do bando de Pablo. Com uma mensagem.

— Você tem rifle e equipamento?

— Tenho, homem.

— Não podemos deixar ninguém entrar com rifle e equipamento — disse a voz. — Nem grupos maiores do que três.

— Estou sozinho — gritou Andrés. — É importante. Deixem-me entrar.

Ele podia ouvi-los conversando atrás do parapeito, mas não ouvia o que diziam. Então a voz gritou novamente:

— Quantos são vocês?

— Um. Eu. Pelo amor de Deus.

Eles conversaram atrás da balaustrada novamente. Então a voz disse:

— Escuta, fascista.

— Não sou fascista — gritou Andrés. — Eu sou *guerrillero* do bando de Pablo. Vim com uma mensagem para o general do Estado-Maior.

— Ele é louco — ouviu alguém dizer. — Atira uma bomba nele.

— Escuta — gritou Andrés. — Estou sozinho. Completamente só. Rogo pela imundice de todos os santos mistérios que estou sozinho. Deixem-me entrar.

— Ele fala como um cristão — alguém disse, e riu. Então alguém mais falou: — A melhor coisa a fazer é atirar uma bomba nele.

— Não — gritou Andrés. — Isto seria um grande erro. É importante. Deixem-me entrar.

Era por essa razão que ele nunca gostou das viagens para lá e para cá através das linhas. Algumas eram mais fáceis do que outras. Mas nunca era nada de bom.

— Você está mesmo sozinho? — a voz gritou lá de cima.

— *Me cago en la leche* — gritou Andrés. — Quantas vezes tenho que te dizer? ESTOU SOZINHO!

— Então, se está sozinho, levanta o teu rifle sobre a cabeça e fica de pé.

Andrés ficou de pé, com a carabina erguida com as duas mãos sobre a cabeça.

— Agora passa pelos arames. Tu estás coberto pela *máquina* — gritou a voz.

Andrés estava no primeiro zigue-zague de arames.

— Preciso das mãos para passar pelos arames! — gritou ele.

— Mantém as mãos para o alto!

— Estou preso no arame! — gritou Andrés.

— Seria mais simples jogar uma bomba nele — uma das vozes falou.

— Deixa-o colocar o rifle a tiracolo — disse uma voz. — Ele não pode passar com as mãos sobre a cabeça. Usa um pouco de razão.

— Todos os fascistas são iguais — a outra voz falou. — Exigem uma condição após a outra.

— Escuta! — Andrés gritou. — Eu não sou fascista, sou *guerrillero* do bando de Pablo. Já matamos mais fascistas do que o tifo.

— Nunca ouvi falar do bando de Pablo — disse o homem que estava, evidentemente, no comando do posto. — Nem de Pedro, nem de Paulo, nem de qualquer apóstolo ou santo. Nem de seus bandos. Põe o teu rifle a tiracolo e usa as mãos para passar pelo arame.

— Antes que descarreguemos a *máquina* em ti — disse um outro.

— *Qué poco amables sois!* — disse Andrés.

Ele tateava o caminho através dos arames, e um dos homens falou:

— *Amables?* — alguém gritou para ele. — Estamos numa guerra.

— Está começando a parecer que sim.

— O que ele disse?

Andrés ouviu outra vez uma trava soltar um estalido.

— Nada! — ele gritou. — Não disse nada. Não atire até que eu passe por esse arame de merda.

— Não fale mal do nosso arame! — alguém gritou. — Ou vamos jogar uma bomba em ti.

— *Quiero decir, qué buena alambrada!* — gritou Andrés. — Que belo arame. Deus numa latrina. Que arame adorável. Logo vou estar contigo, irmão.

— Atira uma bomba nele — ele ouviu uma das vozes dizer.

— Estou dizendo, este é o melhor jeito de tratar disso.

— Irmãos — disse Andrés. Estava molhado de suor e sabia que o advogado da bomba era bem capaz de jogar uma granada a qualquer momento. — Eu não tenho importância.

— Acredito nisso — disse o homem da bomba.

— Você está certo — disse Andrés. Estava manejando cuidadosamente os arames e já estava bem perto do parapeito. — Eu não sou nada importante, mas o caso é sério. *Muy, muy serio.*

— Não há nada mais sério do que a liberdade — disse o homem da bomba. — Achas que há alguma coisa mais séria do que a liberdade? — perguntou ele, desafiadoramente.

— Não, homem — disse Andrés, aliviado. Sabia que estava perto do mais louco deles, um com um cachecol preto e vermelho.

— *Viva la libertad!*

— *Viva la FAI. Viva la CNT!* — eles gritaram do parapeito, de volta para Andrés. — *Viva el anarcosindicalismo* e a liberdade!

— *Viva nosotros!* — gritou Andrés. — Longa vida para nós.

— Ele é um correligionário nosso — o da bomba disse para os outros. — E eu poderia tê-lo matado com isto.

O homem olhou para as granadas na sua mão e estava profundamente emocionado quando Andrés subiu o parapeito. Colocando um braço em torno do seu pescoço, ainda segurando as granadas, encostadas no ombro de Andrés, o homem da bomba beijou-lhe no rosto.

— Estou contente que nada aconteceu contigo, irmão — disse ele. — Estou muito contente.

— Onde está o teu oficial? — perguntou Andrés.

— Eu comando aqui — disse um dos homens. — Deixa-me ver os teus documentos.

Ele pegou os documentos, os levou para dentro da trincheira e os examinou à luz de uma vela. Lá estava o pequeno retalho quadrado de seda com as cores da República e o selo do SIM no centro. E o *Salvoconducto*, dando o seu nome, idade, altura, local de nascimento e a missão conforme Robert Jordan havia anotado numa folha de caderno com o carimbo SIM, e as quatro folhas dobradas do despacho para Golz, amarradas com um barbante e seladas com cera e mais uma vez a marca SIM, feita pelo clichê de metal do cabo do carimbo pressionado naquela cera.

— Já vi este selo — disse o homem no comando do posto, e devolveu o pedaço de seda. — Este aqui todos têm, eu o conheço. Mas a sua posse não prova nada sem isto — levantou o *Salvoconducto* e o leu novamente. — Onde você nasceu?

— Villaconejos — respondeu Andrés.

— E o que eles cultivam lá?

— Melões — disse Andrés. — Como todo mundo sabe.

— Quem você conhece lá?

— Por quê? Você é de lá?

— Não, mas já estive lá. Sou de Aranjuez.

— Pergunte-me sobre qualquer um.

— Descreva José Rincon.

— O que cuida da bodega?

— Naturalmente.

— Cabeça raspada, barrigudo e tem um tapa-olho.

— Então está validado — disse o homem no comando, e devolveu os documentos para Andrés. — Mas o que você faz no lado deles?

— Meu pai se instalou em Villacastín antes do movimento — respondeu Andrés. — Lá embaixo, além das montanhas, na planície. Foi lá que fomos surpreendidos pelo movimento. Desde o começo, luto no bando de Pablo. Mas estou com muita pressa, homem, tenho que entregar o despacho.

— Como estão as coisas na região dos fascistas? — perguntou o homem no comando, sem pressa alguma.

— Hoje tivemos muito *tomate* — disse Andrés, orgulhosamente. — Hoje foi um dia de muita poeira na estrada. Hoje eles arrasaram com o bando de El Sordo.

— E quem é El Sordo? — o outro perguntou, contestatoriamente.

— O líder de um dos melhores bandos das montanhas.

— Todos vocês deveriam vir para a República e ingressar no exército — disse o oficial. — Há muita guerrilha estúpida, sem sentido. Todos deveriam vir e se submeter à disciplina libertária. E somente quando quiséssemos mandaríamos guerrilhas para missões necessárias.

Andrés era um homem dotado de uma paciência quase suprema. Ele encarara calmamente a entrada passando pelos arames. O exame da identificação não o perturbou. Achou perfeitamente normal que este homem não entendesse sua gente, nem o que eles faziam, e portanto falar idiotices era aceitável. Que tudo isso acontecesse devagar era esperado também; mas agora ele queria seguir seu caminho.

— Escute, *Compadre* — disse ele. — É bem possível que você esteja certo. Mas eu tenho ordens para entregar o despacho ao general no comando da trigésima quinta divisão, que fará o ataque durante o dia nestas colinas. Já é tarde da noite e eu devo ir.

— Que ataque? O que você sabe sobre um ataque?

— Nada. Não sei nada. Mas devo ir agora para Navacerrada e continuar de lá. Podes me encaminhar ao teu comandante para ele me arranjar transporte a partir daqui? Manda um soldado comigo agora para dizer a ele que não deve haver atraso.

— Eu desconfio de tudo isso. Talvez tivesse sido melhor atirar em ti quando te aproximaste dos arames.

— Você inspecionou meus documentos, camarada, e eu expliquei minha missão — disse Andrés, pacientemente.

— Documentos podem ser forjados. Qualquer fascista poderia inventar uma missão dessas. Eu mesmo irei contigo ao comandante.

— Que bom que você me acompanhe. Mas devemos ir rápido.

— Tu, Sanchez. Tu comandas em meu lugar — disse o oficial. — Sabes das ordens tão bem quanto eu. Vou levar este que se diz camarada ao comandante.

Meteram-se pela descida da trincheira, uma vala rasa atrás da crista da colina, e Andrés sentiu no escuro o fedor da sujeira que os soldados deixaram nas brenhas rasteiras ao longo da encosta. Não gostava dessas pessoas, comparava-as a crianças perigosas, sujas, repugnantes, indisciplinadas, meigas, amáveis, estúpidas e ignorantes, mas sempre perigosas porque andavam armadas. Ele, Andrés, não era de política, exceto pelo fato de que era a favor da República. Ouvira essa gente falar muitas vezes, e pensara que o que diziam era muitas vezes bonito e bom de ouvir, mas não gostava deles. "Liberdade não é deixar a céu aberto as suas porcarias, sem enterrá-las", pensou. "Nenhum animal tem mais liberdade do que o gato, mas ele enterra o seu próprio excremento. O gato é o melhor anarquista. Até que eles aprendam com o gato, não posso respeitá-los."

À frente dele, o oficial parou de repente.

— Você ainda está com a carabina — disse ele.

— Estou, por quê?

— Dê-me a carabina — disse o oficial. — Você poderia atirar nas minhas costas com ela.

— Por quê? — perguntou-lhe Andrés. — Por que eu atiraria em ti pelas costas?

— Nunca se sabe. Não confio em ninguém. Dê-me a carabina.

Andrés desvencilhou a carabina de sobre o ombro e lhe entregou.

— Se isto te satisfaz, carrega-a — disse Andrés.

— É melhor — disse o oficial. — Assim estamos mais seguros.

E continuaram a descer a colina no escuro.

37

Agora Robert Jordan estava deitado com a garota, e acompanhava o tempo passar pelo relógio de pulso. O tempo parecia andar devagar, quase imperceptível, pois seu relógio era pequeno e ele não enxergava o ponteiro dos segundos. Porém, percebeu que, se concentrando ao máximo no ponteiro dos minutos, era possível perceber o seu movimento sutil. A cabeça tosada da garota roçava em seu queixo quando voltava o rosto para olhar o relógio, e era tão macia quanto vivaz e sedosamente ondulada ao tato, como a pelagem eriçada de uma marta entre os seus dedos, quando a soltamos das mandíbulas da armadilha, a seguramos nos braços e alisamos seu pelo. Sua garganta apertou quando roçou o queixo nos cabelos de Maria, e sentiu um vazio dolorido na garganta e pelo corpo todo ao enlaçá-la com os braços; sua cabeça tombou, os olhos próximos do relógio onde a setinha luminosa movia-se lentamente para cima, do lado esquerdo do mostrador. Via seu movimento claramente, constante, e apertou o corpo de Maria para prender aquele instante.

Não queria acordá-la, mas não a deixaria abandonada agora, nesta última hora, e tocou com os lábios atrás da sua orelha, deslizando até o pescoço, sentindo a maciez da sua pele e o toque suave dos seus cabelos. Ele via o ponteiro movendo-se no relógio, e apertou-a mais firme, e passou a ponta da língua pelo queixo dela, ao longo de sua bochecha, pousando no lóbulo da sua orelha, percorrendo suas adoráveis convoluções até a nervura firme e doce do topo, e sua língua estava trêmula. Sentiu a tremura passar por aquele vazio dolorido, vendo agora os ponteiros formarem um ângulo agudo marcando a hora exata no topo do mostrador. Ela ainda dormia e ele virou sua cabeça e encostou seus lábios nos dela. E deixou-os ali, delicadamente contra a sua boca adormecida, movendo-os suavemente de um canto ao outro, alisando-os com seus próprios lábios, levemente. Ele virou-se de frente para ela e sentiu o corpo dela tremer por inteiro, leve e amável, e então ela suspirou, dormindo, e aí, ainda dormindo, ela o abraçou também; acordando, seus lábios ficaram firmes contra os dele, pressionando, e ele disse baixinho:

— E a dor...

— Não, não sinto dor... — disse Maria.

— Coelhinha.

— Não, não fale.

— Minha coelhinha.

— Não fale. Não fale.

E abandonaram-se juntos, os ponteiros do relógio moviam-se sem serem vistos, e eles sabiam que nada mais poderia acontecer a um que não acontecesse ao outro, que nada podia acontecer além disso, que isto era o tudo e o sempre, era o que vinha sendo, seria agora e em todo tempo que estivesse por vir. Isto, que eles não teriam, agora estavam tendo. Agora, e antes e sempre, e agora, e agora, e agora. Oh, vem, agora, vem, tudo, agora e acima de tudo agora, e não haverá outro agora, mas tu agora, não há outro agora além de ti agora, e agora é teu profeta. Agora e para sempre agora. Vem, vem, não existe outra hora, mas só o agora. Sim, agora. Agora, por favor, agora, só agora, nada

mais, somente isto agora, vem, para mim, para você, para um e para o outro, sem porquês, jamais por quê, somente isto agora, vai, sempre, por favor, agora, vai, não para, agora, somos um, um só agora, vamos juntos, subindo agora, velejando agora, saindo agora, rolando agora, planando alto agora, longe agora, entrando tudo agora, fundo agora, somos um, um, só um, um, um, um fundido no outro, um suavemente, delicadamente, ansiosamente, suavemente, alegremente, um na bondade, um para acarinhar, um sobre a terra com os cotovelos contra a ramagem dos pinheiros, sentindo o cheiro de pinho e da noite, na terra do agora que se acaba com a manhã do dia que vem nascendo. Então ele disse, pois o outro existia somente na sua mente e não dissera nada:
— Oh, Maria, eu te amo e te agradeço por isto.

Maria disse:

— Não fale, é melhor se não falarmos.

— Tenho que te dizer que isto é uma coisa muito importante.

— Não.

— Coelhinha...

Mas ela se apertou firme ao seu corpo e desviou a cabeça e ele lhe perguntou:

— É a dor, coelhinha?

— Não — respondeu ela. — É que eu estou agradecida também por ter estado outra vez em *la gloria*.

Depois, permaneceram deitados quietos, lado a lado, tornozelos, coxas, quadris e ombros encostados. Robert Jordan agora tinha o relógio ao alcance dos olhos novamente, e Maria disse:

— Nós tiramos a sorte grande.

— De fato — disse ele. — Somos pessoas de muita sorte.

— Não há tempo para dormir?

— Não — disse ele —, vai começar daqui a pouco.

— Então, se devemos levantar, vamos pegar alguma coisa para comermos.

— Tudo bem.

— Tu não estás preocupado com nada?

— Não.

— Verdade?

— Não. Agora não.

— Mas antes estavas preocupado?

— Por um momento.

— Algo que eu pudesse ajudar?

— Não — disse ele. — Você já ajudou bastante.

— Aquilo? Aquilo foi por mim.

— Aquilo foi por nós dois. Nem eu, nem você estávamos sozinhos. Vem, coelhinha, vamos nos vestir.

Mas sua mente, sua melhor companhia, pensava em *la gloria*. "Ela disse *la gloria*. Não tinha nada a ver com glória, fama, nem *La Gloire* sobre a qual os franceses costumam escrever e falar. É aquilo que está nos Cantos Hondo e nas *Saetas*. Está em Greco e em San Juan de La Cruz, obviamente, e nos outros. Não sou místico, mas negar isso é uma ignorância, como negar a existência do telefone ou que a Terra gira em torno do Sol ou que há outros planetas além deste."

"Quão pouco sabemos do que há para saber. Gostaria de ter uma vida longa, em vez de morrer hoje, pois aprendi tanto sobre a vida nestes últimos quatro dias, muito mais, eu acho, do que em todos os anteriores. Gostaria de me tornar um homem velho e verdadeiramente sábio. Tenho curiosidade de saber se a gente segue aprendendo, ou se há um certo limite de aprendizagem para cada homem. Pensei que soubesse tantas coisas e na verdade não sei nada. Queria ter mais tempo."

— Você me ensinou muita coisa, *guapa* — disse em inglês.

— O que você disse?

— Aprendi muito contigo.

— *Qué va*, é tu que és estudado.

"Estudado", pensou ele. "Estou apenas começando a minha educação. Bem no começo. Se eu morrer hoje, será um desperdício, porque já sei algumas coisas. Será que você as aprendeu somente agora, porque está supersensibilizado pela escassez de tempo? No entanto, você já deveria saber que não existe *escassez de tempo*. Passei toda a minha vida nestas colinas, desde que cheguei aqui. Anselmo é o meu amigo mais antigo. Conheço-o melhor do que Charles, mais do que Chub, mais do que Guy e mais do que Mike, e olha que eu conheço bem eles. Agustín, com a sua boca infame, é meu irmão, e eu nunca tive um irmão. Maria é o meu verdadeiro amor e minha esposa. Nunca tive um verdadeiro amor. Nunca tive uma esposa. Ela é minha irmã também, e eu nunca tive uma irmã, e minha filha, e eu nunca terei uma filha. Detesto deixar uma coisa que é tão boa." Ele terminou de amarrar as suas alpargatas de sola de corda.

— Acho a vida muito interessante — disse para Maria. Ela estava sentada ao seu lado, as mãos entrelaçadas e em volta dos tornozelos. Alguém afastou para o lado a manta na entrada da caverna, e os dois viram uma nesga de luz. Continuava escuro, e nenhuma promessa de amanhecer, a não ser as estrelas baixas na abóbada celeste, que ele viu, através dos pinheiros. A manhã costuma chegar logo neste mês.

— Roberto — disse Maria.

— Sim, *guapa*.

— Nesse negócio de hoje, vamos ficar juntos, não vamos?

— Depois do começo, ficaremos.

— No começo não?

— Não. Tu vais cuidar dos cavalos.

— Não posso ficar contigo?

— Não. Tenho que arranjar aquilo sozinho, só eu posso fazer, e me preocupo contigo.

— Mas você voltará rápido quando terminar?

— Muito rápido — disse ele, sorrindo no escuro. — Vem, *guapa*, vamos comer.

— E o teu saco de dormir?

— Enrole-o, se quiseres.

— Eu quero.

— Te ajudo.

— Não. Deixa-me fazer sozinha.

Ela ajoelhou-se para esticar e enrolar o saco de dormir, mas mudou de ideia, levantou-se e sacudiu-o batendo no ar. Ajoelhou-se novamente, estendeu-o e enrolou-o. Robert Jordan pegou as duas mochilas, segurando-as cuidadosamente para nada cair pelos rasgos, e caminhou por entre os pinheiros até a boca da caverna onde a manta manchada de fuligem estava pendurada. Faltavam dez minutos para as três horas no seu relógio quando ele afastou a manta para o lado com o cotovelo e entrou.

38

Estavam todos no interior da caverna; os homens em pé, diante do fogo que Maria abanava. Pilar já havia aprontado o café num bule. Não voltara para a cama desde que acordara Robert Jordan, e agora, sentada num mocho, na enfumaçada caverna, costurava o rasgo de uma das mochilas. A outra mochila já estava costurada. A luz do fogo iluminava seu rosto.

— Coma mais ensopado — ela disse para Fernando. — O que importa se a tua barriga encher? Não tem nenhum médico para operá-la, se levares uma guampada.

— Não fala assim, mulher — disse Agustín. — Tens a língua de uma grande puta.

Ele estava escorado no rifle automático, as pernas do tripé fechadas junto do cano desgastado, seus bolsos cheios de granada, um saco de munição pendurado num ombro e um cinturão de balas no outro. Fumava um cigarro, empunhava uma caneca de café e soprava fumaça tragada sobre a caneca quando a levava aos lábios.

— Tu és um armazém de ferramentas ambulante — disse Pilar para ele. — Não vais poder caminhar cem metros com todo este peso.

— *Qué va*, mulher — disse Agustín. — É ladeira abaixo.

— Tem uma subida no posto — disse Fernando. — Antes da ladeira começar a descer.

— Vou escalar aquilo feito um cabrito — disse Agustín.

— E o teu irmão? — perguntou a Eladio. — Teu famoso irmão se encagaçou?

Eladio estava em pé, encostado na parede.

— Cala a boca — disse ele.

Ele estava nervoso e sabia que todos percebiam. Ficava sempre nervoso e irritado antes de qualquer ação. Afastou-se da parede, foi até a mesa e começou a encher seus bolsos com granadas, tiradas de um dos paneiros revestidos de couro cru, abertos ao pé da mesa.

Robert Jordan agachou-se ao lado de Eladio e pegou quatro granadas do paneiro. Três eram as ovais do tipo bomba Mill, serrilhadas, de ferro, pesadas, com uma mola pressionada e travada na posição por um contrapino com argola.

— De onde elas vieram? — perguntou a Eladio.

— Estas aí? Vieram da República. O velho as trouxe.

— Que tal elas?

— *Valen más que pesan* — disse Eladio. — Cada uma vale uma fortuna.

— Eu as trouxe — disse Anselmo. — Sessenta numa sacola. Mais de quarenta quilos, *Inglés*.

— Já usaram essas granadas? — Robert Jordan perguntou a Pilar.

— *Qué va*, se as usamos? — disse a mulher. — Foi com elas que Pablo destruiu o posto em Otero.

Quando ela mencionou o nome de Pablo, Agustín começou a soltar palavrões. Robert Jordan percebeu a expressão no rosto de Pilar, iluminado pelo fogo.

— Deixa isso para lá — disse para Agustín. — Não faz bem falar no assunto.

— Elas sempre estouraram? — perguntou Robert Jordan, segurando a granada cinza, forçando o contrapino com a unha do polegar.

— Sempre — disse Eladio. — Nenhuma deste lote falhou até agora.

— E quanto tempo leva para explodir?

— A distância que alguém pode jogá-la. Rápido. Rápido o bastante.

— E estas?

Ele segurava uma bomba do formato de uma lata de sopa com uma fita em torno de um laço de fio.

— Estas são um lixo — disse Eladio. — Elas estouram, sim. Mas é só um clarão, não têm fragmentos.

— Mas sempre explodem?

— *Qué va*, sempre — disse Pilar. — Não existe *sempre* com a nossa munição nem com a deles.

— Mas você disse que as outras sempre explodiram.

— Eu não — respondeu Pilar. — Você perguntou para outro, não para mim. Nunca vi *sempre* em nenhuma destas coisas.

— Todas elas explodiram — insistiu Eladio. — Fale a verdade, mulher.

— Como você sabe que todas explodiram? — perguntou-lhe Pilar. — Foi Pablo quem as atirou. Você não matou ninguém em Otero.

— Aquele grandessíssimo filho da puta — começou Agustín.

— Deixa isso para lá — disse Pilar, com rispidez. E continuou: — Elas são todas iguais, *Inglés*. Mas as corrugadas são mais simples.

"É melhor usar uma de cada lote", pensou Robert Jordan. "As serrilhadas serão mais fáceis de amarrar e mais seguras."

— Você vai ficar atirando bombas, *Inglés*? — perguntou Agustín.

— Por que não? — perguntou Robert Jordan.

Mas, agachado, separando as granadas, ele pensava: "Isto é impossível. Não sei como eu pude enganar a mim mesmo. Naufragamos quando eles atacaram El Sordo do mesmo jeito que El Sordo naufragou quando parou de nevar. É isto que você não pode aceitar. Você tem que ir em frente e realizar um plano que você sabe ser impossível. Você traçou-o e agora sabe que ele não funciona. Não parece nada bom, agora, já de manhã. Você pode tomar um dos postos, com certeza, com o que você tem nas mãos. Mas não pode tomar os dois. Quero dizer, você não pode ter certeza disso. Não engane a si mesmo, justamente agora que amanhece."

"Tentar tomar os dois não vai dar certo nunca. Pablo sabia disso o tempo todo. Acho que ele pretendia sumir desde o início, mas percebeu que estávamos perdidos quando acabaram com El Sordo. Você não pode basear uma operação na suposição de um milagre. Vai levar todos à morte e nem chegará a explodir a sua ponte, se não tiver algo melhor do que tem agora. Você matará Pilar, Anselmo, Agustín, Primitivo, esse arisco do Eladio, o inútil cigano e o velho Fernando, e não conseguirá explodir a sua ponte. Acha que haverá um milagre? Que Golz receberá a mensagem de Andrés e cancelará o ataque? Se não houver um milagre, você vai matar a todos por causa dessas ordens. Maria também. Vai matá-la, insistindo em cumprir as tais ordens. Você não pode nem tirá-la daqui? Pablo desgraçado, vá para o inferno", pensou.

"Não. Não fique exaltado. Ficar exaltado é tão ruim quanto ficar amedrontado. Mas, em vez de dormir com a sua garota, você deveria ter cavalgado a noite toda por estas montanhas, com a mulher, tentando arregimentar pessoal para fazer a operação funcionar. Isso mesmo", pensou ele. "E se qualquer coisa acontecesse comigo, e eu não estivesse aqui para explodir a ponte? Sim. Isto. Foi por essa razão que você ficou. E não podia enviar outro, correria o risco de perder mais um. Você teve que manter o que dispunha e traçar um plano com eles."

"Mas o seu plano fede. Está fedendo, nem falo quanto. Era um plano noturno, e agora é de manhã. Planos noturnos não funcionam pela manhã. O jeito que se pensa à noite não funciona quando amanhece. Pronto, agora você sabe que não funciona."

"Será que John Mosby se safou de uma situação tão impossível quanto esta? Claro que ele se safou. E de uma situação muito mais difícil. Lembre-se, não subestime o elemento surpresa. Lembre-se disso. Não é idiota se funcionar. Mas não é assim que você deveria fazer. A operação não deveria ser realizada apenas se fosse possível, mas se fosse segura. E olhe como tudo acabou. Bem, estava errado desde o começo e aquelas coisas só acentuaram o desastre como uma bola de neve rolando."

Olhou de onde estava agachado, à mesa, e viu Maria; ela lhe sorriu. Ele retribuiu-lhe o sorriso, algo sardônico, e selecionou mais quatro granadas, colocando-as nos bolsos. "Eu poderia desenroscar os detonadores e usá-las", pensou. "Mas não acho que os fragmentos farão qualquer dano. O dano virá instantaneamente, com a explosão da carga, sem dispersar. Pelo menos, acho que não irá dispersar. Tenho certeza que não. Tenha um pouco de autoconfiança, ora! E ontem à noite você pensava sobre como você e seu avô eram incríveis e seu pai um covarde. Agora mostre um pouco de autoconfiança."

Sorriu forçado para Maria outra vez, e não foi um sorriso mais profundo do que a pele retesada sobre os ossos da face e da sua boca.

"Ela acha que você é maravilhoso", pensou. "Eu acho que você fede. E a *glória* e todo aquele devaneio. Você teve ideias maravilhosas, não teve? Você filmou o mundo todo, não filmou? Para o inferno com tudo."

"Acalme-se. Não se enfureça. Isto também é uma saída. Sempre haverá saídas. Tem que se conter, agora. Não há necessidade de repudiar o que tem, só porque irá perder tudo. Não se comporte como uma cobra de espinha quebrada que morde a própria cauda. Você nem ao menos está com a espinha quebrada, seu sabujo. Espere até ser ferido para gritar. Espere até o combate para ficar com raiva. No combate há bastante tempo para a raiva. E terá alguma utilidade durante a luta."

Pilar aproximou-se dele com a mochila.

— Está bem-costurada agora — disse ela. — Aquelas granadas são muito boas, *Inglés*, pode confiar nelas.

— Como se sente, mulher?

Ela olhou para ele, sacudiu a cabeça e sorriu. Ele ficou pensando o quão profundo fora aquele sorriso dentro dela. Pareceu bastante profundo.

— Bem — disse ela. — *Dentro de la gravedad*. E então ela agachou-se perto dele e disse:

— Como te parece, agora que está começando para valer?

— Que somos poucos — respondeu Robert Jordan, rapidamente.

— Também acho — disse ela. — Poucos mesmo.

E, ainda com discrição, só para ele, continuou: — Maria pode segurar os cavalos sozinha. Não sou necessária para isto. Iremos maneá-los. São cavalos da cavalaria e o tiroteio não os fará entrar em pânico. Vou para o posto de baixo, e farei o que seria a tarefa de Pablo. Assim ficamos com um a mais.

— Bom — disse ele. — Pensei mesmo que você fosse querer fazer isso.

— Não, *Inglés* — disse Pilar, olhando bem em seu rosto. — Não se preocupe. Tudo vai sair bem. E lembre-se: eles não esperam que uma coisa dessas vá acontecer.

— É verdade — disse Robert Jordan.

— Uma outra coisa, *Inglés* — disse Pilar, cochichando o mais baixo que pôde. — Aquela coisa da mão...

— Que coisa da mão? — disse Robert Jordan, irritado.

— Não. Escute. Não fique zangado, rapaz. Com respeito àquela história da mão. É tudo ciganice sem sentido que eu fiz para parecer importante. Aquilo não existe.

— Deixe isso para lá — disse ele, friamente.

— Não — disse ela, áspera e afetuosamente. — Foi apenas uma mentira sem sentido que eu preguei. Não te deixaria preocupado logo no dia do combate.

— Não estou preocupado — disse Robert Jordan.

— Estás, *Inglés*. Tu estás muito preocupado, por uma boa razão. Mas tudo vai ficar bem, *Inglés*. É para isso que nós nascemos.

— Não preciso de uma comissária política — disse Robert Jordan.

Ela sorriu para ele novamente, e disse com sinceridade, com os lábios duros e a boca esticada: — Eu gosto muito de você, *Inglés*.

— Não quero isso agora — disse ele. — *Ni tu, ni Dios*.

— Eu sei — disse Pilar, com aquele cochicho rouco. — Eu sei, só queria te dizer. E não te preocupa. Todos estaremos bem.

— Por que não? — disse Robert Jordan, com um sorriso apenas na superfície da pele do rosto. — Naturalmente que estaremos. Tudo vai dar certo.

— Quando sairemos? — perguntou Pilar. Robert Jordan olhou para o seu relógio.

— A qualquer momento — disse ele.

Ele passou uma das mochilas para Anselmo.

— Como está, meu velho? — ele perguntou.

O velho terminava de aparar a última de uma pilha de cunhas de madeira, copiadas de um modelo mostrado por Robert Jordan. Era um suprimento extra para caso de necessidade.

— Bem — disse ele, e meneou a cabeça. — Até o momento, muito bem — esticou o braço com o dorso da mão aberta para cima. — Olhe — falou, e sorriu. Sua mão estava firme.

— *Bueno y qué?* — disse-lhe Robert Jordan. — A mão inteira, posso manter firme sempre. Mostre só com um dedo.

Anselmo apontou com um dedo. Estava tremendo. Olhou para Robert Jordan e sacudiu a cabeça.

— O meu também — disse Robert Jordan, e lhe mostrou o dedo. — Sempre. Isto é normal.

— Não para mim — disse Fernando, e estendeu seu dedo indicador esquerdo para mostrar a eles.

— Você consegue cuspir? — perguntou-lhe Agustín, e piscou para Robert Jordan.

Fernando limpou a garganta e cuspiu orgulhosamente no chão da caverna. Depois esfregou com a ponta do pé.

— Mula fedorenta — disse Pilar. — Cuspa no fogo, se tiver que vangloriar-se da tua coragem.

— Não teria cuspido no chão, Pilar, se nós não fôssemos deixar este lugar — disse Fernando, todo afetado.

— Toma cuidado onde vais cuspir hoje — disse-lhe Pilar. — Pode ser um lugar que tu não vais deixar.

— Esta aí fala como um gato preto — disse Agustín. Ele tinha a necessidade nervosa de brincar, que era outra forma daquilo que todos sentiam.

— Estava troçando — disse Pilar.

— Eu também — disse Agustín. — Mas *me cago en la leche*, e vou ficar contente quando isto começar.

— Onde está o cigano? — Robert Jordan perguntou a Eladio.

— Com os cavalos — respondeu Eladio. — Dá para vê-lo da entrada da caverna.

— Como ele está?

Eladio sorriu, arreganhando os dentes.

— Com muito medo — disse ele. Dava-lhe segurança falar do medo de outro.

— Escuta, *Inglés*... — começou Pilar a falar. Neste instante, Robert Jordan olhou para ela e a viu de boca aberta, com o rosto perplexo, e ele voltou-se para a entrada da caverna levando automaticamente a mão à pistola. Segurando a manta afastada de lado com uma mão, o rifle automático de cano curto com a sua coronha saliente atrás do ombro, Pablo estava parado, atarracado, o rosto cerdoso, os olhos miúdos e avermelhados olhando para ninguém em particular.

— Tu... — disse Pilar, perplexa. — Tu.

— Eu — disse Pablo, tranquilo, e entrou na caverna.

— *Hola, Inglés* — disse Pablo. — Tenho cinco homens do bando de Elias e Alejandro lá em cima com seus cavalos.

— E os explosivos e detonadores? — perguntou-lhe Robert Jordan. — E o resto do material?

— Joguei tudo pelo penhasco, no rio — respondeu Pablo, sem olhar para ninguém em particular. — Mas pensei numa maneira de detonar usando granadas.

— Eu também — disse Robert Jordan.

— Você tem um gole de alguma bebida? — Pablo pediu, com ar desgastado.

Robert Jordan passou-lhe um frasco, ele deu um gole rápido e limpou os beiços com as costas da mão.

— O que aconteceu contigo? — quis saber Pilar.

— *Nada* — disse Pablo, limpando a boca novamente. — Nada, voltei.

— Como assim?

— Nada. Tive um momento de fraqueza. Fui embora mas voltei.

Olhou para Robert Jordan e disse:

— *En el fondo no soy cobarde.*

"Mas você é muitas outras coisas", pensou Robert Jordan. "Ah, seu desgraçado. Mas estou contente que tenha voltado, filho de uma puta."

— Cinco foi tudo o que pude pegar do bando do Elias e Alejandro — disse Pablo. — Estive cavalgando desde que saí daqui. Com nove homens vocês nunca poderiam fazer isso. Nunca. Percebi isso na noite passada, quando o *Inglés* explicou a coisa. Nunca. Há sete homens e um cabo no posto de baixo. E se houver um alarme ou se eles resistirem?

Olhou para Robert Jordan e continuou:

— Quando fui embora pensei que você perceberia que era impossível, e desistiria. Então, quando atirei fora o detonador, vi que havia outra maneira.

— Fico contente que tenha voltado — disse Robert Jordan, que caminhou até ele e acrescentou: — Estamos bem com as granadas. Irá funcionar. As outras coisas não importam agora.

— Não — disse Pablo. — Não faço nada por ti. Tu és um mau agouro. Tudo isso começou contigo. El Sordo também. Mas, depois de atirar o teu material no penhasco, me senti muito solitário.

— Seu filho da... — disse Pilar.

— Então, cavalguei por aí e consegui reunir alguns homens, para tornar a operação possível, para ter sucesso. Trouxe o melhor que pude. Deixei-os no topo para falar com você primeiro. Eles pensam que eu sou o líder.

— Tu és — disse Pilar. — Se quiseres.

Pablo olhou para ela e não disse nada. Então falou com simplicidade e calmamente:

— Pensei muito, desde o que aconteceu com El Sordo. Acredito que, se devemos acabar, devemos acabar juntos. Mas tu, *Inglés*, te odeio por ter trazido isto para nós.

— Mas Pablo — interferiu Fernando, os bolsos cheios de granadas, um cinturão cheio de balas cruzado no peito, raspando com o pão a panela de ensopado. — Você não acredita que a operação pode ter sucesso? Anteontem à noite, você disse que estava convencido de que teria.

— Dê-lhe mais ensopado — disse Pilar, morbidamente, para Maria. Então, para Pablo, abrandando o olhar: — Quer dizer que voltaste, hem?

— Voltei, mulher.

— Bem, tu és bem-vindo — disse Pilar. — Nunca acreditei que pudesse estar tão arruinado como parecia.

— Depois do que fiz, me abateu uma solidão que não se pode aguentar — disse Pablo, calmamente.

— Que não se pode aguentar? — ela o ironizou. — Que tu não podes aguentar por quinze minutos.

— Não me enche, mulher. Eu voltei.

— E tu és bem-vindo — disse ela. — Não me ouviste da primeira vez? Bebe o teu café e vamos. Tanto teatro me cansa.

— Isto é café? — perguntou Pablo.

— Certamente — respondeu Fernando.

— Maria, dá-me um pouco. Como estás? — disse Pablo, sem olhar para ela.

— Bem — respondeu Maria, e trouxe-lhe uma caneca de café. — Queres ensopado?

Pablo respondeu sacudindo a cabeça.

— *No me gusta estar solo* — continuou Pablo, explicando a Pilar, como se os demais não estivessem lá. — Sabe, ontem, o dia inteiro, trabalhando sozinho para o bem de todos, não estava sozinho. Mas a noite passada. *Hombre! Qué mal lo pasé!*

— O famoso Judas Iscariotes, teu predecessor, enforcou-se — disse Pilar.

— Não fala assim comigo, mulher. Não viste? Eu voltei. Não fala de Judas, nem nada disso. Estou de volta.

— Como é essa gente que veio contigo? Trazes alguma coisa que valha a pena?

— *Son buenos* — aproveitou uma chance enquadrando Pilar, sinceramente, e desviou o olhar.

— *Buenos y bobos*. Prontos para morrer e tudo. *A tu gusto*.

Pablo encarou-a novamente, desta vez bem nos olhos. Permaneceu fitando-a, sinceramente, com seus olhos avermelhados de porco.

— Tu — disse ela, e sua voz passou de rouca para terna outra vez. — Tu. Acho que, se um homem teve uma qualidade uma vez, um pouco dela sempre permanecerá.

— *Listo* — disse Pablo, enquadrando-a e agora monotonamente. — Estou pronto para o que o dia nos trouxer.

— Acredito que tenhas voltado — disse-lhe Pilar. — Acredito nisso. Mas, *hombre*, tu foste longe.

— Dá-me outro gole da garrafa — Pablo pediu a Robert Jordan. — E vamos indo.

39

Subiram a colina no escuro, através da floresta, até o topo da estreita passagem. Estavam todos carregados com muito peso e galgavam vagarosamente. Os cavalos levavam cargas também, sobre as selas.

— Podemos soltá-los se necessário — dissera Pilar. — Mas com estas coisas, se pudermos mantê-las, podemos montar outro acampamento.

— E o resto da munição? — perguntara Robert Jordan, enquanto eles amarravam as cargas.

— Nos alforjes.

Robert Jordan sentiu o peso de suas mochilas, a fricção, em seu pescoço, do puxão da jaqueta com seus bolsos cheios de granadas, o peso da pistola contra a coxa, e o volume do bolso das calças onde estavam as recargas da submetralhadora. Sua boca retinha o gosto do café, na mão direita trazia a submetralhadora e, com a mão esquerda, puxava a todo instante a gola da jaqueta para aliviar a pressão das tiras das mochilas.

— *Inglés* — disse Pablo, caminhando ao seu lado no escuro.

— O que é, homem?

— Estes homens que eu trouxe pensam que isto vai dar certo, justamente porque consegui trazê-los — disse Pablo. — Não diga nada que os desiluda.

— Está bem — disse Robert Jordan. — Mas vamos fazer isto dar certo.

— Eles têm cinco cavalos, sabe? — disse Pablo, cautelosamente.

— Bom — disse Robert Jordan. — Vamos manter todos os cavalos juntos.

— Bom — disse Pablo, e calou-se.

"Não acho que você tenha passado por uma conversão no caminho para Damasco, velho Pablo", pensou Robert Jordan. "Não. A sua volta já foi um milagre e tanto. Não acho que haverá qualquer problema para canonizá-lo."

— Com esses cinco, vou atacar o posto de baixo como El Sordo faria — disse Pablo. — Vou cortar os fios e correr para a ponte, conforme combinado.

"Repassamos tudo há dez minutos", pensou Robert Jordan. "Por que essa conversa agora...?"

— Há uma chance de irmos para Gredos — disse Pablo. — Verdade. Pensei muito nisso.

"Acho que você teve outra inspiração nos últimos minutos", disse Robert Jordan para si mesmo. "Outra revelação. Mas você não vai me convencer que estou convidado. Não, Pablo. Não me peça para acreditar em tantas coisas."

Desde que Pablo voltara para a caverna, e dissera que tinha cinco homens extras, Robert Jordan sentiu-se incrivelmente melhor. Ver Pablo novamente quebrara o quadro de tragédia em que a operação como um todo parecera enterrada desde a nevasca, e com a volta de Pablo sentira, não que a sua sorte mudara, já que não acreditava em sorte, mas, que tudo mudara para melhor, e agora era possível. Em vez da certeza do fracasso, sentiu a confiança crescer, como um pneu inflando com bombeadas de ar. Havia uma pequena diferença, embora fosse um começo definitivo, como quando as bombeadas iniciam e o pneu acavala um pouco, mas agora crescia como a maré enchendo, ou a seiva subindo numa árvore, até chegar-lhe um sentimento de negação da apreensão que invariavelmente precede à euforia antes da ação.

Esta era a sua grande virtude, o talento para a guerra; a habilidade, não de ignorar, mas, de desdenhar qualquer final adverso que pudesse acontecer. Esta qualidade foi destruída pelo excesso de responsabilidade por terceiros, ou pela necessidade de realizar algo mal planejado, mal concebido. Em tais ocasiões, um final adverso, o fracasso, não pode ser ignorado. Não se tratava simplesmente da possibilidade de se ferir, o que *se podia* ignorar. Sabia que ele mesmo não era nada, sabia que a morte não era nada. Acreditava nisso com tanta convicção quanto tudo o que tinha como verdadeiro. Nos últimos dias, aprendera que ele próprio, e mais alguém, poderia ser tudo. Mas por dentro sabia que isto era uma exceção. "Isto que nos aconteceu", pensou. "Isto que nos aconteceu foi uma felicidade. Uma dádiva para mim, porque talvez eu nunca o tenha pedido. E não pode ser tirado de mim, nem perdido. Mas isso agora deve ser deixado de lado, nesta manhã, e o que temos para fazer é o nosso trabalho."

"E você, estou contente que tenha resgatado algo que havia perdido, algo que lhe fazia muita falta. Mas você estava mal mesmo há pouco. Fiquei muito envergonhado de você, por um momento. Só que eu era você. Não havia um *eu* julgando você. Nós dois estávamos muito mal. Você e eu, nós dois juntos. Vamos lá, agora. Pare de pensar como um esquizofrênico. Um de cada vez. Agora você está no caminho certo, novamente. Mas, escute, você não pode ficar pensando na garota o dia inteiro, não! Não pode fazer nada para protegê-la, a não ser mantê-la longe disto, e isto você está fazendo. Haverá evidentemente um número suficiente de cavalos, ao menos, é o que tudo indica. A melhor coisa que você pode fazer por ela agora é realizar a tarefa corretamente, e cair fora rápido. Pensar nela só vai prejudicar o desempenho do trabalho. Então não pense nela."

Tendo feito essas reflexões, esperou Maria chegar com Pilar, Rafael e os cavalos.

— Oi, *guapa* — disse para ela, no escuro. — Como está?

— Estou bem, Roberto — disse ela.

— Não se preocupe com nada — ele disse para ela, passando a pistola para a mão esquerda e colocando a mão direita no seu ombro.

— Não estou preocupada — disse ela.

— Está tudo bem-organizado — disse Robert Jordan. — Rafael estará contigo, cuidando dos cavalos.

— Eu preferiria ficar contigo.

— Não. Com os cavalos é onde tu és mais útil.

— Está bem — disse ela. — Será assim.

Neste instante, um dos cavalos relinchou e, do campo aberto abaixo da passagem através das rochas, um cavalo respondeu, seu relincho crescendo num trinir agudo intermitente.

No escuro, Robert Jordan percebeu o vulto dos outros cavalos à frente. Apressou-se na direção deles, acompanhando Pablo. Os homens estavam em pé ao lado de suas montarias.

— *Salud* — disse Robert Jordan.

— *Salud* — responderam em uníssono, no escuro. Ele não podia ver os seus rostos.

— Este é o *Inglés* que vem com a gente — disse Pablo. — O dinamitador.

Nenhum deles acrescentou uma palavra. Talvez tenham assentido com a cabeça, no escuro.

— Vamos indo, Pablo — disse então um dos homens. — Logo, logo, a luz do dia vem.

— Trouxe mais granadas? — outro homem perguntou.

— Muitas — disse Pablo. — Peguem quando deixarmos os animais.

— Então vamos indo — um terceiro falou. — Esperamos aqui durante quase toda a noite.

— *Hola*, Pilar — falou o quarto homem, quando a mulher aproximou-se.

— *Que me maten*, se não for o Pepe — disse Pilar, roucamente. — Como vai, tropeiro?

— Bem, *dentro de la gravedad*.

— O que você está montando? — perguntou-lhe Pilar.

— O baio de Pablo — disse o homem. — Um tremendo cavalo.

— Vamos! — exclamou um dos homens. — Vamos indo. Não é bom ficarmos aqui fofocando.

— Como vai, Elicio? — disse-lhe Pilar, enquanto ele montava.

— Como vou? — respondeu o homem, rudemente. — Ora, mulher, temos um trabalho para fazer.

Pablo montou o baio grande.

— Fiquem com a boca fechada e sigam-me — disse ele. — Vou levá-los para o lugar onde deixaremos os cavalos.

40

Durante as horas em que Robert Jordan dormia, e durante o tempo gasto planejando a destruição da ponte e os momentos passados com Maria, Andrés progredira lentamente. Até alcançar as linhas republicanas, avançara, pelo campo, atravessando o território fascista, tão rápido quanto qualquer homem do campo em boas condições físicas, e conhecedor da região, poderia viajar no escuro. Uma vez dentro dos limites republicanos, as coisas prosseguiram bem vagarosas.

Na teoria, bastaria mostrar o salvo-conduto dado por Robert Jordan, carimbado com o selo do SIM e o despacho com o mesmo carimbo, e prosseguir em direção ao seu destino na velocidade máxima. Mas primeiro encontrara o comandante da companhia na linha do front, que avaliara a sua missão com uma grave desconfiança de coruja.

Seguira o comandante até o quartel-general do batalhão, onde o comandante do batalhão, que era barbeiro antes do movimento, enchera-se de entusiasmo ao ouvir sobre a missão. Este comandante, Gomez o seu nome, insultara o comandante da companhia pela sua estupidez, dera tapinhas nas costas de Andrés, oferecera-lhe um conhaque horroroso e confessara-lhe, como ex-barbeiro, ter sonhado tornar-se um *guerrillero*. Então, acordara o seu ordenança, passara-lhe o comando do batalhão, e mandara acordar e trazer o seu motociclista. Em vez de enviar Andrés com o motociclista para o quartel-general da brigada, Gomez decidira ir ele mesmo até lá, para apressar as coisas, e, com Andrés agarrado firme na garupa, seguiram pela estrada esburacada pela queda dos projéteis, margeada por grandes árvores, com os faróis da motocicleta iluminando as suas bases caiadas e os seus troncos, onde a cal e a casca foram lascadas e arrancadas por fragmentos de bala do tiroteio durante o primeiro verão do movimento. Entraram na pequena cidade de veraneio, os prédios com os tetos destruídos, onde estavam os quartéis-generais de brigada, e Gomez brecou a motocicleta feito um corredor de moto guiando em terreno acidentado, encostando o veículo contra a parede de uma casa onde uma sentinela sonolenta chegou para conduzir Gomez até um salão, cujas paredes eram cobertas de mapas, e no qual havia um oficial também sonolento, usando uma viseira verde, sentado atrás de uma escrivaninha, com um abajur, dois telefones e um exemplar do *Mundo Obrero*.

O oficial olhou para Gomez e disse:

— O que tu fazes aqui? Nunca ouviste falar do telefone?

— Tenho que ver o tenente-coronel — disse Gomez.

— Ele está dormindo — disse o oficial. — Vi os faróis da tua motocicleta a uma milha na estrada. Queria levar bala?

— Chama o tenente-coronel — disse Gomez. — É um assunto da maior gravidade.

— Ele está dormindo, já te disse — falou o oficial. — Que bandido é este contigo? — sinalizou com a cabeça na direção de Andrés.

— Ele é um *guerrillero* do outro lado das linhas, com um despacho da maior importância para o general Golz, que comanda o ataque que será feito ao amanhecer, adiante de Navacerrada — disse Gomez, excitado e fervorosamente. — Acorda o *Teniente-Coronel* pelo amor de Deus.

O oficial olhou para ele com os seus olhos desanimados ensombreados pela viseira de celuloide.

— Todos vocês estão loucos — disse o oficial. — Não sei de nenhum general Golz, nem de ataque. Pegue este paisano e volte para o seu batalhão.

— Estou dizendo, acorda o *Teniente-Coronel* — disse Gomez, e Andrés observou seus lábios enrijecidos.

— Vai te danar — disse-lhe o oficial, preguiçosamente, e virou-se de lado.

Gomez sacou do coldre sua pesada pistola Star 9mm e enfiou-a no ombro do oficial.

— Acorda ele, fascista bastardo. Acorde, ou eu te mato.

— Acalma-te — disse o oficial. — Vocês barbeiros são muito emotivos.

Andrés notou o rosto de Gomez crispar-se de raiva sob a luz do abajur, mas tudo o que ele disse foi:

— Acorda-o!

— Ordenança! — gritou o oficial, com voz de desdém.

Um soldado veio até a porta, fez continência e saiu.

— Sua noiva está com ele — disse o oficial, e voltou à leitura do jornal. — Certamente, ele ficará deliciado em te ver.

— São pessoas como tu que obstruem todo o esforço para se vencer esta guerra — disse Gomez para o oficial do Estado-Maior.

O oficial não lhe deu atenção. Então, enquanto lia o jornal, comentou como que para si mesmo:

— Que jornal curioso este.

— Então por que não lês *El Debate*? Aquele é o teu jornal — disse Gomez, fazendo referência ao principal órgão católico conservador, publicado em Madri antes do movimento.

— Não esquece que sou teu superior, e um relatório meu pode pesar na tua carreira — disse o oficial, sem levantar os olhos. — Nunca li *El Debate*. Não faça acusação falsa.

— Não. Tu lês o ABC O exército continua apodrecido com tipos como tu. Profissionais como tu. Mas não será para sempre. Estamos encurralados entre os ignorantes e cínicos. Mas vamos educar uns e eliminar os outros.

— *Expurgar* é a palavra que você quer usar — disse o oficial, sem dirigir-lhe o olhar. — A reportagem aqui comenta o expurgo de mais um dos teus famosos russos. São mais purgantes do que o sal amargo.

— Seja qual for a palavra — disse Gomez, com paixão. — Seja qual for, desde que tipos como tu sejam liquidados.

— Liquidados — disse o oficial, com arrogância, como se estivesse falando consigo mesmo. — Outra palavra nova que tem pouco de castelhano.

— Fuzilados, então — disse Gomez. — Esta é castelhana. Entende esta?

— Entendo, homem, mas não fala tão alto. Há outros dormindo, nesta brigada do Estado-Maior, além do *Teniente-Coronel*, e a tua comoção está me aborrecendo. É por essa razão que eu sempre fiz a minha própria barba. Nunca gostei do papo-furado dos barbeiros.

Gomez olhou para Andrés e balançou a cabeça. Seus olhos estavam brilhando com a umidade que a raiva e o ódio destilam. Mas ele apenas balançou a cabeça e não disse nada, como se guardasse tudo aquilo para algum momento futuro. Ele guardara muita coisa no ano e meio em que galgara postos até o comando do batalhão em Sierra, e agora que o tenente-coronel entrava no salão em seus pijamas, ficou em posição de sentido e bateu continência.

O tenente-coronel Miranda era um homem baixo, agrisalhado, passara no exército a vida inteira, perdera o amor de sua mulher em Madri, ao mesmo tempo que sua digestão deteriorara-se em Marrocos, e tornara-se republicano quando descobrira que não poderia se divorciar de sua mulher (nunca houve dúvida quanto à impossibilidade de recobrar-se da sua má digestão). Entrara na Guerra Civil como tenente-coronel, e tinha uma única ambição: chegar ao fim da guerra no mesmo posto. Defendera Sierra muito bem e queria ser deixado lá em paz e defender aquele lugar sempre que sofresse um ataque. Sentia-se muito saudável nesta guerra, provavelmente pela redução forçada dos pratos com carne, tinha um enorme estoque de bicarbonato de sódio, bebia seu uísque à noite, sua amante de vinte e três anos estava grávida, assim como quase todas as garotas que começaram como *milicianas* em julho do ano anterior; e agora ele entrava no salão, balançava a cabeça retribuindo a continência para Gomez e estendia-lhe a mão.

— O que te trouxe aqui, Gomez? — perguntou ele. E então, para o oficial da escrivaninha, que era o chefe das operações: — Dá-me um cigarro, por favor, Pepe.

Gomez mostrou-lhe os documentos de Andrés e o despacho. O tenente-coronel examinou o *Salvoconducto* rapidamente, olhou para Andrés, balançou a cabeça e sorriu, e então examinou o despacho nervosamente. Sentiu o selo com o dedo e devolveu os dois papéis para Andrés, salvo-conduto e despacho.

— A vida está muito dura lá nas montanhas? — perguntou ele.

— Não, meu tenente-coronel — respondeu Andrés.

— Eles te falaram onde é o ponto mais próximo para encontrar o quartel-general do general Golz?

— Navacerrada, meu tenente-coronel. O *Inglés* disse que seria em algum lugar perto de Navacerrada, depois das linhas, para a direita.

— Que *Inglés*? — perguntou o tenente-coronel, calmamente.

— O *Inglés* que está com a gente, um dinamitador.

O tenente-coronel balançou a cabeça. Era mais uma súbita raridade inexplicável desta guerra. "O *Inglés* que está com a gente, um dinamitador."

— É melhor você levá-lo de motocicleta, Gomez — disse o tenente-coronel. — Escreva para eles um *Salvoconducto* bem enfático dirigido ao *Estado Mayor* do general Golz, para eu assinar — disse para o oficial de viseira de celuloide verde.

— Escreva-o à máquina, Pepe. Aqui estão os detalhes — e fez um sinal com a mão a Andrés para que entregasse seu salvo-conduto. — E coloque dois selos. — Virou-se para Gomez — Você irá precisar de algo bem consistente hoje à noite. Tem que ser assim. Quando há uma ofensiva todos devem ser cautelosos. Darei o salvo-conduto mais enfático que puder.

Então, voltando-se para Andrés, disse muito gentilmente:

— Tu queres alguma coisa? Para comer, para beber?

— Não, meu tenente-coronel. Não estou com fome. Eles me serviram um conhaque no último comando, se eu beber mais fico tonto.

— Você viu qualquer movimento ou atividade inimiga na direção do meu front, quando estava vindo? — perguntou polidamente a Andrés o tenente-coronel.

— Foi como de costume, meu tenente-coronel. Calmo, calmo.

— Eu não te encontrei em Cercedilla, por volta de três meses atrás? — perguntou-lhe o tenente-coronel.

— Sim, meu tenente-coronel.

— Foi o que pensei — disse o tenente-coronel, batendo em seu ombro. — Você estava com o velho Anselmo. Como está ele?

— Ele está bem, meu tenente-coronel.

— Bom. Fico contente — disse o tenente-coronel. O oficial mostrou-lhe o que havia datilografado e ele leu e assinou. — Vocês devem ir agora, rapidamente. Tenha cuidado com a moto — disse para Gomez. — Use os faróis. Nada acontecerá para uma única moto, mas seja cauteloso. Dê meus cumprimentos ao general Golz. Nos encontramos depois de Peguerinos — apertou a mão de ambos. — Põe os documentos na tua camisa e abotoa-a. Uma moto pega muito vento.

Depois que partiram, ele foi até o armário, tirou uma garrafa e um copo, serviu-se de uísque e despejou água de uma jarra de cerâmica que estava no chão contra a parede. Então, segurando o copo e bebendo o uísque bem devagar, parou diante de um mapa enorme na parede, e estudou as possibilidades da ofensiva na região acima de Navacerrada.

— Estou contente que seja Golz e não eu — disse, finalmente, para o oficial sentado à mesa. O oficial não respondeu, desviando a atenção do mapa para o oficial, o tenente-coronel viu que ele dormia com a cabeça apoiada nos braços. O tenente-coronel foi até a mesa e empurrou os dois telefones de modo que um deles bateu na cabeça do oficial. Aí ele caminhou até a copeira, serviu-se de mais uísque, mais água, e retornou para o mapa.

Andrés, agarrado firme no assento, com Gomez tendo o corpo todo à frente, baixou a cabeça defendendo-se do vento quando a moto arrancou, explodindo numa barulheira, para dentro da escuridão sutilmente dividida pela estrada rural, bem-definida pelas altas copas escuras de álamos lado a lado, indistintas quando a estrada mergulhava no amarelo brando do nevoeiro à margem do leito de um riacho, retomando os contornos bem-definidos ao subir novamente. À frente deles, no cruzamento do trilho dos trens, os faróis mostraram o vulto cinza dos vagões vazios descendo as montanhas.

41

Pablo parou e desmontou, no escuro. Robert Jordan ouviu os gemidos e as respirações ofegantes enquanto todos desmontavam, o tilintar dos freios de um cavalo agitando a cabeça. Sentiu o cheiro dos cavalos, dos novos homens, sem banho e com suas roupas rançosas, e o cheiro de madeira esfumaçada e morrinha dos outros que estiveram na caverna. Pablo estava de pé e cheirava a vinho seco com um toque de azinhavre. Robert Jordan acendeu um cigarro protegendo a chama com a mão em concha, deu uma tragada forte e ouviu Pablo dizer baixinho:

— Pega o saco de granada, Pilar, enquanto maneamos estes cavalos.

— Agustín — disse Robert Jordan, num cochicho. — Você e Anselmo vêm agora comigo para a ponte. Você está com o saco de munição para a *máquina*?

— Estou — disse Agustín. — Como não?

Robert Jordan foi até onde Pilar descarregava um dos cavalos com a ajuda de Primitivo.

— Escuta, mulher — disse baixinho.

— O que é agora? — ela cochichou, rouquenha, livrando a fivela da cilha sob a barriga do cavalo.

— Tu entendeste que não deve haver ataque ao posto antes de ouvires as bombas caindo?

— Quantas vezes tu tens que me falar? — disse Pilar. — Tu estás ficando como uma velha, *Inglés*.

— Somente para checar — disse Robert Jordan. — E depois da destruição do posto, você cai fora para a ponte e cobre a estrada lá de cima e o meu flanco esquerdo.

— Na primeira vez que tu descreveste isto eu já entendi — cochichou Pilar. — Cuida da tua parte.

— Que ninguém faça um só movimento, nem dispare, nem atire granadas, antes de ouvirmos o bombardeio caindo — disse baixinho Robert Jordan.

— Não me amole mais — cochichou Pilar, irritadiça. — Já entendi isto desde quando estivemos com El Sordo.

Robert Jordan foi para onde Pablo maneava os cavalos.

— Maneei apenas os que são propensos ao pânico — disse Pablo. — Estão amarrados de tal modo que basta um puxão na corda para soltá-los, vês?

— Isso é bom.

— Vou dizer à garota e ao cigano como lidar com eles — disse Pablo. Seus novos homens agruparam-se em separado e esperavam escorados em suas carabinas.

— Tu entendeste tudo? — perguntou Robert Jordan.

— Como não — disse Pablo. — Destruir o posto. Cortar os fios. Recuar para a ponte. Cobrir a ponte até que tu a exploda.

— E nada começa até o início do bombardeio.

— Assim será.

— Bem, então, boa sorte.

Pablo resmungou e depois disse:

— Tu vais nos cobrir bem com a *máquina* e a tua submetralhadora, quando estivermos voltando, hem, *Inglés*?

— *De la primera* — disse Robert Jordan. — Logo de cara.

— Então — disse Pablo —, nada mais. Mas tu deves ter muito cuidado, *Inglés*. Não será fácil, a menos que tu tenhas muito cuidado.

— A máquina ficará comigo mesmo — disse-lhe Robert Jordan.

— Tens bastante experiência? Pois não quero receber um tiro do Agustín com a sua barriga cheia de boas intenções.

— Tenho muita experiência. Verdade. E se Agustín utilizar a máquina vou cuidar para que ele atire bem acima de ti, acima, acima e acima.

— Então, nada mais — repetiu Pablo. E a seguir disse baixinho, confidencialmente: — Continuam faltando cavalos.

"O filho da puta", pensou Robert Jordan. "Ou ele pensa que eu não percebi desde o início."

— Vou a pé — disse ele. — Os cavalos ficam contigo.

— Não, vai ter um cavalo para ti, *Inglés* — disse Pablo, baixinho. — Vai haver cavalos para todos.

— Este é um problema teu — disse Robert Jordan. — Não precisa contar comigo. Tens bastante munição para a tua nova *máquina*?

— Tenho — disse Pablo. — Toda daquele cavalariano. Queimei dois cartuchos apenas para testá-la. Testei-a ontem, lá em cima, na montanha.

— Agora vamos — disse Robert Jordan. — Devemos chegar cedo e ficarmos bem-escondidos.

— Vamos — disse Pablo. — *Suerte, Inglés*.

"Fico curioso para saber o que o bastardo está planejando agora", pensou Robert Jordan. "Mas acho que sei exatamente o que é. Bem, é coisa dele, não minha. Graças a Deus não conheço aqueles homens." Depois, estendeu a mão e disse:

— *Suerte*, Pablo — e os dois apertaram as mãos no escuro.

Quando Robert Jordan estendeu a mão, esperava um aperto reptiliano ou um toque morfético. Ele não sabia o que sentiria num aperto de mão com Pablo. Mas, no escuro, o aperto de mão dele foi firme e sincero, e ele retribuiu da mesma forma. Pablo tinha uma mão firme no escuro e isto deu a Robert Jordan a mais estranha sensação daquela manhã. "Devemos ser aliados agora", pensou. "Entre aliados há bastante apertos de mão. Sem mencionar o decoro e os beijos em ambas as faces. Fico contente por não precisar fazer tudo isso. Suponho que todos os aliados sejam assim. No fundo, todos se odeiam. Mas esse é um homem estranho."

— *Suerte*, Pablo — disse ele, e retribuiu firme o estranho e proposital aperto de mão. — Vou te dar cobertura. Não te preocupa.

— Sinto muito ter pego o teu material — disse Pablo. — Foi um equívoco.

— Mas trouxeste o que precisávamos.

— Não estou neste negócio da ponte contra ti, *Inglés* — disse Pablo. — Vejo que no fim vai dar certo.

— O que vocês estão fazendo? Virando *maricones*? — disse Pilar, de repente, ao lado no escuro. — Era só o que faltava — disse para Pablo. — Vá andando, *Inglés*, e chega de adeusinhos antes que este aí roube o resto dos teus explosivos.

— Tu não me entendes, mulher — disse Pablo. — O *Inglés* e eu entendemos um ao outro.

— Ninguém te entende. Nem Deus nem a tua mãe — disse Pilar. — Nem eu. Começa a andar, *Inglés*. Dê adeusinho para a tua careca e vai. *Me cago en tu padre*, mas começo a pensar que tu estás com medo de ver o touro sair.

— Tua mãe é que está — disse Robert Jordan.

— E tu nunca tiveste uma — Pilar cochichou, alegremente. — Agora vai porque estou louca para que isto comece e acabe de uma vez. Vai com o teu pessoal — disse para Pablo. — Quem sabe por quanto tempo a severa resolução deles vai durar? Tens uns dois aí que eu não trocaria por ti. Pega-os e vai.

Robert Jordan puxou sua mochila para sobre os ombros e caminhou até os cavalos à procura de Maria.

— Até logo, *guapa* — disse ele. — Até logo mais.

Ele foi envolvido por uma sensação irreal sobre isso tudo, agora, como se tivesse dito estas mesmas palavras antes, ou como se um trem estivesse partindo, especialmente isso, como se houvesse um trem e ele ficasse parado na plataforma da estação.

— Até logo, Roberto — disse Maria. — Tome muito cuidado.

— Claro — disse, e baixou a cabeça para lhe dar um beijo. O peso da mochila a fez escorregar para sua nuca, fazendo-o bater com a testa na cabeça de Maria, e isto também lhe pareceu já ter acontecido.

— Não chore — disse ele, desajeitadamente, e não somente por causa do peso nas costas.

— Não choro — disse ela. — Mas volte logo.

— Não se preocupe quando ouvir o tiroteio. Deve haver muito tiroteio.

— Não. Somente volte rápido.

— Até logo, *guapa* — disse ele, novamente desajeitado.

— *Salud*, Roberto.

Robert Jordan não se sentia jovem assim desde que tomara o trem em Red Lodge, para ir para Billings e lá pegar outro trem para ir pela primeira vez à escola. Estava com medo de seguir adiante e não queria que ninguém soubesse; quando chegou à estação e o condutor ajeitou o degrau móvel para que ele alcançasse o estribo e embarcasse no vagão, seu pai lhe dera um beijo de despedida e dissera: "— Que o Senhor olhe por ti e por mim, enquanto estivermos longe um do outro." Seu pai era um homem muito religioso e dissera isto com sinceridade e humildade. Mas o seu bigode ficara úmido e seus olhos encharcados de emoção, e Robert Jordan ficara tão constrangido com a cena, com a oração e por seu pai dar-lhe um beijo de despedida, que se sentira de repente mais velho do que o próprio pai, e com tanta pena dele que quase não podia suportar.

Depois que o trem partira, ficou na traseira do trem, observando a estação e a caixa d'água tornarem-se cada vez menores, e os trilhos cruzados pelos dormentes foram se estreitando em direção à estação e à torre da caixa d'água, até o ponto em que ficaram minúsculas enquanto ele ouvia os estalidos intermitentes que o levavam para longe.

O guarda-freios dissera:

— "Parece que a sua ida está sendo dura para o papai, Bob."

— "É" — ele dissera, olhando para os arbustos de artemísia crescidos na beira do leito da estrada, entre os postes dos fios de telégrafo, cruzando o trecho marginal empoeirado da estrada. Ele procurava enxergar galinhas selvagens.

— "Você não sente nada indo para longe sozinho, para a escola?"

— "Não" — respondera e era verdade.

Não tinha sido verdade até aquele momento, mas se tornara agora, naquela partida, e ele jamais sentira-se jovem como momentos antes da partida. Agora, sentiu-se criança novamente, desajeitado, despedia-se desajeitadamente como quando se é menino e se despede de uma garota na frente da escola, sem saber se a beija ou não. Nisso, ele percebeu que não era a despedida que o deixava desajeitado. Era o encontro para o qual estava indo. A despedida era apenas uma parte do encontro que o aguardava.

"Você está pegando a coisa novamente", disse para si mesmo. "Mas presumo que não exista quem não se sinta jovem demais para fazer uma coisa dessas." Ele não daria nome a essa coisa. "Vamos lá", disse para si mesmo. "Vamos, não é hora para a sua segunda infância."

— Até logo, *guapa*, até logo, coelhinha.

— Até logo, Roberto — disse ela, e ele se dirigiu até onde Anselmo e Agustín esperavam e disse: — *Vámonos.*

Anselmo pôs a mochila pesada sobre as costas. Agustín, completamente carregado, desde a caverna, estava escorado contra uma árvore, o rifle automático sobressaindo por cima da sua carga.

— Bom — disse ele. — *Vámonos.*

Os três começaram a descer a colina.

— *Buena suerte*, Dom Roberto — disse Fernando, quando os três passaram por ele em fila indiana por entre as árvores. Fernando estava de cócoras, mas falou aquilo com grande dignidade.

— *Buena suerte* para ti, Fernando — disse Robert Jordan.

— Seja lá o que estejas fazendo... — insinuou Agustín, por ver Fernando agachado.

— Obrigado, Dom Roberto — disse Fernando, indiferente ao que dissera Agustín.

— Este aí é um fenômeno, *Inglés* — cochichou Agustín.

— Concordo contigo — disse Robert Jordan. — Posso te ajudar? Estás carregado como um cavalo.

— Estou bem — disse Agustín. — Homem, estou contente que tenhamos iniciado nosso trabalho.

— Fala baixinho — disse Anselmo. — Daqui para frente fala pouco e baixinho.

Caminhando cuidadosamente, colina abaixo, Anselmo na dianteira, Agustín no meio e Robert Jordan atrás, pisando com muito cuidado para não escorregar, sentindo as espinhentas folhas mortas de pinheiro sob a sola de suas alpargatas, tropeçando numa raiz de árvore, levando a mão à frente, e sentindo o metal frio do cano do rifle automático e das pernas dobradas do tripé nas costas de Agustín, e caminhando de lado para descer a encosta, suas alpargatas escorregando, e entranhando-se nas brechas do chão da floresta, esticando a mão esquerda à frente outra vez, e tocando no caule áspero de uma árvore. Ao abraçar a árvore, sentiu o toque macio e pegajoso da seiva resinosa na palma da mão, de uma ranhura deixada ali como pista do caminho. Chegaram no declive abrupto da encosta de mata fechada, no ponto acima da ponte de onde Robert Jordan e Anselmo a observaram no primeiro dia.

Anselmo parou ao lado de um pinheiro no escuro, e pegou o pulso de Robert Jordan, cochichando tão baixo que Jordan quase não ouviu:

— Olha. Tem fogo no seu braseiro.

Havia um ponto de luz abaixo, onde Robert Jordan sabia que a ponte ligava-se à estrada.

— Aqui é de onde observamos a ponte — tomou a mão de Robert Jordan e puxou-a para baixo, para tocar numa ranhura fresca feita no caule de uma árvore. — Eu fiz esta marca enquanto tu olhavas a ponte. Para a direita é onde tu querias colocar a *máquina*.

— Vamos colocá-la ali.

— Certo.

Descansaram as mochilas no chão, atrás da base do pinheiro, e Anselmo levou os outros dois até um lugar plano onde havia um capão de pinheirinhos novos.

— É aqui — disse Anselmo. — Bem aqui.

— Daqui, com a luz do dia — cochichou Robert Jordan para Agustín, agachado atrás dos brotos de pinheiro —, tu verás um pequeno trecho da estrada e a entrada da ponte. Tu verás toda a extensão da ponte e um pedaço da estrada, no outro lado, antes dela fazer uma curva em torno do rochedo.

Agustín permaneceu calado.

— Tu vais ficar aqui deitado, enquanto preparamos os explosivos, e vais atirar em qualquer coisa que vier de cima ou de baixo.

— Onde está aquela luz? — perguntou Agustín.

— Na guarita da sentinela deste lado — cochichou Robert Jordan.

— Quem vai cuidar das sentinelas?

— Eu e o velho, conforme te falei. Mas se não conseguirmos, você deve disparar contra a guarita das sentinelas, e nas sentinelas, se as vir.

— Sei, você já me disse.

— Depois da explosão, quando a turma do Pablo vier pelo canto, você deve atirar acima das suas cabeças, se vier alguém atrás deles. Atire bem acima deles, quando eles aparecerem, para que ninguém os siga. Entendeu?

— Como não? É o que me disseste a noite passada.

— Tens alguma pergunta?

— Não. Tenho duas mochilas. Posso enchê-las lá em cima sem ser visto e trazê-las para cá.

— Mas não faça trincheira aqui. Tens que ficar muito bem-escondido, como fizemos lá no topo.

— Não. Vou trazer a terra enquanto estiver escuro. Você verá. Eles não vão aparecer enquanto isso.

— Tu estás bem perto, *sabes*? Durante o dia, este capão é bem visível lá de baixo.

— Não te preocupa, *Inglés*. Aonde vais?

— Vou mais lá para perto, lá embaixo, com a minha submetralhadora. O velho irá cruzar a garganta agora, para estar pronto para a guarita do outro lado. Ela está virada para lá.

— Então é tudo — disse Agustín. — *Salud, Inglés*. Tens tabaco?

— Tu não podes fumar. É muito perto.

— Não. Só para ficar com ele na boca, para fumar mais tarde.

Robert Jordan deu a ele um maço de cigarros e Agustín tirou três cigarros e colocou-os na dobra de seu gorro de tropeiro. Espalhou as pernas de seu tripé, com o cano da arma no meio dos pequenos pinheiros, e começou a tirar a munição das mochilas pelo tato, colocando todo o material em posição.

— *Nada más* — disse ele.

Anselmo e Robert Jordan o deixaram e foram para onde as mochilas estavam.

— Onde seria melhor deixá-las? — cochichou Robert Jordan.

— Aqui, eu acho. Mas tu podes acertar a sentinela com a tua pequena *máquina* daqui?

— Este é o lugar onde estivemos naquele dia?

— A mesma árvore — falou Anselmo, tão baixinho que Robert Jordan mal o ouviu, sabia que ele nem movia os lábios para falar, como naquele primeiro dia. — Marquei-a com a minha faca.

Robert Jordan teve novamente a sensação de que tudo aquilo já tinha acontecido, mas desta vez foi pela própria repetição de uma pergunta e da resposta de Anselmo. Tinha sido a mesma coisa com Agustín, que perguntou sobre as sentinelas, embora ele soubesse a resposta.

— É perto o bastante. Muito perto — cochichou para Anselmo. — Mas a luz está nas nossas costas. Estamos bem, aqui.

— Então, vou atravessar a garganta e ficar posicionado no outro lado — disse Anselmo. — Perdão, *Inglés*. É para não haver nenhum erro. Já para o caso de eu ser um estúpido.

— O quê? — Robert Jordan suspirou calmamente.

— Repita, para que eu faça tudo certo.

— Quando eu atirar, tu atiras. Quanto o teu homem for eliminado, cruza a ponte em minha direção. Vou estar com as mochilas lá embaixo, e tu farás como eu disser para colocar as cargas. Tudo o que eu te disser. Se algo acontecer comigo, faça conforme eu te mostrei. Tem calma e faça bem-feito, colocando as cunhas seguras e amarrando as granadas firmemente.

— Está tudo claro para mim — disse Anselmo. — Lembro de tudo. Agora, já vou. Quando a luz do dia vier, *Inglés*, cuida de ficar bem-protegido.

— Quando tu atirares — disse Robert Jordan —, respira fundo e mira bem. Não pensa que está atirando num homem, mas num alvo, *de acuerdo*? Não atira no homem como um todo, mas num determinado ponto. Atira bem no meio da barriga, se ele te encarar. No meio das costas, se ele estiver virado. Escuta, meu velho. Quando a gente atira, se o homem está sentado, ele sempre levanta antes de correr ou agachar-se. Então, atira. Se ele continuar abaixado, atira. Não espera. Mas faça pontaria. Chega até uns cinquenta metros. Tu és um caçador. Contigo não tem problema.

— Vou fazer como mandaste — disse Anselmo.

— Isto, conforme as ordens — disse Robert Jordan.

"Bom ter lembrado de fazer disto uma ordem", pensou. "Isto o ajuda. Diminui um pouco a maldição. Assim espero. Um pouco, pelo menos. Tinha esquecido o que ele me disse sobre matança, naquele primeiro dia."

— São estas as minhas ordens. Agora vai.

— *Me voy* — disse Anselmo. — Até daqui a pouco, *Inglés*.

— Até mais, meu velho.

Lembrou-se de seu pai na estação de trem, e das lágrimas da despedida, e não quis dizer *Salud,* nem adeus, nem boa sorte, nem nada disso.

— Limpou o óleo da tua arma, meu velho? — cochichou. — Para que ela não pule como uma doida?

— Na caverna — disse Anselmo. — Limpei-a toda com a vareta.

— Então, até logo — disse Robert Jordan, e o velho saiu, silenciosamente, sobre as suas alpargatas, ziguezagueando entre as árvores.

Robert Jordan deitou-se no chão espinhento de folhagens de pinheiro da floresta e observou os primeiros movimentos das copas dos pinheiros, movimentadas pelo vento que chegaria com o amanhecer. Soltou o pente da sua submetralhadora e manejou o ferrolho do gatilho para frente e para trás. Virou a arma destravada no escuro e colocou a ponta da arma nos lábios, soprou, então, através do cano, sentindo o gosto de metal oleoso quando a sua língua tocou a beirada do oco do cano. Ele descansou a arma atravessada sobre os braços, com o mecanismo de ação para cima, para não apanhar nenhuma folha de pinheiro ou sujeira, e tirou todos os cartuchos do pente, com o polegar, sobre um lenço aberto à sua frente. No escuro, sentindo cada cápsula e revirando-as nos dedos, introduziu uma de cada vez de volta no pente. Com o pente carregado novamente em sua mão, enfiou-o de volta na submetralhadora e sentiu-o encaixar no lugar. Deitou-se de barriga no chão, atrás do pinheiro, a arma na diagonal sobre seu antebraço esquerdo, e ficou olhando para o ponto de luz lá embaixo. Havia vezes em que não podia vê-lo; sabia que o homem na guarita movia-se na frente do braseiro. Assim, Robert Jordan ficou deitado lá, aguardando a luz do dia.

42

Durante o tempo em que Pablo cavalgara de volta das colinas para a caverna, e que o bando descera até onde deixaram os cavalos, Andrés fizera rápido progresso em direção ao quartel-general de Golz. Ao chegarem à estrada principal para Navacerrada, na qual os caminhões retornavam das montanhas, havia um posto de controle. Mas quando Gomez mostrou à sentinela o salvo-conduto do tenente-coronel Miranda, a sentinela o iluminou com a lanterna, mostrou-o para o seu companheiro do posto de controle e o devolveu fazendo continência.

— Siga — disse ele. — Mas sem faróis.

A motocicleta roncou novamente, Andrés agarrou-se firme no assento à sua frente, e foram pela rodovia afora, Gomez dirigindo cuidadosamente no tráfego. Nenhum dos caminhões tinha os faróis acesos, e desciam a estrada num longo comboio. Havia caminhões carregados subindo a estrada, e levantavam uma poeira que Andrés não enxergava no escuro, mas a sentia como uma nuvem no rosto e entre os dentes.

Estavam bem perto da traseira de um caminhão, a motocicleta rugindo, então Gomez acelerou e ultrapassou e de novo, de novo e de novo, com os caminhões na direção contrária roncando e passando por eles pela esquerda. Um automóvel atrás abria caminho entre a poeira e o barulho dos caminhões, disparando a sua buzina. Seus faróis mostravam a nuvem de poeira sólida e amarelada, e o veículo costurava atrás deles, fazendo ranger as engrenagens, exigindo, ameaçando a buzinadas.

Mais adiante todos os caminhões estavam parados; Gomez seguiu em frente, passando por ambulâncias, carros oficiais do Estado-Maior, um carro blindado, mais um e um terceiro, todos parados como enormes e pesadas tartarugas metálicas, com os canhões espetados no meio da nuvem de poeira quente, até que chegaram a outro posto de controle onde houvera um acidente. Um caminhão parou, o caminhão que vinha atrás não viu e bateu, amassando a traseira, espalhando caixas de munição de armas leves pela estrada. Uma caixa abrira-se com o baque da queda, e Gomez e Andrés detiveram-se, para empurrar a motocicleta entre os veículos parados e para mostrarem seus salvo-condutos ao posto de controle, Andrés pisoteando milhares de cartuchos de bronze debulhados na estrada no meio da poeira. O segundo caminhão estava com o radiador completamente amassado. Tinha outro caminhão colado à sua traseira. Uma centena deles enfileirava-se atrás e um oficial transtornado descia a estrada, gritando para os motoristas darem ré de modo que o caminhão batido pudesse ser removido da estrada.

Havia muitos caminhões; não poderiam voltar a menos que o oficial conseguisse chegar ao final da fila e avisar ao último motorista, impedindo que mais caminhões se acumulassem lá atrás, e Andrés viu o oficial correndo, tropeçando, com a sua lanterna na mão, gritando, insultando, e, no escuro, os caminhões continuavam acumulando-se.

O homem no posto de controle não queria devolver o salvo-conduto. Havia dois, com rifles pendurados nas costas e lanternas nas mãos, e também gritavam. O que estava com o salvo-conduto na mão cruzou a estrada, até um caminhão que descia na direção contrária, para dizer ao motorista que avisasse no próximo posto que retivessem os caminhões até que o engarrafamento fosse desfeito. O motorista do caminhão ouviu e se foi. Então, ainda com o salvo-conduto nas mãos, o patrulheiro do posto voltou, gritando para o motorista do caminhão que havia derramado a carga.

— Deixa isto e segue em frente, pelo amor de Deus, para que possamos liberar a estrada! — gritou para o motorista.

— Minha transmissão está quebrada — respondeu o motorista, inclinando o dorso para frente para examinar a traseira de seu caminhão.

— (...) a tua transmissão. Sai daqui.

— Não dá para sair com o diferencial quebrado — o motorista respondeu e inclinou-se novamente.

— Então que o empurrem, sai daqui para tirarmos este outro desgraçado da estrada.

O motorista lançou-lhe um olhar melancólico, quando o patrulheiro iluminou a traseira rebentada de seu caminhão.

— Sai! Sai! — o homem gritava com o salvo-conduto na mão.

— E os meus documentos — Gomez exigiu. — Meu salvo-conduto. Estamos com pressa.

— Leva o teu salvo-conduto para o inferno — o homem respondeu e, devolvendo-lhe o papel, correu para o outro lado da estrada a fim de parar outro caminhão na descida.

— Faça o retorno e fique em posição para puxar este lixo para frente — disse para o motorista.

— Minhas ordens são...

— (...) as tuas ordens. Faça o que eu digo.

O motorista engrenou a marcha e arrancou estrada abaixo, desaparecendo na poeira.

Enquanto Gomez arrancava com a motocicleta, na estrada agora desimpedida do lado direito após passar a batida, Andrés, agarrado firme novamente, viu o guarda do posto de controle parar outro caminhão e o motorista espichar-se da janela da cabine para ouvi-lo.

Agora, avançavam rápido, investindo sobre a estrada que subia continuamente a montanha. Todo o tráfego na subida estava interditado no posto de controle e havia somente os caminhões descendo no sentido contrário, enquanto a motocicleta subia valentemente e agora alcançava o tráfego, outra vez, dos caminhões que tinham passado pelo posto de controle antes do desastre.

Ainda sem faróis, passaram mais quatro carros blindados e uma longa fila de caminhões transportando soldados. Os soldados estavam silenciosos no escuro, e no início Andrés apenas sentiu a sua presença crescendo acima dele, avolumando-se sobre os caminhões em meio à poeira, à medida que passavam. Então, outro carro do Estado-Maior veio atrás deles, disparando a buzina e piscando os faróis, e cada vez que a luz acendia Andrés divisava os soldados, de capacetes de aço, seus rifles na vertical, suas metralhadoras apontando para o céu escuro, desenhando uma silhueta marcante contra a noite em que eles mergulhavam quando os faróis se apagavam. Em dado momento, quando passaram junto a um caminhão com soldados e os faróis acenderam, ele viu as suas faces imóveis e tristes na súbita luz. Nos seus capacetes de aço, viajando naquele caminhão no escuro, com destino a alguma coisa que sabiam apenas que era um ataque, suas faces estavam contraídas, cada homem com seu próprio dilema, que a luz mostrou, pois não o deixariam transparecer durante o dia, com vergonha de se mostrarem uns para os outros, até que o bombardeio e o ataque começassem, e aí nenhum homem pensaria sobre sua face.

Andrés, agora passando caminhão após caminhão, Gomez mantendo-se adiante do carro do Estado-Maior, não pensou nada disso sobre as faces dos soldados. Ele apenas pensou: "Que exército, que equipamento, que mecanização. *Vaya gente!* Olha que gente. Aqui está o exército da República. Olha só para eles. Caminhão após caminhão. Todos uniformizados. Todos com capacetes de aço. Olha que *máquinas*, apontadas para cima contra os aviões inimigos. Olha só que exército foi reunido!"

E, enquanto a motocicleta ultrapassava os caminhões cinza, altíssimos, levando as tropas, enormes caminhões cinza com cabines quadradas e radiadores horrorosos, seguindo lentamente a estrada acima, no meio da poeira e com o piscar dos faróis do carro do Estado-Maior mostrando a estrela vermelha do exército estampada nas laterais das suas carrocerias empoeiradas, o ar esfriava na medida em que ultrapassavam o comboio, e a estrada começava a fazer curvas, os caminhões subindo com esforço, rangendo, alguns esfumaçando contra os flashes, a motocicleta agora se esforçando também, e Andrés agarrado firme no banco da frente pensou: "Esta viagem é *mucho, mucho*." Jamais andara de motocicleta e agora que subia a montanha no meio daquele movimento todo de tropas indo para um ataque, sabia que não haveria problema se não pudesse voltar para o assalto aos postos. Com esse movimento e confusão, teria sorte se pudesse retornar na noite seguinte. Nunca tinha visto uma ofensiva e seus preparativos, e durante a viagem se espantou com o tamanho e força do exército que a República conseguiu organizar.

Agora, trafegavam numa longa inclinação, um trecho ascendente da estrada, que cruzava uma das faces da montanha num aclive tão íngreme que, bem perto do topo, Gomez disse para Andrés descer e ajudar a empurrar a motocicleta na última parte da ladeira até o passo. À esquerda, logo após o topo, havia um recuo da estrada onde os veículos podiam retornar e onde luzes tremeluziam na frente de um enorme prédio de pedras que se avolumava no escuro contra o céu da noite.

— Vamos perguntar onde é o quartel-general — disse Gomez para Andrés, e empurraram a motocicleta até onde duas sentinelas paradas guarneciam a porta fechada do enorme prédio de pedra. Gomez encostou a motocicleta na parede, enquanto um motociclista de casaco de couro, aparecendo contra a luz que veio de dentro do prédio quando a porta abriu, saiu com uma pasta de despachos pendendo do ombro, e uma pistola Mauser balançando num coldre de madeira ao lado da sua perna. Quando as luzes se apagaram, ele encontrou sua motocicleta no escuro, próxima da porta, empurrou-a, até que ela pegou com um estalido, e saiu roncando pela estrada.

À porta, Gomez falou com uma das sentinelas.

— Capitão Gomez da 65ª. Brigada — disse ele. — Pode me dizer onde é o quartel-general do general Golz, comandante da 35ª. Divisão?

— Não é aqui — respondeu a sentinela.

— Aqui o que é?

— A *Comandancia*.

— Que *Comandacia*?

— Ora, a *Comandancia*.

— A *Comandancia* de quê?

— Quem és tu para fazer tantas perguntas? — disse a sentinela para Gomez, no escuro. Ali, no topo do passo o céu estava bem claro, cheio de estrelas, sem poeira, e Andrés podia enxergar bem no escuro. Abaixo deles, onde a estrada virava para a direita, via a linha definida dos caminhões formando uma silhueta contra o horizonte.

— Sou o Capitão Rogelio Gomez do primeiro batalhão da 65ª. Brigada e pergunto onde é o quartel-general do general Golz.

A sentinela entreabriu a porta e gritou para dentro:

— Chame o cabo da guarda!

Naquele exato momento, um carro enorme, do Estado-Maior, fez a curva no topo da estrada e veio na direção do enorme prédio de pedra, onde Gomez e Andrés aguardavam pelo cabo da guarda. O carro veio na direção deles e parou junto à porta.

Um homem alto, idoso e pesado, usando uma boina cáqui excessivamente grande, como a de um *chasseurs à pied* do Exército francês, vestindo um sobretudo, com uma pasta de mapas e exibindo um cinturão de pistola sobre o casacão, saiu da porta traseira do carro com dois outros homens de uniforme da Brigada Internacional.

Ele falou em francês, que Andrés não entendia e do qual Gomez, que era um ex-barbeiro, sabia apenas algumas palavras, para o seu chofer, dizendo que tirasse o carro da frente da porta e o guardasse.

Assim que ele veio até a porta com os dois outros oficiais, Gomez viu seu rosto claramente na luz e o reconheceu. Vira-o em encontros políticos e havia lido artigos escritos por ele no *Mundo Obrero*, traduzidos do francês. Reconheceu suas grossas sobrancelhas, seus olhos acinzentados e marejados, seu queixo duplo, e o conhecia como uma das grandes figuras revolucionárias, que havia liderado o motim da Marinha francesa no Mar Negro. Gomez sabia de seu alto escalão político na Brigada Internacional e sabia que este homem saberia onde ficava o quartel-general do general Golz, e que seria capaz de orientá-lo. Mas, não sabia em que este homem havia se transformado com o tempo, o desapontamento, a amargura pessoal e política e as ambições frustradas, e que interpelá-lo poderia ser uma das coisas mais perigosas que se pode fazer. Sem saber nada disso deu um passo à frente, no caminho do homem, fez continência e disse:

— Camarada Marty, somos os portadores de um despacho para o general Golz. Pode nos indicar onde é o seu quartel-general? É urgente.

O homem alto, idoso e pesadão, olhou para Gomez, com a sua cabeça inclinada para baixo e considerou-o por um instante com seus olhos marejados. Mesmo aqui no front, à luz de uma lâmpada nua, tendo acabado de sair num carro aberto para a noite fria, sua face cinzenta tinha um ar de decadência. Parecia que seu rosto fora modelado com restos de material coletado de sob as garras de um leão velho.

— Você tem o quê, camarada? — perguntou a Gomez, falando espanhol com forte sotaque catalão. Ele relançou um olhar para Andrés e voltou-se para Gomez.

— Um despacho para o general Golz, para ser entregue no seu quartel-general, camarada Marty.

— De onde vem isto, camarada?

— Do outro lado das linhas fascistas — disse Gomez.

André Marty estendeu a sua mão para o despacho e demais documentos, pegou-os, olhou para eles e os colocou no bolso.

— Prenda os dois — disse para o cabo da guarda. — Reviste-os e traga-os para mim quando eu mandar.

Com o despacho em seu bolso, entrou no enorme prédio de pedra.

Lá fora, numa sala da guarda, Gomez e Andrés eram revistados pelo guarda.

— O que está acontecendo com este homem? — disse Gomez para um dos guardas.

— *Está loco* — respondeu o guarda.

— Não. Ele é uma figura de grande importância política — disse Gomez. — É o comissário-chefe da Brigada Internacional.

— *Apesar de eso, está loco* — disse o cabo da guarda. — O que você faz atrás das linhas fascistas?

— Este camarada é de lá, é um guerrilheiro — disse-lhe Gomez, enquanto o homem o revistava. — Ele traz um despacho para o general Golz. Guarde bem os meus documentos. Tenha cuidado com o meu dinheiro e esta bala nesse cordão. É do meu primeiro ferimento em Guadarrama.

— Não se preocupe. Tudo vai estar nesta gaveta. Por que vocês não me perguntaram onde estava Golz?

— Nós tentamos. Perguntei à sentinela e ele foi chamá-lo.

— Mas aí veio o louco e você perguntou a ele. Ninguém deve perguntar nada para ele. Ele é louco. Teu Golz está lá acima na estrada, três quilômetros daqui, à esquerda das rochas da floresta.

— Você não pode nos deixar ir agora?

— Não. Perderia a minha cabeça. Devo te levar para aquele louco. Além disso, ele está com o teu despacho.

— Você não pode contar para alguém mais?

— Posso — disse o cabo da guarda. — Vou contar para o primeiro responsável que vir passar. Todos sabem que ele é louco.

— Sempre o considerei uma grande figura — disse Gomez. — Uma das glórias da França.

— Ele pode ser uma glória e tudo mais — disse o cabo da guarda, e colocou a mão no ombro de Andrés. — Mas é louco como uma praga. Tem a mania de fuzilar pessoas.

— Fuzila de verdade?

— *Como lo oyes* — disse o cabo. — Aquele velho *mata más que la peste bubonica*. Mas ele não mata fascistas, como nós. *Qué va*. Nem brincando. *Mata bichos raros*. Mata os esquisitos. Trotsquistas. Diversionistas. Qualquer tipo de besta rara.

Andrés não entendeu nada.

— Quando estivemos em Escorial, não sei quantos nós fuzilamos para ele — disse o cabo. — Somos sempre nós que fornecemos a festa do tiroteio. Os homens das brigadas não fuzilariam seus próprios homens. Especialmente franceses. Para evitar embaraços, somos sempre nós que fazemos o serviço. Fuzilamos franceses, belgas e outros de diversas nacionalidades. De todos os tipos. *Tiene mania de fusilar gente*. Sempre por motivos políticos. Ele é louco. *Purifica más que el Salvarsán*.

— Mas você vai falar com alguém sobre o despacho?

— Vou, homem. Com certeza. Conheço todos dessas duas brigadas. Todos passam por aqui. Conheço até os russos, embora poucos falem espanhol. Não vamos deixar este louco matar espanhóis.

— Mas e o despacho?

— O despacho também. Não te preocupa, camarada. Sabemos como lidar com este louco. Ele é perigoso apenas com a sua própria gente. Nós o entendemos agora.

— Traga os dois prisioneiros — era a voz de André Marty.

— *Quereis echar un trago?* — perguntou o cabo. — Quer tomar um trago?

— Por que não?

O cabo pegou uma garrafa de anis da prateleira e os dois, Gomez e Andrés, beberam. O cabo também, e limpou a boca com a mão.

— *Vámonos* — disse ele.

Saíram da sala da guarda com a queimação do anis na boca, no estômago e no coração, caminharam até o hall e entraram na sala onde Marty estava sentado atrás de uma mesa grande, seu mapa aberto à sua frente, seu lápis vermelho e azul na mão, brincando de general. Para Andrés era apenas mais um incidente. Haviam ocorrido muitos, esta noite. Era sempre assim. "Se os seus papéis estivessem em ordem, e sua consciência estivesse tranquila, estaria fora de perigo. Mais cedo ou mais tarde eles irão lhe soltar e você estará a caminho. Mas o *Inglés* dissera para apressar-se. Sabia, agora, que jamais poderia voltar para a ponte, mas eles tinham um despacho para entregar, e este velho aí na mesa o havia colocado em seu bolso."

— Pare aí — disse Marty, sem olhar para cima.

— Escute, Camarada Marty — disse Gomez, o anis fortalecendo a sua ira. — Esta noite nós fomos impedidos uma vez pela ignorância dos anarquistas. Depois pela preguiça de um burocrata fascista. Agora pela suspeita de um comunista.

— Cale a boca — disse Marty, sem olhar para eles. — Isto não é uma reunião.

— Camarada Marty, isto é de extrema urgência — disse Gomez. — Da maior importância.

O cabo e o soldado ficaram vivamente interessados no diálogo, como se assistissem a uma peça vista muitas vezes, mas cujos bons momentos eles sempre poderiam saborear.

— Tudo é urgente — disse Marty. — Todas as coisas são importantes. — Voltou então os olhos para eles, segurando o mesmo lápis. — Como você sabia que Golz estava aqui? Você entende como é sério, vir perguntando por um determinado general, antes de um ataque? Como você poderia saber que este general estaria aqui?

— Conte você para ele — Gomez disse para Andrés.

— Camarada general — começou Andrés. André Marty não o corrigiu quanto a sua patente. — Me deram o pacote do outro lado das linhas...

— Do outro lado das linhas? — disse Marty. — Sim, eu o ouvi dizer que você veio das linhas fascistas.

— Foi dado para mim, camarada general, pelo *Inglés* de nome Roberto que veio até nós como sendo um dinamitador, para esse negócio da ponte. Entendeste?

— Continua a tua história — Marty disse para Andrés, usando o termo história como se fosse uma mentira, uma falsidade, ou fabricação.

— Bem, camarada general, o *Inglés* mandou-me trazer isto para o general Golz com a máxima urgência. Ele fará um ataque naquelas montanhas hoje e tudo o que pedimos é para entregar esta mensagem para ele prontamente, se isso satisfaz o camarada general.

Marty sacudiu a cabeça. Olhava para Andrés mas não o via.

"Golz", pensou ele, numa mistura de horror e exultação, como sente um homem ao ouvir que o inimigo foi morto num acidente de carro horrendo, ou que alguém odiado, mas de cuja honradez nunca ninguém duvidou, é culpado de um desfalque. "Aquele Golz deve ser um deles, também. Aquele Golz deve estar em contato com os fascistas. Golz, que ele conhecia há cerca de vinte anos. Golz, que capturara o trem de ouro, naquele inverno, com Lucacz na Sibéria. Golz, que lutara contra Kolchak, e na Polônia. E no Cáucaso. Na China, e aqui, desde outubro. Mas ele era próximo de Tukachevsky. De Voroshilov, sim, também. E de quem mais? Aqui, de Karkov, naturalmente. E de Lucacz. Mas todos os húngaros eram intriguistas. Ele odeia Gall. Golz odeia Gall. Lembre-se disso.

Tome nota. Golz sempre odiou Gall. Mas ele favorece. Putz. Lembre-se disso. E Duval é o seu chefe do Estado-Maior. Veja o que provém daí. Você já ouviu ele dizer que Copic é um idiota. Isto é definitivo. Isto é real. E agora este despacho das linhas fascistas. Somente podando os ramos secos se pode preservar a saúde da árvore e fazê-la crescer. Mas os ramos secos devem aparecer para que sejam destruídos. Golz, dentre todos os homens. Golz deve ser um dos traidores. Não se pode confiar em ninguém. Ninguém. Jamais. Nem na sua esposa. Nem no seu irmão. Nem no seu mais antigo camarada. Em ninguém. Jamais."

— Leve-os — disse para os guardas. — Prenda-os com muito cuidado. — O cabo olhou para o soldado. Tinha sido bem silencioso comparado com outros desempenhos de Marty.

— Camarada Marty — disse Gomez. — Não seja louco. Escute-me, sou um oficial leal e seu camarada. Trata-se de um despacho que deve ser entregue. Este camarada o trouxe através das linhas fascistas para entregar ao camarada general Golz.

— Leve-os daqui — disse Marty, agora gentilmente para o guarda. Ele sentia muito por eles como seres humanos, se é que era necessário fuzilá-los. Mas era a tragédia de Golz que o oprimia. "Deveria ser Golz", pensou. "Levaria o comunicado fascista de uma vez para Varloff. Não, melhor seria levá-lo pessoalmente para Golz, e observá-lo ao recebê-lo. É isto que ele faria. Como ter certeza com respeito a Varloff, se Golz fosse um deles? Não. Isto era algo para se ter muito cuidado."

Andrés virou-se para Gomez e perguntou, estupidificado:

— Quer dizer que ele não vai entregar este despacho?

— Você não vê? — disse Gomez.

— *Me cago en su puta madre!* — disse Andrés. — *Está loco.*

— Está — disse Gomez. — Ele é louco. Você está louco! Ouviu?! Louco! — gritou ele para Marty, que já estava novamente debruçado sobre o mapa, com seu lápis vermelho e azul. — Ouviu-me, louco assassino?

— Leve-os — Marty disse para o guarda. — Ficaram dementes, por causa da sua grande culpa.

Esta era uma frase que o cabo reconheceu. Ele a ouvira antes.

— Louco assassino! — Gomez gritou.

— *Hijo de la gran puta!* — disse Andrés. — *Loco!*

A estupidez deste homem o encolerizou. Se ele era louco, que fosse removido. Que o despacho fosse tirado de seu bolso. Desgraçado deste louco, para o inferno com ele. Sua fúria espanhola crescia, tirando-lhe da sua habitual calma e bom humor. Em pouco tempo ela o cegaria.

Marty balançou a cabeça tristemente, olhando para o seu mapa, enquanto os guardas escoltavam Gomez e Andrés. Os guardas se divertiram ouvindo-o ser insultado, mas ficaram algo desapontados com a performance. Já haviam presenciado outras melhores. André Marty não se importava que o insultassem. Quantos homens já o haviam insultado. E ele ficava genuinamente compadecido por aqueles seres humanos. Sempre dizia isso para si mesmo; era uma das últimas ideias que tivera sozinho.

Sentou-se lá, os bigodes e olhos focados sobre o mapa que ele nunca entendera completamente; aquele delineamento marrom dos contornos, traçados finos e concêntricos como teias de aranha. Podia ver as montanhas e vales pelos contornos, mas nunca pôde entender por que seriam desta ou daquela altura, e por que um determinado vale era o que procurava. Mas no Estado-Maior, onde, por causa do sistema de comissariado político, ele interferia como líder político das brigadas, colocava seu dedo em tal e tal localização, numerada e circulada com finas linhas marrons, entre os verdes das florestas, cortadas pelas linhas das estradas, não por acaso paralelas ao serpenteio dos rios, e dizia: "Aqui, este é o ponto fraco."

Gall e Copic, homens políticos e ambiciosos, concordavam sempre; e posteriormente, homens que nunca viram os mapas, mas que haviam escutado o número da montanha ser mencionado, antes de deixarem suas posições iniciais, orientados pela terra das escavações feitas nela, escalariam as suas encostas ao encontro da morte ao longo de suas ladeiras ou, interrompidos por metralhadoras escondidas em oliveiras, jamais atingiriam o seu topo. Talvez, em outros fronts, talvez fosse mais fácil escalar, mesmo assim não se sairiam melhor. O fato é que, quando Marty punha o seu dedo no mapa do Estado-Maior de Golz, os músculos das mandíbulas no rosto pálido cheio de cicatrizes do general ficavam rígidos e ele pensava: "Eu deveria te dar um tiro, André Marty, antes de você pôr este dedo cinza nos contornos de um de meus mapas. Diabos, ao inferno com você por todos os homens que você matou interferindo em assuntos dos quais não entende nada. Desgraçado o dia em que batizaram fábricas de tratores e vilas e cooperativas com o seu nome, transformando-o num símbolo, no qual, agora, não posso tocar. Vá suspeitar, exortar, interferir, denunciar e chacinar em outro lugar, e deixe o meu Estado-Maior em paz."

Mas em vez de dizer isso, Golz iria apenas inclinar-se para trás, afastado do vulto debruçado, do dedo apontado, dos olhos cinza marejados, do bigode agrisalhado e do mau hálito, e dizer: "Sim, camarada Marty. Percebo o seu ponto de vista. Entretanto, não está bem-pensado e eu não concordo. Você pode passar sobre a minha cabeça, se quiser. Sim. Pode fazer disso um assunto do Partido, como costuma dizer. Mas eu não concordo."

Então, agora André Marty punha-se a trabalhar sobre o seu mapa na mesa nua com a luz crua da lâmpada elétrica suspensa sobre a sua cabeça, a boina demasiado grande puxada sobre os olhos para fazer-lhes sombra, consultando a cópia mimeografada das ordens para o ataque e, vagarosamente, laboriosamente, identificando-as no mapa, como um jovem oficial numa academia militar. Estava engajado numa guerra. Na sua mente ele comandava tropas; tinha o direito de interferir e acreditava que isso se constituía em comando. Então, ele estava lá, sentado, com o despacho de Robert Jordan para Golz em seu bolso, Gomez e Andrés aprisionados na sala da guarda, e Robert Jordan deitado na floresta acima da ponte.

É duvidoso que o resultado da missão de Andrés fosse diferente, se ele e Gomez tivessem sido autorizados a prosseguir sem a intrusão de André Marty. Não havia ninguém no front com autoridade suficiente para cancelar o ataque. A maquinaria estava em movimento havia tempo demais para ser travada de repente. Há uma grande inércia em todas as operações de um exército, de qualquer tamanho, mas, uma vez que ela é quebrada e a marcha começa, é tão difícil impedi-la quanto iniciá-la.

Mas, nesta noite, o velho, com a sua boina puxada para a testa, continuava sentado à mesa, com o seu mapa, quando a porta abriu-se e Karkov, o jornalista russo, entrou com mais dois russos à paisana, com casacos de couro e chapéus. O cabo da guarda fechou relutantemente a porta atrás deles. Karkov havia sido a primeira autoridade com quem ele pudera se comunicar.

— *Tovarich* Marty — disse Karkov, com sua voz ciciante, polida e desdenhosa, e sorrindo, com seus péssimos dentes à mostra.

Marty ficou de pé. Não gostava de Karkov, mas Karkov, vindo do *Pravda,* em comunicação direta com Stálin, era neste momento um dos três homens mais importantes na Espanha.

— *Tovarich* Karkov — disse ele.

— Você está preparando o ataque? — disse Karkov com insolência, gesticulando com a cabeça na direção do mapa.

— Estou estudando-o — respondeu Marty.

— É você que está atacando? Ou é Golz? — perguntou Karkov, brandamente.

— Sou apenas um comissário, como sabe — disse-lhe Marty.

— Não — replicou Karkov. — Você é modesto. Você é mesmo um general. Você tem o seu mapa e seus binóculos. Mas você já não foi almirante, camarada Marty?

— Fui um artilheiro — disse Marty. Era mentira. Ele na realidade havia sido um escrevente da Marinha, na época do motim. Mas passou a pensar para sempre que tinha sido artilheiro.

— Ah. Pensei que você tivesse sido um escrevente de primeira classe — disse Karkov. — Estou lidando sempre com fatos errados. É a marca do jornalista.

Os demais russos não tomaram parte na conversa. Ambos examinavam o mapa de Marty por sobre o seu ombro, e ocasionalmente faziam comentários entre si e na sua língua. Marty e Karkov falavam em francês, após a saudação.

— É melhor não se enganar com os fatos no *Pravda* — disse Marty. Dissera isso bruscamente, para levantar seu moral novamente. Karkov sempre o alfinetava. A palavra francesa para isso era *dégonfler*, e Marty ficava preocupado e, sempre, desconfiado na presença dele. Era difícil, quando Karkov falava, lembrar-se da importância que fora atribuída a ele, Marty, ao vir do comitê central do Partido Comunista Francês. Também era difícil lembrar que ele era intocável. Karkov parecia tocá-lo sutilmente sempre que queria.

— Usualmente eu os corrijo antes de enviar ao *Pravda*, sou bem preciso no *Pravda* — disse ele. — Diga-me, camarada Marty, ouviu qualquer coisa sobre uma mensagem vinda para Golz, de um de nossos grupos *partisan*, operando nos lados de Segóvia? Há um camarada americano de nome Jordan, de quem deveríamos ter tido notícias. Houve relatos de combates lá atrás das linhas dos fascistas. Ele teria enviado uma mensagem para Golz.

— Um americano? — perguntou Marty. Andrés havia falado de um *Inglés*. Então era isso. Ele estava errado. Mas por que aqueles dois idiotas tinham se dirigido a ele?

— Sim — falou Karkov, olhando para ele com menosprezo. — Um jovem americano de desenvolvimento político superficial, mas com grande tato para com os espanhóis e uma ficha excelente como *partisan*. Apenas dê-me o despacho, camarada Marty. Ele já foi retardado o bastante.

— Que despacho? — perguntou Marty. Era uma coisa muito estúpida para dizer e ele sabia disso. Mas não era capaz de admitir tão rapidamente que estava errado, e disse aquilo para atrasar o momento da humilhação, sem aceitar qualquer humilhação.

— E o passe de salvo-conduto — disse Karkov entre seus péssimos dentes.

André Marty levou a mão ao bolso e colocou o despacho sobre a mesa. E encarou Karkov, direto em seus olhos. Tudo bem. Ele estava errado e não podia fazer nada a respeito agora, mas não iria aceitar humilhação.

— E o salvo-conduto — disse Karkov baixinho.

Marty colocou o salvo-conduto ao lado do despacho.

— Camarada cabo — Karkov gritou, em espanhol.

O cabo abriu a porta e entrou. Olhou de relance para André Marty que lhe devolveu o olhar feito um velho javali encurralado pelos cães de caça. Não havia medo no rosto de Marty, nem humilhação. Ele estava era irritado e apenas temporariamente encurralado. Acreditava que esses cachorros não poderiam segurá-lo.

— Entregue isto para esses dois camaradas na sala da guarda, e encaminhe-os ao quartel-general do general Golz — disse Karkov. — Já houve muito atraso.

O cabo saiu e Marty seguiu-o com os olhos, depois voltou-se para Karkov.

— *Tovarich* Marty — disse Karkov. — Vou descobrir o quanto você é intocável.

Marty ficou olhando para ele em silêncio.

— Nem pense em tentar nada — continuou Karkov. — Não foi o cabo. Vi os dois homens na sala da guarda e eles falaram comigo — mentiu. — Espero que todos os homens sempre falem comigo — isto era verdade, embora tivesse sido o cabo quem o procurara. Mas Karkov tinha esta crença na bondade que poderia advir de sua acessibilidade e das possibilidades humanizadoras da intervenção benevolente. Quanto a isso não era cínico.

— Você sabe que quando estou na URSS. as pessoas escrevem para mim, no *Pravda*, quando há uma injustiça numa cidade no Azerbaijão? Sabia disso? Elas dizem "Karkov irá nos ajudar".

André Marty continuou olhando sem expressão para ele, mas com raiva e desgosto. Só havia na sua mente agora que Karkov fizera algo contra ele. "Tudo bem, Karkov, com poder e tudo mais, que se cuide."

— Há mais uma coisa — continuou Karkov —, mas do mesmo princípio. Vou descobrir o quanto você é intocável, camarada Marty, e gostaria de saber se é possível trocar o nome daquela fábrica de tratores.

André Marty desviou o olhar dele, retornando para o mapa.

— O que o jovem Jordan disse? — perguntou-lhe Karkov.

— Não li o despacho — disse André Marty. — *Et maintenant fiche moi la paix*, camarada Karkov.

— Ótimo — disse Karkov. — Vou deixá-lo com suas tarefas militares.

Karkov saiu da sala e caminhou até a sala da guarda. Andrés e Gomez já haviam partido e ele parou lá por um momento, observando a estrada e o topo das montanhas, à vista agora na primeira luz do dia. "Devemos ir para lá", pensou. "Será dentro em breve."

Andrés e Gomez estavam na motocicleta rodando pela estrada novamente, e amanhecia. Agora Andrés, novamente segurando-se no assento à sua frente, à medida que a motocicleta subia, curva após curva, na pálida neblina cinza que pairava sobre o topo daquele passo, sentiu a motocicleta acelerar-se sob o seu corpo, e então derrapar, parar, e eles ficaram junto a ela, numa ladeira extensa da estrada, e no meio das árvores, à esquerda, havia tanques camuflados com folhagens de pinheiro. Ali havia soldados espalhados por todo o mato. Andrés viu homens carregando longas varas de padiola sobre os ombros. Três carros do Estado-Maior estavam fora da estrada, à direita, sob as árvores, com folhagens colocadas dos lados e mais folhagens de pinheiros sobre eles.

Gomez empurrou a motocicleta em direção a um deles. Encostou-a num pinheiro e falou com o chofer, que estava sentado sobre o capô, com as costas contra a árvore.

— Vou levá-lo até ele — disse o chofer. — Esconde a tua moto e cubra com isto — apontou para uma pilha de ramagens cortadas.

Com o sol começando a vazar através das altas copas dos pinheiros, Gomez e Andrés seguiram o chofer, cujo nome era Vicente, por entre os pinheiros do outro lado da estrada e acima da ladeira, na entrada de uma trincheira, de cujo teto corriam fios de comunicação para o meio da mata. Ficaram do lado de fora quando o chofer entrou, e Andrés admirou a construção da trincheira, uma vala no lado da colina, sem terra espalhada; viu que era profunda e que os homens caminhavam por ela livremente sem precisar baixar a cabeça sob o pesado teto de madeira.

Vicente, o chofer, saiu da trincheira.

— Ele está mais lá para cima, onde estão formando as tropas para o ataque — disse ele. — Entreguei o despacho para o chefe do Estado-Maior. Ele assinou o recebimento. Aqui.

Entregou a Gomez o recibo. Gomez passou-o para Andrés, que o olhou e o colocou no bolso da camisa.

— Qual é o nome deste que assinou? — Andrés perguntou.

— Duval — disse Vicente.

— Bom — disse Andrés. — Ele era um dos três para quem eu deveria entregar.

— Devemos esperar pela resposta? — perguntou Gomez a Andrés.

— Seria melhor. Embora nem Deus saiba onde vou encontrar o *Inglés* e os outros, depois desse negócio da ponte.

— Venham comigo — disse Vicente —, até que o general retorne. Vou pegar café para vocês. Devem estar com fome.

— E estes tanques — disse Gomez para ele.

Estavam passando pelos tanques cor de barro, cobertos com folhagem, cada um com duas trilhas profundas sobre as folhas pontiagudas de pinheiros, mostrando onde haviam contornado para voltar da estrada. Seus canhões de 45 milímetros espetados horizontalmente sob as ramagens, e os condutores e artilheiros com suas jaquetas de couro e capacetes arestados, sentados com as costas contra as árvores ou dormindo deitados no chão.

— Estes tanques são a reserva — disse Vicente. — Estes soldados também estão na reserva. Os que começam o ataque estão lá em cima.

— São tantos — disse Andrés.

— Sim — disse Vicente. — É uma divisão completa.

Dentro da trincheira, Duval segurava o despacho de Robert Jordan, aberto em sua mão esquerda, lendo-o pela quarta vez, e a cada vez sentindo o suor descer de suas axilas e correr pelos flancos. Ele disse ao telefone: — Então dê-me a posição Segóvia. Ele já saiu? Dê-me a posição Ávila.

Duval continuou ao telefone. Não era nada bom. Já contatara ambas as brigadas. Golz saíra para supervisionar as disposições para o ataque e estava a caminho de um posto de observação. Duval telefonou para o posto de observação e ele não estava lá.

— Dê-me a esquadrilha número um — disse Duval, de repente, tomando toda a responsabilidade. Tomaria a responsabilidade de suspender o ataque. "Seria melhor suspender o ataque. Seria absurdo enviar um ataque surpresa contra um inimigo que o estava esperando. Não podia fazer isto. Seria assassinato. Não poderia. Não deveria. Não importava o que acontecesse. Eles podiam fuzilá-lo, se quisessem. Chamaria o campo de aviação diretamente e cancelaria o bombardeio. Mas, e se for apenas um ataque de retenção? Suponha que devêssemos relocar todo aquele material e aquelas tropas? E se for isto mesmo? Eles nunca nos dizem quando é um ataque de retenção."

— Cancele o chamado à esquadrilha número um — disse ao operador. — Dê-me o posto de observação da 69ª. Brigada.

Ainda tentava fazer uma chamada quando escutou o primeiro som dos aviões.

Exatamente quando conseguiu contatar o posto de observação.

— Sim — disse Golz, calmamente.

Estava recostado num saco de areia, os pés contra uma rocha, um cigarro pendurado no lábio inferior, e olhava por sobre os ombros enquanto falava. Observava as três formações em cunha crescerem, metálicas e trovejando no céu, vindo por sobre a mais remota crista de montanha, onde os primeiros raios de sol começavam a bater. Observava-as brilhando, vindo, lindas contra o sol. Viu os círculos gêmeos de luz produzidos pelos raios de sol sobre as hélices enquanto os aviões passavam.

— Sim — disse ao telefone, falando em francês porque era Duval do outro lado. — *Nous sommes foutus. Oui. Comme toujours. Oui. C'ést dommage. Oui.* E é uma lástima que tenha chegado tão tarde.

Seus olhos voltados para os aviões estavam cheios de orgulho. Via agora as marcas vermelhas nas asas, e observava o seu avanço contínuo, troante e determinado. "É assim que poderia ser. Estes eram os nossos aviões. Eles vieram em engradados por navios, do Mar Negro através do Estreito de Mármara, pelo Dardanelos, pelo Mediterrâneo até aqui, desembarcados cuidadosamente em Alicante, montados com habilidade, testados e considerados perfeitos, e agora voam num roncar de adorável precisão, agrupados em V bem juntos, bem alto, prateados contra o sol da manhã para bombardear aquelas florestas lá do outro lado, roncando bem alto, para que possamos passar."

Golz sabia que, se passassem sobre a sua cabeça e continuassem, as bombas iriam cair, como golfinhos, dando cambalhotas no céu. Então as cristas daquelas colinas iriam esguichar e estrondear em nuvens saltando, e desaparecer numa única grande nuvem de explosão. Então os tanques, retinindo, iriam estilhaçar aquelas duas subidas, e depois estas duas brigadas avançariam. E, se tudo tivesse acontecido de surpresa, eles iriam continuar à frente, abaixo, por sobre e através, pausando, limpando, lidando com o que surgisse, muita coisa para fazer, muito para fazer com inteligência e os tanques auxiliando, os tanques empurrando e retornando, dando cobertura ao fogo e trazendo os combatentes para cima e deslizando para frente, e sobre, e através e empurrando para baixo, para trás. É assim que seria se não houvesse traição e se todos fizessem o que deveriam.

Lá estavam as duas cristas das montanhas e lá estavam os tanques à frente, e lá estavam as duas brigadas de prontidão para deixarem a mata, e aqui vão os aviões. Tudo o que deveria fazer tinha sido feito.

Mas, enquanto observava os aviões, quase sobre ele agora, sentiu um enjoo no estômago porque sabia, ao ouvir o despacho de Jordan pelo telefone, que não haveria ninguém naquelas duas espinhas de montanha. Eles estariam recuados um pouco mais para baixo, em trincheiras estreitas para escaparem dos fragmentos, ou escondidos na mata, e quando os bombardeiros passassem, retornariam com suas metralhadoras e armas automáticas e armas antitanques que Jordan dissera que subiram a estrada, e seria mais uma festa e tanto. Mas os aviões, agora ensurdecedores, estavam no lugar certo; Golz observando-os, olhando para cima, disse ao telefone:

— Não. *Rien à faire. Rien. Faut pas penser. Faut accepter.*

Golz observava os aviões com olhos vidrados de orgulho, sabendo como tudo poderia ser e como seria, e falou, orgulhoso do que poderia ser, acreditando em como poderia ser, mesmo que nunca fosse.

— *Bon. Nous ferons notre petit possible.* — E desligou.

Mas Duval não escutou suas palavras. Sentado à mesa, segurando o fone, tudo o que ele ouvia era o troar dos aviões, e pensou, agora, "talvez desta vez... ouça-os passando... talvez os bombardeiros explodam tudo, talvez tenhamos o caminho aberto, talvez ele consiga a reserva que solicitou, talvez seja isso, e esta seja a hora. Continuem. Vão em frente. Continuem." O troar era tanto que ele não conseguia ouvir nem os próprios pensamentos.

43

Deitado atrás do tronco de um pinheiro, na encosta da colina, acima da estrada e da ponte, Robert Jordan contemplava o amanhecer. Adorava esta hora do dia; sentia a noite clarear dentro dele, como se fosse parte do lento iluminar que vai chegando antes de o sol nascer, quando as coisas sólidas escurecem e os espaços se iluminam e as luzes que brilhavam à noite adquirem um tom amarelado, e depois se esvaem assim que chega o dia. Os caules dos pinheiros abaixo dele estavam definidos e nítidos agora, sólidos e marrons, e a estrada brilhava com uma fina camada de neblina sobre ela. O orvalho o molhara, o chão da floresta estava macio, e ele sentia sob os cotovelos as espetadas das pinhas e folhas pontiagudas caídas dos pinheiros. Abaixo, via, através da cerração tênue que subia do riacho, os ferros da ponte, reta e rígida atravessada no desfiladeiro, com as guaritas de madeira em cada extremidade. Observou a estrutura da ponte, ainda um emaranhado perfeito de aço no meio da neblina pairando sobre o riacho. Agora via a sentinela em sua guarita, em pé, suas costas cobertas pela manta, o capacete de aço na cabeça, inclinado sobre o braseiro feito com um latão de gasolina furado, aquecendo as mãos. Robert Jordan escutava o riacho, bem lá embaixo nas rochas, e via uma fumaça pálida e fina subir de uma das guaritas.

Ele consultou seu relógio e pensou: "Será que Andrés chegou até Golz? Se formos explodir esta ponte, gostaria de respirar devagar e reter o andamento do tempo, sentir isso outra vez. Será que ele conseguiu? Andrés? E se ele conseguiu, será que cancelariam o ataque? Teriam tempo para isso? *Qué va*. Não se preocupe. Eles vão cancelar, ou não. Não há mais decisões a tomar, e dentro de pouco tempo você saberá. Suponha que o ataque seja bem-sucedido. Golz disse que isto seria possível. Disse que havia uma possibilidade. Com nossos tanques descendo a estrada, os homens vindo pela direita e passando por La Granja com toda a face esquerda da montanha contornada. Por que você nunca pensa como é vencer? Está na defensiva há tanto tempo que não consegue pensar assim. Certo. Mas isto foi antes de todo aquele arsenal subir por esta estrada. Antes de todos aqueles aviões aparecerem. Não seja tão ingênuo. Mas lembre-se de que, enquanto pudermos aguentá-los aqui, manteremos os fascistas imobilizados. Não podem atacar nenhuma outra região enquanto não nos liquidarem, e não poderão nos liquidar. Se os franceses ajudarem de alguma forma, se pelo menos deixarem as fronteiras abertas e conseguirmos aviões americanos, eles jamais serão capazes de nos liquidar. Nunca, se conseguirmos alguma coisa a mais. Este povo irá lutar para sempre, se estiverem bem-armados."

"Não, não espere uma vitória aqui, e talvez a luta ainda demore muitos anos. É apenas um ataque de retenção. Não deve se iludir sobre isso. Suponha que hoje consigamos abrir caminho. Este é o nosso primeiro grande ataque. Mantenha a noção de proporção. Mas, e se conseguirmos? Não, não se entusiasme. Lembre-se do que subiu lá por esta estrada. Você fez o que podia. Mas deveríamos ter rádios portáteis de ondas curtas. Teremos, com o tempo. Mas ainda não temos. Agora apenas observe e faça a sua parte."

"Hoje é apenas mais um dia entre todos os que virão. Mas o que vai acontecer em todos os outros dias que ainda virão depende do que você fizer hoje. Foi assim o ano todo. Foi assim tantas vezes. Toda esta guerra é assim. Ora, tão cedo pela manhã e você falando de um jeito tão pomposo! Olhe lá! Vem vindo alguma coisa!"

Viu dois homens de ponchos e com capacetes de aço chegando pelos cantos da estrada, caminhando pela ponte, com seus rifles pendurados nos ombros. Um deles parou na extremidade mais afastada da ponte, e ficou fora de vista, atrás da guarita. O outro cruzou a ponte, caminhando devagar, com passos pesados. Parou no meio da ponte e cuspiu no penhasco, e prosseguiu depois vagarosamente até quase o final da ponte, onde a outra sentinela lhe disse qualquer coisa e então começou a caminhar pela ponte. Este que havia sido rendido caminhava mais rápido do que o outro ("Porque está indo tomar café", pensou Robert Jordan), mas também cuspiu para baixo.

"Será que é superstição?", pensou Robert Jordan. "Vou cuspir naquele desfiladeiro também. Se eu puder cuspir quando estiver lá. Não. Não pode ser um sortilégio tão forte assim. Não deve funcionar. Vou ter que provar que não funciona antes de chegar lá."

A nova sentinela entrou na guarita e sentou-se. Seu rifle com a baioneta encaixada descansava encostado na parede. Robert Jordan tirou seus binóculos do bolso de sua camisa e ajustou as lentes até que o final da ponte se mostrou em metal pintado de cinza. Então ele apontou os binóculos para a guarita da sentinela.

A sentinela estava recostada contra a parede. Seu capacete, pendurado num prego, e seu rosto bem visível. Robert Jordan reconheceu-o. Era o mesmo homem que estivera de guarda dois dias atrás no turno da tarde. Usava o mesmo gorro de lã. Não tinha feito a barba. Suas faces eram afundadas e os zigomas proeminentes. Tinha tufos enormes de sobrancelhas emendadas no centro. Parecia sonolento e, enquanto Robert Jordan observava-o, ele bocejou. Então, pegou do bolso a bolsa de fumo e um maço de papéis e enrolou um cigarro. Tentou fazer um isqueiro funcionar, colocou-o no bolso e foi até o braseiro, debruçou-se, enfiou a mão lá dentro, pegou um pedaço de carvão, e o jogava para cima com uma mão, como malabarista, enquanto o assoprava; então acendeu o cigarro e atirou o carvão quente de volta no braseiro.

Olhando pelos binóculos Zeiss Força-8, Robert Jordan viu sua face quando ele recostou-se na parede da guarita tragando o cigarro. Então, abaixou os binóculos, fechou-os e guardou-os no bolso.

"Não vou ficar olhando para ele novamente", disse para si mesmo.

Ficou deitado lá, observando a estrada e tentou não pensar. Um esquilo correu de um tronco de um pinheiro abaixo, e Robert Jordan observou-o virar a sua cabecinha no meio do caminho, na direção do homem que o acompanhava com os olhos. Viu os olhos do esquilo, pequenos, acesos, a cauda chicoteando de excitamento. Aí o esquilo foi para outro pinheiro, movendo-se no chão em longos pulos, com suas pequenas patas e a cauda exagerada. Do tronco, ele olhou outra vez para Robert Jordan, e subiu pela árvore, saindo de vista. Então, Robert Jordan ouviu o esquilo lá em cima do pinheiro, e viu-o esparramado num galho, o rabo balançando.

Robert Jordan voltou a olhar para a guarita lá embaixo, entre os pinheiros. Gostaria de ter o esquilo com ele, em seu bolso. Gostaria de afagar algo, alguém. Esfregou seus cotovelos contra as agulhas dos pinheiros, mas não era a mesma coisa. "Ninguém sabe o quanto este trabalho é solitário. Mas eu sei. Espero que a coelhinha saia ilesa desta. Chega. Sim, certo. Mas posso alimentar uma esperança. Que eu exploda a ponte e que a coelhinha saia ilesa. Bom. Certo. Só isso. É tudo o que eu quero."

Ficou lá deitado, desviando o olhar para longe da estrada e da guarita, do outro lado, para as longínquas montanhas. "Só não pense em nada." Permaneceu assim, deitado, em silêncio e acompanhando a manhã chegar. Era uma bela manhã de verão de final de maio, raiando bem rápido. Em dado momento, um motociclista passou pela ponte estrada acima, com casaco de couro, capacete todo revestido de couro e o rifle automático no coldre ao lado da perna esquerda. Noutra hora, foi uma ambulância que atravessou a ponte, passando logo abaixo dele, e subiu a estrada. Mas foi só. Sentia o cheiro dos pinheiros, escutava o riacho, e a ponte mostrava-se nítida e linda na luz da manhã. Deitado atrás de um pinheiro, com a submetralhadora atravessada no antebraço esquerdo, não olhou mais para as guaritas das sentinelas; já bem depois, parecia que a hora jamais chegaria, que nada iria acontecer em tão aprazível manhã de maio, quando ouviu o súbito estrondo repetido das bombas.

Ao ouvir as bombas, o primeiro de seus baques ruidosos, antes de o eco retornar da montanha em trovoadas, Robert Jordan respirou fundo e levantou a submetralhadora de onde estava apoiada. Sentiu os braços enrijecidos pelo peso da arma; os dedos estavam pesados de relutância. O homem na guarita da sentinela se pôs de pé quando ouviu as bombas. Robert Jordan viu-o lançar-se para o rifle e sair da guarita. Ficou imóvel na estrada com o sol brilhando sobre ele. Com o gorro meio caído de lado na cabeça, o sol batia no seu rosto com a barba por fazer enquanto olhava para cima na direção dos aviões que lançavam o bombardeio.

Agora não havia mais neblina na estrada e Robert Jordan enxergou o homem perfeitamente definido, nítido, parado lá na estrada olhando para o céu. O sol rebrilhando sobre ele através das árvores.

Robert Jordan sentiu a respiração apertada, como se tivesse uma trança de arame amarrada ao peito e, fixando os cotovelos, sentindo nos dedos os sulcos da arma, enquadrou o retângulo da mira, ajustado no chanfro de trás, bem no centro do peito do homem e apertou o gatilho delicadamente.

Sentiu o rápido coice da arma, seco, espasmódico, em seu ombro, e lá na estrada o homem, parecendo estupefato e ferido, caiu para frente de joelhos e emborcou com a testa no chão. Seu rifle caiu junto a ele, com um dos dedos do homem enroscado no gatilho, seu pulso dobrado para frente. O rifle ficou caído com a baioneta, na estrada. Robert Jordan olhou além do homem estirado com a cabeça no chão, na direção da ponte, para a guarita da sentinela da extremidade oposta. Não viu a outra sentinela e olhou para baixo, na ladeira à direita, onde sabia que Agustín estava escondido. Aí, escutou Anselmo disparar, o tiro espalhando um eco no desfiladeiro. E ouviu-o atirando outra vez.

Com aquele segundo tiro, veio um estardalhaço de granadas explodindo a partir de um canto sob a ponte. A seguir mais granadas fazendo barulho bem mais acima da estrada, à esquerda. E então ele ouviu tiros de rifles adiante na estrada, e, vindo por baixo, o barulho do rifle de Pablo, aquele da cavalaria, bangue-bangue-bangue em meio às explosões das granadas. Viu Anselmo descer a escarpa do outro lado da ponte, jogou a submetralhadora ao ombro e pegou as duas mochilas de trás dos troncos de pinheiros. A seguir, com uma em cada mão, sentindo o puxão em seus braços como se fossem arrancar os tendões fora dos ombros, desceu correndo a encosta acidentada em direção à estrada.

Enquanto corria, ouviu Agustín gritando — *Buena, caza, Inglés. Buena, caza!* e pensou: "Boa caçada, para o inferno, boa caçada"; e neste instante ouviu Anselmo disparando do outro lado da ponte, o barulho tinindo nos barrotes de aço. Passou pela sentinela estirada e correu pela ponte, as mochilas balançando.

O velho chegou correndo, segurando a sua carabina com uma só mão.

— *Sin novedad* — gritou. — Tudo certo. *Tuve que rematarlo.* Acabar com ele de vez!

Robert Jordan, ao ajoelhar-se, abrindo as mochilas no centro da ponte e tirando o material, notou que lágrimas corriam pelo rosto de Anselmo através da barba grisalha.

— *Yo maté uno también* — disse para Anselmo, e indicou com a cabeça na direção onde a sentinela jazia na estrada na cabeceira da ponte.

— É, homem, é — disse Anselmo. — Tivemos que matá-los e os matamos.

Robert Jordan já descia pelas vigas da ponte. Sentiu nas mãos os barrotes frios e molhados do orvalho e enlaçou-se neles com cuidado, sentindo o sol pelas costas, abraçando as armações da ponte, ouvindo o borbotar das águas lá de baixo, ouvindo o tiroteio, tiroteio demais, acima da estrada no posto avançado. Suava copiosamente e estava frio sob a ponte. Tinha um rolo de fio num braço e um par de alicates pendurado por uma tira atada no pulso.

— Passe para baixo um pacote de cada vez, *Viejo* — gritou para Anselmo. O velho esticou-se já bem na beirada da ponte, passando-lhe blocos retangulares de explosivos, e Robert Jordan esticava-se para cima para pegá-los, enfiava-os onde queria, empilhando-os bem próximos, amarrando-os. — Cunhas, *Viejo*! Dê-me as cunhas! —, sentindo o cheiro de madeira verde das cunhas, recém-lascadas, enquanto as encravava, apertadas, para prender as cargas entre os barrotes.

Enquanto trabalhava, colocando, apertando, firmando com as cunhas, amarrando com os fios, pensando somente na demolição, trabalhando rápido e meticulosamente como um cirurgião, ouviu um retinir de tiros vindo da parte baixa da estrada. Ouviu barulho de granadas também. E outro ribombar no meio do barulho das águas. E então houve silêncio naquela direção.

— Maldição — pensou ele. — O que será que eles encontraram pela frente?

Continuava o tiroteio na estrada, no posto de cima. "Tiroteio demais, maldição!", e ele amarrou duas granadas, lado a lado, no topo dos blocos de explosivos, enrolando fios por suas ranhuras para ficarem bem firmes, cerrando um nó, e torcendo-os com o alicate. Apalpou todo o conjunto e então, para torná-lo mais sólido, encravou cunhas no topo das granadas de modo a prender toda a carga firmemente contra o barrote de aço.

— Agora no outro lado, *Viejo* — gritou para Anselmo, e galgou por sobre os cavaletes, "Como um Tarzan infeliz numa floresta de aço", pensou ele, e saindo do escuro de sob a ponte, o riacho borbotando abaixo dele, olhou para cima e viu o rosto de Anselmo já lhe passando os pacotes de explosivos. "Maldito seja, mas que rosto bondoso", pensou ele. "Já não está chorando. Está tudo andando bem. E um lado está pronto. Este lado agora e estamos prontos. Vai cair lindamente. Vamos. Não fique excitado demais. Execute. Bem-feito e rápido como a anterior. Não se atrapalhe. Leve o tempo que for preciso. Não tente fazer mais rápido do que é capaz. Não pode perder agora. Ninguém pode te impedir de explodir um dos lados. Está fazendo exatamente como deveria. É um lugar frio. Cristo, faz frio como em uma adega de vinho e não tem cracas. Normalmente sob uma ponte de pedra está cheio de cracas. É uma ponte dos sonhos. Uma maldita de uma ponte dos sonhos. E o velho está lá em cima num péssimo lugar. Não tente fazer mais rápido do que é capaz. Queria que aquele tiroteio lá em cima já tivesse acabado." — Dê-me algumas cunhas, *Viejo*. — "Não estou gostando daquele tiroteio. Pilar deve estar com problemas por lá. Alguns homens do posto deviam estar fora. Lá por trás, ou atrás da serraria. Continuam atirando. Isto quer dizer que alguém ainda está na serraria. E toda aquela maldita serragem. Aquelas pilhas enormes de serragem. Se estiver velha e compacta, a serragem é boa para se usar como trincheira num tiroteio. Deve haver muitos deles ainda. Com Pablo, lá embaixo, está tudo silencioso. Me pergunto o que teria sido aquela segunda rajada. Deve ter sido contra um carro ou motociclista. Deus queira que eles não venham com nenhum carro blindado nem tanques. Continue. Arme isto o mais rápido que puder, encrave as cunhas bem apertadas e amarre-as. Você está tremendo, como uma maldita mulher. Diabos, qual é o seu problema? Está tentando ir rápido demais. Aposto que aquela mulher endiabrada lá em cima não está tremendo. Aquela Pilar. Talvez ela esteja tremendo também. Ela fala como se já tivesse passado por muitas enrascadas. Mas, vai tremer se se enrascar. Como todo mundo."

Ele inclinou-se para fora de sob a ponte, aparecendo à luz do sol, e esticou a mão para pegar o que Anselmo lhe passava, sua cabeça agora acima do barulho da queda d'água, o tiroteio aumentando vigorosamente na estrada e então o estardalhaço das granadas. E mais granadas.

— Eles despacharam a serraria.

"É sorte eu ter trazido estes blocos", pensou, "em vez das bananas. Que diabos. São muito mais fáceis de arrumar. Embora um saco de lona cheio de gelatina fosse mais rápido. Dois sacos. Não. Um só daria. E se tivéssemos os detonadores e a velha caixa com alavanca. Aquele filho da puta a atirou no rio. Aquela velha caixa e os lugares por onde andou. Foi neste rio que ele a atirou. Aquele Pablo miserável. Ele acaba de mandar aqueles lá embaixo para o inferno."

— Dê-me um pouco mais, *Viejo*.

"O velho está indo muito bem. Está numa posição e tanto lá em cima. Ele odiou atirar naquela sentinela. E eu então, mas não pensei nisto. Nem penso agora. Você tem o que fazer. Mas é que Anselmo ficou paralisado. Sei bem o que é isso. Acho que matar um homem com uma arma automática é mais fácil. Quero dizer, para quem atira. É diferente. Depois do primeiro toque é ela que faz a coisa, não você. Mas guarde isso para refletir noutra hora. Você e a sua cabeça. Você tem uma cabeça pensante, velho Jordan. Vamos, Jordan. Vamos! Era o que costumavam gritar, no jogo de futebol americano, quando você agarrava a bola. Você sabe que o desgraçado do Jordan não é maior do que o riacho lá embaixo. Bem lá no fundo, você quer dizer. Assim como nada mais, lá no fundo. Esta é uma das posições, aqui, sob a ponte. Uma posição, longe da posição de largada, no jogo de futebol americano. Vamos, Jordan, concentre-se. Isto é sério, Jordan. Você não entende? Sério. Falta pouco. Veja o outro lado. *Para qué?* Está tudo bem, aconteça o que acontecer. Para onde o Maine for, vai a nação. Para onde o Jordão for, irão os malditos israelitas. Quero dizer, a ponte. Para onde Jordan for, vai a infame desta ponte, na verdade é ao contrário."

— Dê-me um pouco mais, velho Anselmo — disse ele. O velho balançou a cabeça. — Quase pronto — disse Robert Jordan. O velho balançou a cabeça novamente.

Ao terminar de amarrar as granadas com os fios, ele não ouvia mais o tiroteio na estrada. De repente, trabalhava ouvindo apenas o som do riacho. Ele olhou para baixo e viu a brancura do riacho fervilhando bem embaixo dele, entre as pedras e caindo numa piscina clara de cascalhos onde uma das cunhas, que lhe escapou, flutuava em círculos na corrente. Enquanto ele olhava, uma truta pulou para pegar um inseto e contornou a superfície onde a cunha boiava. Ele torcia os fios, apertando-os com o alicate que segurava as duas granadas, e viu por entre os metais da ponte o sol batendo na encosta verde da montanha. "Era marrom, três dias atrás", pensou.

Do escuro frio sob a ponte, inclinou-se ao sol, gritou bem no rosto de Anselmo, debruçado bem próximo dele: — Dê-me o rolo de fios!

O velho passou os fios para ele.

"Pelo amor de Deus, não os afrouxe ainda. Isto irá puxá-los. Gostaria de poder enfiá-los por dentro. Mas com o comprimento desses fios está perfeito", Robert Jordan pensou, enquanto sentia os contrapinos da trava nas argolas que iriam livrar as alavanquinhas das granadas de mão. A seguir, verificou as granadas, amarradas pelas laterais, se havia espaço para o movimento das alavancas quando os pinos fossem puxados (o fio que as amarrava corria por entre e sob as alavancas), a seguir emendou um pedaço de fio numa das argolas, ligou-o no fio principal que corria pela argola da granada ao lado, folgou um pouco de fio do rolo, e passou-o em torno de um barrote de aço e então passou o rolo para Anselmo.

— Segure com cuidado — disse ele para o velho.

Robert Jordan subiu para a plataforma da ponte, pegou o rolo das mãos do velho e caminhou para trás, o mais rápido que pôde, desenrolando o fio em direção à sentinela esparramada na estrada, inclinando-se pela borda da ponte, sempre soltando o fio enquanto caminhava de costas.

— Traga as mochilas — gritou para Anselmo, enquanto andava de costas. Ao passar, curvou-se, apanhou a submetralhadora, e jogou-a sobre o ombro novamente.

Foi então, ainda desenrolando o fio, que olhou para cima da estrada e viu um dos grupos retornando do posto de cima.

Havia quatro deles, percebeu, e tinha que manter os olhos no fio para que ficasse livre, sem embaraçar em nenhuma parte. Eladio não estava com eles.

Robert Jordan carregou o fio para além da cabeceira da ponte, fez uma volta no último barrote e correu ao longo da estrada até parar ao lado de um marco de pedra. Cortou o fio e entregou-o para Anselmo.

— Segure, *Viejo* — disse ele. — Agora volte para a ponte comigo. Vá soltando enquanto caminha. Não. Eu vou.

Chegando na ponte, puxou o fio de volta pelo engate de modo que passasse livre, sem enredar, pelas argolas das granadas, e transferiu-o para Anselmo, esticando-o livre ao longo da ponte.

— Leva isto de volta para aquela pedra alta — disse. — Segura com cuidado, mas firmemente. Não ponha força. Se puxares com força, a ponte explode. *Comprendes?*

— Compreendo.

— Segura delicadamente, mas não deixa embarrigar, senão enreda. Mantém ligeiramente esticado, mas sem puxar, quando puxares... *Comprendes?*

— Compreendo.

— Quando tu puxares, puxa de verdade. Não basta um safanão.

Enquanto falava, Robert Jordan olhava estrada acima para os remanescentes do bando de Pilar. Estavam perto agora e ele viu Primitivo e Rafael amparando Fernando. Parecia ferido na virilha, pois era onde mantinha as mãos, enquanto o homem e o rapaz, um de cada lado, suspendiam-no pelos braços. Sua perna esquerda arrastava, o lado da alpargata raspando na estrada, enquanto eles o carregavam. Pilar escalava um barranco, por entre as árvores, trazendo três rifles. Robert Jordan não viu o seu rosto, mas a sua cabeça estava levantada e ela subia o mais rápido que podia.

— Como foi por aqui? — Primitivo gritou.

— Muito bem. Quase terminado — gritou Robert Jordan. Não havia necessidade de perguntar como tinham se saído. Quando desviou o olhar, os três estavam à beira da estrada, e Fernando sacudia a cabeça enquanto tentavam subi-lo no barranco.

— Deem-me um rifle — Robert Jordan ouviu-o dizer com a voz abafada.

— Não, *hombre*. Vamos te levar para os cavalos.

— Do que ia me adiantar um cavalo? — disse Fernando. — Estou bem aqui.

Robert Jordan não ouviu mais nada, pois estava falando com Anselmo.

— Faça a ponte explodir, se vierem tanques — disse-lhe. — Mas somente se vierem por cima. Faça explodir se vierem carros blindados. Se passarem por cima. Se vier outra coisa, Pablo vai dar conta.

— Não vou explodir enquanto estiveres sob a ponte.

— Não ligue para mim. Detona, se for preciso. Vou arranjar os fios do outro lado e voltar, então nós a explodiremos juntos.

Robert Jordan começou a correr para o centro da ponte. Anselmo o viu correndo com o rolo de fios no ombro, o alicate pendurado no pulso e a submetralhadora às costas. Viu-o escorregar para baixo da ponte, por sob a murada e sair de vista. Anselmo segurava os fios com sua mão direita, agachado atrás do marco de pedra olhando ao longo da estrada e através da ponte. A meio caminho, entre ele e a ponte, estava a sentinela tombada na estrada, afundada na superfície da estrada com o sol queimando-lhe as costas. Seu rifle abandonado com a baioneta apontada para Anselmo. O velho olhou para além da sentinela, rente à superfície da ponte do outro lado, pelas sombras dos parapeitos até onde a estrada guinava para a esquerda, paralela ao penhasco e perdia-se atrás da parede de pedra. Olhou para a guarita da outra extremidade, o sol brilhando sobre ela, e então, consciente dos fios em suas mãos, virou a cabeça para onde Fernando conversava com Primitivo e o cigano.

— Deixem-me aqui — dizia Fernando. — Dói muito e a hemorragia interna é forte. Eu sinto quando mexo.

— Vamos levar-te para a ladeira — disse Primitivo. — Põe os braços em volta de nossos ombros, vamos te pegar pelas pernas.

— É inútil — disse Fernando. — Coloque-me atrás de uma pedra. Sou tão útil aqui quanto lá em cima.

— Mas quando nós partirmos... — disse Primitivo.

— Deixem-me aqui — repetiu Fernando. — Não dá para eu viajar desse jeito. Assim, sobra um cavalo. Estou muito bem aqui. Com certeza, eles virão em breve.

— Podemos levar-te lá para cima da colina — disse o cigano. — Fácil.

Ele estava, é claro, com uma pressa mortal para escapar dali, assim como Primitivo. Mas já tinham trazido Fernando até tão longe...

— Não — insistiu Fernando. — Estou muito bem aqui. O que aconteceu com Eladio?

O cigano levou o dedo à cabeça, mostrando onde o ferimento tinha sido.

— Aqui — disse ele. — Depois de ti. Quando atiramos as granadas.

— Deixem-me aqui — disse Fernando. Anselmo percebeu que ele estava sofrendo muito. Mantinha as duas mãos na virilha e a cabeça recostada no barranco, as pernas retas à frente. Seu rosto estava cinza e suando.

— Deixem-me aqui, por favor — disse ele. Seus olhos estavam fechados pela dor, as bordas dos lábios tremiam. — Vou me ajeitar bem, aqui.

— Aqui está o rifle e cartuchos — disse Primitivo.

— É o meu? — perguntou Fernando, com os olhos fechados.

— Não, Pilar está com o teu. Este é meu — disse Primitivo.

— Preferiria o meu — disse Fernando. — Estou mais acostumado com ele.

— Vou trazê-lo para ti — disse o cigano, mentindo. — Fica com este até que eu volte.

— Estou numa boa posição aqui — disse Fernando. — Para os dois lados, estrada acima e para a ponte — ele abriu os olhos, virou a cabeça e olhou ao longo da ponte, então a dor fechou-lhe os olhos novamente.

O cigano deu um tapinha na sua cabeça e, com o polegar, sinalizou Primitivo para que partissem.

— Então cuidaremos lá de baixo para ti — disse Primitivo, e começou a subir a ladeira, atrás do cigano que avançava rápido.

Fernando permaneceu recostado contra o barranco. Na sua frente estava uma das pedras esbranquiçadas que marcavam o acostamento da estrada. Sua cabeça estava na sombra, mas o sol brilhava no seu ferimento atufado com gaze e onde suas mãos em concha contraíam-se. As pernas e os pés também estavam ao sol. O rifle estava a seu lado, com três pentes de bala sob o sol. Uma mosca pousou em suas mãos, mas a picada miúda não chegou a fazer-se sentir em meio à dor.

— Fernando! — Anselmo chamou-o, de onde estava agachado, segurando os fios. Fizera um laço na ponta dos fios e torcera-os de modo que podia prendê-los com o pulso.

— Fernando! — gritou novamente Anselmo. Fernando abriu os olhos e olhou para ele.

— Como foi tudo? — perguntou Fernando.

— Muito bem — disse Anselmo. — Dentro de minutos vamos explodir a ponte.

— Estou satisfeito. Qualquer coisa que precisares de mim avisa-me — Fernando falou, e cerrou os olhos outra vez de dor.

Anselmo desviou o olhar dele para a ponte. Aguardava pela primeira visão do rolo de fio sendo atirado para cima da ponte, seguido pela cabeça e rosto queimados de sol do *Inglés* içando-se de lado. Ao mesmo tempo, espreitava qualquer coisa que viesse pela curva da estrada, na outra extremidade. Não sentia medo agora, e não sentira até então. "Está passando rápido e tão normal", pensou. "Odiei atirar no guarda e me emocionei, mas passou. Como pode o *Inglés* dizer que matar um homem é igual a matar um animal? Em todas as caçadas senti alegria, e nenhum sentimento de transgressão. Mas atirar em um homem me dá uma sensação de esbofetear o próprio irmão quando já se é adulto. E ter atirado nele várias vezes para matá-lo... Não, não pensa nisso. Aquilo te emocionou bastante, e você correu aos soluços como uma mulher."

"Mas já passou", falou para si mesmo, "e podes tentar remir-te desse, assim como dos outros. Mas agora tens o que pediste na noite passada cruzando as colinas. Estás no combate e não tens problema. Se eu morrer nesta manhã, está tudo bem."

Então, olhou para Fernando, estirado contra o barranco com as mãos sobre a virilha, seus lábios azuis, os olhos cerrados, ofegando lentamente, e pensou: "Se eu morrer, que seja rapidamente. Não, eu disse que não pediria mais nada, se fosse agraciado com o que precisava para hoje. Assim, não pedirei. Entende? Não peço nada. Nada, de forma alguma. Dê-me o que pedi e deixo todo resto ao sabor do acaso." Ouviu o barulho vindo de longe, do combate no passo e disse para si mesmo: "Este é um grande dia. É preciso compreender que é um grande dia."

Mas não havia nenhum arroubo ou excitamento em seu coração. Tudo havia desaparecido, restava apenas a calma. E agora, agachado, com o cascalho sob os joelhos à beira da estrada, atrás do marco de pedra com uma alça do fio em sua mão e outra em torno do pulso, não estava sozinho nem se sentia solitário. Sentia aqueles fios em suas mãos como parte de si, assim como a ponte e as cargas que o *Inglés* havia posicionado. Sentia ele e o *Inglés* como um só homem, ele, que estava ainda trabalhando sob a ponte, assim como ele e a batalha, e ele e a República eram também um único ser.

Mas não havia excitação. Estava tudo calmo agora e o sol batia em seu pescoço, e sobre os seus ombros, enquanto, agachado, olhava para cima e viu um céu sem nuvens, e a ladeira da colina crescendo do outro lado do riacho. Não se sentiu feliz, mas também não se sentia sozinho nem com medo.

Acima, na encosta, Pilar estava deitada atrás de uma árvore espreitando a estrada na direção da descida. Ela tinha três rifles carregados e deu um para Primitivo assim que ele abaixou-se ao seu lado.

— Vai lá para baixo, atrás daquela árvore — disse ela. — Tu, cigano, para lá. — Apontou para outra árvore abaixo. — Ele está morto?

— Não. Ainda não — respondeu Primitivo.

— Faltou sorte — disse Pilar. — Se tivéssemos mais dois, isto não precisava ter acontecido. Ele deveria ter rastejado em volta do monte de serragem. Ele está bem naquele lugar?

Primitivo balançou a cabeça, confirmando.

— Quando o *Inglés* explodir a ponte, os fragmentos chegarão até aqui? — perguntou o cigano, detrás de sua árvore. — Não sei — respondeu Pilar. — Mas Agustín, com a *máquina,* está mais perto do que tu. O *Inglés* não o colocaria lá se fosse perto demais.

— Mas eu lembro da explosão do trem quando o farol da locomotiva voou sobre a minha cabeça, e pedaços de ferro voavam feito andorinhas.

— Tu tens memórias poéticas — disse Pilar. — Feito andorinhas. *Joder!* Eram como os fragmentos da caldeira. Escuta, cigano, te comportaste bem hoje, agora não deixa o medo te pegar.

— Bem, só perguntei se a explosão chega aqui para que eu fique bem-abrigado atrás da árvore — replicou o cigano.

— Então fica — disse-lhe Pilar. — Quantos nós já matamos?

— *Pues,* cinco, da nossa conta. Dois aqui. Não estás vendo o outro lá no final? Vê a guarita? Olha! Estás vendo? — apontou ele. — E tinha oito mais abaixo, para o Pablo. Vigiei aquele posto para o *Inglés.*

Pilar resmungou. E então vociferou:

— O que acontece com aquele *Inglés*? Ele está se masturbando debaixo daquela ponte? *Vaya mandanga!* Ele está destruindo ou construindo uma ponte?

Ela ergueu a cabeça e olhou para Anselmo, agachado atrás do marco de pedra.

— Ei, *Viejo!* — gritou ela. — O que está acontecendo com aquele teu *Inglés* safado?

— Paciência, mulher — respondeu Anselmo, segurando o fio levemente, mas com firmeza. — Ele está acabando o trabalho.

— Mas por que, em nome da grande puta, está demorando tanto?

— *És muy concienzudo!* — gritou Anselmo. — É um trabalho científico.

— (...) para a (...) da ciência dele! — disse Pilar enraivecida para o cigano. — Deixa aquele cara de (...) explodir a ponte. Maria! — gritou ela com a sua voz grave para o alto da colina. — Teu *Inglés*... — e berrou uma chuva de obscenidades sobre ações imaginárias de Jordan sob a ponte.

— Acalma-te, mulher — gritou Anselmo, lá da estrada. — Ele está fazendo um trabalho enorme. Está terminando agora.

— Para o inferno com isso — disse Pilar enraivecida. — É a velocidade que conta.

Neste instante, ouviram o tiroteio começar embaixo, na estrada, onde Pablo estava mantendo o posto que havia tomado. Pilar parou de lançar insultos e se pôs a escutar. — Ai, ai, ai — disse ela. — Pronto.

Robert Jordan também escutou os tiros, enquanto atirava o rolo de fio sobre a ponte com uma das mãos, içando-se com a outra em seguida. Quando seus joelhos tocavam a beirada do ferro da ponte, e suas mãos atingiam a superfície, ouviu os disparos da metralhadora atirando na curva mais abaixo. Era um som diferente do produzido pelo rifle automático de Pablo. Ele ficou de pé, inclinado, soltou seu rolo de fio e começou a desenrolá-lo caminhando de costas e de lado pela ponte.

Ele ouvia o tiroteio e enquanto caminhava sentiu-o no topo do estômago como se o eco atingisse o seu diafragma. Estava mais perto agora e olhou, pelas costas, para a curva da estrada. Não havia qualquer carro, tanque ou homens. Ainda estava vazia quando ele alcançou o meio da ponte. Estava vazia quando atingiu três quartos do caminho, o fio desenrolando-se livremente e sem embaraçar, e continuava vazia quando ele contornou a guarita da sentinela, segurando os fios e afastando-os das vigas de ferro. Chegou na estrada e ela continuava vazia, abaixo, e ele movia-se rápido, de costas, por sobre a calha pluvial no acostamento, como um *outfielder* num jogo de beisebol corre de costas para agarrar uma bola longa rebatida, mantendo o fio esticado, e agora estava quase na altura oposta à pedra de Anselmo, e nada vinha pelo outro lado da ponte.

De repente, escutou um caminhão descendo a estrada, e o viu por sobre o ombro apontando na longa ladeira, deu uma volta no pulso com o fio e gritou para Anselmo:

— Explode-a! — E cravou os calcanhares, inclinando-se para trás com força contra a tensão do fio, enrolado no pulso, com o ronco do caminhão aproximando-se cada vez mais pelas suas costas, e à frente havia a estrada com a sentinela morta e a longa ponte, e o pedaço de estrada da outra extremidade ainda limpo, e então houve um estrondo de rachadura e o centro da ponte foi pelos ares como uma onda quebrando, e ele sentiu sobre si o deslocamento de ar da explosão, enquanto dava um mergulho de cara na sarjeta, cheia de cascalho, com as mãos protegendo a cabeça. Seu rosto continuava enfiado no cascalho quando a ponte despencou no espaço, de onde tinha subido aos ares, e um cheiro de enxofre familiar cobriu-o de fumaça, um cheiro ácido. Logo começaram a chover pedaços de aço.

Após a chuva de aço parar ele continuava vivo. Ergueu a cabeça e olhou ao longo da ponte. A seção central havia desaparecido. Havia pedaços de aço denteados, brilhantes com suas novas quinas retorcidas por toda a sua extensão e na estrada. A cem metros aproximadamente, o caminhão parara. O motorista e dois homens correram para um bueiro.

Fernando continuava estirado de costas no barranco e ainda respirava. Os braços retos de cada lado e as mãos relaxadas.

Anselmo estava de cara para o chão ao lado do marco de pedra. Seu braço esquerdo estava dobrado sob a cabeça e o direito esticado à frente. O laço de fio continuava em volta do seu pulso direito. Robert Jordan ficou de pé, atravessou a estrada, ajoelhou-se junto a ele e certificou-se de que estava morto. Não o virou para ver o ferimento causado pelo pedaço de aço que o atingira. Estava morto e era tudo.

"Parece bem pequeno, morto", pensou Robert Jordan. "Parece pequeno e agrisalhado. Como pode ter carregado tanto peso, se era tão pequeno assim?" Então ele viu a forma de sua cabeça, as coxas sob o culote cinza de tropeiro e as alpargatas gastas de sola de corda, apanhou a carabina de Anselmo e as duas mochilas praticamente vazias agora, foi até Fernando e pegou seu rifle também. Chutou um pedaço de aço para fora da estrada. Jogou os dois rifles sobre o ombro, segurando-os pela ponta do cano, e começou a escalar a encosta pelo meio das árvores. Não olhou para trás nem ao longo da ponte para a estrada. Continuava o tiroteio além da curva, mais abaixo, e ele não se importava nem um pouco com isso agora.

Tossia muito, depois de ter respirado a fumaça de TNT, e sentia-se entorpecido.

Colocou um dos rifles ao lado de Pilar. Ela estava deitada atrás de uma árvore e reparou que voltava a ter três rifles novamente.

— Aqui é muito em cima — ele disse. — Há um caminhão lá na estrada, fora da sua visão. Eles pensaram que foram os aviões. É melhor você descer um pouco. Vou lá embaixo com Agustín, cobrir Pablo.

— O Velho? — perguntou ela, fitando-o.

— Morto.

Ele tossiu outra vez, escarrando e cuspindo no chão.

— A tua ponte explodiu, *Inglés*, não esqueça.

— Eu não me esqueço de nada. Você tem uma voz forte — disse ele. — Te ouvi lá de baixo. Grite para Maria e diga que eu estou bem.

— Perdemos dois lá na serraria — disse Pilar, tentando fazê-lo entender.

— Já sei — disse Robert Jordan. — Fizeram alguma besteira?

— Vai (...), *Inglés*. Fernando e Eladio eram homens também.

— Por que não vai lá para os cavalos? — sugeriu Robert Jordan. — Posso cobrir aqui melhor do que tu.

— Tu deves cobrir Pablo.

— Pablo que vá para o inferno. Que se cubra com *mierda*.

— Não, *Inglés*. Ele voltou. Ele lutou muito lá embaixo. Não ouviu? Ele está combatendo agora. Contra algo bem feio. Não ouve?

— Vou cobri-lo. Mas danem-se todos vocês. Tu e Pablo.

— *Inglés* — disse Pilar. — Acalma-te. Fiquei do teu lado nisso como ninguém mais. Pablo errou mas retornou.

— Se eu tivesse os detonadores, o Velho não teria sido morto. Poderia ter explodido a ponte daqui.

— Se, se, se... — disse Pilar.

A ira e o vazio, e também o ódio, que vieram com a depressão após a ponte, invadiram-no desde o momento em que olhou de onde estava agachado e viu Anselmo morto. E ainda a desesperança, pela dor que os soldados transformam em ódio para que possam continuar sendo soldados. Agora que tudo acabara, tomava-se de solidão, desligado, sem encantamento, odiava cada um que visse.

— Se não tivesse havido a nevasca — disse Pilar.

E então, não de repente, mas como se fosse um alívio físico (digamos, como se a mulher tivesse colocado o braço em torno dele), vagarosamente penetrando na sua consciência, ele foi aceitando tudo, livrando-se da raiva. "Certo, a nevasca. Foi isso. A neve. Que derrubou os outros. Quando se percebe que foi com os outros, quando nos livramos do eu, o desprezo pelo eu sempre é necessário numa guerra. Onde não deve haver ego. Onde o seu ego serve apenas para ser perdido." Então, ao perdê-lo, ouviu Pilar murmurar:

— El Sordo...

— O quê?

— El Sordo...

— Sim — disse Robert Jordan. Sorriu para ela, um sorriso estalado, duro, de músculos esticados. — Esquece isto. Eu estava errado. Sinto muito, mulher. Vamos fazer isto juntos. E a ponte *está* destruída, como disseste.

— Isto. É no que deves pensar.

— Então estou indo agora lá para o Agustín. Põe o teu cigano bem mais abaixo, para que ele possa enxergar a estrada. Dá aqueles rifles para Primitivo, e pega esta *máquina*. Deixa-me mostrar como funciona.

— Fica com a *máquina* — disse Pilar. — Não ficaremos aqui por muito tempo. Pablo está vindo e daremos o fora.

— Rafael — disse Robert Jordan. — Desce comigo. Aqui. Bom. Vê aqueles saindo do bueiro? Lá, acima do caminhão? Correndo para o caminhão? Atira num deles. Fica sentado. Vai com calma.

O cigano mirou cuidadosamente e disparou, e enquanto reengatilhava a arma dispensando a cápsula, Robert Jordan disse:

— Errou. O tiro foi na rocha, acima. Vê a poeira na rocha? Mais abaixo, meio metro. Agora, com cuidado. Eles estão correndo. *Sigue tirando.*

— Peguei um — disse o cigano. O homem tombou a meio caminho entre o bueiro e o caminhão. Os outros dois não pararam para arrastá-lo. Correram para o bueiro e mergulharam.

— Não atira nele — disse Robert Jordan. — Atira no topo do pneu do caminhão. Se errar, acertará no motor. Muito bom — olhava com os binóculos. — Um pouco mais para baixo. Bom. Tu atiras bem como o diabo. *Mucho! Mucho!* Atira agora no topo do radiador. Que campeão. Olha. Não deixa nada passar daquele ponto. Vê?

— Veja só, vou quebrar o para-brisa do caminhão — disse o cigano, contente.

— Não, o caminhão já está arruinado — disse Robert Jordan. — Para de atirar até que algo venha pela estrada. Começa a atirar quando estiverem do lado oposto ao bueiro. Tenta atingir o motorista. Então todos atiram — falou para Pilar, que se aproximara, mais para baixo da ladeira, com Primitivo. — Vocês estão muito bem-posicionados aqui. Veem como a escarpa protege os teus flancos?

— Vai cuidar da tua parte com Agustín — disse Pilar. — Deixa para depois tua palestra. Já sei o que é um campo de batalha há muito tempo.

— Põe Primitivo mais acima — disse Robert Jordan. — Lá, vê? Do lado onde o barranco é vertical.

— Desaparece — disse Pilar. — Vai andando, *Inglés*. Vai com a tua perfeição. Aqui não tem problema.

Nisso, ouviram os aviões. Maria estava com os cavalos havia um longo tempo, mas eles não eram conforto para ela e nem ela para eles. Daquele ponto, não podia ver a estrada nem a ponte, e quando o tiroteio começou ela abraçou o pescoço do grande garanhão baio de focinho branco, que ela amansara e para o qual tantas vezes levara comida no curral próximo do acampamento. Mas seu nervosismo fez o garanhão ficar nervoso também, e ele agitava a cabeça para cima e para baixo, com suas narinas dilatando-se durante o tiroteio e o bombardeio. Maria não conseguia ficar parada e caminhava em volta, dando tapinhas nos cavalos e fazendo-os se agitarem ainda mais.

Ela tentou pensar sobre o tiroteio não como uma coisa horrível que estivesse acontecendo, mas lembrando que era Pablo com homens que ela não conhecia, lá embaixo, Pilar com os demais, acima, e que não deveria preocupar-se, nem entrar em pânico, e ter confiança em Roberto. Mas não conseguia, os tiros acima e sob a ponte e os sons distantes, da batalha no passo, como o barulho de uma tempestade longe com estouros secos e os estouros irregulares das bombas, eram simplesmente uma coisa horrível, que quase a impedia de respirar.

Então, a seguir, ela ouviu a voz grave de Pilar lá debaixo da encosta, gritando palavrões que nem podia entender e pensou: "Oh, Deus, não, não. Não fale com ele assim, justo quando está em perigo. Não ofenda ninguém, não aumente os riscos, não faça nenhuma provocação."

Começou a rezar por Roberto, rápida e automaticamente, como fazia na escola, orando o mais rápido que podia e contando nos dedos da mão esquerda as dezenas de cada uma das duas orações que repetia. Quando a ponte explodiu, um dos cavalos arrebentou o cabresto com um puxão brusco da cabeça, no momento do estrondo, e disparou no meio das árvores. Maria conseguiu pegá-lo e trouxe-o de volta, fremente e arrepiado, seu peito escurecido pelo suor, a sela caída, e voltando entre as árvores ouviu mais tiros e pensou: "Eu não posso aguentar mais. Não consigo ficar sem saber o que está acontecendo. Não consigo respirar e minha boca está totalmente seca. Estou com medo, não estou bem, estou assustando os cavalos, só por acaso peguei este cavalo de volta porque ele bateu e trançou a sela numa árvore enredando-se nas tiras dos estribos, e agora que eu coloquei a sela sobre ele, oh, Deus, eu não sei... Não posso suportar isso. Ah, por favor, que ele esteja bem, o meu coração e tudo o que tenho está lá naquela ponte. A República é uma coisa, se devemos vencer é outra coisa. Mas, oh, Doce Abençoada Virgem, trazei de volta para mim aquele homem lá daquela ponte, e para sempre farei tudo o que disserdes. Porque eu não estou aqui. Eu não existo. Só existo com ele. Cuidai dele por mim que eu farei tudo por vós e ele não se importará. Isto não será contra a República. Ah, por favor, perdoai-me, estou muito confusa. Agora estou confusa demais. Mas cuidai dele por mim, farei tudo o que é certo, tudo o que ele mandar, tudo o que vós mandardes. Com as duas partes de mim eu farei. Mas ficar sem saber nada, eu não posso aguentar."

Então, com o cavalo amarrado novamente, a sela no lugar, o xairel liso e apertado sob a cincha, ela ouviu a potente voz de Pilar:

— Maria! Maria! Teu *Inglés* está bem. Ouviste? Tudo bem. *Sin Novedad!*

Maria segurou a sela com as duas mãos e pressionou sua cabeça tosada contra ela e chorou. Ouviu a voz vibrante gritando outra vez e voltou-se da sela e gritou, sufocada:

— Ouvi! Obrigada! — E mais uma vez, sufocada: — Obrigada, obrigada, muito obrigada!

Todos olharam para cima quando ouviram os aviões vindo da direção de Segóvia, bem alto no céu, metálicos, contra o firmamento, troando acima de todos os outros sons.

— Eles! — disse Pilar. — Só estavam faltando eles.

Robert Jordan colocou o braço sobre os ombros dela enquanto olhava e disse:

— Não, mulher. Não vêm por nossa causa. Eles não têm tempo para nós. Acalma-te.

— Odeio eles.

— Eu também. Mas agora devo ir até Agustín.

Ele contornou a encosta entre os pinheiros, em meio à vibração troante dos aviões, e do outro lado da ponte despedaçada, na parte baixa da estrada, atrás da curva, continuava intermitente o matraquear dos tiros de uma metralhadora.

Robert Jordan atirou-se no chão onde Agustín estava deitado, no capão baixo de pinheiros novos, atrás do rifle automático, e mais aviões continuavam vindo.

— O que está acontecendo lá embaixo? — perguntou Agustín. — O que Pablo está fazendo? Será que ele não sabe que a ponte foi destruída?

— Talvez ele não possa recuar.

— Então vamos cair fora. Que vá para o inferno.

— Ele virá logo, se puder — disse Robert Jordan.

— Não ouço seus tiros há uns cinco minutos — disse Agustín. — Não. Lá! Escute! Lá está ele. É ele.

Era um estardalhaço de bangue-bangue-bangue de tiros da submetralhadora da cavalaria, e mais um e mais outro, e mais outro.

— É o maldito — disse Robert Jordan.

Olhou para cima, viu mais aviões voando alto no céu limpo sem nuvens e viu o rosto de Agustín de relance. Olhou para baixo, para a ponte despedaçada, e para o pedaço de estrada do outro lado que continuava limpa. Tossiu, cuspiu no chão e ouviu o martelar pesado da submetralhadora de novo, logo abaixo da curva do riacho. Pareceu vir do mesmo lugar.

— E o que foi isto agora? — perguntou Agustín. — Que porra é esta?

— Esse tiroteio está acontecendo desde antes de eu explodir a ponte — disse Robert Jordan. Ele olhou para baixo, para a ponte destroçada, e podia ver o riacho através da abertura despedaçada, onde o centro caíra, pendurado como um avental de aço dobrado. Ouviu o primeiro bombardeio daqueles aviões que passaram bem no alto, descarregando bombas mais acima do passo, e mais aviões continuaram vindo. O barulho dos seus motores enchia o céu; olhando para cima viu os caças, minúsculos, circulando e rodopiando bem no alto sobre eles.

— Acho que não cruzaram as linhas naquela outra manhã — disse Primitivo. — Devem ter se deslocado para oeste e depois voltaram. Não poderiam ter feito um ataque se tivessem visto estes aviões.

— Muitos são novos — disse Robert Jordan.

Tinha o pressentimento de que uma coisa que começara normalmente havia criado uma grande, uma gigantesca e desproporcional repercussão. Era como se alguém atirasse uma pedra e a pedra produzisse marolas e as marolas retornassem numa onda estrondosa e avassaladora. Ou como se a pessoa gritasse e o eco fosse um rolo de repiques de trovões, e trovões mortais. Ou como se alguém esmurrasse um homem e ele fosse caindo até onde a vista alcança e dali levantassem homens armados e em armaduras. Estava contente por não estar com Golz, atacando o passo.

Deitado ao lado de Agustín, olhando os aviões passando no céu, ouvindo o tiroteio na sua retaguarda, espreitando a estrada mais abaixo onde alguma coisa surgiria, continuava entorpecido pela surpresa de não ter sido morto na ponte. Havia aceitado a morte e tudo isto agora parecia irreal. "Mande isso embora", disse para si mesmo. "Chega disso. Há muito, muito, muito mais ainda para fazer hoje." Mas a sensação não o deixava, e ele sentiu, conscientemente, que tudo se transformara num sonho.

"Você deve ter engolido muita fumaça", disse para si mesmo. Mas sabia que não era isso. Podia sentir, solidamente que tudo parecia irreal, através da realidade absoluta, e contemplou a ponte, a sentinela estendida na estrada, o lugar onde Anselmo estava caído, Fernando encostado no barranco, e a estrada amarronzada com o caminhão parado, tudo permanecia irreal.

"É melhor entregar logo os pontos", disse para si mesmo. "Você está como um daqueles galos de rinha no rinhadeiro que ninguém notou que está ferido, mas já está ficando frio, morrendo."

"Não, que maluquice", disse para si mesmo. "Você está meio grogue, é só, e com depressão, após grande responsabilidade cumprida, nada mais. Acalme-se."

Então Agustín agarrou o seu braço e apontou para o outro lado da garganta e ele viu Pablo.

Pablo vinha correndo, dobrando a curva da estrada. No desvio da rocha, onde a estrada saía de vista, viram Pablo parar, jogar-se contra a rocha e atirar para trás. Robert Jordan viu Pablo, atarracado, pesado, perdera o boné, encostado na parede de rocha e disparando o rifle automático da cavalaria, e podia ver a cascata de cápsulas de bronze pulando e brilhando no sol. Eles viram Pablo agachar-se e disparar outra rajada. Então, sem olhar para trás, ele veio correndo, baixo, pernas arqueadas, rápido, a cabeça abaixada direto em direção à ponte.

Robert Jordan empurrou Agustín, colocou o cano do grande rifle automático contra o seu ombro e ficou mirando na curva da estrada. Sua submetralhadora estava ao lado, perto da mão esquerda. Não tinha precisão daquela distância.

Assim que Pablo veio na direção deles, Robert Jordan mirou na curva, mas nada surgiu. Pablo alcançara a ponte, olhou uma vez por cima dos ombros, e de relance para a ponte, então virou para a esquerda e desceu o penhasco saindo de vista. Robert Jordan continuava mirando na curva e nada apareceu. Agustín ergueu o dorso apoiado num joelho. Podia ver Pablo descendo o penhasco como um cabrito. O barulho de tiroteio parara a partir do momento em que o haviam avistado.

— Está vendo alguma coisa acima dele? Nas rochas lá de cima? — perguntou Robert Jordan.

— Nada.

Robert Jordan observava a curva da estrada. Sabia que o paredão logo abaixo era muito inclinado para alguém escalar, mas, adiante, era suave e alguém podia dar a volta por cima.

Se antes tudo parecia irreal, de repente a realidade tomou conta das coisas novamente. Era como se a lente de uma câmera fosse subitamente posta em foco. Foi quando ele viu a torre de tiro achatada, de focinho angular, atarracada, verde, cinza e manchada de marrom, com a metralhadora saliente, vindo pela curva brilhando ao sol. Disparou sobre ela e ouviu o retinir no aço. O pequeno tanque recuou para trás da parede de rocha. Vigiando aquele canto, Robert Jordan viu o nariz reaparecer, em seguida a beirada da torre atarracada, que virou, apontando o cano da arma para a estrada.

— Parece um rato saindo do buraco — disse Agustín. — Olha, *Inglés*.

— Ele está inseguro — disse Robert Jordan.

— Este é o grande inseto contra quem Pablo estava combatendo — disse Agustín. — Atira nele novamente, *Inglés*.

— Não. Não tenho como danificá-lo e não quero que nos veja aqui em cima.

O tanque começou a atirar contra a parte baixa da estrada. As balas atingiam a superfície do asfalto ricocheteando nos ferros da ponte. Era a mesma metralhadora que tinham ouvido antes.

— *Cabrón!* — disse Agustín. — É este o famoso tanque, *Inglés*?

— É o bebê dele.

— *Cabrón!* Se eu tivesse uma mamadeira cheia de gasolina, subiria nele e o incendiaria. O que ele fará, *Inglés*?

— Depois de algum tempo, dará outra olhada.

— E é disto que os homens têm medo — disse Agustín. — Veja, *Inglés*! Ele está matando as sentinelas de novo.

— Já que não tem outro alvo — disse Robert Jordan. — Não o reprove.

Mas, ficou pensando: "Correto, zombe dele. Mas suponha que fosse você, aqui na sua própria região, e eles o encurralassem a tiros nesta estrada. Aí, uma ponte é explodida. Você não pensaria que havia minas à frente, ou que fosse uma cilada? Claro que pensaria. Ele está fazendo tudo certo. Está esperando que algo mais apareça. Está concentrado no inimigo. Estamos só nós aqui. Mas ele não pode saber. Olhe só, que bastardo."

O pequeno tanque tinha enfiado o nariz um pouco mais à frente na curva.

Neste instante, Agustín avistou Pablo vindo pela borda do penhasco, erguendo-se com as mãos e os joelhos, seu rosto cerdoso ensopado de suor.

— Aí vem o filho da puta — disse ele.

— Quem?

— Pablo.

Robert Jordan olhou, viu Pablo, e começou a atirar na camuflagem da torre achatada do tanque, mirando no lugar onde sabia que havia uma fenda acima da metralhadora. O pequeno tanque rangeu para trás, fugindo de vista, e Robert Jordan pegou o rifle automático, fechou o tripé contra o cano e jogou a arma com o cano ainda quente sobre o ombro. O cano quente queimou-lhe o ombro e ele o empurrou para trás, apoiando-o com a palma da mão.

— Traga o saco de cartuchos e minha pequena *máquina* — gritou ele — e venha correndo comigo.

Robert Jordan saiu em disparada por entre os pinheiros. Agustín seguia-o de perto e, mais atrás, Pablo.

— Pilar! — gritou Jordan para o outro lado da encosta. — Venha, mulher!

Os três corriam o mais rápido que podiam, subindo a encosta. Não podiam correr mais porque o aclive era muito íngreme e Pablo, que não trazia peso mas apenas a submetralhadora leve da cavalaria, aproximara-se dos dois.

— E o teu pessoal? — perguntou Agustín para Pablo, com a boca seca.

— Todos mortos — respondeu Pablo. Ele quase não conseguia respirar. Agustín virou a cabeça e o encarou.

— Temos muitos cavalos agora, *Inglés* — disse Pablo, ofegante.

— Isso é bom — disse Robert Jordan. "O assassino miserável", pensou. — O que você enfrentou lá do outro lado?

— Tudo — disse Pablo. Ele respirava aos soluços. — O que aconteceu com Pilar?

— Ela perdeu Fernando e o irmão...

— Eladio — disse Agustín.

— E tu? — perguntou Pablo.

— Perdi Anselmo.

— Temos muitos cavalos — disse Pablo. — Até para as bagagens.

Agustín mordeu os lábios, olhou para Robert Jordan e balançou a cabeça. Abaixo deles, fora de vista entre as árvores, ouviram o tanque atirando na estrada e contra a ponte novamente.

Robert Jordan guinou a cabeça.

— O que aconteceu lá? — perguntou a Pablo. Não estava gostando de olhar para ele, nem de sentir o seu cheiro, mas queria ouvi-lo.

— Eu não podia sair, com aquilo no meu encalço — disse Pablo. — Fomos encurralados na curva do posto, lá mais abaixo. Quando aquela coisa recuou procurando outra coisa, eu vim correndo.

— Em que você estava atirando lá na curva? — perguntou Agustín, rudemente.

Pablo olhou para ele, começou a sorrir arreganhando os dentes, mas, pensou, e não disse nada.

— Você matou todos eles? — perguntou Agustín. Robert Jordan pensava: "Mantenha a sua boca fechada. Isto não é mais problema seu. Eles fizeram tudo o que você esperava e muito mais. É um assunto intertribal agora. Não faça julgamentos morais. O que se podia esperar de um assassino? Estou trabalhando com um assassino. Fique de boca fechada. Já sabia o bastante sobre ele. Não há nada de novo. Mas você é um bastardo sujo", pensou. "Você, seu sujo, bastardo podre."

Seu peito estava ardendo por causa da subida, como se fosse partir-se ao meio após a corrida e, agora, por entre as árvores, ele avistou os cavalos.

— Vá em frente — Agustín estava dizendo. — Por que você não diz que fuzilou todos eles?

— Cale a boca — disse Pablo. — Lutei muito hoje, e bem. Pergunte ao *Inglés*.

— E agora nos guie pelo resto do dia — disse Robert Jordan. — Porque o plano de retirada é teu.

— Tenho um bom plano — disse Pablo. — Com um pouco de sorte, estaremos todos bem.

Ele começava a respirar melhor.

— Você não vai matar nenhum de nós, vai? — apertou-o Agustín. — Porque senão eu te mato agora.

— Ora, cala a boca — disse Pablo. — Tenho que cuidar dos teus interesses e do bando. Isto é uma guerra. Não se pode fazer o que se quer.

— *Cabrón* — esbravejou Agustín. — Saiu ganhando em tudo!

— Fala-me o que tu encontraste lá embaixo — Robert Jordan disse para Pablo.

— Tudo — Pablo repetiu. Ele continuava respirando como se o seu peito estivesse em tiras, mas podia conversar agora e o suor corria de seu rosto e da cabeça ensopando os ombros e o peito. Ele olhou para Robert Jordan cautelosamente para certificar-se de que ele estava com uma expressão amigável, e então arreganhou os dentes. — Tudo — disse mais uma vez. — Primeiro, tomamos o posto. Então veio um motociclista. E mais outro. Depois uma ambulância. Em seguida, veio um caminhão. Depois o tanque, um pouco antes de explodires a ponte.

— Então...

— O tanque não conseguia nos atingir, mas não podíamos sair porque ele fechou a estrada. Aí ele se moveu e eu voltei.

— E o teu pessoal? — interferiu Agustín, procurando um enfrentamento.

— Cala a boca — Pablo encarou-o, olho no olho, tinha no rosto a expressão de um homem que acabara de combater vitoriosamente, antes que qualquer outra coisa tivesse acontecido. — Eles não eram do nosso bando.

Agora, já podiam ver os cavalos amarrados nas árvores, o sol derramando-se sobre eles pelas copas dos pinheiros, os animais balançavam as cabeças e batiam com as patas no chão para espantar as moscas, e

Robert Jordan avistou Maria. No instante seguinte, ele a estava abraçando, um abraço apertado, muito apertado, ele com o rifle automático encostado ao lado da perna, a coronha pressionando as suas costelas e Maria dizendo:

— Oh, tu.

— Sim, coelhinha. Minha boa, querida coelhinha. Agora vamos.

— És tu de verdade?

— Sou. Sou eu. Verdade. Ah, tu!

Ele jamais pensara que pudesse se dar conta de que existia uma mulher, se estivesse em meio a uma batalha, nem que o seu corpo pudesse reagir a isso, nem que, se houvesse uma mulher junto a si, ela pudesse pressionar pequenos seios redondos e rijos contra ele, ele sentindo-os por sob a sua blusa, nem que eles, os seios dela, pudessem saber sobre ele e ela no meio da batalha. Mas era verdade e ele pensou: "Muito bom. Isto é bom." Não queria acreditar e apertou-a contra si, firme, bem firme, sem olhar para ela, e então lhe deu uma palmada onde nunca tinha dado uma palmada nela e disse:

— Monte. Monte na sela, *guapa*.

Eles desatavam os cabrestos, Robert Jordan devolvera o rifle automático para Agustín, atirou a sua submetralhadora às costas, enquanto tirava bombas de seus bolsos e as colocava nos alforjes sobre as selas. Depois, enfiou uma mochila vazia dentro da outra e amarrou esta última atrás da sela. Nisso Pilar chegou tão ofegante da subida que não podia falar, apenas gesticulava.

Pablo enfiou três manilhas num alforje sobre a sela, ficou parado e disse:

— *Qué tal*, mulher? — Ela apenas balançou a cabeça, em seguida todos montaram.

Robert Jordan pegou o baio enorme que tinha visto na neve, na manhã do dia anterior, e sentiu que era um cavalo e tanto, entre as suas pernas e nas suas mãos. Usava alpargatas e os estribos estavam um pouco curtos para ele, sua submetralhadora pendurada no ombro, os bolsos cheios de pentes de munição; recarregava um deles, com as rédeas sob um dos braços, apertada, observando Pilar montar num estranho assento arranjado sobre uma baetilha amarrada sobre a sua sela de pele.

— Livra-te disso, pelo amor de Deus — disse Primitivo. — Tu vais cair, teu cavalo não pode carregar isto.

— Cala a boca — disse Pilar. — Temos que reconstruir a vida com isto.

— Podes cavalgar deste jeito, mulher? — perguntou Pablo de sobre a sua sela da *guardia civil* no cavalo baio gigante.

— Como qualquer leiteiro — disse Pilar. — Como você vai fazer, meu velho?

— Descer direto. Cruzar a estrada. Subir a ladeira e entrar na floresta onde a garganta fica estreita.

— Cruzar a estrada? — disse Agustín, aproximando-se pelo flanco de Pablo, batendo com os calcanhares amaciados pelas alpargatas de lona na barriga dura, inerte, de um dos cavalos que Pablo recrutara na noite anterior.

— Sim, homem. É o único caminho — disse Pablo. Passou-lhe uma das rédeas de cabresto. Primitivo e o cigano tinham as demais.

— Podes vir no final da fila, se quiseres, *Inglés* — disse Pablo. — Vamos cruzar a estrada bem acima, longe do alcance da *máquina*. Mas vamos cruzar separadamente, a galope, e nos reagrupar lá no estreito.

— Está bem — disse Robert Jordan.

Desceram entre as árvores em direção à margem da estrada. Robert Jordan cavalgava logo atrás de Maria. Não havia espaço para cavalgar ao seu lado. Afagou o baio uma vez, com os músculos das coxas, e então manteve as rédeas firmes à medida que desciam rápido, escorregando entre os pinheiros, dizendo ao baio com a pressão das coxas o que as esporas diriam caso estivessem em estrada plana.

— Tu — disse para Maria —, seja a segunda a atravessar a estrada. O primeiro não é tão ruim quanto se pensa. O segundo é bom. É nos que vêm depois que eles sempre prestam mais atenção.

— Mas tu...

— Eu irei logo. Não haverá problema. É o lugar na fila que é ruim.

Ele observava a cabeça redonda de Pablo, cerdosa, afundada nos ombros, cavalgando com o rifle automático sobre o ombro. Observava

Pilar, com a cabeça descoberta, ombros largos, os joelhos mais altos do que as coxas e com os calcanhares enganchados naquela trouxa da baetilha. Ela olhou para trás uma vez e sacudiu a cabeça para ele.

— Passe Pilar antes de cruzar a estrada — disse Robert Jordan para Maria.

Então, lançou um olhar por entre as árvores finas e viu a estrada betuminosa lá embaixo, e além dela o plano verde inclinado da encosta. "Estamos acima do bueiro", ele notou, "logo abaixo do ponto onde a estrada desce direto para a ponte numa longa reta. Estávamos a aproximadamente oitocentos metros da ponte. Não estamos fora do alcance do Fiat daquele pequeno tanque, se eles vierem para perto da ponte."

— Maria — disse ele. — Passe Pilar antes de cruzarmos a estrada e cavalgue bem aberto, acima daquela ladeira.

Ela olhou para trás e não lhe disse nada. Ele não a encarou, apenas certificou-se de que ela havia entendido.

— *Comprendes?* — ele perguntou a ela.

Ela balançou a cabeça.

— Anda — disse ele.

Ela sacudiu a cabeça.

— Anda! — repetiu ele.

— Não — disse ela, virando-se e sacudindo a cabeça —, eu vou na ordem em que estamos.

Neste momento, Pablo cravou as esporas no enorme baio, disparou no final da descida da ladeira coberta de folhas de pinheiro e cruzou a estrada num galope pesado, chispando os cascos. Os outros vieram atrás, e Robert Jordan viu-os cruzando a estrada, arremetendo sobre a ladeira esverdeada, e escutou a metralhadora martelando na ponte. Então, ouviu um barulho vindo e suiiiich-craque-bummm! O bangue era um estampido agudo que se abria ao explodir, e ali na encosta ele viu uma pequena fonte de terra subir, com uma crista de fumaça cinza. Suiiiich-craque-bummm! Novamente, um zunido como o barulho de um foguete, e houve outro levantamento de terra e fumaça mais adiante na encosta.

À frente dele, o cigano parou ao lado da estrada, ao abrigo das últimas árvores. Voltou-se para diante, na ladeira, e depois para trás, para Robert Jordan.

— Vá em frente, Rafael — disse Robert Jordan. — Galope, homem!

O cigano mantinha as rédeas do cavalo com carga a cabresto, puxando a sua cabeça retesada atrás dele.

— Deixe o cavalo de carga e galope! — gritou Robert Jordan. Ele viu a mão do cigano estender-se para trás, levantar-se alto, bem alto, parecendo subir para sempre enquanto seus calcanhares golpeavam a sua montaria e aquelas rédeas ficaram mais retesadas ainda, então caíram, e ele cruzou a estrada, e Robert Jordan dava joelhadas num cavalo de carga assustado, que recuara até esbarrar contra ele, depois que o cigano cruzou a estrada sólida e escura, e ele ouviu os cascos do cavalo do cigano golpeando o chão agora galopando na subida da ladeira do outro lado.

Uiiisshiiiii-ca-raaaque! Era a trajetória horizontal de um projétil, e ele viu o cigano esquivar-se como um javali em fuga e a terra jorrar o jato preto e cinza gasoso à sua frente. Viu-o galopar, parar e galgar a ladeira esverdeada, e a metralhadora atirando à sua frente e atrás dele, e chegou à dobra da colina juntando-se aos demais.

"Não posso levar o maldito cavalo de carga", pensou Robert Jordan. "Mas quero manter o filho da puta do meu lado, como proteção. Queria tê-lo entre mim e esta 47mm com que estão atirando. Por Deus, vou tentar levá-lo até lá em cima."

Ele cavalgou até o cavalo de carga, pegou o cabresto pelo barbicacho e, segurando a corda, o cavalo troteando atrás dele, avançou cinquenta metros mais para cima através das árvores. Na beirada das últimas árvores, olhou lá para baixo, na estrada, em direção à ponte além do caminhão. Podia ver homens na ponte; atrás dela, parecia um engarrafamento de trânsito na estrada.

Robert Jordan olhou em volta, viu o que queria, estendeu o braço e quebrou um galho morto de um pinheiro. Soltou o barbicacho, alinhou o cavalo de carga na descida da ladeira em direção à estrada e desferiu uma pancada dura nas ancas do animal, com o galho de árvore. — Ande, filho da puta — berrou, e atirou o galho morto no cavalo, que já cruzava a estrada. Acertou o galho nele, e o cavalo desatou a galopar.

Robert Jordan cavalgou trinta metros para frente; depois dali o aclive era muito íngreme. A metralhadora disparava agora com os estampidos zunindo e espalhando terra. — Vamos, seu cavalo cretino fascista — gritou Robert Jordan, e forçou-o a escorregar na descida. Então, viu-se em campo aberto sobre a estrada, tão dura sob os cascos que ele sentia a trepidação subir até os seus ombros, pescoço e dentes, e depois no macio da ladeira novamente, os cascos fincando, cortando, esmagando, galgando, levantando terra, avançando. A seguir, olhou na direção da ponte e percebeu um ângulo dela que nunca tinha visto. Atravessada de perfil, sem redução e no centro aquela parte quebrada, e atrás dela, na estrada, o pequeno tanque, e um enorme tanque atrás, com um canhão que agora rebrilhava em amarelo vivo como um espelho, e o guincho que, enquanto o ar era rasgado, pareceu estar quase sobre o pescoço cinza à sua frente, e ele virou a cabeça enquanto a terra jorrava na encosta. O cavalo de carga estava à sua frente, muito afastado para a direita, diminuindo a andadura. Robert Jordan, galopando, virou a cabeça ligeiramente na direção da ponte e viu a fila de caminhões parados atrás da curva, nítidos agora enquanto ele subia, e viu novamente o clarão intenso e rápido com o zunido e o trovão instantâneos; a bala caiu perto e ele ouviu o metal voando junto com a terra levantada.

Viu-os todos lá nas franjas da mata olhando para ele, e disse:

— *Arre Caballo!* — E sentiu o peitoral do seu grande baio inflando com o aclive que se acentuava, o pescoço cinza espichando, as orelhas cinza avante, então ele esticou a mão e tapeou o pescoço cinza, e olhou para trás, para a ponte, e viu da estrada o clarão do pesado tanque, atarracado, cor de barro, mas não ouviu nenhum zunido desta vez, somente o estouro de cheiro acre, como uma caldeira que estoura, e ele embaixo do cavalo baio, o cavalo esperneando e ele tentando livrar-se de seu peso.

Ele conseguia mover-se. Podia mover-se para a direita. Mas a sua perna esquerda estava completamente achatada debaixo do cavalo quando ele se moveu para a direita. Era como se tivesse uma outra junta, não a do quadril, mas uma que ia para o lado como uma dobradiça. Então, percebeu tudo bem claro, e o cavalo ergueu-se com os joelhos, e a perna direita de Robert Jordan, que chutara os estribos livrando-se deles, escorregou livre de sobre a sela e caiu junto do corpo, e ele sentiu com as duas mãos o osso da coxa esquerda, saliente, pontiagudo, contra a pele.

O baio estava de pé, e tão perto dele, que podia ver o movimento das suas costelas. A grama era verde no local onde caíra e havia flores-do-campo, e ele olhou para baixo, para a estrada, a ponte e o penhasco, viu o tanque e aguardou o próximo clarão. E ele veio imediatamente, de novo sem o zunido, e no baque, com cheiro de explosivos pesados, os torrões de terra espalhando-se junto com o zunido de metais, ele viu o enorme cavalo baio ajoelhar silenciosamente ao seu lado como se fosse um animal de circo. E, fixando o animal de joelhos, escutou o som que o animal fazia.

Primitivo e Agustín vieram e pegaram-no por sob os braços, arrastando-o para cima da ladeira, e a nova junta na perna fazia-a balançar, arrastando-se de qualquer jeito pelo chão. Uma outra bala zuniu perto deles, que o largaram e atiraram-se no chão, a terra cobriu-os, os metais cantaram, e eles agarraram Robert Jordan novamente. Levaram-no para o abrigo da grande clareira no meio da mata, onde estavam os cavalos, e Maria, Pilar e Pablo estavam em pé junto dele no chão.

Maria ajoelhou-se e disse:

— Roberto, o que houve?

Ele disse, suando copiosamente:

— Minha perna esquerda está quebrada, *guapa*.

— Vamos fazer uma tala — disse Pilar. — Podes cavalgar com aquele. — Ela apontou para um cavalo de carga. — Dispensem a carga.

Robert Jordan viu Pablo sacudir a cabeça, e assentiu para ele.

— Sigam em frente — disse ele. — Escute, Pablo. Venha aqui.

Aquela cara cerdosa, marcada pelo suor, aproximou-se e Robert Jordan sentiu em cheio o cheiro de Pablo.

— Deixem-nos conversar — disse para Pilar e Maria. — Tenho que falar com Pablo.

— Está doendo muito? — Pablo perguntou. Ele estava curvado bem próximo de Robert Jordan.

— Não. Acho que o nervo rebentou. Escuta. Vai. Estou perdido, vê? Vou falar com a garota por um momento. Quando eu disser para levá-la, leve-a de vez. Ela vai querer ficar. Vou falar com ela bem rápido.

— Certamente, não temos muito tempo — disse Pablo.

— Certamente. E acho que vocês estariam melhor na República — disse Robert Jordan.

— Não. Vou para Gredos.

— Usa a cabeça.

— Fala com ela agora — disse Pablo. — Temos pouco tempo. Sinto muito por ti, *Inglés*.

— Não falemos nisso, mas usa a cabeça, tens uma boa cabeça, usa-a.

— Como que eu não usaria? — disse Pablo. — Fala rápido, *Inglés*. Não temos tempo.

Pablo afastou-se para a árvore mais próxima e observou a estrada, até o outro lado do penhasco. Pablo, com expressão sentida, olhava para o grande baio caído na ladeira, e Pilar e Maria estavam ao lado de Robert Jordan, sentado contra um tronco de pinheiro.

— Rasga as calças dele — disse para Pilar. Maria agachou-se sem falar nada. O sol batia no seu cabelo e seu rosto estava franzido como o de uma criança prestes a chorar. Mas ela não chorava.

Pilar sacou da faca e cortou a perna das calças do homem abaixo do bolso esquerdo. Robert Jordan abriu o pano com as suas mãos e examinou o ferimento. Um palmo abaixo do quadril, havia uma ponta, um inchaço roxo e pontiagudo, e ele tocou-o com os dedos e pôde sentir o fêmur quebrado esticando a pele. Sua perna pendia num ângulo anormal. Ele olhou para Pilar. Sua face tinha a mesma expressão de Maria.

— *Anda* — disse para ela. — Vai.

Pilar afastou-se com a cabeça baixa sem dizer nada e sem olhar para trás, e Robert Jordan podia ver seus ombros tremendo.

— *Guapa* — disse para Maria, pegando as suas duas mãos. — Escuta. Nós não vamos para Madri...

Ela começou a chorar.

— Não. *Guapa*. Não. Escuta. Não iremos para Madri agora, mas vou estar sempre contigo. Entendes?

Ela não disse nada e o abraçou, com a cabeça contra o seu rosto.

— Escuta bem, coelhinha — disse ele, e sabia que a pressa era necessária, ele suava muito, mas isto deveria ser dito e entendido. — Tu vais agora, coelhinha. Mas eu vou contigo. Enquanto existir um de nós, os dois existirão. Tu entendes?

— Não, eu fico contigo.

— Não, coelhinha. O que eu tenho que fazer agora, farei sozinho. Não poderia fazer isso contigo. Se tu fores, eu vou também. Não vê como é? Se um estiver, os dois estarão.

— Vou ficar contigo.

— Não, coelhinha. Escuta. Essas coisas as pessoas não fazem juntas. Cada um faz sozinho. Mas, se tu fores, eu vou contigo. Assim eu vou também. Tu vais agora, eu sei. Porque tu és boa e meiga. Vais agora por nós dois.

— Mas é mais fácil se eu ficar contigo — disse ela. — É melhor para mim.

— Sim. Mas vai, por favor. Faz isto por mim, isto tu podes fazer.

— Mas tu não entende, Roberto. E *eu*? É pior para mim, se eu for.

— Claro que é — disse ele. — É mais duro para ti. Mas eu sou tu também, a partir de agora.

Ela não disse nada.

Ele olhou para ela, estava suando bastante, e falou, esforçando-se mais do que nunca:

— Agora você irá se salvar por nós dois. Você não deve ser egoísta, coelhinha. Faça a sua parte agora.

Ela sacudiu a cabeça.

— Você sou eu, agora — disse ele. — Você tem que sentir isso, coelhinha. — Coelhinha, escuta — continuou ele. — Verdade, assim eu vou também. Juro para ti.

Ela ficou em silêncio.

— Agora você está percebendo — disse ele. — Agora eu vejo isto claramente. Agora tu irás. Muito bem. Estás indo. Agora tu estás dizendo que irás.

Ela não disse nada.

— Eu te agradeço. Estás indo e indo rápido para longe e nós dois estaremos em ti. Agora põe a tua mão aqui. Abaixa a tua cabeça. Não, abaixa. Assim. Agora eu ponho a minha mão aqui. Assim. Tu és tão boa. Agora não pense mais. Agora estarás fazendo o que tem que fazer. Agora estás obedecendo, não a mim, mas a nós dois. A mim em ti. Agora vai por nós dois. Verdade. Nós dois iremos em ti agora. Eu te prometi. Tu és boa por ir e muito meiga.

Então, voltou a cabeça para Pablo, que estava meio que olhando para ele, de trás da árvore, e Pablo aproximou-se. Robert Jordan sinalizou com o polegar para Pilar.

— Vamos para Madri numa outra oportunidade, coelhinha. Verdade. Agora levanta e vai, assim nós dois iremos. Levanta.

— Não! — gritou ela, abraçando-o.

Ele falou, calmamente, mas com severa autoridade:

— Levanta! Tu tens a mim em ti agora. Onde tu estiveres, eu estarei. Levanta!

Ela levantou-se vagarosamente, chorando, cabisbaixa. E de repente abaixou-se, muito rápida, e então levantou-se de novo, devagar, cansada, e ele repetiu:

— Levanta, *guapa*.

Pilar a segurava pelo braço e ela parada ao lado de Robert Jordan.

— *Vámonos* — disse Pilar. — Não falta nada, *Inglés*? — Ela olhou para ele e sacudiu a cabeça.

— Não — disse ele, e continuou falando para Maria. — Não tem adeus, *guapa*, porque não estamos separados. Vai ser bom em Gredos. Vai agora. Vai direitinho — ele falava calmamente e afável enquanto Pilar arrastava a garota. — Não olhe para trás. Um passo... depois outro, depois mais outro, outro... Assim. Um passo. Ajuda-a — disse para Pilar. — Põe-na na sela, boleia a perna, agora.

Ele virou a cabeça olhando para baixo, ao longo da ladeira, e depois para a garota já montada com Pilar ao seu lado e Pablo logo atrás.

— Agora vão. Vão!

Ela começou a olhar para trás.

— Não olha — disse Robert Jordan. — Vai.

Pablo bateu nas ancas do cavalo com as manilhas, e pareceu que Maria tentava escorregar da sela, mas Pilar e Pablo cavalgavam um de cada lado, Pilar a amparou, e os três cavalos subiram o descampado.

— Roberto! — gritou Maria, virando a cabeça para trás. — Deixa-me ficar! Deixa-me ficar!

— Estou contigo! — gritou Robert Jordan. — Vai! — Logo saíram de vista numa curva do descampado, ele estava ensopado de suor e com o olhar perdido.

Agustín estava ao seu lado.

— Queres que eu te dê um tiro, *Inglés*? — perguntou abaixando-se. — *Quieres?* Não é nada.

— *No hace falta* — disse Robert Jordan. — Vai. Estou bem aqui.

— *Me cago en la leche que me han dado!* — disse Agustín. Ele estava chorando e não enxergava claramente o rosto de Robert Jordan. — *Salud, Inglés.*

— *Salud*, meu velho — disse Robert Jordan. Olhava para a ladeira abaixo. — Cuida bem da cabeça tosquiada, cuida?

— Isto não é problema. Tens o que precisa?

— Tem algumas balas para a *máquina*, vou ficar com ela — disse Robert Jordan. — Pega mais para aquela outra e para a de Pablo.

— Limpei o tambor — disse Agustín. — Tu cravaste ele na terra quando caíste.

— E o cavalo de carga?

— O cigano o arrebanhou.

Agustín montou e não queria ir. Inclinou-se para frente, aproximando-se de Robert Jordan.

— Vai, *Viejo* — disse Robert Jordan. — Numa guerra há muitas situações como esta.

— *Qué puta es la guerra* — disse Agustín.

— É, homem. Mas vai logo!

— *Salud, Inglés* — bradou Agustín, cerrando o punho.

— *Salud*, mas sai daqui, homem.

Agustín conduziu o cavalo pelo descampado, abaixando o punho direito cerrado e esbravejando enquanto movimentava o punho, e subiu a clareira. Todos os demais já estavam fora de vista havia muito tempo. Ele olhou para trás, antes de fazer a curva no descampado, e acenou com o punho. Robert Jordan retribuiu e, neste instante, Agustín também saiu de vista... Robert Jordan olhou para baixo, através da ladeira esverdeada da encosta, para a estrada e para a ponte. "Não há como me posicionar melhor aqui", pensou. "Não vale a pena ficar de bruços, é arriscado, e deste modo eu enxergo melhor." Sentiu-se vazio e exaurido, exausto de tudo e da partida dos outros, e em sua boca veio um gosto de bílis. Agora, finalmente, e pelo menos, não havia mais problemas. O que quer que tivesse acontecido e que acontecesse, para ele não havia mais qualquer problema.

Todos se foram e ele estava sozinho encostado numa árvore. Olhou para baixo, para a ladeira verde onde ficara o grande cavalo baio que Agustín sacrificara com um tiro, e à frente dele para a estrada e além desta para a região coberta pela mata. Olhou para a ponte e observou a atividade na ponte e na estrada. Podia ver caminhões na parte baixa da estrada. Caminhões cinza, aparecendo através das árvores. Olhou para a parte alta da estrada e pensou: "Eles devem vir a qualquer momento."

"Pilar irá fazer de tudo para cuidar bem dela. Você sabe disso. Pablo deve ter um bom plano ou não se arriscaria. Não precisa se preocupar com Pablo. Não é bom pensar em Maria. Tente acreditar no que você disse para ela. É melhor. E quem disse que não é verdade? Você não. Você não disse, e não quer mais dizer que as coisas que aconteceram não acontecem. Fique agora com o que acredita. Não seja cínico. O tempo é muito curto e você acabou de mandá-la embora. Cada um faz o que pode. Você não pode fazer nada por si mesmo, mas talvez possa fazer pelos outros. Bem, tivemos toda a nossa fortuna em quatro dias. Não foram quatro dias. Já era de tarde quando eu cheguei lá, e não verei a tarde de hoje. São apenas três dias e três noites. Seja preciso. Bem preciso."

"Acho melhor abaixar-me agora. É melhor ficar onde possa ser útil, em vez de me largar assim como um mendigo. Você teve muita sorte. Há muitas coisas piores do que essa. Todos acabam enfrentando isto, mais cedo ou mais tarde. Não está com medo, já que você sabe que tem que fazer isto, ou está? Não, verdade. Foi sorte que o nervo rebentasse. Não consigo nem sentir que há algo abaixo de onde quebrou." Ele apalpou a perna e parecia que ela não pertencia ao corpo.

Olhou para baixo da colina novamente e pensou: "Odeio partir, é só. Odeio muito ter que partir e espero ter ajudado em alguma coisa. Eu tentei, com o talento que tinha. Que *tem, você quer dizer. Tudo bem, tenho.*"

"Lutei durante um ano pelo que acredito. Se vencermos aqui, venceremos em todos os lugares. O mundo é um bom lugar e vale a pena lutar por ele, e odeio ter que deixá-lo. Você teve muita sorte por ter uma vida tão boa. Teve uma vida tão boa quanto a do seu avô, apenas não tão longa. Teve uma vida boa como outra pessoa qualquer, por causa desses últimos dias. Você não vai querer reclamar, justo quando teve tanta sorte. Mas eu gostaria de passar à frente o que aprendi. Cristo, eu aprendi rápido no final. Gostaria de conversar com Karkov. Em Madri. Além das colinas, além da planície. Das rochas acinzentadas e dos pinheiros, das macegas e do brejo, através do platô amarelado crescendo esbranquiçado. É tão verdade quanto as velhas de Pilar, bebendo sangue no matadouro. Não há uma verdade. É tudo verdade. Assim como os aviões são lindos, seja os nossos ou os deles. Malditos, eles são lindos."

"Acalme-se agora. Vire-se de bruços agora, enquanto tem tempo. Escute uma coisa. Está lembrado? Pilar e a sua mão? Acredita naquela bobagem? Não. Nem depois de tudo o que aconteceu? Não, não acredito. Ela tinha sido amável, nesta manhã, antes de o espetáculo começar. Ela estava com receio de que eu acreditasse. Não acreditei. Mas ela sim. Eles veem coisas. Ou sentem. Como um cão de caça. Que tal percepção extrassensorial? Que tal (...)?, perguntou-se. Ela não diria adeus, porque sabia que, se o fizesse, Maria nunca iria com eles. Aquela Pilar. Vire-se, Jordan." Mas estava relutante.

Então lembrou-se de que tinha o pequeno frasco no seu bolso e pensou: "Vou tomar um belo gole do gigante matador e aí eu tento me virar." Mas o frasco não estava lá quando ele apalpou o bolso. Então sentiu-se ainda mais sozinho, porque sabia que nem isso ele teria naquela hora. "Eu estava contando com isso."

"Será que Pablo o levou? Não seja tolo. Deve ter perdido lá na ponte. Vamos agora, Jordan. Vire-se!"

Então ele segurou a sua perna esquerda com as duas mãos e puxou-a com força, na direção dos pés, deitado ao lado da árvore em que estivera encostado. Assim, inteiramente estirado, puxando com força a perna ferida de modo que a ponta do osso quebrado não rasgasse a carne da coxa, ele virou o corpo devagar sobre as nádegas até que a sua nuca ficasse na direção da descida da encosta. A seguir, ainda segurando a perna quebrada com as duas mãos, puxando para cima, colocou o pé direito apoiado na parte de dentro do pé esquerdo e pressionou com força enquanto rolava, suando, de bruços, o rosto e o peito no chão. Depois, apoiou-se nos cotovelos, esticou a perna esquerda bem para trás com as duas mãos, suando, empurrando com o pé direito, e pronto. Sentiu com os dedos a coxa esquerda e estava tudo bem. A ponta do osso não furara a pele e a extremidade quebrada estava encaixada novamente entre os músculos.

"O grande nervo deve ter partido quando aquele maldito cavalo rolou por cima de mim", pensou. "Não dói nada. A não ser em certos movimentos e posições. É quando o osso alfineta algum outro nervo. Viu? Que sorte? Nem precisou do gigante matador."

Ele esticou a mão e pegou a submetralhadora, tirou o pente de balas, procurou nos bolsos um pente carregado, abriu o tambor da arma, olhou dentro do cano, recolocou o pente na calha até produzir um clique, e então ficou olhando para o sopé da encosta. "Talvez em meia hora. Agora acalme-se."

Olhou em volta, para os pinheiros, e tentou não pensar em nada.

Então, voltou-se para o riacho e relembrou como estava frio sob a ponte, na sombra. "Gostaria que eles viessem logo. Não quero ficar num estado de espírito confuso antes deles virem."

"Quem enfrenta melhor tudo isso? Sendo religioso ou encarando de frente? Religião conforta, mas sabemos que não há nada para temer. É apenas o fato da perda que é ruim. Morrer é ruim só quando demora e dói a ponto de humilhar. É aí que você tem sorte, está vendo? Não vai passar por isso."

"É maravilhoso que eles tenham conseguido escapar. Não me importo com mais nada, agora que eles se foram. É mais ou menos como eu dissera. É mesmo. Veja como seria diferente, se eles estivessem espalhados por aquela colina onde o cavalo baio está. Ou se estivéssemos todos aqui, encurralados, esperando. Não. Todos se foram. Estão longe. E agora, se o ataque for um sucesso, o que mais você pode querer? Tudo. Quero tudo e vou enfrentar tudo o que vier. Se este ataque não der certo, outro dará. Não vi os aviões voltarem. *Deus, foi sorte poder fazer com que ela fosse embora*."

"Gostaria de contar esta façanha para meu avô. Aposto que ele nunca teve que arregimentar um grupo e dar um espetáculo destes. E como você sabe? Talvez ele tenha feito cinquenta iguais. Não. Seja exato. Ninguém jamais realizou cinquenta ataques como este. Nem cinco. Nem um único totalmente igual a este. Sem dúvida. Não sei."

"Gostaria que eles viessem agora. Gostaria que viessem exatamente agora, porque a perna já começou a doer. Deve estar inchando."

"Estávamos indo muito bem até aquela coisa nos acertar. Mas foi sorte que não tenha acontecido quando eu estava sob a ponte. Quando uma coisa está errada algo sempre acontece. Você já estava frito quando deram aquelas ordens a Golz. Você sabia e provavelmente foi o que Pilar pressentiu. Mas, numa outra oportunidade, essas coisas serão muito mais bem organizadas. Temos que ter rádios portáteis de ondas curtas. *Sim, há muitas coisas que deveremos ter*. Ia ter que carregar uma perna sobressalente também."

Ele sorriu com uma careta, com a ideia, e estava suando porque a perna, onde o grande nervo foi ferido na queda, estava doendo muito agora. "Oh, faça-os vir. Não quero fazer o que o meu pai fez. Farei, tudo bem, se precisar, mas preferiria que fosse diferente. Sou contra isso. Não pense nisso. Não pense em nada. Gostaria que os miseráveis viessem de uma vez. Gostaria muito, muito, que eles viessem."

Sua perna estava doendo demais agora. A dor começara de repente, com o inchaço, após tê-la movimentado, "e quem sabe, deva fazê-lo agora? Acho que não suporto bem a dor. Escute, se eu fizer aquilo agora, você vai entender, não vai? *Com quem você está falando?* Com ninguém. Com vovô, eu suponho. Não. Com ninguém. Ah, dane-se, gostaria que eles viessem logo."

"Escute, talvez eu tenha que fazer isso porque, se eu desmaiar, ou algo parecido, não vou servir de nada, e, se eles me pegarem, irão me fazer muitas perguntas e outras coisas e tudo mais e isto não é bom. É muito melhor não deixá-los fazer aquelas coisas. Então, por que não seria certo simplesmente liquidar com isto agora, acabar logo de uma vez com tudo isto? Por que, oh, escute, sim, *permita que venham logo.*"

"Você não é bom nisso, Jordan. Não é nada bom. E quem é bom nessa hora? Eu não sei, nem me importo. Mas você não é. Está certo. Você não é nem um pouco bom. Oh, nem um pouco, nada. Acho que tudo bem se você fizesse agora. Não acha?"

"*Não. Não.* Porque ainda há uma coisa que você pode fazer. Desde que esteja lúcido. Desde que você se lembre do que é, e para isto deve esperar. *Venham. Deixe-os vir. Deixe-os vir. Deixe-os vir!*"

"Pense neles longe daqui. Pense neles avançando entre as árvores. Pense neles cruzando o riacho. Pense neles cavalgando no meio do urzal. Pense neles subindo a encosta. Pense neles bem hoje à noite. Pense sobre eles viajando, por toda a noite. Pense neles escondidos amanhã. Pense neles. Diacho, pense neles. *Isto é o máximo que eu posso pensar sobre eles.*"

"Pense em Montana. Não posso. Pense em Madri. Não posso. Pense num copo de água gelado. *Tudo bem.* É assim. Como um copo de água gelada. *Você é um mentiroso.* Isto não será nada. Nada. Então vai! Vai! Agora. Está tudo bem, faça. Vá em frente e faça. *Não, você tem que esperar.* Esperar o quê? Você sabe. *Então espere.*"

"Não posso esperar mais. Se esperar mais, vou desmaiar. Sei disso porque já senti que ia apagar por três vezes e segurei firme. Segurei muito bem. Mas não sei se consigo novamente. O que eu acho é que tem uma bruta hemorragia interna na coxa, onde o osso quebrou. Especialmente depois daquela ideia de virar e esticar. Aquilo é que provocou o inchaço e me enfraqueceu, e o que está me dando esta sensação, agora, de que vou desmaiar. Tudo bem, fazer isso agora. Verdade, estou dizendo a você, vai ficar tudo bem."

"*E se você esperar, e segurá-los mesmo que por pouco tempo, ou simplesmente pegar o oficial, isto fará uma grande diferença. Uma coisa bem-feita pode fazer...*"

"Tudo bem." E deitou-se bem quieto, tentando aguentar firme. Sentiu como se estivesse escorregando para dentro do sono, como a neve escorregando da montanha, e disse, agora brandamente, para si mesmo: "Deixe-me resistir até que eles venham."

A sorte de Robert Jordan durou bastante, pois ele viu, naquele momento, a cavalaria vindo da floresta e através da estrada. Viu-os subirem a encosta. Viu o soldado parar próximo do grande baio morto e gritar para o oficial, que então correu até ele. Robert Jordan viu os dois examinando o cavalo morto, e os dois reconheceram o cavalo, obviamente. O animal e seu cavaleiro haviam desaparecido na manhã anterior.

Robert Jordan viu-os na ladeira, perto dele agora, abaixo havia a estrada, a ponte e a longa fila de veículos. Estava completamente integrado a tudo o mais, agora, e deu uma boa olhada em volta. Então voltou-se para o céu. Havia nuvens brancas enormes. Tocou as folhas de pinheiros com a palma da mão onde estava deitado, e tocou também a casca do pinheiro no qual se deitara.

Então ficou deitado, sereno, com os dois cotovelos fincados nas folhagens de pinheiros e o cano da submetralhadora sobre o tronco de pinheiro.

O oficial veio troteando, agora, na trilha dos cavalos do bando, e passaria uns vinte metros abaixo de Robert Jordan. Daquela distância não haveria erro. O oficial era o tenente Berrendo. Viera de La Granja seguindo ordens, após o relatório do primeiro ataque no posto mais abaixo. Eles tinham cavalgado bastante e tiveram que dar a volta bem acima, por causa da explosão da ponte, cruzar a garganta e contornar pela floresta. Seus cavalos estavam ensopados de suor, exaustos, e tinham de ser espicaçados para trotar.

O tenente Berrendo observava a trilha cavalgando com sua face magra, séria e grave. Sua submetralhadora estava atravessada na sela, a alça em seu braço esquerdo. Robert Jordan estava estirado atrás do tronco de pinheiro, esforçando-se, cuidadosa e delicadamente, para manter a mão firme. Ele estava esperando o oficial chegar àquele ponto sob a luz do sol, onde as primeiras árvores da floresta uniam-se à encosta verde da campina. Ele sentia o seu coração batendo contra o chão de pinhas pontiagudas da floresta.

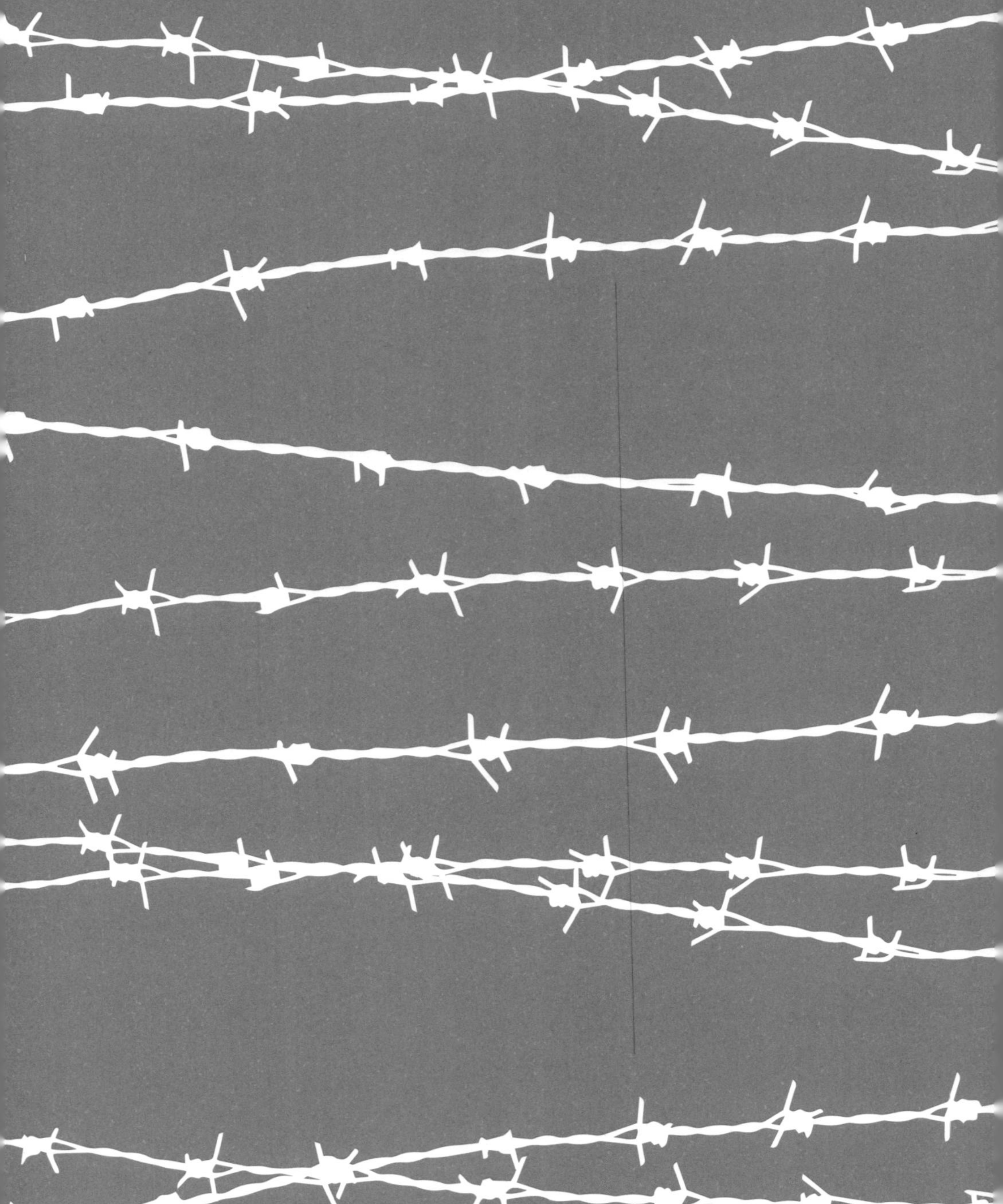